NORTHSIDE BRANCH LIBRARY
DIAMOND HILL-JARVIS BRANCH LIBRARY

ESPANOL 920 MELGAR
Melgar, Luis T. (Luis
Tomas)
Los santos del dia /

NOV 14 2002

Los santos del día

Luis T. Melgar

LIBSA

© 2002, Editorial LIBSA
C/ San Rafael, 4
28108 Alcobendas (Madrid)
Tel.: (34) 91 657 25 80
Fax: (34) 91 657 25 83
e-mail: libsa@libsa.es
www.libsa.es

© Luis Tomás Melgar

Edición: Grupo Editorial LIBSA

ISBN: 84-662-0290-0
Depósito legal: M-28101-01

Ninguna parte de esta obra puede ser reproducida
total o parcialmente, ni almacenada o transmitida
por cualquier tipo de medio ya sea electrónico,
mecánico, fotocopia, registro u otros,
sin la previa autorización del editor.

Impreso en España/*Printed in Spain*

Introducción

Desde siempre, la Humanidad ha guardado con devoción el recuerdo de las personas que, en vida, fueron particularmente ejemplares o destacables. Los antiguos patriarcas del pueblo de Israel, los héroes y semidioses de los griegos, las divinidades nórdicas que en su origen no fueron más que hombres extraordinarios. Hay figuras tan relevantes que incluso hoy en día siguen siendo recordadas, como el profeta Zoroastro de los persas, o el egipcio Imphotep, que fue visir y arquitecto del faraón Zoser y al cabo de los siglos se convirtió en el dios protector de los escribas y los sabios. El propio Alejandro Magno mandó prodigar honores seminidivinos a su amigo Hefestión, y es bien sabido que Julio César fue divinizado por los romanos después de su muerte.

Ciertamente, parece que está en la naturaleza humana el querer seguir recordando a los hombres y mujeres que han sobresalido. Y aún más: necesitamos sentir que están cerca, que incluso más allá de la muerte siguen ahí para escucharnos y atender nuestras súplicas. *Los Santos del día* es el fruto de esta tradición tan humana por lo divino, y en él se recogen las vidas ejemplificantes de los canonizados, asimiladas al calendario eclesiástico. Para ratificar el interés que los santos despiertan como patronos o protectores, sólo hay que dirigirse al material gráfico que ilustra la obra, una amplia colección de arte de todos los tiempos, eco que la santidad ha despertado en la sociedad y en la que artistas de la talla de Velázquez, Rubens, Murillo, Durero, Domenichino, El Greco, Giotto, Coello, etc., han encontrado su fuente de inspiración.

El lector encontrará una enumeración de santos asociada al calendario católico y destacada en la parte exterior del libro. De todos ellos, se ha seleccionado la vida del más representativo en su día y se ha profundizado en la protección o intercesión que en su momento hizo ante Dios, así como sus virtudes más importantes.

La tradición católica de venerar a los santos viene a recoger esta necesidad tan humana. Desde sus primeros tiempos, la Iglesia selecciona a las figuras que mejor expresan y resumen la moral cristiana, y las ensalza para que sirvan de ejemplo a seguir para todos los fieles. De este modo, vemos que el prototipo de santo católico va cambiando según el rumbo de los tiempos.

En los primeros siglos, los santos eran todos mártires, ya que el cristianismo perseguido necesitaba recordar que había seres humanos dispuestos a sufrir la tortura y la muerte por defender su fe en Jesús. Incluso se consideraba lícito adornar –e incluso inventar– las historias de estos personajes. Corría una época distinta, mucho menos racional que la actual, y las explicaciones míticas estaban mucho más en boga que las lógicas: de ahí nacen San Jorge y su dragón, o los cientos de mártires que recibían espectaculares milagros de los que ya no ocurren en el mundo, como templos paganos que se derrumban por sí solos o doncellas invulnerables al fuego y a la espada. Estas historias pertenecen a un orden distinto de la realidad a la que estamos acostumbrados; son semejantes a parábolas de las que hay que extraer una moraleja.

Conforme avanzan los siglos, este santo heroico y legendario va siendo desplazado por uno muy distinto. Y es que las necesidades de la Iglesia han cambiado. Ya no hay persecuciones contra los cristianos, y el mayor problema para la fe católica radica en las antiguas costumbres paganas, que se niegan a desaparecer. Lo que hoy en día llamamos moral judeocristiana aún no ha acabado de imponerse, y el pueblo, conservador por naturaleza, recae en cuanto puede en las antiguas prácticas y devociones. La Iglesia, por tanto, se ve obligada a ensalzar a un nuevo tipo de hombres y mujeres: los monjes, los anacoretas, los ermitaños. Seres humanos que renuncian a todo lo mundano y consagran sus vidas a la búsqueda de Dios. Con ellos y con sus fiestas se reemplaza a los antiguos dioses de la naturaleza, de la diversión o del vino; se cambian orgías por romerías, y se conservan celebraciones como los solsticios y equinoccios bañándolas de un tinte de santidad (recordemos, por ejemplo, las hogueras de los días de San Juan y San Antonio, los famosos sanfermines o el propio carnaval como prólogo de la Cuaresma).

Y así llegamos a la época actual. Los santos modernos no son mártires ni monjes, sino hombres y mujeres corrientes. ¿Por qué? La Iglesia procura demostrarnos que la santidad es posible hoy en día, que no han falta circunstancias extraordinarias para alcanzar la gracia de Dios. Canonizando amas de casa, médicos o políticos se está afirmando que todos podemos ser santos sin necesidad de renunciar a nuestras obligaciones cotidianas.

Hay que precisar que el concepto católico de santo va mucho más allá que el de mero ejemplo de conducta. En primer lugar, habría que diferenciar lo que es un santo en la Iglesia Triunfante (el Cielo) de lo que es un santo en la Iglesia Militante (la Tierra). En el primer caso, se considera santo a todo aquel que está en la gracia de Dios, o dicho de un modo simplista: son santos todos los que van al Cielo, todos los salvados. Independientemente de lo que hayan hecho en vida, un solo momento de contrición antes de morir puede hacer que Dios perdone a un hombre, y por tanto, que sea considerado santo. Es al segundo de los casos al cual solemos referirnos cuando hablamos de santos.

Ya hemos explicado ampliamente que para ser santo en la Tierra hay que ser un ejemplo de conducta para toda la Cristiandad. Pero aún hay más que eso: un santo también ha de ser un intercesor, un abogado de los fieles ante Dios. Quizá sea ésta la faceta de la santidad más difícil de comprender para los miembros de otras religiones monoteístas: son muchos los musulmanes o judíos que preguntan por qué los cristianos no son capaces de dirigirse directamente a Dios. La respuesta a este interrogante es obviamente complicada, y probablemente haya que buscarla más en la psique humana que el la propia naturaleza del Creador. Ciertamente, muchos seres humanos nos sentimos abrumados o incluso sobrecogidos por el concepto de un Dios omnipotente, y nos resulta más fácil dirigirnos en oración a un hombre o a una mujer que, al fin y al cabo, ha sufrido las mismas tentaciones y ha tenido las mismas debilidades que nosotros.

A este respecto, hay que aclarar una idea: según la doctrina católica, los santos no hacen milagros. Ellos se limitan a interceder, a pedirle a Dios, y es Él quien realiza el prodigio.

La batalla eclesiástica por inculcar este concepto entre los fieles ha sido muy larga. En los primeros tiempos, los santos surgían básicamente por aclamación popular, y algunos eran incluso venerados en vida. Se consideraba que eran seres excepcionales dotados de ciertas capacidades sobrenaturales, y es evidente el sustrato pagano y hasta algo idólatra de esta creencia. Durante siglos, la Iglesia lo permitió, pero llegó un punto en que la «canonización libre», sin ningún control ni doctrina específica, llegó al extremo del absurdo. Es particularmente famoso el caso de San Guinefortis, que gozó de una gran devoción en el sur de Francia como már-

tir y patrón de los niños enfermizos, y que era un perro (¡un perro!) que salvó a un bebé de morir de inanición en un bosque y que después fue cruelmente sacrificado por su amo.

Fue el papa Urbano VIII quien introdujo la reforma que, con el paso de los siglos, ha llegado a sentar la doctrina y la práctica eclesiástica sobre la canonización. En primer lugar se introdujo la diferencia entre la veneración (*dulia*), que se le da a los santos, y la adoración (*latría*), reservada para Dios Padre, Hijo o Espíritu Santo. La Virgen María es un caso especial, y ella se le reserva la hiperdulia, que viene a ser un término medio entre ambas. En segundo lugar, se estableció el proceso por el cual un hombre o una mujer podían ser declarados santos. Esta potestad se reservó al Papa y fue sujeta a unas formas muy estrictas, que pasan primero por la beatificación y después por la canonización. En ambas fases, se celebran juicios exhaustivos en los cuales varios testigos oculares tienen que declarar bajo juramento y demostrar con pruebas suficientes que, por intercesión del candidato, Dios ha realizado una serie lo bastante amplia de milagros inexplicables por métodos científicos. Además, existe la figura del «abogado del diablo», que busca los más mínimos defectos en la vida o en las creencias del aspirante.

Puede apreciarse el cambio radical en el concepto de santidad desde los primeros días de cristianismo hasta nuestra época. Ya hemos abandonado por completo las explicaciones míticas de la realidad, y pretendemos deshacernos de cualquier resto de paganismo o de idolatría. Los santos actuales son seres de carne y hueso, con vidas no espectaculares. Está exactamente medida la cantidad de devoción que se les puede profesar, y los milagros que ocurren gracias a ellos son, a todas luces, milagros, sin casi posibilidad de discusión, al menos según los actuales conocimientos científicos.

Sin embargo, la santidad continúa siendo un tema que despierta interés y curiosidad, y de ello nos hacemos eco en estas páginas, fruto de una elaborada recopilación de todos los acontecimientos que han revolucionado al Cristianismo.

Santa María, Madre de Dios — 1 de enero

Sabed que una Virgen, concebirá y parirá un hijo, cuyo nombre será Emmanuel, que quiere decir: Dios entre nosotros.»

En la octava de Navidad, celebramos la fiesta que honra a la Virgen María en el privilegio inefable de su divina maternidad. No habiendo en el Hombre-Dios más que una persona y siendo ésta divina, la Madre de Jesucristo es la verdadera Madre de Dios. Dignidad excelsa es, por tanto, la de María. *Dei Genitrix* («Engendradora de Dios»).

¿Qué más se puede decir al respecto? Estamos tan acostumbrados a escuchar la expresión «Madre de Dios» que ya no nos asombramos tanto como deberíamos. No nos damos cuenta de lo que esas tres palabras significan: Dios, «Creador del Cielo y de la Tierra, de todo lo visible y lo invisible», quiso tener una madre humana. Y eligió a María.

En este día la Iglesia también quiere celebrar la circuncisión del Señor. El octavo día de su nacimiento, el Hijo de María se somete al rito que lo señala como perteneciente al pueblo de Israel. Y lo llamaron Jesús, como ya lo había llamado el ángel antes de su concepción.

Mucha polémica ha ocasionado este sencillo y breve episodio. Son muchos los que se preguntan por qué el Hijo de Dios tuvo que pasar por aquel rito. Pero recordemos que Jesús no vino a romper con la ley, sino a perfeccionarla... de modo que Él mismo tenía que cumplirla a rajatabla antes de poder cambiarla. Además, las profecías señalaban que el Mesías iba a ser judío y si no se hubiera circuncidado, no lo sería del todo.

San Basilio *el Grande* (329-379) — 2 de enero

San Basilio fue doctor de la Iglesia y fundador de la orden monástica que lleva su nombre, siendo aún hoy seguida por los monjes orientales. Desde su juventud sintió la profunda sed del conocimiento. Después de aprender todo lo que su ciudad natal, Cesarea, podía ofrecerle, se trasladó a Atenas. Allí, junto con San Gregorio, profundizó en el cultivo de las ciencias y las artes.

Separándose de su querido amigo, Basilio volvió a Cesarea para abrir allí una escuela de oratoria. Tanto éxito tuvo que llegó rozar el orgullo y la soberbia. Dispuesto a conservar su corazón puro a toda costa, abandonó toda ostentación y se ordenó monje.

Tras viajar por el Oriente Próximo dispuesto a profundizar en los deberes y rigores de la vida monástica, fundó numerosos monasterios en diferentes partes de Pontus, dedicándose intensamente a la labor evangelizadora y a predicar para el pueblo. Fue consagrado sacerdote, y hubo de regresar a Cesarea para contribuir en la defensa de la Iglesia, ya que el Imperio había suprimido la libertad religiosa. El emperador Valens imponía por las armas el arrianismo en todas sus provincias. Gracias a su labor, San Basilio fue nombrado arzobispo de esta ciudad.

El prefecto Modestus, enviado a Capadonia, mandó llamar a Basilio con la intención de intimidarlo y hacerle desistir de su resistencia con-

1 DE ENERO

SANTA MARÍA, MADRE DE DIOS

Otros Santos: Fulgencio, Justino, Almaquio, Concorcio, Marcio, Eufrosina, Eugenio, Adilón, Vicente, y beatos Lamberk, Gusido, Andrés y José.

2 DE ENERO

SAN BASILIO *EL GRANDE* (329-379)

Otros santos: Gregorio Nacianceno, Macario, Isidoro, Martiniano, Siridión, Argeo, Marcelino y Narciso, Abelardo, Pedro y beatos Marcelino y Estefanía.

3 DE ENERO

SANTA GENOVEVA (422-512)

Otros santos: Antero, Zósimo, Atanasio, Melitón, Gordio, Fulgencio, Florencio, Cirino, Primo, Teógenes, Zósimo, Anastasio, Teonas, Teopento, Daniel, Meloro y Pedro.

San Pedro.

4 DE ENERO

SAN ODILÓN (962-1049)

Otros santos: Gregorio, Filiberto, Prisco, Prisciliano, Benita, Dafrosa, Remetes, Ageo, Cayo, Mavilo, Aquilino, Gémino, Eugenio, Marciano, Quinto, Teódoto, Trifón, Tomás, Roger, Ferréolo, Libencio y beatas Isabel y Ángela.

tra la nueva religión oficial. La respuesta de éste, rotunda y llena de fe, disuadió al Imperio de posteriores intentos de amenazar al arzobispo de Cesarea.

En el año 378, el emperador Cratiano restituyó la libertad religiosa. Sin embargo, San Basilio no pudo disfrutar de esta nueva etapa libre de persecuciones, ya que cayó enfermo y murió al año siguiente.

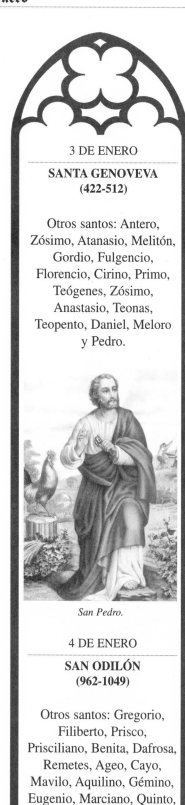

SANTA GENOVEVA (422-512) — 3 DE ENERO

Genoveva, patrona de París, virgen consagrada a Dios, defendió en vida esta ciudad de las invasiones de los bárbaros utilizando la fuerza de la fe. Nació en Nanterre y, siendo aún muy niña, conoció al obispo San Germán de Auxerre, el cual profetizó su futura santidad.

A los quince años pronunció los votos religiosos, viviendo desde entonces en perpetuo ayuno y oración. Sólo comía los domingos y los jueves, limitándose su dieta al pan de cebada con judías, aunque según fueron pasando los años los obispos lograron convencerla de que tomara pescado y leche en algunas ocasiones. Tal era su fe que se cuenta que, incluso cuando su edad era ya avanzada, solía llorar mientras rezaba.

A pesar de su alejamiento de los asuntos mundanos, tuvo una dura vida marcada por las continuas calumnias por parte de sus numerosos enemigos. Sin embargo, todos ellos parecieron cambiar radicalmente su actitud cuando el propio San Germán la envió desde Auxerre un poco de pan bendecido como señal de su aprecio y respeto. Desde entonces fue venerada casi como una santa en vida.

Cuando los francos tomaron la ciudad de París, Genoveva logró hacerse con la devoción de su rey, a pesar de que éste no era cristiano. Así, y gracias a su intercesión, a muchos prisioneros les fue perdonada la vida. En otra ocasión, cuando los hunos liderados por Atila se disponían a marchar sobre París, Genoveva instó al pueblo a que rezara y ayunara para rogar la ayuda de Dios. Muchos la tomaron por loca o por impostora, pero aun así la mayoría siguió sus consejos. Los hunos cambiaron de imprevisto sus planes y no llegaron a pasar por París.

SAN ODILÓN (962-1049) — 4 DE ENERO

Odilón nació en Auvernia. Según la leyenda, era paralítico de nacimiento, pero resultó milagrosamente curado mientras rezaba ante una imagen de la Virgen María. Por ello decidió dedicar su vida al servicio de Dios: de muy joven abrazó la regla de San Benito e ingresó en el monasterio de Cluny. Fue elegido ayudante por el abad y, cuando éste murió, le sucedió en el cargo.

Nuestro santo dedicaba todo el tiempo que le dejaban libre sus múltiples responsabilidades a estudiar. Profundizó mucho en las Sagradas Escrituras; también estaba muy versado en los clásicos griegos y latinos, así como en todas las humanidades en general. Nos dejó muchas obras, especialmente biografías de santos y poemas en los que expresa su hondo sentimiento hacia Dios. Su afición por el conocimiento lo animó a intentar difundir la costumbre del estudio no sólo entre sus monjes, sino por toda su orden.

San Odilón es especialmente recordado por instituir la fiesta de los Fieles Difuntos. La *Leyenda dorada* asegura que uno de sus monjes oía a las ánimas del Purgatorio gemir desde dentro de un volcán, y por eso nuestro santo obligó a sus frailes a rezar por ellos. La idea gustó en Roma y hoy el día de los Fieles Difuntos se celebra en toda la cristiandad.

Poco antes de morir recibió orden del Papa para ir a la Santa Sede para ser consagrado obispo de Sión. Parece probable que el santo quisiera rechazar el nombramiento a causa de su edad, pero murió en el trayecto, antes incluso de llegar a Italia.

San Simeón Estilita (390-459) — 5 de enero

San Simeón, asceta y penitente incomparable, buscador de Dios en lo más alto y en lo más profundo, es quizá una de las figuras del cristianismo que más sensación de extravagancia produce.

La iluminación le llegó a los trece años, cuando aún era pastor. Habiéndose emocionado al escuchar la lectura de las Bienaventuranzas, se propuso indagar en lo más profundo de su significado. Así, descubrió que el ayuno, la oración, la humildad y el sufrimiento eran el único camino para la verdadera felicidad.

Su vida ascética comenzó en los monasterios, donde investigaba nuevas y más eficaces formas de mortificarse. Llegó a atarse una soga alrededor del cuerpo desnudo, lo cual le producía profundas heridas. Cuando el abad descubrió su conducta, lo expulsó del monasterio. Simeón pasó los siguientes tres años en una ermita, donde hizo voto de pasar el resto de las Cuaresmas de su vida en abstinencia absoluta. Después se trasladó a la cima de una montaña, a completa merced del clima, y se hizo encadenar a una roca como símbolo de su voluntad de perseverar en ese modo de vida.

La montaña comenzó a llenarse de peregrinos que buscaban su bendición. Huyendo de ellos, acabó en pleno desierto en lo alto de una columna —*stylos* en griego, de ahí su nombre de Estilita—. Así pasó el resto de su vida, encaramado a tres sucesivos pilares, cada uno más alto que el anterior, sin apenas comer ni dormir y, por supuesto, sin pisar nunca el suelo. Desde lo alto de su retiro, Simeón predicaba a las muchedumbres y aconsejaba a los soberanos, siendo muchos los que se convirtieron por sus milagros y sus discursos.

La Epifanía de Nuestro Señor — 6 de enero

De todos es conocida la historia de los Reyes Magos, cuya adoración al Niño Dios es el núcleo de esta festividad. Aunque conviene recordar que también se celebra en esta fecha el bautismo de Jesús y la realización de su primer milagro: la transformación del agua en vino en las bodas de Caná.

5 DE ENERO

SAN SIMEÓN ESTILITA (390-459)

Otros santos: Telesforo, Deogracias, Convoyón, Eduardo, Roger, Gerlaco, Teodoro, Amelia, Sinclética, Emiliana y Apolinaria, y Juan Neumann.

6 DE ENERO

LA EPIFANÍA DE NUESTRO SEÑOR

Otros santos: Melchor, Gaspar y Baltasar, Melanio, Anastasio, Anatolio, Macra, Eudacia, Dimano, Ermenoldo y Nilamón.

La adoración de los Magos, Leonardo.

7 DE ENERO
SAN RAIMUNDO
DE PEÑAFORT
(1125-1275)
Otros santos: Luciano, Clero, Félix, Jenaro, Julián, Crispín y Teodoro, Nicetas, Canuto, Tillo y beatos Eduardo, Ambrosio y José.

El Evangelio nos dice que los Magos —no se precisa su número— vieron aparecer en el cielo la estrella del Mesías, y que ésta les guió hasta Jerusalén. Allí preguntaron a Herodes y al Sanedrín dónde había de nacer el Rey de los judíos. Éstos, estudiando las profecías, dictaminaron que había de ser en la ciudad de Belén. Los Magos partieron hacia allí, no sin antes recibir de Herodes el encargo de volver a su corte para indicarle dónde estaba exactamente el Niño Rey. Cuando llegaron ante Jesús, le adoraron y le ofrecieron como presentes oro (símbolo de realeza), incienso (reconocimiento de divinidad) y mirra (aceptación de su condición humana). Los Magos recibieron un oráculo indicándoles que no volvieran a la corte de Herodes, volviendo a sus tierras por otro camino; gracias a ello, el Niño Jesús logró escapar de la matanza de los inocentes.

Muchos han querido ver en los Magos la encarnación de los intelectuales y los hombres de ciencia. Y lo que es más, han querido relacionar este episodio con las palabras de Jesús: «Yo te alabo, Padre, porque ocultaste estas cosas a los sabios y las revelaste a los ignorantes». En efecto, los Magos, hombres sabios, no recibieron la buena nueva de los ángeles, como ocurrió con los pastores y la gente sencilla. Sin embargo, gracias al conocimiento humano, supieron de la venida del Mesías y tuvieron la humildad necesaria para inclinar sus sabias cabezas ante el Niño Dios.

San Raimundo de Peñafort (1175-1275) — 7 de enero

Este hombre de leyes, de consejo y de gobierno, confesor de reyes y papas, fue uno de los grandes dominicos de la Edad Media.

Dotado de gran inteligencia, a los veinte años ya era profesor de filosofía en Barcelona, aunque prosiguió sus estudios especializándose en derecho civil y canónico. A los cuarenta y cuatro años ingresó en la orden de Santo Domingo, dedicándose especialmente a la contemplación, la predicación y a administrar el sacramento de la Penitencia. Pronto le encargaron que escribiera la *Suma,* destinada a la instrucción de confesores y moralistas. Algunos años después fue capellán, consejero y confesor del Papa Gregorio IX, bajo cuyas órdenes realizó una compilación de todos los decretos papales.

Por problemas de salud hubo de regresar a Barcelona, a sus labores primitivas, aunque el descanso le duró poco, ya que fue elegido contra su voluntad tercer general de la orden. Empleó los tres años que desempeñó este cargo en procurar una mayor organización y claridad para los dominicos. De vuelta a la sencillez, tras abandonar el puesto a causa de su edad, se dedicó de pleno a la conversión de judíos y musulmanes y se afanó en fundar numerosos conventos entre los moros. Reclutó a Santo Tomás de Aquino para esta causa, animándole a que escribiera *Contra los Gentiles.*

Se conocen muy pocos detalles de la vida personal de San Raimundo y, por tanto, debemos aproximarnos a él sólo a través de sus obras, que se desarrollan durante casi un siglo. Las devociones de su alma permanecen ocultas.

San Severino († 482)

8 de enero

Es muy probable que Severino proviniera de una ilustre familia del norte de África, aunque la verdad sobre su origen nos es desconocida: el propio santo se negó siempre a hablar sobre su nacimiento. Sí sabemos que en su juventud viajó por Oriente, ya que conocía muy bien Egipto y Tierra Santa.

De pronto, como venido de la nada, aparece por la provincia de Nórica, a orillas del Danubio, y aunque no está investido de ninguna autoridad religiosa, pronto se gana el respeto y la veneración de todos. Aquellas tierras habían sufrido recientemente la invasión de los pueblos bárbaros, consiguiendo Severino que la fe cristiana no se apague por completo.

Cuando llegó a Asturis (cerca de la actual Viena) se encontró con un panorama moral desolador: el paganismo y las costumbres depravadas lo invadían todo. Nuestro santo predica la penitencia sin descanso, llamando al ayuno y a la oración y enfrentándose a las burlas de todos. De allí pasa a Comagenis, donde consigue que los invasores se retiren a fuerza de fe.

Su llegada a Viena estuvo rodeada de milagros y otros prodigios: desheló las aguas del Danubio, y con su sola presencia animó a los ricos y avaros para que repartieran sus bienes entre los más necesitados.

Es famoso el episodio de la conversión del rey Odoacro, de los hérulos. Nuestro santo le predice que pronto será soberano de toda Italia. Al cumplirse el vaticinio, el monarca se hace bautizar y desde entonces gobernará con el consejo de San Severino.

Este gran predicador, reconocido como apóstol de Austria, nunca fue siquiera sacerdote. Fue propuesto muchas veces para obispo, pero él siempre rehusó. Hasta el fin de sus días, fue siempre un peregrino, un asceta errante que recorría las tierras asoladas por los bárbaros iluminándolas con la luz de Cristo.

San Julián y Santa Basilisa († 308)

9 de enero

Julián era el único vástago de una noble familia de Antioquía. Él quería abrazar la vida religiosa, pero sus padres, celosos de continuar la estirpe, lo obligaron a casarse con Basilisa. Sin embargo, en la noche de bodas los esposos se juraron mantener siempre intacta su virginidad, viviendo juntos como hermano y hermana.

Pronto la feliz pareja comenzó a practicar obras de caridad. Invirtieron el patrimonio de sus respectivas familias en fundar una casa de ayuda a los necesitados, donde ellos mismos atendían a los pobres y a los enfermos. Con el tiempo, los hombres piadosos de toda la ciudad fueron llegando a la casa para ayudar a nuestros santos, convirtiéndose la residencia, poco a poco, en un monasterio. No habían pasado muchos años cuando Basilisa enfermó de fiebres y murió, dejando a su esposo con el único consuelo de la fe.

Estalló por entonces una fiera persecución contra los cristianos, ordenada por los emperadores Diocleciano y Maximino. El prefecto de Siria,

8 DE ENERO

SAN SEVERINO
(† 482)

Otros santos: Apolinar, Luciano, Teófilo, Maximiniano, Julián, Eladio, Eugeniano, Paciente, Máximo y Erardo.

9 DE ENERO

SAN JULIÁN Y SANTA BASILISA
(† 308)

Otros santos: Eulogio de Córdoba, Pedro, Marcelino, Antonio, Marciana, Vidal, Revocato, Fortunato, Anastasio, Celso, Marcionila, Epicteto, Jocundo, Segundo, Félix, Eustracio y beata Alexia.

San Antonio de Padua.

Marciano, no tardó en aprehender a Julián, ya que su fama de cristiano era bien conocida. Primero intentó seducirlo con halagos y promesas; después lo azotó, lo torturó y lo paseó por las calles de Antioquía en pública vergüenza. Nada conseguía minar la fe de nuestro santo. Más bien al contrario: su ejemplo, y los milagros que se producían a su alrededor, llevó a multitud de paganos a convertirse, entre ellos la esposa y el hijo del prefecto. La tradición asegura que, cuando Julián estaba en la plaza de la ciudad dispuesto a morir, el cielo envió un temblor que destruyó el templo de Zeus.

Marciano, rojo de ira, mandó degollar al mártir, que manifestó su felicidad por ir a reunirse con Jesús y con su amada y santa esposa.

Ésta es la tradicional historia de San Julián y Santa Basilisa. Sin embargo, esta última aparece en el santoral como mártir, por lo cual es muy posible que exista otra versión (perdida) de los hechos, en la cual la esposa comparte los tormentos de su marido.

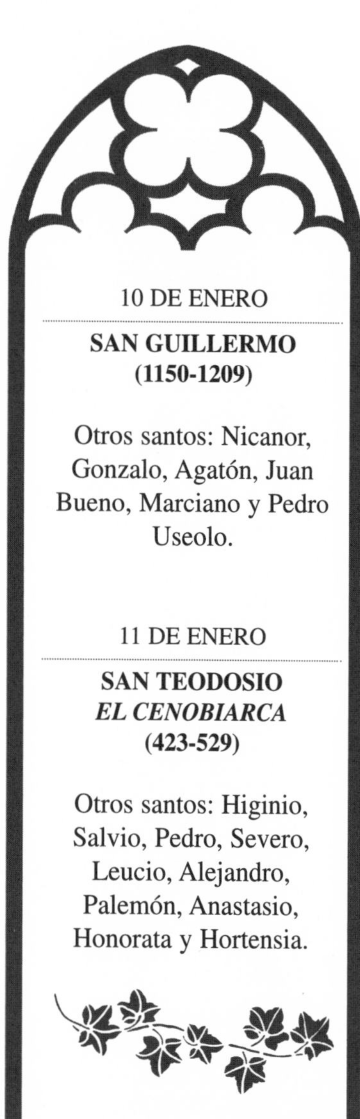

10 DE ENERO

SAN GUILLERMO (1150-1209)

Otros santos: Nicanor, Gonzalo, Agatón, Juan Bueno, Marciano y Pedro Useolo.

11 DE ENERO

SAN TEODOSIO *EL CENOBIARCA* (423-529)

Otros santos: Higinio, Salvio, Pedro, Severo, Leucio, Alejandro, Palemón, Anastasio, Honorata y Hortensia.

San Guillermo (1150-1209) — 10 de enero

Guillermo era el hijo pequeño de los condes de Nevers. Su tío, Pedro *el Ermitaño*, se encargó de dirigir sus estudios, que abarcaron todos los campos de la religión, las letras clásicas y las humanidades. Siendo joven aún, nuestro santo decidió tomar el hábito monástico en la orden del Císter, y no habían pasado muchos años cuando sus hermanos lo eligieron abad del convento de Pontigny. Allí pasó gran parte de su vida, dedicado a la vida austera, a la oración y al gobierno de sus monjes.

Cuenta la historia que, cuando quedó vacante la silla episcopal de Bourges, el obispo de París escribió tres nombres en tres papeles para sortear el cargo, y tras encomendarse al Espíritu Santo, extrajo de la urna el nombre de Guillermo. No suele la Iglesia usar estos métodos, pero en las pocas ocasiones en que se ha hecho con verdadera fe, la elección no parece haber sido desacertada: recordemos el caso de San Matías.

Una vez consagrado, Guillermo demostró que las esperanzas que se habían depositado en él no eran infundadas. Luchó por los derechos de la Iglesia frente al rey de Francia; organizó a sus feligreses para que hicieran obras de caridad con enfermos y necesitados, y él mismo se hizo cargo de muchos niños huérfanos. Tenía la costumbre de llamar a los pobres «sus acreedores» y, cada vez que daba una limosna, comentaba lo mucho que le faltaba para saldar todas sus deudas.

En los últimos años de su vida, Guillermo fue bendecido con el don de hacer milagros. Curaba enfermos con solo tocarlos y se dice que un niño deforme sanó por completo cuando abrazó al obispo. Cuando murió, los prodigios se multiplicaron alrededor de su tumba, por lo que fue canonizado muy pocos años después.

San Teodosio *el Cenobiarca* (423-529) — 11 de enero

Superior general de los cenobitas, u hombres religiosos que viven en comunidad por toda Palestina, Teodosio ha sido durante generaciones un ejemplo de vocación monástica, de fe perseverante y de humildad.

Su trayectoria religiosa empezó cuando aún era muy joven, en una visita a Tierra Santa. Allí conoció a un hombre santo llamado Longino y se puso bajo su protección. Al poco tiempo de estar junto a él, encontraron a una mujer que había hecho construir una iglesia en el camino hacia Belén. Persuadido por ella, Longino encargó a su discípulo que se ocupara de gobernar la iglesia, aunque Teodosio, siempre humilde, no se sentía preparado para tal responsabilidad. Su labor no duró demasiado, ya que pronto se sintió llamado para honrar a Dios desde el retiro en una cueva cercana a la iglesia.

Sin embargo, Teodosio no tenía vocación de ermitaño y su cueva se fue convirtiendo, poco a poco, en una ciudad de santos en la que numerosos monjes servían bajo su dirección. Un monasterio, tres enfermerías, edificios para acoger a los extranjeros y cuatro iglesias fueron construidas en torno a su refugio original.

En aquella época, el emperador Anastasio estaba fomentando la herejía y estaba decidido a ganarse a Teodosio para su causa. Le mandó dinero, pero nuestro santo lo distribuyó entre los pobres. Le envió una carta argumentando los fundamentos de su herejía, pero Teodosio los refutó uno por uno y añadió que estaba preparado para morir por su fe si era necesario. El Cenobiarca pronto empezó a viajar por toda Palestina, predicando contra los errores en la fe, lo cual le valió una sentencia de destierro.

San Teodosio sólo pudo volver a su patria cuando Justino sucedió a Anastasio en el trono. Ya era muy anciano, pero a pesar de ello continuó con su labor y demostró, una vez más, su paciencia afrontando con valor una dolorosa enfermedad. Murió a la edad de ciento cinco años.

SAN BENITO BISCOP, ABAD (628-690) — 12 DE ENERO

Benito es uno de los santos romanizadores de Inglaterra, que consagró su vida a importar la cultura, el arte y la liturgia del continente.

Noble anglosajón de la corte del rey Oswi, tras dos viajes a Roma tomó el hábito benedictino en el monasterio de Lérins, en Francia. Desde allí regresó a Roma, donde recibió el encargo papal de viajar de nuevo a Inglaterra para continuar la obra evangelizadora de San Agustín. Tras dos años en Kent, volvió una vez más a Roma con el propósito de estudiar en profundidad las reglas de la vida monástica.

Cuando regresó a su patria, el sucesor del rey Oswi le concedió terrenos para fundar un monasterio. Benito hizo construir dos, bajo el patronazgo de San Pedro y San Pablo, e importó del continente los mejores artesanos, libros y objetos de culto. Todo le parecía poco para contribuir a la sabiduría de sus monjes. También hizo venir desde Roma al *chantre* de la iglesia de San Pedro, quien enseñó a los monjes los pormenores del canto gregoriano.

Casi al final de su vida, Benito sufrió una enfermedad que le obligó a permanecer postrado en cama durante tres años. Tanto había calado en él el canto gregoriano, que siendo él mismo incapaz de alzar la voz, pedía a sus monjes que acudieran a su celda para cantarle los salmos propios del día o de la noche. Murió poco tiempo después.

12 DE ENERO

SAN BENITO BISCOP, ABAD (628-690)

Otros santos: Tatiana, Nazario, Sátiro, Victoriano, Arcadio, Tigrio, Eutropio, Juan Probo, Zótico, Rogato, Modesto, Cástulo y cuarenta soldados mártires, Aelredo, Antonio, Cesárea y beatos Bernardo y Margarita.

Diamond Hill/Jarvis Branch Library
02933 8099

13 DE ENERO

SAN HILARIO, OBISPO (315-368)

Otros santos: Gumersindo, Servideo, Potito, Leoncio, Hérmilo, Estratónico, Agricio, Vivencio, Gláfira, Godofrido, Quentingermo, Verónica de Binasco y beatos Domingo, Luco y José.

14 DE ENERO

SAN KENTIGERN, OBISPO DE GLASGOW (516-601)

Otros santos: Fulgencio, Prisco, Prisciliano, Félix, Malaquías, Macrina, Dacio, Eufrasio y Clero.

Durante todo su gobierno de los monasterios de San Pedro y San Pablo, Benito se esforzó por hacer entender a sus monjes que las reglas que él les había impuesto no eran fruto de su propia invención, sino que las había aprendido y seleccionado a lo largo de su vida gracias a sus múltiples viajes. Y son esos viajes los que hacen de Benito un santo tan especial, ya que es difícil encontrar a un hombre que combine la vocación monástica con el espíritu aventurero que en aquella época (cuando la más corta travesía era toda una aventura) era necesario para realizar un total de cinco viajes a Roma.

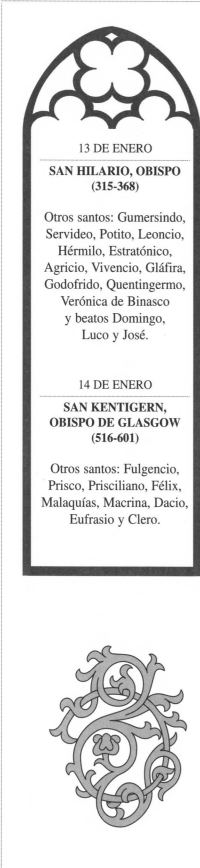

San Hilario, obispo (315-368) — 13 de enero

Hilario, teólogo y maestro, es recordado por su virtud de ser incómodo en todas partes. Con su sencillo anuncio de la verdad es la culminación de la lucha contra los tibios.

Nació en Poitiers, en el seno de una ilustre familia pagana; cuando se convirtió al cristianismo, ya estaba casado. A pesar de su extrema humildad (o quizá gracias a ella), fue aclamado obispo por sus propios conciudadanos. Después de su ordenación, y de acuerdo con su esposa, vivió siempre en perfecta castidad. Fue un pastor de firmeza y constancia extremas, además de un gran erudito que compuso elegantes comentarios a los evangelios y a los salmos.

Apenas terminadas las persecuciones, tuvo que enfrentarse a la herejía arriana, que era defendida por el emperador Constantino II. Con ocasión del concilio arriano de Milán en el año 355, escribió al emperador suplicándole que restaurase la paz en la Iglesia. Por esta causa fue exiliado en Frigia, lo más lejos posible del emperador.

Pero incluso allí nuestro santo continuó su batalla. Constantino reunió un concilio de arrianos en Seleucia; a pesar de que se le quería excluir, Hilario asistió para defender uno por uno los decretos del concilio de Nicea. Siguiendo con su batalla contra la herejía, Hilario suplica al emperador la oportunidad de enfrentarse dialécticamente con Saturnino (líder arriano responsable de su destierro). Habiendo demostrado que era tan incómodo en Oriente como en Occidente, Constantino lo envió de vuelta a la Galia.

Poco después de que nuestro santo regresara del exilio, Constantino murió, lo cual puso fin a la persecución arriana. Pero la lucha de Hilario contra la herejía prosigue, como lo demuestra su viaje a Milán para obligar al usurpador Auxentio a retractarse de su herejía.

San Kentigern, obispo de Glasgow (516-601) — 14 de enero

Kentigern fue un pastor incansable, que no escatimó esfuerzos ni sufrimientos para difundir la luz de la fe en tierras en las que ni siquiera habían oído el nombre de Cristo.

Nació en Escocia, de sangre real, y desde muy joven fue educado en la religión cristiana. Por su inocencia y bondad era llamado *Mungho,* que significa «gran amado». Ya adulto, se retiró a Glasgow para llevar una vida solitaria de abstinencia y oración. Fue el propio pueblo, con clérigos incluidos, el que solicitó ardientemente que Kentigern fuese su obispo, y como tal fue ordenado.

Su diócesis, con sede el Glasgow, abarcaba una vasta superficie que se extendía de costa a costa. Nuestro santo reunió a una gran compañía de religiosos que vivían según el modelo de los primeros cristianos de Jerusalén. Ayudado por ellos, luchó por extender el cristianismo por las tierras de Escocia, tanto entre las gentes de los pueblos antiguos que aún eran paganos como entre los seguidores de la herejía pelagiana, que se había difundido mucho por aquella zona. También envió misioneros fuera de su diócesis, llegando algunos de ellos hasta Noruega e Islandia.

Su vida no estuvo exenta de sobresaltos, ya que hubo una revolución en Escocia que obligó al príncipe cristiano Rydderch a huir a Irlanda. Kentigern se vio obligado a refugiarse en Gales, donde fundó el monasterio y escuela de Elwy. Allí formó a un gran número de estudiantes. Rydderch pudo volver a su tierra alrededor del año 560; con él regresó nuestro santo a Glasgow.

Desde entonces y hasta su muerte, el santo gozó de la protección de la monarquía en su inmensa obra de evangelizar Escocia y borrar de allí las sombras de las costumbres paganas del pueblo.

San Pablo, el primer ermitaño († 347) — 15 de enero

San Pablo es el primer ermitaño del que se habla en la historia, y fue el origen y el modelo para todos los que vinieron después. En cierta forma, su modo de vida es una suerte de martirio. Mientras los mártires entregan su vida a Dios en un solo momento, los anacoretas renuncian a todo para regalar su existencia entera al Altísimo.

Nació en Tebas, en el Bajo Egipto, y perdió a sus padres cuando sólo tenía quince años de edad. Cristiano fervoroso, tuvo que vivir escondido mientras duró la persecución de Decio. Al fin, cuando ya tenía veintidós años, temeroso de que alguien pudiera traicionarlo, decidió refugiarse en una cueva del desierto.

La idea original de Pablo era vivir en el desierto solamente mientras su vida corriese peligro. Pero nuestro santo comenzó a apreciar las ventajas de estar en absoluta soledad: sin tener otra compañía, hablaba a diario con Dios, quien a través de los años le fue revelando su voluntad y sus designios.

No puso sus ojos en otro ser humano hasta que fue muy anciano, centenario probablemente. Recibió la inesperada visita de San Antonio, a quien Dios le había hecho saber que encontraría en el desierto a un hombre que era tesoro de virtud. Cuando se encontraron, los dos santos se reconocieron mutuamente a pesar de no haberse visto nunca, se abrazaron y se pusieron a conversar durante horas sobre las maravillas de Dios.

Pasados algunos días, San Pablo se sintió morir, por lo que envió a San Antonio a recoger un manto que le había dado San Atanasio, y en el

SAN PABLO

15 DE ENERO

SAN PABLO, EL PRIMER ERMITAÑO († 347)

Otros santos: Mauro, Macario, Máximo, Benito, Secundina, Conrado, Miqueas, Habacuc, Isidoro, Justo, Ita y beatos Pedro y Francisco.

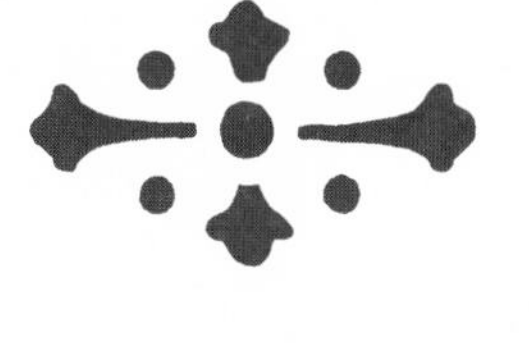

16 DE ENERO

SAN HONORATO, ARZOBISPO DE ARLÉS († 429)

Otros santos: Marcelo, Bernardo, Pedro, Acursio, Adyuto, Vital, Otón, Ticiano, Melas, Furseo, Priscila y Fulgencio.

17 DE ENERO

SAN ANTONIO, ABAD (251-356)

Otros santos: Rosalina, Genulfo, Eleusipo, Espeusipo, Meleusipo, Sulpicio, Diodoro, Mariano, Antonio, Mérulo, Juan y Julián.

San Antonio Abad.

cual deseaba que se envolvieran sus restos. Cuando el santo abad regresó, encontró al venerable ermitaño postrado en el suelo, como en oración. Se dio cuenta de que estaba muerto, lo envolvió en el manto y lo enterró, según cierta tradición, con ayuda de dos leones.

San Honorato, arzobispo de Arlés († 429) — 16 de enero

Honorato fue el fundador del famoso monasterio de Lérins, auténtico reducto de la cristiandad justo en el momento en que Roma caía bajo las hordas bárbaras.

Nuestro santo pertenecía a una prestigiosa familia galorromana. A pesar de los continuos obstáculos que ponía su padre, él y su hermano Venancio se convirtieron al cristianismo siendo muy jóvenes. Dispuestos a alejarse de las preocupaciones materiales, los dos hermanos se pusieron bajo la tutela de un ermitaño y viajaron a Grecia. Venancio murió al poco tiempo y Honorato, también enfermo, tuvo que regresar a la Galia.

Una vez en su tierra, su único deseo era llevar una existencia solitaria, de ermitaño consagrado a Dios. Primero se asentó en unas montañas cerca de Fréjus, pero poco después descubrió las hoy llamadas islas de Lérins, y se instaló en una de ellas, que hoy se conoce por el nombre de San Honorato. El lugar era inhóspito y salvaje, y la leyenda cuenta que el santo rezó de rodillas para que murieran todas las serpientes, arrastrando las propias olas del mar sus cadáveres para limpiar la isla.

Lo cierto es que Honorato fundó allí el monasterio de Lérins, regido por la regla de San Pacomio. Pronto empezaron a llegar monjes y religiosos de toda la Galia, convirtiendo el lugar en un gran foco de cultura y de cristiandad.

Fue ordenado arzobispo de Arlés en el año 426. Murió tres años después, agotado por las labores y austeridades propias de su cargo, que resultaron excesivas para un hombre de su edad y mala salud.

San Antonio, abad (251-356) — 17 de enero

Patriarca de monjes, San Antonio fue siempre firme en la lucha contra la tentación y un hombre de gran sabiduría. Pero quizá lo más hermoso que se ha dicho de él es que la gente lo reconocía por su cara resplandeciente de alegría.

Nació en el delta del Nilo, en el seno de una rica familia cristiana. Sus padres lo aislaron durante su infancia para alejarle de los malos ejemplos. Cuando aún no había cumplido los veinte años, quedó huérfano y encargado de cuidar a una hermana pequeña. Decidido a seguir al pie de la letra las palabras de Cristo, vendió todas sus posesiones y distribuyó el dinero entre los pobres, sin guardarse ni tan siquiera lo mínimo indispensable para sobrevivir: se confió por completo al cuidado de Dios. A su hermana la llevó a una casa de vírgenes (probablemente uno de los primeros conventos de monjas de la historia) y él mismo se retiró a una ermita.

Le asaltaron entonces las más terribles tentaciones, semejantes a las que el Bosco pintó en sus cuadros. A fuerza de rezos y de lágrimas, logró vencer a Satán, y Antonio se decidió a buscar un lugar aún más solitario: primero un sepulcro abandonado y después al otro lado del Nilo, en lo alto de unas montañas, cerca del mar Rojo.

Tras veinte años de retiro, volvió al mundanal ruido, fundó monasterios y hasta estuvo en Alejandría alentando a los mártires durante la persecución de Maximino y convirtiendo a paganos y arrianos.

En sus últimos años, vivió en una celda en lo alto de una montaña de difícil acceso. Los filósofos más ateos acudían para discutir con él, y hasta Constantino *el Grande* le escribió pidiendo que rezara por su familia. Tras una última visita a sus monjes, murió en el retiro a la edad de ciento cinco años.

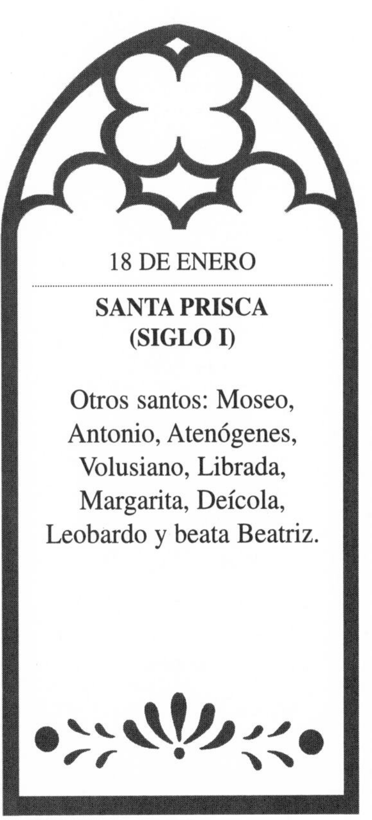

18 DE ENERO

SANTA PRISCA (SIGLO I)

Otros santos: Moseo, Antonio, Atenógenes, Volusiano, Librada, Margarita, Deícola, Leobardo y beata Beatriz.

SANTA PRISCA (SIGLO I) — 18 DE ENERO

Saludad a Prisca y Aquila, mis cooperadores en Cristo Jesús, los cuales, por salvar mi vida, expusieron su cabeza, a quienes no sólo estoy agradecido yo, sino todas las iglesias de la gentilidad.» Esta frase de San Pablo en la *Epístola a los Romanos* es el único dato seguro que tenemos de Santa Prisca. Formaba parte de la primera comunidad cristiana en Roma y arriesgó su vida por San Pablo. ¿En qué circunstancias? ¿Cómo se convirtió? ¿Cómo fue su vida después? No hay forma de saberlo.

Los *Hechos de los Apóstoles* mencionan a una tal Priscila, romana, esposa de Aquila, ¿es la misma persona? Si es así, parece ser que era rica y que donó terrenos en la vía Salaria para construir un cementerio cristiano. También se conserva un capitel con la inscripción «Baptismum Sancti Petri», donde se supone que San Pedro bautizó a Santa Prisca y a su esposo. La tradición la hace mártir en la persecución de Claudio, pero sobre esta historia no hay ningún dato más o menos palpable.

Tenemos, pues, una santa anónima, casi secreta. No sabemos nada de ella y, por tanto, quiere la Iglesia honrar en su día el recuerdo de todos los primeros cristianos. Aquellos hombres y mujeres que vivieron fieles a las enseñanzas de Cristo, en pequeñas comunidades clandestinas, compartiéndolo todo y reuniéndose para partir el pan en honor del Maestro.

Nos hemos alejado mucho de aquellos primeros tiempos. Ya no lo compartimos todo, no arriesgamos nuestras vidas por nuestros hermanos. Las comunidades cristianas son ahora parroquias, y nuestra convivencia con los hermanos se limita muchas veces a darles la mano en la iglesia cuando el sacerdote dice «daos fraternalmente la paz».

Acordándonos de Santa Prisca, bien podemos pedir al Señor que nos ayude a seguir más el ejemplo de aquellos primeros cristianos, que consiguieron vivir una utopía hecha realidad.

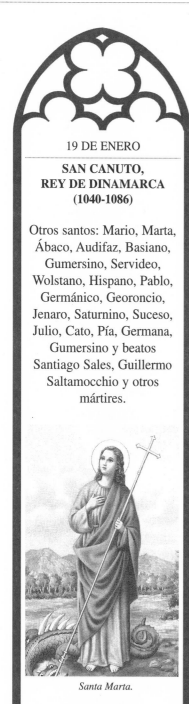

19 DE ENERO

SAN CANUTO, REY DE DINAMARCA (1040-1086)

Otros santos: Mario, Marta, Ábaco, Audifaz, Basiano, Gumersino, Servideo, Wolstano, Hispano, Pablo, Germánico, Georoncio, Jenaro, Saturnino, Suceso, Julio, Cato, Pía, Germana, Gumersino y beatos Santiago Sales, Guillermo Saltamocchio y otros mártires.

Santa Marta.

20 DE ENERO

SAN SEBASTIÁN, MÁRTIR (SIGLO III)

Otros santos: Fructuoso, Augurio, Eulogio, Fabián, Ascilo, Neófito, Wulfstano, Mauro, Eutimio y Fequino.

San Canuto, rey de Dinamarca (1040-1086) — 19 de enero

Patrón de Dinamarca, fue un rey cristiano en tiempos bárbaros. En él se unen las figuras del monarca implacable con sus enemigos y del hombre piadoso y caritativo.

Hijo del rey Swein II, se retiró a Suecia cuando éste murió y fue sucedido por su hijo mayor, Harald, comúnmente llamado *el Perezoso*. Sin embargo, el nuevo monarca murió al cabo de dos años y Canuto fue llamado a sucederle.

El reinado de nuestro santo comenzó con una guerra que logró pacificar el país y unirlo bajo la religión cristiana. Al concluirla, Canuto se arrodilló ante un crucifijo y ofreció a Cristo su corona. Durante su reinado, otorgó numerosos privilegios e inmunidades al clero, fundando multitud de hospitales, iglesias y monasterios.

Canuto organizó un ejército para expulsar de Inglaterra a los invasores normandos, pero a causa de una traición muchos hombres desertaron. El monarca les impuso una fuerte multa como castigo o bien que pagaran una serie de diezmos a la Iglesia, lo cual provocó una rebelión entre los soldados. Nuestro santo se vio obligado a refugiarse en la iglesia de San Albano, en Fyn, y hasta allí le persiguieron los rebeldes. Murió en esa misma batalla después de haber confesado y perdonado a sus enemigos.

San Canuto fue canonizado y proclamado mártir en el año 1100. Desde nuestra perspectiva, quizá resulte difícil ver la santidad de un hombre que pasó la mayor parte de su vida guerreando. Hay que recordar que Canuto vivió tiempos crueles y difíciles y que, aunque fue un gobernante duro (ni más ni menos de lo que exigía su época), también fue un hombre generoso, siempre pendiente de los más necesitados.

San Sebastián, mártir (siglo III) — 20 de enero

San Sebastián es probablemente uno de los mártires más queridos de la tradición española. Se conservan muy pocos datos históricos sobre él, pero el Renacimiento hizo universal su doble martirio.

Nació en Narbona hacia mediados del siglo III, y desde muy niño fue un cristiano fervoroso. Entró en el ejército romano con la única intención de poder ayudar a los confesores y mártires en aquella época de persecuciones. Una de sus primeras actuaciones ocurrió cuando los mártires Marcos y Marcelino estuvieron cerca de flaquear en su fe bajo la amenaza de la tortura y la muerte: Sebastián, con sus palabras, logró animarles a que confiaran en Dios. En otra ocasión se cuenta que obró un auténtico milagro, al devolver el habla a Zoë, la cual se convirtió de inmediato junto con su marido, Nicostrato. También el prefecto de Roma abrazó el cristianismo tras oír hablar a Sebastián.

El emperador Diocleciano le nombró capitán general de la guardia pretoriana, ya que admiraba sus cualidades e ignoraba su religión. El palacio imperial se convirtió en el mejor refugio para los cristianos, y el propio Papa se ocultaba en él. Sin embargo, la persecución pronto dio con ellos. La primera de los muchos cautivos fue Zoë, que murió martirizada.

Al fin fue descubierto Sebastián. El emperador, que había confiado en él, lo acusó de ingratitud y lo condenó a morir a manos de los arqueros de Mauritania. Éstos le dispararon hasta darlo por muerto. Por suerte, fue encontrado aún vivo por Santa Irene, quien cuidó de él hasta su recuperación. San Sebastián ni tan siquiera se planteó huir; de hecho, acudió a visitar al emperador para reprocharle sus crueldades para con los cristianos. Diocleciano, sorprendido de verlo aún con vida, ordenó que fuera golpeado con garrotes hasta la muerte y arrojado a la Cloaca Máxima, el lugar más inmundo de Roma. Los cristianos recuperaron su cuerpo y le dieron sepultura en las catacumbas de la vía Apia, muy cerca de donde hoy se encuentra la basílica de San Sebastián Extramuros.

SANTA INÉS (291-H. 304) — 21 DE ENERO

Santa Inés, la doncella del Cordero (pues eso significa su nombre), es la niña santa, la imagen de la pureza, la intrepidez y esa fe ingenua e incondicional que sólo parece posible en la infancia.

Como suele ocurrir en estos casos, sabemos muy poco de su vida. Los insuficientes datos de que disponemos proceden de leyendas y narraciones que muy posiblemente estén adornadas con exageraciones piadosas.

Parece muy probable que naciera de una familia muy rica, y se dice que ella misma se consagró a Jesús desde muy niña. Sin embargo, su hermosura y su dinero la rodearon de pretendientes. Inés los rechazó a todos afirmando que había ofrecido su virginidad a otro Amante. Uno de los despechados la denunció ante las autoridades por cristiana.

El juez intentó engañarla con falsas promesas y tentaciones, pero Inés se mantuvo firme. Después la amenazó con el dolor y con la muerte, obteniendo idénticos resultados. Irritado, decidió enviarla a un burdel público, dando libertad para que cualquiera abusara de ella.

Muchos jóvenes libertinos acudieron ante semejante oportunidad, pero todos ellos sintieron tal temor al verla que no se atrevieron a acercarse a ella. Sólo uno fue capaz, y la leyenda asegura que mientras intentaba forzarla cayó un relámpago que le dejó ciego. Fue la propia Inés la que le devolvió la salud a fuerza de oraciones.

El juez, ya totalmente frustrado, condenó a la santa a morir degollada, aunque dio órdenes al verdugo de perdonarle la vida si daba muestras de sumisión. Santa Inés se mantuvo firme en su fe y leal a Jesús, muriendo degollada a la tierna edad de trece años.

SAN VICENTE († 304) — 22 DE ENERO

Vicente nació en Huesca, en el seno de una familia consular; educado por el obispo de Zaragoza, San Valero, fue el primero de sus

21 DE ENERO

SANTA INÉS (291-H. 304)

Otros santos: Pibilo, Patrocio, Epifanio, Meinrado y beatos Miguel, Eduardo, Tomás, Albano, Josefa y Juan.

22 DE ENERO

SAN VICENTE († 304)

Otros santos: Gaudencio, Anastasio, Oroncio, Víctor, Domingo, Agatón y beatos María, Antonio, Guillermo, Francisco y Alfonso.

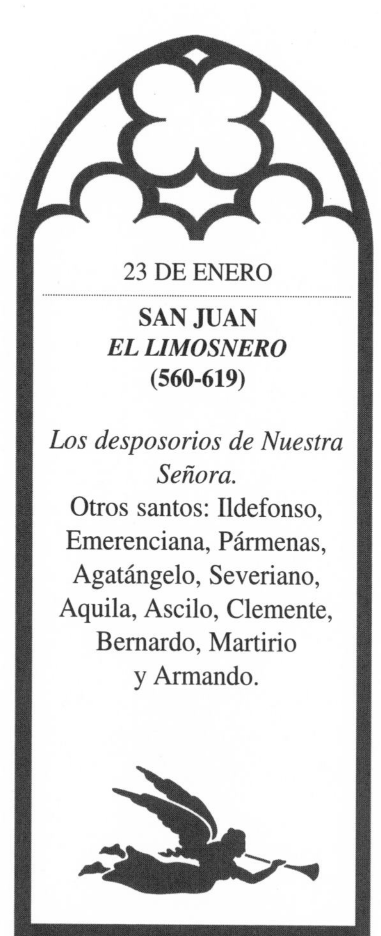

23 DE ENERO

SAN JUAN
EL LIMOSNERO
(560-619)

Los desposorios de Nuestra Señora.
Otros santos: Ildefonso, Emerenciana, Pármenas, Agatángelo, Severiano, Aquila, Ascilo, Clemente, Bernardo, Martirio y Armando.

siete diáconos. Muy poco sabemos de él hasta el momento de su captura, que ocurrió en virtud de los decretos de persecución de los emperadores Diocleciano y Maximino. Daciano, procónsul de la provincia Tarraconense, ordenó que Valero y Vicente fueran capturados y conducidos a Valencia cargados de cadenas.

Obispo y diácono fueron sometidos a un duro interrogatorio, durante el cual el procónsul intentó hacerles abjurar de su fe prometiéndoles el perdón y muchos honores terrenales. Ambos se negaron, por lo cual Valero fue desterrado. Retuvo a Vicente, pues pretendía obtener de él los libros sagrados que estaban bajo su custodia, y de los cuales podría obtener la lista de todos los bautizados en la diócesis de Zaragoza. Nuestro santo se negó rotundamente, soportando con enorme valor los más crueles tormentos antes que traicionar a sus hermanos. Pasó por el potro, por los garfios de hierro y hasta por una parrilla al rojo.

Viendo que no conseguía nada de él, Daciano ordenó que el mártir fuera arrojado a una oscura mazmorra. La historia termina de una forma un poco extraña. El procónsul, sin saber qué hacer, sacó a Vicente de su prisión y ordenó que fuera llevado a la cama más blanda de todo el palacio y que los sirvientes atendieran sus heridas. ¿Se había arrepentido de sus crueldades? ¿Pretendía sanarlo para empezar a torturarle de nuevo? Nunca se sabrá, porque el santo diácono murió a los pocos instantes de salir de la cárcel.

En este mártir, cuyo culto se extendió muy pronto por toda España y por el Imperio Romano, se unen el valor del mártir con la valentía del compañero fiel. No sólo se negó a renunciar a su fe, sino que se mantuvo fiel a su deber para con sus hermanos, que podrían haber sido víctimas de la persecución si Vicente hubiera sido un poco más débil.

SAN JUAN *EL LIMOSNERO* (560-619) — 23 DE ENERO

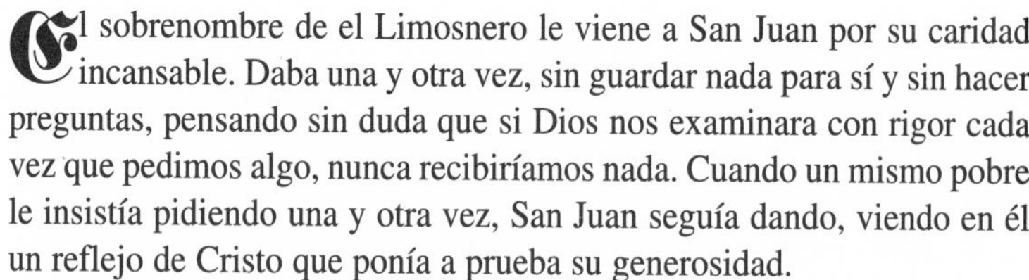

El sobrenombre de el Limosnero le viene a San Juan por su caridad incansable. Daba una y otra vez, sin guardar nada para sí y sin hacer preguntas, pensando sin duda que si Dios nos examinara con rigor cada vez que pedimos algo, nunca recibiríamos nada. Cuando un mismo pobre le insistía pidiendo una y otra vez, San Juan seguía dando, viendo en él un reflejo de Cristo que ponía a prueba su generosidad.

Su vida comienza en Chipre. Quedó viudo, y tras haber enterrado a todos sus hijos, entregó su fortuna a los pobres. Su reputación de santidad hizo que se le nombrara patriarca de Alejandría. Cuando accedió al cargo, su primera acción fue elaborar una lista de todos los pobres, a quienes llamaba «mis señores», y los tomó a todos bajo su especial protección. Los miércoles y los viernes los dedicaba exclusivamente a atender sus quejas y necesidades. A pesar de las protestas de sus administradores, distribuyó el tesoro de su iglesia entre los hospitales y los monasterios.

Cuando Jerusalén fue saqueada por los persas, nuestro santo hospedó a multitud de refugiados y envió a la Ciudad Santa cuanto dinero pudo reunir para aliviar a los pobres de allí, así como alimentos, trabajadores, dos obispos y un abad.

San Juan tuvo muy buenas relaciones con Nicetas, el gobernador, y en una ocasión le convenció de que no creara un nuevo impuesto que iba a ser muy perjudicial para los pobres. Nicetas persuadió al patriarca para que lo acompañara en una visita al emperador, pero el santo, sabiendo que su vida estaba llegando al final, navegó a Chipre, la tierra que lo había visto nacer, y murió allí a los pocos días.

SAN FRANCISCO DE SALES (1567-1622) — 24 DE ENERO

Doctor de la Iglesia y patrón de los periodistas, San Francisco de Sales fue un humanista de extremada cultura y de bondad y comprensión infinitas. Nunca se cansó de predicar el amor de un Dios bueno y misericordioso; no en vano, su máxima siempre fue «Todo por amor y nada por la fuerza».

Desde su infancia Francisco sintió la vocación religiosa, pero su padre quería que se dedicara a la carrera pública. Después de mandarlo a estudiar leyes a Padua, le hizo consejero en el Parlamento de Chambéry. Gracias a la intervención de su primo Luis de Sales, Francisco consiguió el consentimiento de sus padres para ordenarse sacerdote.

Su primer sermón le dio una extraordinaria reputación, pero Francisco no buscaba el reconocimiento de los hombres, de modo que prefirió continuar su carrera visitando a la gente humilde de las aldeas. Algunos años después fue enviado a Ginebra y Chablais para ayudar a que estas tierras renunciaran al calvinismo. A su llegada, sólo encontró siete católicos, pero en cuatro años logró que el catolicismo se restaurara en toda la región.

Debido a su éxito, fue nombrado coadjutor del obispo de Ginebra. San Francisco se tomó tan en serio sus nuevas obligaciones que pronto cayó enfermo. Al poco tiempo de recuperarse, su superior falleció y nuestro santo fue consagrado obispo. A pesar de que su salud empeoraba con los años, continuó predicando y trabajando mucho más allá de sus fuerzas, sobre todo en la ardua empresa de luchar contra el calvinismo.

En 1622 se le ordenó que viajara a Avignon para esperar al rey de Francia. Tuvo que detenerse en Lyon, y allí hizo noche en el cuarto del jardinero del monasterio de la Visitación (orden que él mismo había fundado junto con Juana Chantal). Después de la cena sufrió una apoplejía, muriendo pocas horas después.

LA CONVERSIÓN DE SAN PABLO — 25 DE ENERO

Los *Hechos de los Apóstoles* nos narran con cierta profusión de detalles la conversión de San Pablo, uno de los más encarnizados enemigos del cristianismo. Se dirigía Saulo a Damasco con unas cartas de recomendación para que las sinagogas persiguieran a los discípulos de Cristo cuando «se vio rodeado de una luz del cielo; y cayendo a tierra oyó una voz que le decía: «Saulo, Saulo, ¿por qué me persigues?». Cuando preguntó quién le hablaba, se le respondió: «Yo soy Jesús, a quien tú persigues. Levántate y entra en la ciudad, y se te dirá lo que has de hacer».

24 DE ENERO

SAN FRANCISCO DE SALES (1567-1622)

Otros santos: Bábilas, Feliciano, Urbano, Prilidiano, Epolonio, Mardonio, Musonio, Eugenio, Metelo, Tirso, Proyecto, Exuperancio, Zamio y Sauno.

25 DE ENERO

LA CONVERSIÓN DE SAN PABLO

Otros santos: Publio, Ananías, Proyecto, Juventino, Máximo, Donato, Ágape, Amarino, Poplo, Publio, Bretanio y Elvira.

Santa Margarita.

26 DE ENERO

SANTA MARGARITA, PRINCESA DE HUNGRÍA (1243-1271)

Otros santos: Timoteo, Tito, Teógenes, Paula, Conan, Eystein, Gabriel y Alberico.

Cuando Saulo se levantó, no veía nada, y fue llevado por sus acompañantes a Damasco, donde permaneció en ayuno y oración hasta que un cristiano llamado Ananías, enviado por el Señor, le impuso las manos para que recobrara la visión. A Saulo se le cayeron como unas escamas de los ojos; enseguida fue bautizado, cambiando su nombre por el de Pablo.

Cuando Jesús habló a Ananías para encomendarle que fuera a ver a Pablo, le había dicho que había elegido a este hombre para que predicara el nombre de Cristo ante todas las naciones.

Efectivamente, el que había sido un implacable enemigo de Cristo, se convirtió en el apóstol de los gentiles, el que más viajó y el que más predicó por el mundo entero. Probablemente le debamos a San Pablo que los apóstoles decidieran que el mensaje de Jesús no estaba destinado solamente a los judíos, sino a todos los hombres y mujeres.

La Iglesia celebra esta conversión particularmente no sólo por sus consecuencias (Pablo cambió seguramente el rumbo de la cristiandad), sino también por su forma singular. Pocas veces el Señor ha intervenido directamente para cambiar el corazón de alguien: normalmente, encomienda a sus servidores que prediquen y hablen en su nombre. Pero esta vez no. Era una tarea de especial importancia, de modo que decidió acometerla Él mismo.

SANTA MARGARITA, PRINCESA DE HUNGRÍA (1243-1271)

26 DE ENERO

Santa Margarita renunció a los privilegios de la sangre real desde muy niña para internarse en un convento. Su extrema devoción y su fe ciega en Dios lograron que fuera bendecida con los dones del milagro y la profecía.

Sus padres, los reyes de Hungría, la consagraron a Dios antes de su nacimiento y a los tres años y medio fue llevada a un monasterio de monjas dominicas. A los diez años fue trasladada a otro convento de la misma orden, situado en una isla que hoy se conoce por el nombre de La Santa.

Pronunció los votos a los doce años. Gracias a sus continuas oraciones, recibía mensajes procedentes del cielo. Tenía una extrema vocación de servicio, y siempre fue su empeño que nadie reparase en ella, como si no fuera importante, como si apenas existiera. A pesar de su salud extremadamente frágil, ocultaba sus enfermedades para que no se le dispensara de ninguna de sus obligaciones. En vigilia no probaba ni tan siquiera el agua o el pan, pasando la noche orando. Era tan humilde que, si creía haber ofendido a alguien, se arrojaba al suelo implorando su perdón.

Sus principales devociones iban dirigidas a Jesús Crucificado y a la Virgen María. Besaba continuamente un pequeño crucifijo de madera que llevaba consigo, repitiendo a menudo el nombre de Jesús para sentirse reconfortada. Solía caer en éxtasis durante las eucaristías, y lloraba con frecuencia sintiéndose inundada por el amor de Cristo.

A los veintiocho años, después de una breve enfermedad, entregó su alma completamente pura a Dios.

Santa Ángela de Mérici (1474-1540) — 27 de enero

La fundadora de las ursulinas no tiene una vida apasionante. Fue monja durante casi toda su vida, que no está rodeada de milagros ni de maravillas. Santa Ángela fue una sierva de Dios que se dedicó a Él en su interior, silenciosamente, cultivando el amor de Cristo dentro de su propia alma.

Nació en el pueblo de Desenzano, y se cuenta que ya de niña jugaba a los conventos. Cuando murieron sus padres, soñó con una escalera de mármol que llevaba al cielo y que, cuando ella se disponía a subir, Dios le decía: «No abandonarás este mundo hasta que crees una comunidad de vírgenes dedicadas a Mí». A Ángela le faltó tiempo para tomar el hábito de la orden tercera de San Francisco.

Desde entonces dedicó todos sus esfuerzos a socorrer a los pobres y a visitar a los enfermos y a los presos. También organizó a un grupo de amigas, que iba de barrio en barrio enseñando a leer a las niñas pobres. Viajó a Roma, y allí estuvo al servicio del Papa Clemente VII durante muchos años. Se dirigió entonces a Brescia, donde, con la bendición del Santo Padre, logró por fin la obra de su vida: fundó la orden de Santa Úrsula, dedicada a la educación de niñas. Su método de enseñanza era muy avanzado para su época: en vez de la dura disciplina que imperaba en casi todos los colegios, Ángela prefirió ganarse a sus alumnas mediante el cariño constante, y ella misma insistía a sus monjas en que debían guiar a las niñas con mano suave y benévola. Su comunidad era también revolucionaria y casi escandalosa para los tiempos que corrían: las hermanas no estaban obligadas a la clausura, no hacían votos y ¡no llevaban hábito! Obviamente, esto le valió duras críticas, pero desde la perspectiva del siglo XXI vemos que esta mujer humilde era en realidad una adelantada a su época, que profetizó con su vida lo que iba a ser el futuro de la Iglesia.

Ángela permaneció dedicada a su orden el resto de su vida, sirviendo a Dios con cada uno de sus actos.

Santo Tomás de Aquino (1226-1274) — 28 de enero

Doctor de la Iglesia y monumental filósofo, Santo Tomás de Aquino es uno de los cerebros más lúcidos de la Historia. A pesar de su sabiduría, nunca dejó de ser un fraile humilde y efusivo, que llegó a manifestar que cuanto había escrito le parecía paja al lado de lo que había visto y lo que le había sido revelado.

Hijo de los condes de Aquino, en su infancia fue instruido en la abadía de Montecassino. A los diez años fue a Nápoles para asistir a la universidad. Allí supo de la orden de los dominicos y tomó los hábitos a los diecisiete años. Cuando su madre se enteró de ello, se decidió a evitarlo a toda costa y, ayudada por dos de sus hijos, mantuvo a Tomás encerrado en una finca durante un año. Al fin logró escapar, y al cabo de otro año pro-

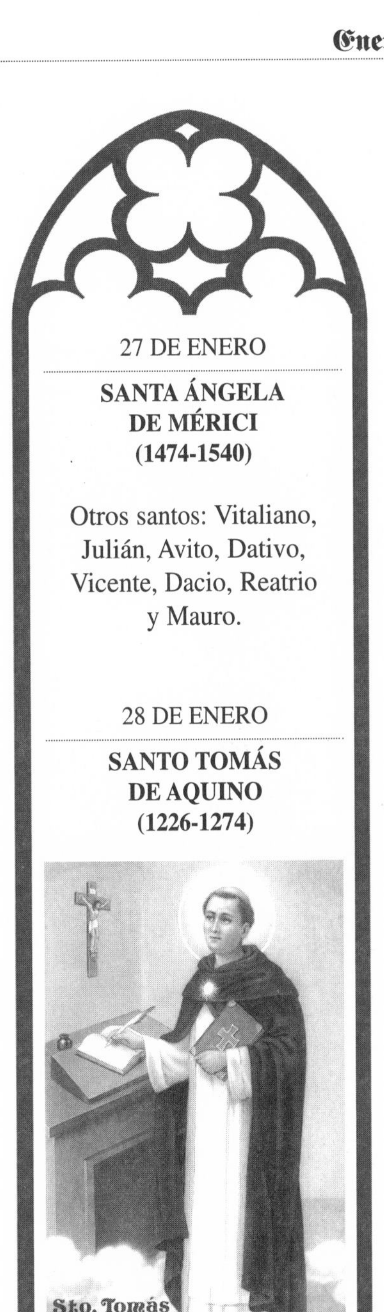

27 DE ENERO

SANTA ÁNGELA DE MÉRICI (1474-1540)

Otros santos: Vitaliano, Julián, Avito, Dativo, Vicente, Dacio, Reatrio y Mauro.

28 DE ENERO

SANTO TOMÁS DE AQUINO (1226-1274)

Otros santos: Flaviano, Leucio, Tirso, Calínico, Leonidas, Julián, Valerio, Juan, Santiago y Julián Maunior.

La visión de San Pedro Nolasco (detalle), Zurbarán.

29 DE ENERO

SAN GILDAS
EL SABIO
(494-H. 570)

Otros santos: Pedro Nolasco, Valerio, Sulpicio Severo, Constancio, Papías, Sarbello, Barbes, Sabiniano, Mauro, Aquilino y Gildo.

30 DE ENERO
SAN LESMES
(† 1100)

Otros santos: Martina, Félix, Barsén, Matías, Armentario, Barsimeo, Hipólito, Feliciano, Filapiano, Alejandro, Aldegunda, Jacinta de Mariscotti, Sabina y Batilde.

nunció los votos definitivos. Su madre y sus hermanos recurrieron al Papa Inocencio IV, quien aprobó la decisión de Santo Tomás después de haberse entrevistado con él.

San Alberto Magno lo tomó como su discípulo, viajando con él a París y a Colonia mientras profundizaba en sus estudios y empezaba a publicar sus primeras obras. Después de cuatro años enseñando en Colonia, regresó a París, donde fue admitido como doctor en la universidad. Viajó por otras ciudades europeas impartiendo sus enseñanzas en los más prestigiosos centros del saber.

Su muerte sobrevino cuando estaba de camino hacia el concilio general de Lyon, después de un mes de enfermedad.

Santo Tomás de Aquino se embarcó en la labor de explicar racionalmente a Dios y a la creación, recuperando para Occidente el perdido saber aristotélico. Es el arquetipo de la fe que se apoya y se sustenta en las pruebas empíricas: aún hoy nos parecen irrebatibles sus vías para demostrar la existencia de Dios.

SAN GILDAS *EL SABIO* (494-H. 570) — 29 DE ENERO

San Gildas recibe el sobrenombre de Badonicos porque al parecer nació el mismo año de la batalla del monte Badon, en la cual Aurelius Ambrosius (o según otros, el rey Arturo) expulsó a los sajones de Gran Bretaña. Sea como fuere, nuestro santo nace envuelto en las brumas de la leyenda, en una tierra que aún era el último reducto de la raza y las tradiciones celtas.

En cuanto pronunció los votos monásticos, viajó a Irlanda para profundizar en el conocimiento religioso y contribuir al desarrollo de la Iglesia irlandesa. Años después se trasladó a Armónica, en Francia, y se asentó en la isla de Houac. Se propuso llevar una vida de anacoreta, alejado de los hombres, pero fue descubierto por unos pescadores que pronto divulgaron su sabiduría por el continente. La gente acudía de toda la costa para escuchar sus lecciones, y pronto San Gildas consintió en vivir entre ellos. Fundó en la isla el monasterio de Rhuis, viviendo en él durante un tiempo, tras el cual se trasladó a una gruta para retomar su soledad. En su retiro se dedicó principalmente a escribir y a rogar a Dios por las almas de los pecadores. La leyenda afirma que en sus últimos años hizo algunos viajes, y que al sentir cercana su muerte se hizo embarcar en una nave sin vela que lo llevó de regreso a Rhuis, donde murió en completa soledad.

De él es la obra más antigua que se conserva sobre la historia de Inglaterra, *Acerca de la ruina y la conquista de Bretaña.* Es dudosa su fidelidad histórica, pero lo cierto es que San Gildas elabora un discurso moral repleto de doctrina.

SAN LESMES († 1100) — 30 DE ENERO

El verdadero nombre de Lesmes era Aleaume, y a pesar de ser un santo español por excelencia nació en Loudun, cerca de Poitiers (Francia). Su familia era muy acaudalada y, en su juventud, Lesmes se dedicó al estudio de las ciencias profanas e incluso a la carrera militar, como era obligatorio para todos los jóvenes de buena condición en aquella época. Sin embargo, cuando murieron sus padres experimentó un profundo cambio de carácter. Repartió su dinero entre los pobres, vistió las ropas de un antiguo criado y se marchó de peregrinación a Roma. A su regreso, tomó el hábito monacal en Issoire y, más tarde, fue abad del monasterio de La Chaise-Dieu.

La reina doña Constanza, esposa de Alfonso VI de Castilla, supo de la reputación de santidad de Lesmes y pidió a su marido que lo hiciera venir desde Francia, con la misión de sustituir la liturgia mozárabe por la romana.

El santo aceptó y se instaló en Burgos, donde fundó el monasterio benedictino de San Juan Evangelista. Allí se dedicó a atender las necesidades de los peregrinos de Santiago, construyendo un hospital para ellos donde personalmente curaba sus heridas y los alimentaba material y espiritualmente. Sólo interrumpía su labor con ellos para instruir a sus monjes y para ir adaptando la liturgia española, haciéndola más universal, más europea, más semejante al modelo de Roma.

Lesmes, que vio cómo su nombre se iba adaptando a la fonética castellana al pasar de boca en boca de los peregrinos, fue el primero en instituir las «etapas» del Camino de Santiago. Su hospital de Burgos se convirtió en una parada obligatoria para los peregrinos. Gracias a su iniciativa, que enriquece espiritual y humanamente la peregrinación, el Camino de Santiago sigue hoy tan vivo como lo estuvo en tiempos del santo.

San Juan Bosco (1815-1888) — 31 de enero

Juan Bosco nació en una pequeña aldea del ayuntamiento de Castelnuovo de Asti, muy cerca de Turín. Pasó su infancia como pastor de vacas, al cuidado de su madre, ya que su padre había muerto cuando él era muy pequeño. Su gran ilusión era estudiar, pero no tenía dinero para hacerlo, y lo poco que ganaba con su trabajo era imprescindible para la supervivencia de la familia. De modo que Juan, cuando acababa con sus obligaciones, acudía a la iglesia del pueblo y, sin saber leer ni escribir, se aprendía de memoria los sermones del sacerdote. Éste, conmovido por la fuerza de voluntad del niño, lo ayudó a prepararse para entrar en el seminario. Fue una época muy dura, pero feliz, para San Juan: trabajaba todo el día, por la noche estudiaba y en sus ratos libres hacía acrobacias para atraer a los niños y así poder hablarles de Dios.

Fue a los quince años cuando consiguió entrar en el seminario, y con gran entusiasmo se dedicó en cuerpo y alma a estudiar. Conoció por estos años a Luis Comollo, y se cuenta que con él hizo la solemne promesa de que, el primero que muriera, vendría a visitar al otro para traerle noticias de la eternidad. Luis murió sin acabar los estudios, y al parecer se presentó ante nuestro santo para decirle que estaba a salvo. Juan estuvo a punto de sufrir un infarto. Durante sus años en el seminario, pasea-

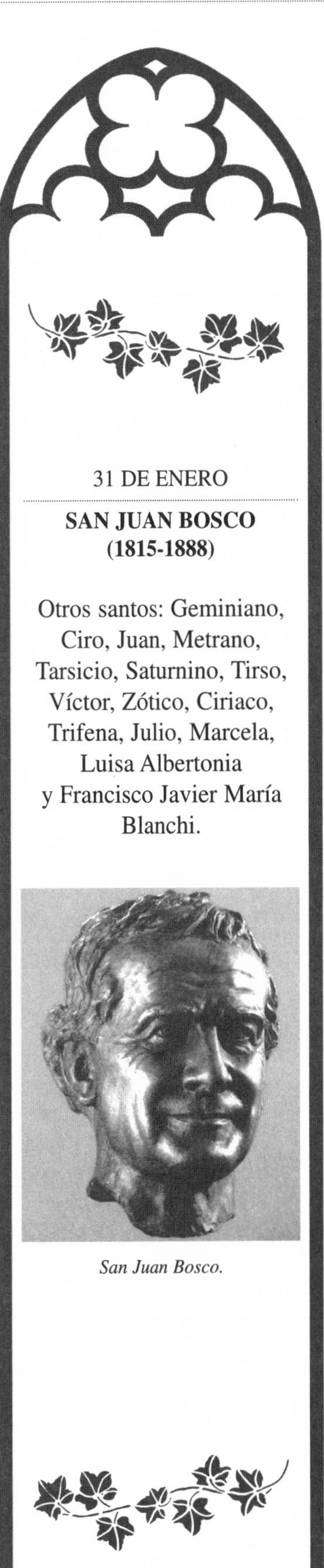

31 DE ENERO
SAN JUAN BOSCO
(1815-1888)
Otros santos: Geminiano, Ciro, Juan, Metrano, Tarsicio, Saturnino, Tirso, Víctor, Zótico, Ciriaco, Trifena, Julio, Marcela, Luisa Albertonia y Francisco Javier María Blanchi.

San Juan Bosco.

1 DE FEBRERO

SANTA BRÍGIDA, PATRONA DE IRLANDA (SIGLO VI)

Otros santos: Pionio, Severo, Pablo y Veridiana.

2 DE FEBRERO

LA PURIFICACIÓN DE LA VIRGEN

Presentación del Señor. Otros santos: Catalina de Ricci, Cornelio, Lorenzo, Flósculo, Cándido, Fortunato, Feliciano, Firmo, Aproniano y Juana de Lestonnac.

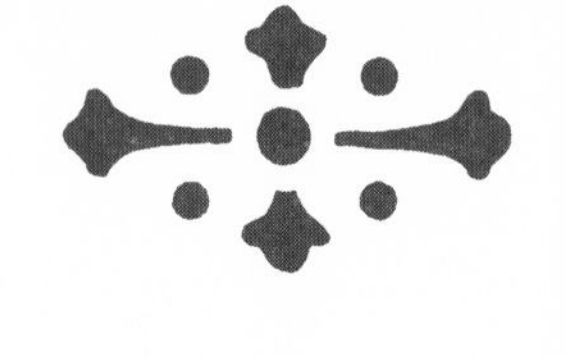

ba mucho por Turín, y siempre comentaba lo desolado que se sentía al ver a todos los niños pobres y abandonados que corrían por las calles de la ciudad, casi salvajes, sin haber oído hablar nunca de Jesús.

Cuando se ordenó sacerdote, sus esfuerzos estuvieron dedicados principalmente a aquellos niños. Creó la orden de los salesianos (en honor de San Francisco de Sales), que acogía a los niños, los evangelizaba, los educaba, les enseñaba una profesión y, por fin, les buscaba trabajo en talleres y fábricas. Todo eso unido a multitud de actividades lúdicas y festivas que pretendían darles a los niños la felicidad de la infancia que no habían podido disfrutar en las calles. También creó San Juan Bosco una sociedad muy similar, llamada Hijas de María Auxiliadora, para la acogida de las niñas.

Santa Brígida, patrona de Irlanda (siglo VI) — 1 de febrero

Señora de Erin, Brígida es patrona de Irlanda después de San Patricio. De su vida sólo conocemos retazos de leyendas adornadas de poesía gaélica, aunque parece cierto que fundó la primera comunidad religiosa femenina que hubo en Irlanda.

Nació en Ulster, descendiente de una familia noble, y cuando contaba solo dieciséis años se consagró a Dios bajo la protección de un discípulo de San Patricio. Se construyó ella misma una celda bajo un gran roble, que con el tiempo fue convirtiéndose en el convento de Killdara (que significa celda de roble), al cual se unieron muchas religiosas dando lugar a una comunidad que se extendió por toda Irlanda.

A partir de aquí sólo se conservan los relatos de sus numerosos milagros, que situamos en la frontera entre la realidad y la poesía. Se cuenta, por ejemplo, que un día estaba pastoreando unas ovejas cuando le sorprendió una tormenta, y que cuando amainó Santa Brígida tendió sus ropas para que se secaran en un rayo de sol. Las leyendas también afirman que se le había concedido el poder ordeñar a una misma vaca una y otra vez sin que se le agotaran las ubres, de modo que podía alimentar a cuantos necesitados se acercaran a ella. De hecho, hoy en día se le suele representar con una vaca tendida a sus pies. Otro de los mitos asegura que nuestra santa era capaz de convertir el agua de su baño en cerveza.

Santa Brígida se mueve entre la historia y el folclore, y en ella podemos ver un reflejo humano de la constante preocupación de Dios por los hombres. Podría decirse que es una santa «de andar por casa», llena de detalles cotidianos y de un cierto sentido del humor muy acorde con su tierra.

La Purificación de la Virgen — 2 de febrero

Según la ley judía, después de dar a luz las mujeres debían abstenerse durante un tiempo de entrar en el templo y tocar los objetos sagrados: cuarenta días si parían un hijo y ochenta si era una niña. Pasado el plazo, la mujer debía ir al templo y hacer ofrendas al señor.

María, cuando pasaron los cuarenta días, fue con Jesús al templo de Jerusalén y ofreció dos tórtolas al Señor. Estaba en el templo un hombre llamado Simeón, al cual el Espíritu Santo le había revelado que no moriría sin ver al Mesías. Cuando puso sus ojos sobre el Niño, supo que estaba ante Cristo, y glorificó a Dios. También había en el templo una profetisa llamada Ana, muy anciana, que a la muerte de su marido, después de sólo siete años de matrimonio, se había dedicado por entero a servir al Altísimo con ayunos y oraciones. Al ver al Niño, su corazón se vio inundado de gozo, y el Evangelio nos cuenta que hablaba de Jesús a todos los que encontraba.

Tradicionalmente, la fiesta de la Purificación de María se conoce como la Virgen de las Candelas o Nuestra Señora de la Candelaria: en este día, las mujeres que han tenido hijos a lo largo del año los llevan a la iglesia para presentárselos al Señor y a la comunidad y pedir a la Virgen que cuide de ellos.

En España tenemos un importante santuario dedicado a la Candelaria en la isla de Tenerife. La historia de ese lugar de oración es especialmente bella. Se cuenta que, antes de que los españoles llegaran a las islas Canarias, las olas dejaron un día en la playa una escultura de la Virgen con el Niño. Los guanches, al verla, supieron que aquella mujer de la imagen era la madre de todos nosotros y, aunque nunca habían oído hablar de la religión cristiana, decidieron llevar la escultura a una cueva cerca del mar y rendirle culto allí. De este modo, cuando los conquistadores llegaron a Tenerife se encontraron con que los indígenas ya adoraban a la Virgen. A finales del siglo XIX hubo una gran tempestad en el Atlántico y las aguas del mar llegaron hasta la cueva de la Candelaria, llevándose de allí la imagen de Nuestra Señora.

San Blas

3 DE FEBRERO

SAN BLAS († 316)

Otros santos: Anscario, Celerino, Laurentino, Ignacio, Celerina, Hipólito, Félix, Sinfronio, Lupicino, Tigrido y Remedio.

San Blas († 316) — 3 de febrero

San Blas, obispo y mártir, está muy arraigado en la tradición popular cristiana y se le invoca para curar los males de garganta («¡San Blas bendito, que se ahoga este angelito!») con esta entrañable mezcla de fe y superstición.

Se le supone médico, y su profesión le llevó a reflexionar sobre lo pasajero de todos los bienes terrenos. Nació en Sebaste, Armenia, y gracias a su vida rebosante de santidad fue nombrado obispo de esta ciudad. Sin embargo, tenía una cierta vocación de anacoreta, por lo cual se retiraba continuamente a una cueva del monte Ageo para meditar en soledad. Sus conciudadanos pronto descubrieron su refugio, acudiendo allí para recibir su bendición y curarse de las enfermedades del alma y del cuerpo.

En el año 315 llegó a Sebaste el gobernador de Capadocia y Armenia, Agrícola, con la orden de exterminar a todos los cristianos. Una leyenda piadosa afirma que para ejecutar la sentencia los soldados salieron al monte para capturar leones y tigres, con la intención de organizar el conocido espectáculo de arrojar cristianos a las fieras. Sin embargo, no fueron capaces de encontrar ninguna, ya que todos los animales salvajes se había refugiado en la cueva de San Blas para recibir su bendición.

4 DE FEBRERO

SAN ANDRÉS CORSINO (1302-1373)

Otros santos: Fileas, Filoromo, Eutiquio, Aquilino, Gémino, Gelasio Magno, Donato, Remberto, Aventino, Isidoro, Gilberto, José de Leonisa, Juan de Britto y Juana de Valois.

5 DE FEBRERO

SANTA ÁGUEDA (230-251)

Otros santos: Isidoro, Avito, Ingenuino, Albuino y beatos Pablo Ni y Andrés Kim.

El gobernador mandó llamar a San Blas y le ordenó que hiciera un sacrificio en honor de los dioses del Imperio. El santo obispo se negó y, por tanto, fue condenado a morir decapitado.

Son numerosos los relatos de los milagros de San Blas. En una ocasión curó a un niño que tenía una espina atravesada en la garganta sólo con tocarle. También se dice que, antes de ser decapitado, el gobernador lo había condenado a morir ahogado en una laguna, pero que fue imposible ejecutar la sentencia porque el santo caminaba sobre las aguas.

San Andrés Corsino (1302-1373) — 4 de febrero

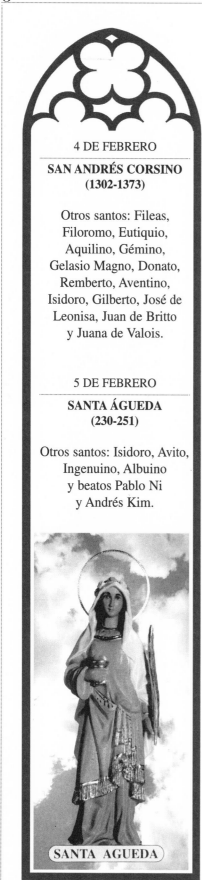

San Andrés es una prueba de que todos estamos llamados a la santidad. Al igual que el hijo pródigo, fue un hombre descarriado y consiguió encontrar el camino recto y llegar hasta lo más alto.

El día antes de que naciera en Florencia, su madre soñó que paría un lobo que se transformaba en cordero al pasar por la iglesia de los padres carmelitas. Efectivamente, Andrés fue creciendo para convertirse en un verdadero ejemplo de vida irregular: dado al juego, a la caza y a los amoríos, era iracundo y dilapidador. Una noche volvía Andrés de alguna juerga nocturna cuando encontró a su madre deshecha en lágrimas a causa del negro futuro que veía para su hijo. El joven se enterneció y se propuso dar un giro radical a su vida.

Se dirigió a la iglesia de los frailes carmelitas e ingresó allí como novicio. Al año tomó los hábitos de monje, y hubo de esperar diez años más para ser ordenado sacerdote. Desde ese momento evitó sistemáticamente cualquier acto que pudiera tentarle a volver a su vida anterior; de hecho, el día en que ofició su primera misa se escondió para no tener que asistir a la fiesta que su familia daba en su honor.

San Andrés estudió teología en Avignon de la mano de su tío el cardenal Corsini. Cuando volvió a Florencia, fue nombrado prior del convento en el que se había convertido. Poco después le eligieron para ser el obispo de la ciudad de Fiesole, y casi fue necesario recordarle su voto de obediencia para obligarle a aceptar el cargo, que no consideraba acorde con su carácter humilde. Por ello, una vez ordenado obispo, duplicó sus austeridades. Se dedicaba día y noche a resolver las diferencias entre sus feligreses; se dice que llevaba una lista con todos los pobres de la ciudad, a los cuales lavaba los pies cada martes. Fue legado papal en Bolonia, enviado para solucionar las diferencias entre el pueblo y la nobleza. Llevó a cabo su misión con gran éxito.

Cayó enfermo mientras oficiaba la misa del Gallo en 1372, muriendo pocos días después.

Santa Águeda (230-251) — 5 de febrero

Mujer de muy buena familia y extraordinaria belleza, consagró a Dios los dones que había recibido desde muy joven y soportó la humillación, la tortura y la muerte por mantenerse fiel a Cristo.

Se sabe que nació en Sicilia y que desde niña tuvo numerosos pretendientes que ansiaban desposarla. Pero el más perseverante de todos fue Quintiliano, cónsul de Sicilia, hombre acostumbrado a conseguir cuanto quería. Al recibir las primeras negativas de la santa, pensó en chantajearla utilizando contra ella el edicto del emperador Decio que condenaba a los cristianos. Águeda se mantuvo firme y el cónsul decidió entregarla a Afrodisia, una anciana que regentaba un burdel, con la esperanza de que corrompiera su virtud. A fuerza de oraciones, la joven consiguió mantenerse pura. La vieja se dio al fin por vencida y devolvió a Águeda al cónsul. Éste, en un último intento, echó en cara a la santa que había olvidado sus orígenes nobles para abrazar una religión de esclavos; Águeda replicó que no había mayor felicidad para ella, ni mayor libertad, que ser esclava de Cristo.

San Pablo, Velázquez.

Quintiliano, sintiéndose humillado, ordenó que fuera torturada. Fue apaleada, desgarrada y abrasada, y le fueron cortados los pechos. Santa Águeda lo soportó todo con la alegría de los verdaderos mártires. Cuando estaba en prisión, privada de ungüentos y comida, se le apareció el apóstol San Pedro, llenando de luz el calabozo y sanando todas sus heridas. El cónsul no se sintió en absoluto conmovido por el milagro, ordenando que Águeda fuera arrastrada desnuda sobre brasas incandescentes. La santa murió aquella noche, después de haber rogado a Dios que acogiera su alma en el cielo.

La devoción popular la venera como patrona de las nodrizas y del mal de pechos, atribuyéndola una especial protección contra las erupciones del Etna.

Los mártires de Japón — 6 de febrero

San Francisco Javier llegó a Japón en 1549 y gracias a la labor de sus misioneros, apenas veinte años después, había 200.000 cristianos en las islas, entre ellos multitud de nobles y daimios. Sin embargo, en 1588 el shogun Hideyoshi ordenó que todos los misioneros jesuitas abandonaran Japón en un plazo de seis meses. Con esta orden, el shogun obedecía un deseo del emperador, que carecía por completo de poder político pero mantenía su posición porque sus súbditos lo consideraban un dios viviente. Sin embargo, el edicto del shogun no se aplicó a rajatabla, permaneciendo la mayor parte de los jesuitas en sus misiones disimulando su condición.

6 DE FEBRERO
LOS MÁRTIRES DE JAPÓN
Otros santos: Pablo Miki, Dorotea, Saturnino, Teófilo, Revocata, Antoniano, Guarino, Armando, Silvano y Gastón.

La persecución se intensificó en 1592 a causa de las rencillas entre los propios occidentales. Un comerciante holandés se había asentado en Japón y había reunido un harén de más de cincuenta concubinas, que lo abandonaron cuando un misionero jesuita las convirtió al cristianismo. Irritado, hizo correr la voz de que los jesuitas eran en realidad la avanzadilla de una flota española que se proponía conquistar Japón. Ya mucho más preocupado, el shogun dispuso que sus anteriores órdenes se cumplieran con rigor y se extendieran también a los conversos.

En total fueron 26 los martirizados: seis franciscanos, tres jesuitas japoneses (Pablo Miki, Juan Gotto y Jaime Kisai) y 17 seglares, entre ellos tres niños que ayudaban a los sacerdotes en la misa. Los mártires fueron conducidos a la ciudad de Meako, donde se les amputó la mitad de la oreja iz-

Adoración de los Magos, Durero.

quierda y se les obligó a desfilar entre la gente para dar ejemplo. En carretas fueron llevados a Nagasaki, donde fueron crucificados en la colina que hoy se llama de los Mártires. A una señal, los verdugos les atravesaron el costado con una lanza, mientras los condenados entonaban himnos de alabanza.

7 DE FEBRERO
SAN TEODORO
EL CAPITÁN
(† 319)
Otros santos: Angulo, Adauco, Crisol, Mosés, Ricardo y Juliana.

SAN TEODORO EL CAPITÁN († 319) — 7 DE FEBRERO

Como ocurre con la mayoría de los santos marciales, su historia es más bien leyenda que realidad. Era oficial de la tropas del emperador Licinio, y entre sus muchísimas hazañas destaca la muerte de un dragón que asolaba las tierras de Eukaita. Cristiano convencido, intentaba practicar las enseñanzas del Evangelio en su profesión, usando sólo su autoridad para imponer justicia y ayudar a los débiles, al mejor modo del ideal caballeresco de la Edad Media.

Cuando el emperador empieza la persecución de cristianos, Teodoro oculta por todos los medios su verdadera religión. Sin embargo, llega un momento en que decide reivindicar la verdad. Licinio visita su tierra natal, Eukaita, y Teodoro lo recibe con los brazos abiertos. Cuando le pregunta por el motivo de su viaje, el emperador responde que ha venido con todos los dioses, representados en estatuillas de oro y plata, para forzar él mismo al pueblo a que rinda culto a los ídolos del Imperio. Teodoro, muy astuto, se ofrece para custodiar los ídolos en su casa e incluso perfumarlos, para que den mejor impresión entre las gentes. Cuando por fin tiene las estatuas en su poder, las hace pedazos y reparte en metal precioso entre los pobres.

El emperador, por supuesto, entra en cólera y decide castigar duramente a nuestro santo. Después de horribles torturas, Teodoro es decapitado y grandes prodigios suceden a su muerte.

¿Cuánto de cierto hay en esta historia? Sin duda toda la trama está simplificada y exagerada para que sea un ejemplo más claro, pero sí tiene trazas de verdad que un oficial cristiano se rebele cuando el Imperio quiere utilizarle para imponer el culto a los falsos ídolos. Y, desde luego, parece muy recomendable el comportamiento nada supersticioso del capitán: no sólo se niega a venerar a los ídolos, sino que los despoja de toda su apariencia de divinidad y reparte los valiosos restos entre los que lo necesitan.

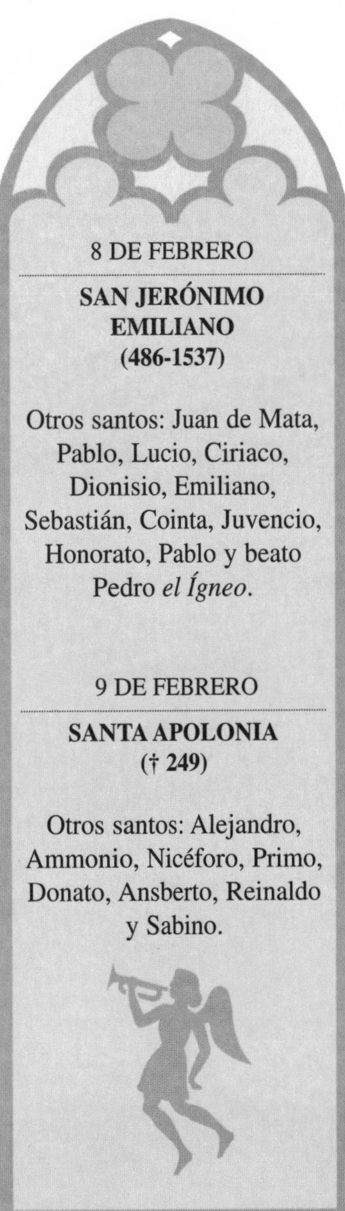

8 DE FEBRERO

SAN JERÓNIMO EMILIANO (486-1537)

Otros santos: Juan de Mata, Pablo, Lucio, Ciriaco, Dionisio, Emiliano, Sebastián, Cointa, Juvencio, Honorato, Pablo y beato Pedro *el Ígneo*.

9 DE FEBRERO

SANTA APOLONIA († 249)

Otros santos: Alejandro, Ammonio, Nicéforo, Primo, Donato, Ansberto, Reinaldo y Sabino.

San Jerónimo Emiliano (1486-1537) — 8 de febrero

Jerónimo, fundador de la congregación religiosa de Somascha, fue un hombre entregado por completo a aliviar a los más necesitados, dedicándose con especial cariño a los enfermos y a los huérfanos.

Nació en Venecia cuando ésta era una poderosa república marítima. Hijo de una familia patricia, pasó su juventud luchando en las tropas. Siendo gobernador de un castillo fue capturado y lo arrojaron a una celda cargado de cadenas. San Jerónimo aprovechó su reclusión para meditar y rezar, ofreciendo a Dios todos sus sufrimientos. Se dice que fue liberado gracias a la intervención milagrosa de la Virgen, por lo cual nuestro santo le ofreció sus cadenas en un altar de Traviso.

Cuando regresó a Venecia, Jerónimo abandonó definitivamente la vida militar y se dedicó a ayudar al prójimo. Era justo la época en que una plaga había asolado la ciudad y las calles estaban repletas de huérfanos abandonados. El santo alquiló una casa donde reunió a todos los niños, los cuidó, los alimentó, los vistió y les enseñó él mismo la doctrina cristiana. Años después partió hacia el continente y fundó hospitales para niños y mujeres por toda Italia. En Somascha fundó una casa donde se reunían todos sus colaboradores para hacer ejercicios espirituales. Con el tiempo, esta casa se fue convirtiendo en una auténtica congregación donde acudían jóvenes clérigos y seglares para formarse.

En tiempos de su fundador, la congregación de Somascha era meramente seglar, pero el Papa Pablo III dispuso que fuera declarada orden religiosa, confirmada por la regla de San Agustín.

Santa Apolonia († 249) — 9 de febrero

Fue una santa muy popular en otros tiempos, ya que se la invoca contra el dolor de muelas. Era diaconisa (entre los primeros cristianos,

10 DE FEBRERO

SANTA ESCOLÁSTICA (480-H. 543)

Otros santos: Austreberta, Sotera, Zótico, Ireneo, Jacinto, Amancio, Silvano, Guillermo y beato Albérigo.

mujeres que se dedicaban al cuidado de los pobres) en Alejandría y vivía dedicada al cultivo de todas las virtudes. Según la *Leyenda áurea*, era una «virgen venerable adornada por las virtudes de la castidad, la austeridad y la limpieza de corazón».

A comienzos del año 248, un poeta empezó a profetizar que Alejandría sufriría una gran desgracia si no se exterminaba a todos los cristianos. Esto provocó gran revuelo entre los habitantes. El primer incidente ocurrió cuando tomaron a un anciano cristiano y quisieron obligarle a que blasfemara contra Jesús; ante su negativa, le molieron el cuerpo a palos, le sacaron los ojos y le lapidaron. La siguiente fue una matrona llamada Quinta, que se negó a rendir culto a un ídolo y por ello fue martirizada.

Le llegó entonces el turno a Apolonia, que fue prendida y golpeada con una piedra en la boca hasta perder todos los dientes. Sin embargo, nuestra santa continuaba profesando una y otra vez el credo de Jesucristo. Sus perseguidores decidieron encender un gran fuego, amenazándola con arrojarla a él si no hacía apostasía y ofrecía incienso a los ídolos. La santa se encomendó a Dios y, para demostrar que era completamente libre, se arrojó ella misma a las llamas.

Este episodio quizá pueda recordar demasiado a un suicidio, aunque tradicionalmente se afirma que lo hizo impulsada por el Espíritu Santo. De uno u otro modo, su muerte resulta difícil de comprender. No en vano, los santos tienen algo de la divinidad en ellos, y los caminos de Dios nunca han sido comprensibles para los hombres.

SANTA ESCOLÁSTICA (480-H. 543) — 10 DE FEBRERO

Los condes de Nursia recibieron en su vejez un regalo del cielo: el nacimiento de dos hijos que fueron modelos de cristiandad, San Benedicto y Santa Escolástica. El culto de esta santa ha florecido a la sombra de su hermano, conociendo muy poco de la vida y santidad de Escolástica.

Fue educada en los consejos de los evangelios y, desde niña, aprendió a no valorar los bienes terrenos. Siendo casi una niña hizo voto de castidad, renunciando así a multitud de pretendientes. Después de la muerte de sus padres repartió todos sus bienes entre los pobres y partió, acompañada por una criada, en busca de su hermano. Benedicto se había instalado en Montecassino, donde había fundado un monasterio, y al saber que su hermana lo buscaba salió a su encuentro. Entre ambos decidieron que Escolástica viviría a partir de entonces en una celda no lejos del monasterio de Benedicto, rigiendo su vida por la regla que su hermano había creado. Éste es el nacimiento de la orden de las monjas benedictinas.

Escolástica y Benedicto se encontraban una vez al año en una casa a medio camino entre sus respectivos conventos. En la última de estas visitas, después de haber pasado todo el día hablando y orando, nuestra santa pidió a su hermano que se quedara con ella hablando de los gozos del Paraíso, ya que sentía que su muerte estaba próxima. Benedicto se negó para no violar la regla monástica que él mismo había creado. Pero Escolástica pidió a Dios que permitiese que su hermano se

Presentación en el templo,
Giovanni Bellini.

quedara junto a ella una última noche. Empezó una tempestad tan violenta que Benedicto no pudo salir de la casa y, efectivamente, ambos hermanos permanecieron toda la noche en vela.

Escolástica murió tres días después y Benedicto, que oraba en su celda, vio el alma de su hermana ascender al cielo en forma de paloma. Envió a algunos monjes que fueran a por su cuerpo y dispuso que fuera enterrada en el mismo sepulcro que había preparado para él.

San Benito de Aniano (750-821) — 11 de febrero

San Benito fue un monje de extremo rigor que intentó devolver al clero regular la severidad y austeridad que había tenido antaño. En vida, su influencia fue muy grande, ya que se convirtió virtualmente en el abad supremo de todo el imperio carolingio. Sin embargo, su mentalidad no le sobrevivió.

11 DE FEBRERO
SAN BENITO DE ANIANO (750-821)
Nuestra Señora de Lourdes. Otros santos: Lucio, Desiderio, Saturnino, Dativo, Félix, Ampelio, Calocero, Castrense, Lázaro, Jonás, Gregorio II, Pascual I y Severino.

Nació llamándose Witiza; era visigodo del sur de la Galia, hijo del conde de Languedoc. Sirvió en la corte del rey Pipino *el Breve* como paje, pero tras escapar de la muerte por muy poco mientras intentaba salvar a su hermano, hizo voto de apartarse del mundo por completo. Se retiró a la abadía de San Seine, cerca de Dijon. Vivió allí dos años y medio, y se dice que los otros monjes lo detestaban por severo. A pesar de ello, y debido a su santidad, quisieron elegirlo abad, pero nuestro santo rehusó el

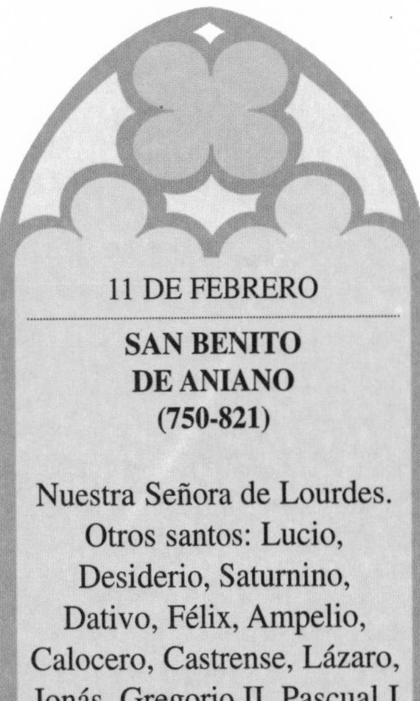

San Antonio Abad y San Pablo, primer ermitaño, Velázquez.

honor y se marchó a una ermita cerca de un arroyo del Aniano. Vivió allí durante algún tiempo en extrema pobreza, y poco a poco otros monjes le siguieron para ponerse bajo su dirección. Witiza fundó con ellos una comunidad con una regla extremadamente dura (sólo permitía a los monjes comer pan y agua, y les imponía unos trabajos severísimos), hasta el punto de que algunos murieron de inanición o de agotamiento. Al fin Witiza rectificó: adoptó la regla de San Benedicto de Nursia, cambió su nombre por el del santo fundador y levantó un nuevo monasterio en las cercanías del anterior. Su influencia se extenderá por toda Francia y Alemania, y el hijo de Carlomagno le encomendó la inspección de todas las abadías del imperio.

Al final de su vida se trasladó al monasterio de Inden, que el monarca había hecho construir para tener al santo cerca de él. Sufrió mucho en su último año a causa de una enfermedad, muriendo en completa austeridad, como había vivido.

Santa Eulalia de Barcelona († 304) — 12 de febrero

Eulalia vivió casi toda su vida con su familia en una quinta en los alrededores de Barcelona, donde sus cristianos padres querían mantenerla a salvo de las persecuciones ordenadas por el emperador, que habían llegado a la región con el prefecto Daciano.

Cuando creció, Eulalia no se conformó con permanecer oculta. Tenía veinticinco años cuando decidió plantar cara por la fe. Mientras todos dormían, salió secretamente de la casa y recorrió a pie el largo camino que la separaba de las murallas de Barcelona. Llegó a la ciudad muy de mañana, a tiempo para escuchar cómo el pregonero convocaba a todos los ciudadanos a la plaza para escuchar al prefecto. Una vez allí, se acercó a Daciano y, muy digna, le dijo que era sierva de Cristo, rey de reyes, y le preguntó cómo osaba obligar a los cristianos a adorar a ídolos que no eran sino sirvientes de Satanás. Es más, le anunció que él y todos los persecutores estaban ya condenados a sufrir las penas del Infierno.

Santa Eulalia fue inmediatamente condenada. Después de crueles torturas, se la metió en un tonel lleno de cuchillas y se la hizo rodar por una pendiente, donde hoy existe una calle que lleva su nombre. Una vez muerta, se expuso su cuerpo desnudo colgado en una cruz en las murallas de la ciudad.

Eulalia fue una jovencita admirable, impaciente por desafiar a todos con la verdad. Podía haberse quedado en casa, pensando que reservaba su vida para hacer mucho bien en el futuro. Pero no. Dios llamó a esta santa para dar testimonio de Él, para demostrar a todos que cuando se tiene el amor de Cristo, lo demás no importa.

Santa Catalina de Ricci (1522-1589) — 13 de febrero

Santa Catalina fue uno de esos seres afortunados que durante gran parte de su vida gozan de una comunicación privilegiada con Dios.

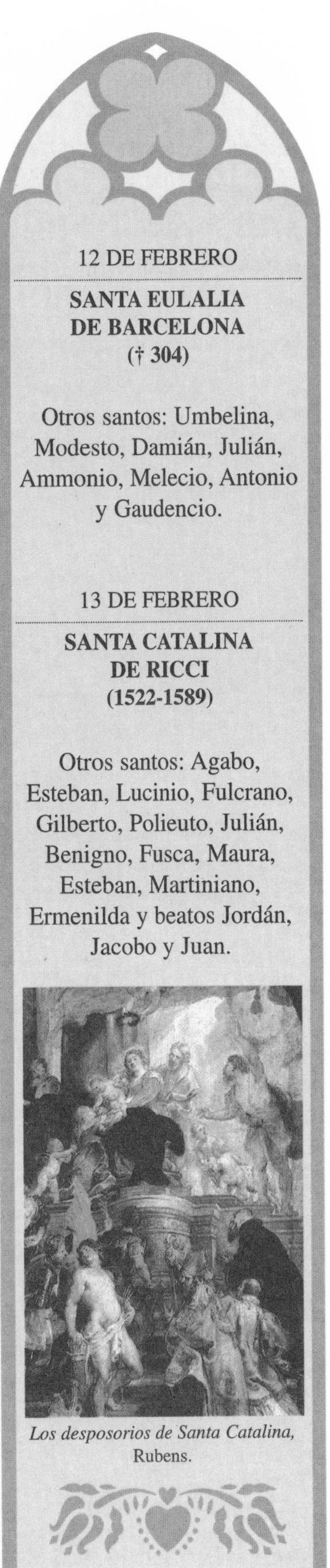

12 DE FEBRERO
SANTA EULALIA DE BARCELONA († 304)
Otros santos: Umbelina, Modesto, Damián, Julián, Ammonio, Melecio, Antonio y Gaudencio.
13 DE FEBRERO
SANTA CATALINA DE RICCI (1522-1589)
Otros santos: Agabo, Esteban, Lucinio, Fulcrano, Gilberto, Polieuto, Julián, Benigno, Fusca, Maura, Esteban, Martiniano, Ermenilda y beatos Jordán, Jacobo y Juan.

Los desposorios de Santa Catalina, Rubens.

San Sebastián (detalle),
Mantegna.

Son famosos sus éxtasis y varios papas acudieron a ella para escuchar su consejo.

Nació con el nombre de Alejandra, hija de una rica familia florentina. Su madre murió cuando la santa no tenía más que seis años, y su padre la envió al convento de Monticelli para que fuese educada. Allí encontró la felicidad y por ello, cuando volvió junto a su padre, encontró insoportable la vida que le correspondía debido a su posición social. Al fin logró el consentimiento para tomar los hábitos, y así lo hizo cuando sólo tenía trece años, cambiando su nombre por el de Catalina.

Ingresó en un convento de dominicas, y durante los dos primeros años que pasó allí sufrió lo indecible a causa de una dolorosa enfermedad. Santa Catalina ofreció a Dios sus sufrimientos y de modo casi milagroso, se curó. Desde entonces se dedicó a una vida completamente espiritual, haciendo constante penitencia y practicando la mayor de las austeridades. Muy pronto fue maestra de novicias, después subpriora y a los veinticuatro años fue nombrada priora perpetua. A partir de ese momento empezó a recibir visitas y a intercambiar correspondencia con grandes personajes de la Iglesia.

Uno de ellos fue San Felipe Neri, a quien Catalina sólo conocía por carta. Estando él en Roma, se le apareció nuestra santa, y ambos conversaron durante varias horas. Esto ocurrió durante uno de los éxtasis de Catalina, que solían producirse cuando ella se dedicaba a meditar sobre la pasión de Cristo, cada semana, desde el jueves a mediodía hasta las tres de la tarde del viernes.

SAN VALENTÍN († 273) 14 DE FEBRERO

Aun sin saberse prácticamente nada de él, San Valentín es uno de los santos que goza de mayor devoción hoy en día. Y esto ocurre precisamente por ser patrón de los enamorados, aunque no hay nada en lo poco que nos ha llegado de su vida que tenga ni tan siquiera la más leve relación con el amor romántico. Su patronazgo, muy antiguo (data de principios de la Edad Media), le viene por una simple coincidencia en el calendario: su fiesta viene a sustituir una celebración pagana de la fertilidad en la naturaleza.

Parece ser que Valentín era un sacerdote que gozaba de mucho prestigio en Roma en tiempos de Claudio. Una leyenda llega a asegurar que estuvo a punto de convertir al emperador, que oyendo hablar de su fama quiso conocerlo. Pero los cortesanos le advirtieron de que nuestro santo era un embaucador y temiendo un tumulto, o algo peor, terminó condenando a Valentín a muerte. El juez que lo procesó, Asterio, terminó abrazando el cristianismo después de ver los milagros que el sacerdote hizo durante el proceso. Sin embargo, la sentencia se ejecutó finalmente en la vía Flaminia.

Muchos puristas de la hagiografía protestan por las celebraciones que nuestra sociedad de consumo ha inventado en torno a San Valentín. Recordarles que su patronazgo sobre los enamorados tiene siglos de antigüedad es lo de menos. El cristianismo es la religión del amor, e invocar a un santo o a un mártir, cualquiera que sea, por el simple motivo de sentir amor por otra persona siempre es algo bueno y que, sin duda, hace sonreír a Dios.

14 DE FEBRERO

SAN VALENTÍN
(† 273)

Otros santos: Cirilo, Metodio, Cirinio, Nostriano, Eleucadio, Vidal, Zenón, Felícula, Efebo, Baso, Ammonio, Antonio, Protólito, Basiano, Agatón, Moisés, Dionisio, Próculo, Apolonio, Antonino, Auxencio, Cristina y beatos Nicolás y Juan Bautista.

Bodas místicas del venerable Agnesio y Santa Inés,
Juan de Juanes.

San Francisco abrazado a Cristo en la cruz, Murillo.

SAN SIGFRIDO, APÓSTOL DE SUECIA († 1002) 15 DE FEBRERO

El cristianismo había entrado por primera vez en Suecia, el país de los godos, de manos de San Anscarius en el año 830. A pesar de que éste consiguió muchos conversos, el pueblo pronto volvió al paganismo.

El rey Olas suplicó al monarca inglés que enviase misioneros a sus tierras para predicar el Evangelio, y Sigfrido, un sacerdote de York, se hizo cargo de la misión. Llegó a Suecia en el año 950 y se asentó en Wexiow. Fue penetrando en las almas de la gente muy poco a poco, y como símbolo de ello fue construyendo muy despacio la catedral de Wexiow. Primero sólo una cruz de madera, y después una capilla del mismo material que fue ampliándose poco a poco. El éxito en la ciudad fue enorme, y los propios conversos fueron diseminando la semilla del Espíritu Santo por todo el país. En muy poco tiempo, las doce tribus del sur habían adoptado la cruz.

Sigfrido ordenó dos obispos, uno para el este y otro para el oeste, y continuó gobernando la sede de Wexiow ayudado por sus tres sobrinos. Delegó en ellos sus responsabilidades y partió para predicar en el norte y centro del país de los godos. El rey Olas lo recibió con todos los honores, se bautizó junto a su corte y su familia e incluso pidió a Sigfrido que ordenase a otros dos obispos.

Durante este viaje, un grupo de rebeldes saqueó la iglesia de Wexiow y asesinó a los tres sobrinos de Sigfrido, enterrando sus cuerpos en medio del bosque y arrojando sus cabezas a un estanque. Al conocer la noticia, nuestro santo volvió rápidamente a su sede para ocuparse de las labores de reconstrucción. Intercedió ante el rey para que los asesinos no fueran condenados a muerte, e incluso rechazó la multa que el monarca les impuso a modo de indemnización.

Tras su muerte, Sigfrido fue honrado por los suecos como su apóstol hasta el momento en que se convirtieron al protestantismo.

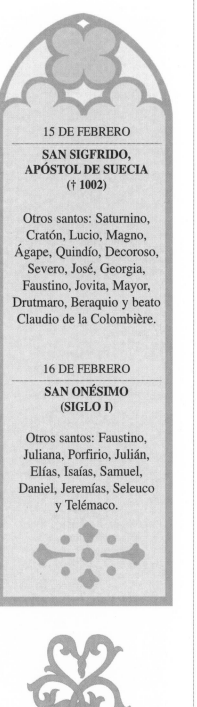

15 DE FEBRERO

SAN SIGFRIDO, APÓSTOL DE SUECIA († 1002)

Otros santos: Saturnino, Cratón, Lucio, Magno, Ágape, Quindío, Decoroso, Severo, José, Georgia, Faustino, Jovita, Mayor, Drutmaro, Beraquio y beato Claudio de la Colombière.

16 DE FEBRERO

SAN ONÉSIMO (SIGLO I)

Otros santos: Faustino, Juliana, Porfirio, Julián, Elías, Isaías, Samuel, Daniel, Jeremías, Seleuco y Telémaco.

SAN ONÉSIMO (SIGLO I) 16 DE FEBRERO

Es muy poco lo que sabemos de este discípulo de San Pablo. Frigio de nacimiento, era esclavo de Filemón, un notable de la ciudad de Colosas que había sido convertido por San Pablo. Onésimo robó a su amo y huyó a Roma. Allí se encontró con el propio San Pablo, que en aquel momento estaba prisionero en la ciudad. El apóstol lo convirtió y lo bautizó, enviándole de regreso con su amo acompañado de una carta canónica de recomendación.

Filemón le perdonó y le concedió la libertad, encomendándole que volviera con San Pablo para servirle y atenderle. El apóstol hizo de él el portador de su *Epístola a los Colosenses,* un predicador del Evangelio y un obispo.

Sufrió martirio bajo el reinado de Domiciano alrededor del año 95.

17 DE FEBRERO
SAN JULIÁN
DE CAPADOCIA, MÁRTIR
(† 308)
Otros santos: Faustino, Policronio, Teódulo, Donato, Secundiano, Rómulo, Silvino, Fintano y los siete santos fundadores de los servitas.
18 DE FEBRERO
SAN SIMEÓN,
OBISPO DE JERUSALÉN
(SIGLO I)
Otros santos: Cisudio, Alejandro, Cuela, Lucio, Rótulo, Clásico, Máximo, Silvano, Prepedigna, Secundino, Frúctulo, Flaviano, Eladio y Teotonio.

San Julián de Capadocia, mártir († 308)

17 de febrero

A principios del siglo IV regía los destinos de Imperio Romano Galerio Máximo, que decretó una cruel persecución para los cristianos. Uno de sus más sanguinarios lugartenientes era Firmiliano, al cual nombró gobernador de Cesarea de Palestina.

Cuando llegó Firmiliano a esta región, llevó a la práctica los edictos de su emperador: cada día torturaba y ejecutaba a decenas de mártires.

Llegó entonces a Cesarea un hombre llamado Julián. Nada sabemos de él, salvo que venía de Capadocia y que era un firme seguidor de Jesucristo. No bien escuchó los crueles tormentos que tenían que padecer los cristianos en aquella región, corrió a la plaza donde se ejecutaban las sentencias para dar consuelo a sus hermanos. Era ya tarde, sólo quedaban allí los soldados recogiendo los cadáveres de los mártires. Julián, con lágrimas en los ojos, abrazó cada uno de los cuerpos, se puso de rodillas y les rogó que intercedieran ante él por todos los cristianos que sufrían persecución. Al ver los soldados esta actitud, lo arrestaron inmediatamente y lo llevaron ante Firmiliano, que tras un breve interrogatorio le condenó a muerte.

A la mañana siguiente se encendió una hoguera en la plaza y Julián fue arrojado a ella mientras cantaba alabanzas al Señor.

Julián es un mártir anónimo, como tantos otros. Conocemos sólo un momento de su vida, ¡pero qué momento! Afligido por la muerte de sus hermanos, no pudo evitar demostrar sus sentimientos y condenarse (y salvarse también) con ello. Un buen ejemplo para todos los que evitamos expresar lo que sentimos por miedo a no sé sabe muy bien qué... él se enfrentaba sin duda a cosas mucho peores de las que nosotros podemos siquiera imaginar que nos ocurran, y sin embargo fue sincero.

San Simeón, obispo de Jerusalén (siglo I)

18 de febrero

San Simeón (o Simón, que es el mismo nombre) era hijo de Cleofás (el hermano de San José) y de María, a la cual se alude en el Evangelio como cuñada de la Virgen María. Simeón era, por tanto, primo de Jesús y uno de sus primeros discípulos. San Lucas nos cuenta cómo él estaba entre los cristianos que recibieron el Espíritu Santo el día de Pentecostés.

Cuando los apóstoles se repartieron el mundo para predicar el Evangelio, se dispuso que Simeón permaneciera en Judea. En el año 62 fue martirizado el primer obispo de Jerusalén y Simeón fue nombrado su sucesor. Dos años después empezó una guerra civil en Judea a causa de una rebelión contra los romanos. Los cristianos recibieron una revelación divina, advirtiéndoles de que huyeran de Jerusalén, y así lo hicieron guiados por su obispo. Poco después, el futuro emperador Vespasiano entraba en la ciudad para destruirla. Los cristianos volvieron para establecerse en medio de las ruinas.

Simeón dedicó gran parte de sus esfuerzos a contener las herejías, llegando a afirmarse que sólo tras su muerte éstas pudieron estallar. Los na-

Santa Margarita, Zurbarán.

zareos y los ebionitas eran los que más preocupaban al obispo. Los primeros, a medio camino entre judíos y cristianos, admitían a Jesús como profeta pero no como Hijo de Dios; los segundos, además, enseñaban supersticiones y permitían el divorcio.

San Simeón logró escapar a las persecuciones de Vespasiano y Domiciano, pero no tuvo tanta suerte con Trajano. Fue acusado de pertenecer a la estirpe de David y, por tanto, condenado a la crucifixión. A pesar de contar con más de cien años (era mayor que Jesús y algunas crónicas fijan su martirio en el año 116), soportó la tortura durante días, gozoso de poder compartir el suplicio del Salvador.

San Álvaro de Córdoba († 861) 19 de febrero

Álvaro llevó una vida muy dura. Venía de una familia goda muy noble y muy rica, pero al vivir en Córdoba en tiempos de los omeyas su posición social pasó automáticamente a un segundo plano. Aun recono-

19 DE FEBRERO

SAN ÁLVARO DE CÓRDOBA († 861)

Otros santos: Gabino, Publio, Julián, Marcelo, Zambdas, Auxibio, Barbato, Mansueto, Quodvultdeus y Conrado.

La tentación de Santo Tomás de Aquino, Velázquez.

ciendo que los árabes eran, para la época de que hablamos, muy tolerantes en materia religiosa, consideraban a los cristianos pobres infelices que no eran capaces de comprender las enseñanzas de Mahoma: no podían acceder a puestos públicos, pagaban infinitamente más impuestos que los demás y su trabajo en cualquier materia era sistemáticamente complicado.

Este mozárabe de vida sencilla y seglar contrajo matrimonio con una sevillana. Sus intereses estuvieron siempre divididos entre las letras (humanidades, teología, ciencias y lenguas clásicas) y su exacerbado sentido de la justicia. De una fe vehemente y radical, no cesa de buscarse enemigos predicando el Evangelio en pleno califato y señalando la injusticia de que se le desprecie por ser seguidor de Cristo.

Álvaro fue muy amigo de Eulogio, que murió martirizado en la capital andalusí después de provocar más problemas entre los árabes de los que éstos podían soportar. Vemos aquí otra faceta de nuestro santo: el amigo fiel que está ahí hasta el último momento, apoyando a Eulogio a costa de arriesgar su propia vida.

La fiesta de San Álvaro de Córdoba es un llamamiento a la tolerancia. A nuestro santo no lo mataron, ni lo torturaron, ni tan siquiera fue expulsado o exiliado. Sólo —¡sólo!— fue marginado. Hoy nuestra sociedad hace lo mismo con multitud de personas. No los matamos físicamente, pero sí socialmente: los matamos porque son distintos, porque no los entendemos, porque nos dan miedo... y olvidamos que, sean quienes sean, por encima de todo son hijos de Dios. Pesando en San Álvaro, intentemos no someter a nuestros hermanos a los mismos suplicios que el santo mozárabe sufrió en vida.

San Euquerio († 738) — 20 de febrero

Euquerio nació en Orleáns, rodeado de libros, y entre libros pasó su juventud. Adicto al estudio, no había ningún conocimiento que se le antojase superfluo. Bien pudo hacer suya la máxima de aquel emperador romano: «Humano soy y nada humano me es ajeno».

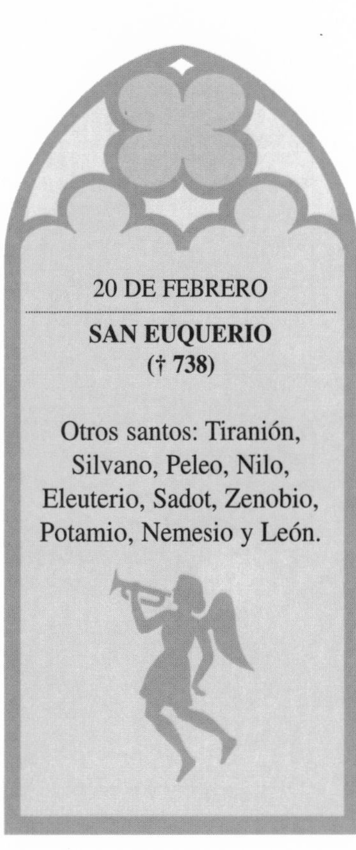

20 DE FEBRERO
SAN EUQUERIO
(† 738)
Otros santos: Tiranión, Silvano, Peleo, Nilo, Eleuterio, Sadot, Zenobio, Potamio, Nemesio y León.

Entre sus múltiples lecturas, cómo no, estaban las Sagradas Escrituras, en las cuales nuestro santo era todo un experto. En una ocasión en que leía a San Pablo, una frase le caló profundamente: «La sabiduría del mundo es necedad ante Dios». ¿La obra de su vida no significaba nada para el Creador? Tras mucho meditar, Euquerio optó por modificar su camino y tomó los hábitos monacales en la abadía normanda de Jumièges.

Llevaba pocos años en el monasterio cuando su tío el obispo de Orleáns falleció, y el pueblo aclamó a nuestro santo como su sucesor. Por obediencia y respeto a la voluntad de su pueblo aceptó, pero todos los cronistas coinciden en que lloraba en su consagración, temiendo que la dignidad episcopal le hiciera caer de nuevo en el orgullo.

No ocurrió así y de hecho fue un obispo excepcional. Defendió los intereses de la Iglesia y de sus feligreses con tanto fervor que llegó a enemistarse con los poderosos, lo cual le valió una sentencia de destierro emitida por el mismísimo abuelo de Carlomagno. El exilio fue una ben-

Historia de San Benito (detalle),
Signorelli.

dición para Euquerio, que así encontró la excusa deseada para volver a la celda de un convento, esta vez entre los benedictinos de Lieja. Pasó el resto de su vida en su retiro, orando, meditando y pidiendo perdón a Dios por todos los extravíos de su vida.

Hoy podemos pensar que dedicarse al saber no es un pecado. A Dios, sin duda, le place que sus hijos conozcan lo mucho que Él ha creado para nosotros. Pero lo que definitivamente Dios no debe querer es que nos dediquemos a los libros como si fueran nuevos ídolos, adquiriendo unos vastos conocimientos que ni compartimos con nuestros hermanos, ni utilizamos para glorificar a Dios y mejorar la vida de nuestros semejantes.

21 DE FEBRERO

SAN PEDRO DAMIANO (988-1072)

Otros santos: Severiano, Pedro Mavimeno, Vérulo, Félix, Secundino, Saturnino, Fortunato, Siricio y Sérvulo.

22 DE FEBRERO

SANTA MARGARITA DE CORTONA (1247-1297)

La cátedra de San Pedro. Otros santos: Papías, Abalio, Pascasio, Maximiano, Margarita de Cortona y Aristión.

SAN PEDRO DAMIANO (988-1072) — 21 DE FEBRERO

Visto a grandes rasgos, San Pedro parece un profeta apocalíptico fruto del año 1000: aún asustan sus denuncias de los pecados de sus contemporáneos, empezando por los de la propia Iglesia. Si nos acercamos, vemos en él a un monje humilde con vocación de ermitaño que, a causa de su sabiduría y obediencia, se vio obligado a ocupar las más altas dignidades eclesiásticas.

Su infancia nos recuerda a los cuentos infantiles. Hijo de muy buena familia, sus padres murieron cuando era muy niño, por lo que quedó en manos de un hermano que lo trató como a un esclavo. Rescatado por su otro hermano, Damián (de quien tomó el sobrenombre de Damiano) pudo obtener una educación. Empezó a ejercer como profesor en Parma, pero pronto abrazó la vida monástica y se retiró a la ermita de Font-Avellano, en el desierto de Umbría. Aprovechó la soledad para profundizar en sus estudios y alcanzó tal sabiduría que fue nombrado superior de su orden. Fundó otras cinco ermitas, procurando siempre inculcar en sus monjes los valores de la caridad, la humildad y la soledad.

En 1056 el Papa le nombró cardenal de Ostia. Renunciando a sus sueños de retiro, tuvo que intervenir en problemas de alta política eclesiástica, viajar mucho, predicar, ser consejero de reyes y escribir sobre multitud de temas. En una ocasión, el propio Pedro escribió: «¿Qué me importan los reyes y los concilios?». Sólo deseaba volver a su celda.

Tras intentarlo con sucesivos papas, logró su objetivo. Volvió a su ermita y renunció incluso a su dignidad de prior: quería ser un simple monje. Su soledad se vio interrumpida en dos ocasiones por orden papal: la primera para ser legado en Francia y, la segunda, para reconciliar a su Rávena natal con el Pontífice. Murió en el camino de vuelta, cuando la enfermedad le obligó a refugiarse en el monasterio de Santa María de los Ángeles.

SANTA MARGARITA DE CORTONA (1247-1297) — 22 DE FEBRERO

Nueva María Magdalena, Santa Margarita es un ejemplo más de que nunca es tarde para empezar en el camino de la santidad.

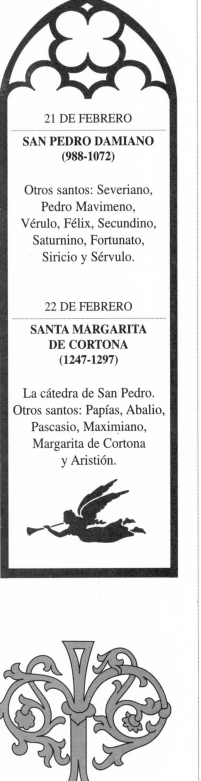

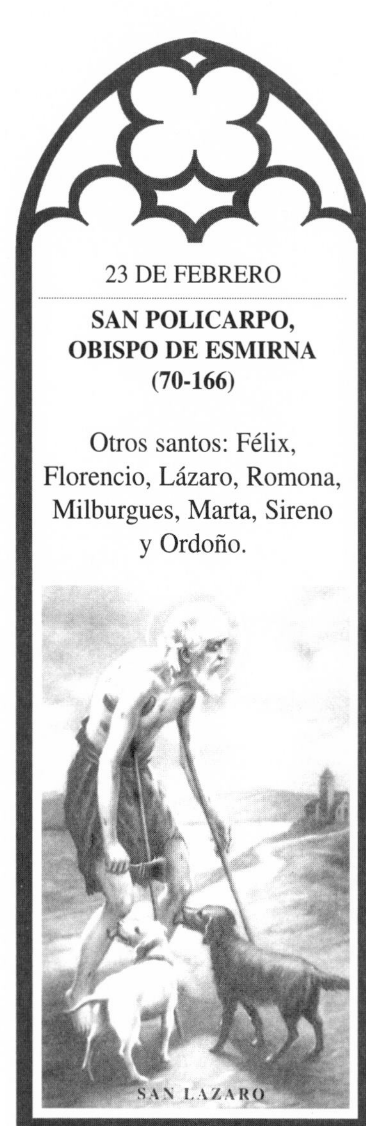

23 DE FEBRERO

SAN POLICARPO, OBISPO DE ESMIRNA (70-166)

Otros santos: Félix, Florencio, Lázaro, Romona, Milburgues, Marta, Sireno y Ordoño.

Era hija de un labrador de la Toscana y perdió a su madre a los seis años. Una madrastra amargó su niñez por culpa de los celos, y parece ser que en ella está la causa de su vida licenciosa. Deseando abandonar el hogar y empleando su enorme belleza, conquistó a un marqués de Montepulciano que juró hacerla algún día su esposa. Huyó con él y le dio un hijo, sin que sus promesas de matrimonio llegaran nunca a hacerse realidad.

En 1273 su amante muere apuñalado y Margarita vuelve arrepentida a casa de sus padres, quienes, según algunas versiones, le cerraron la puerta. Guiada por unas piadosas damas, acudió a la parroquia con una soga al cuello y pidió perdón público por sus pecados. Después fue a Cortona, donde se dirigió a los padres franciscanos, los cuales le guiaron en una larga penitencia de tres años. Por fin fue admitida entre las penitentes de la tercera orden de San Francisco.

El resto de su vida estuvo dedicada casi por completo a la penitencia. Son famosos los relatos de sus austeridades y de las mortificaciones a las que sometía su cuerpo. Fundó un hospital, cuidó a las parturientas, a los enfermos y trabajó para los pobres, mientras a su alrededor se la seguía calumniando por su pasado pecador. Margarita acogía con gozo esta humillación continua que le recordaba constantemente cuál era el buen camino.

Murió a los cincuenta años, agotada por las austeridades. Fue canonizada después de la prueba de muchos milagros.

San Policarpo, Obispo de Esmirna (70-166)

23 de febrero

Este anciano lleno de virtud, llamado en su época «padre de los cristianos» incluso por los que no lo eran, gozó de una particular veneración por haber sido discípulo de San Juan Evangelista.

Abrazó el cristianismo siendo muy joven y fue nombrado por su maestro obispo de Esmirna hacia el año 96. Durante su apostolado formó a muchos futuros santos y mártires, desarrollando su labor evangélica no sólo en su diócesis, sino también escribiendo cartas a otras Iglesias.

Ya octogenario, Policarpo viajó a Roma para tratar con el Papa Aniceto sobre ciertos puntos litúrgicos y, a su regreso, hubo de enfrentarse a la persecución. San Eusebio nos cuenta que, tres días antes de que le prendieran, nuestro santo tuvo una visión en la que su almohada era consumida por el fuego; supo entonces que su destino era ser quemado vivo (en recuerdo de esa almohada, siglos más tarde San Policarpo será invocado contra el dolor de oídos). Se escondió entonces el obispo en una aldea cercana a Esmirna, pero fue traicionado por un niño y descubierto. Cuando los soldados se presentaron ante su puerta, Policarpo les invitó a entrar y les dio la cena, pidiéndoles sólo algún tiempo para rezar antes de marcharse.

Llevaron a Policarpo ante el procónsul, y éste le ordenó que blasfemara contra Cristo. El santo replicó que había servido al Salvador durante más de ochenta años y le había ido bien, de modo que ¿por qué iba a insultarlo? Su actitud asombró al procónsul, pero aun así hizo público que se había confesado cristiano y el pueblo pidió que muriera quemado.

Al encenderse la hoguera, se cuenta que las llamas rodeaban a Policarpo, por lo que hubo que matarlo con una espada. Manó tanta sangre de la herida que el fuego se apagó. Su cuerpo, sin la menor quemadura, tenía el mismo color que el pan cocido y desprendía un olor a incienso y mirra.

San Pretextato († 586) — 24 de febrero

La historia de San Pretextato parece digna de representarse en un teatro. Reyes, princesas, traiciones, incestos y rebeliones se combinan en torno al cándido obispo de Ruán.

El rey Clotaire I había dividido la monarquía francesa entre sus cuatro hijos. Dos de ellos se habían casado con dos hermanas, princesas de la monarquía española: Sigebert con Brunehault y Chilperic con Galsvinda. Surge en escena una tal Fredegunda que, secretamente, asesinó a la reina Galsvinda y contrajo matrimonio con el viudo Chilperic. Brunehault, conocedora de las intrigas de la nueva reina, decidió vengar a su hermana, y pidió a su esposo que la ayudara. Fredegunda salió vencedora: mató a Sigebert y persuadió a su marido de que encarcelara a Brunehault y a sus tres hijas. Sin embargo, el único hijo varón de Sigebert, Childebert, logró escapar y fue coronado rey de Austria.

El rey Chilperic envió a su hijo, Meroveo, para que sometiera a su primo Childebert, y he aquí que el joven príncipe conoció a su tía Brunehault por el camino y se enamoró de ella. Aquí surge por primera vez nuestro santo, que era padrino de Meroveo y sentía una gran debilidad por él. El príncipe pidió a Pretextato que lo casara con Brunehault y el obispo al fin accedió, pensando que la situación merecía una dispensa. El santo fue acusado de alta traición, y cuando compareció ante un concilio se defendió con tanta sinceridad como falta de habilidad; con todo, no había pruebas para condenarle. Chilperic optó entonces por engañarlo y así, haciéndole creer que iba a perdonarle, consiguió que se confesara culpable. Fue entonces desterrado a la isla de Jersey.

Chilperic fue asesinado algunos años más tarde (se cree que por orden de la malvada Fredegunda) y Pretextato pudo volver a su sede. Continuó ejerciendo sus labores pastorales hasta que la malvada reina también mandó que lo mataran.

San Ethelbert († 616) — 25 de febrero

Rey de Kent, San Ethelbert fue el primer monarca cristiano entre los ingleses. Siempre luchó por instaurar el reino de Dios tanto en su corazón como en sus dominios.

Cuando subió al trono, Kent era uno de los reinos más poderosos de toda Gran Bretaña y Ethelbert gozaba de una cierta preeminencia en la heptarquía sajona. Era pagano pero su reina, Bertha, era una cristiana muy apasionada. Ella y un sacerdote francés llamado Luidhard consiguieron mediante su vida piadosa y ejemplar que Ethelbert albergara una buena opinión del cristianismo, permitiendo que muchos de sus súbditos y cortesanos se convirtieran.

24 DE FEBRERO

SAN PRETEXTATO
(† 586)

Otros santos: Sergio, Montano, Lucio, Julián, Victorico, Flaviano, Primitiva, Modesto, Edilberto y Roberto de Abrissel.

25 DE FEBRERO

SAN ETHELBERT
(† 616)

Otros santos: Victorino, Víctor, Nicéforo, Claudiano, Dióscoro, Serapión, Papías, Herena, Donato, Justo, Tarasio, Cesáreo, Avertano, Romeo, Adeltrudis, Valburgia, Gerlando y beatos Constantino y Sebastián.

26 DE FEBRERO

SAN PORFIRIO DE GAZA (352-420)

Otros santos: Néstor, Félix, Fortunato, Diodoro, Papías, Conón, Claudiano, Alejandro, Andrés, Faustiniano y Víctor.

27 DE FEBRERO

SAN GABRIEL DE LA DOLOROSA (1838-1862)

Otros santos: Honorio, Alejandro, Abundio, Antígono, Fortunato, Julián, Euno, Besa, Baldomero, Basilio y Procopio.

De este modo, cuando San Agustín llegó a Gran Bretaña para predicar, el corazón del monarca estaba preparado para recibir a Cristo. Adoptó la nueva religión y se transformó en un hombre nuevo, dispuesto a seguir las enseñanzas del Evangelio hasta el final. Preocupado por el bienestar de su pueblo, promulgó las leyes más justas, abolió el culto a los ídolos y destruyó sus templos para convertirlos en iglesias. Cedió su palacio real en Canterbury para el uso de San Agustín, fundando catedrales y monasterios.

Ethelbert fue decisivo para la propagación del cristianismo en Gran Bretaña y, aunque muchos territorios volvieron después al paganismo, su labor nunca será olvidada.

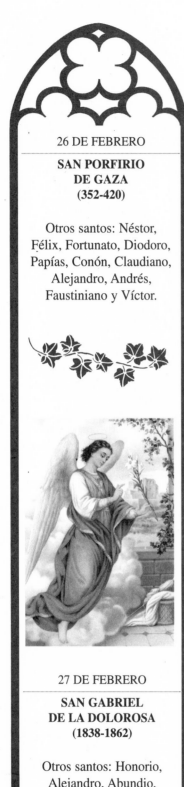

San Porfirio de Gaza (352-420) — 26 de febrero

Porfirio nació en Tesalónica, en el seno de una familia noble y adinerada. A los veinticinco años lo dejó todo para hacerse monje en las soledades del desierto egipcio. Después de pasar cinco años allí, se marchó para visitar los santos lugares en Jerusalén y se instaló en una cueva a orillas del Jordán. Llevaba años allí cuando las continuas austeridades le hicieron caer enfermo y tuvo que volver a la Ciudad Santa. A pesar de que sus malestares le hacían parecer un viejo encorvado, continuaba visitando cada día los lugares sagrados apoyado en un bastón. Fue de este modo como conoció a Marcos que, admirado por su santidad, le rogó ser su discípulo.

Porfirio se reprochaba constantemente no haber tomado su parte de la herencia familiar para poder distribuirla entre los pobres y, aprovechando un viaje de Marcos, le pidió que visitara a sus parientes para pedirles su parte de la fortuna. Cuando el joven regresó, Porfirio repartió todo el dinero entre los necesitados, por lo que tuvo que trabajar de zapatero para poder sobrevivir. Hacia los cuarenta años fue ordenado sacerdote y poco después, obispo de Gaza.

Su labor fue extremadamente dura, ya que había muy pocos cristianos en la ciudad. Los paganos incluso vieron en su llegada a Gaza la causa de una horrible sequía que los asolaba, convenciéndose sólo de lo contrario cuando el cielo pareció responder a sus plegarias haciendo que lloviese cuando él así lo pidió. Se cuenta que en algunas ocasiones, el buen Porfirio llegó a perder la paciencia con los idólatras. Una cosa es santificarse en soledad, meditando en el desierto o en una cueva del Jordán, y otra muy distinta hacerlo predicando a Jesús en medio del paganismo. En una ocasión llegó a pedir ayuda militar para facilitar su labor, pero pronto se convenció de que la auténtica conversión nunca podría llevarse a cabo por la fuerza de las armas. Excepto por ese episodio, Porfirio fue un ejemplo de mansedumbre y de santa paciencia.

San Gabriel de la Dolorosa (1838-1862) — 27 de febrero

Francesco nació en los Estados Pontificios, hijo del acaudalado juez Possenti. Rico, guapo y simpático, tenía todos los elementos para que las madres de familia se lo disputaran como futuro yerno. Estudió con los jesuitas, y sus maestros se quejaban siempre de que prestaba mucha más atención a las jovencitas y a los poemas románticos que les escribía, que a los libros y a las Sagradas Escrituras.

Una súbita enfermedad vino a cambiar su destino. Estando muy grave, hizo voto de que, si se recuperaba, abrazaría la vida religiosa. Como ocurre con tantas promesas que todos hacemos constantemente, Francesco se olvidó de la suya, pero una recaída en la enfermedad y la muerte de su hermana le llevaron a replanteárselo de nuevo. En 1856, en contra del consejo de sus familiares, que no le veían capaz de llevar una vida tan austera, tomó el hábito pasionista cambiando su nombre por el de Gabriel de la Dolorosa.

Contra todas las expectativas, el cambio operado en nuestro santo fue radical. Olvidó sus galanteos y su vida mundana para dedicarse con auténtico fervor a la oración y a los rigores de su orden. Las austeridades, sin embargo, fueron demasiadas para su débil complexión y Gabriel cayó enfermo muchas veces. Contrajo la tisis y murió antes de poder ser ordenado sacerdote.

Gabriel no se arrepintió de su cambio en ningún momento. Probablemente, las comodidades de su elevada posición podrían haber alargado su vida, pero como él mismo decía, ¿de qué le habría valido? Por fin encontró su destino, que no era sino ofrecerse a Dios por completo, en cuerpo y alma, para que Él dispusiera de su vida como quisiera. Y al Señor le gustó tanto el regalo que quiso llevárselo enseguida con Él.

SAN OSVALDO († 922) — 28 DE FEBRERO

San Osvaldo fue un pastor ejemplar e incansable que, sin embargo, necesitaba sus momentos de soledad y oración. Sus sentimientos de caridad eran tan elevados que, siempre que comía, sentaba a doce pobres en su mesa, los servía y lavaba y besaba sus pies.

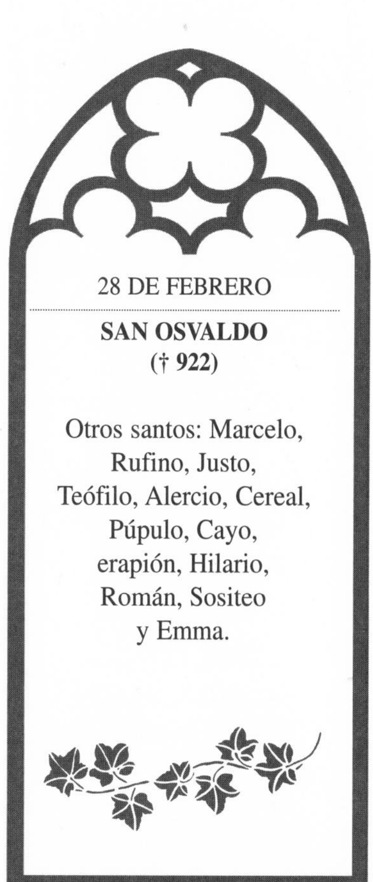

28 DE FEBRERO
SAN OSVALDO
(† 922)
Otros santos: Marcelo, Rufino, Justo, Teófilo, Alercio, Cereal, Púpulo, Cayo, erapión, Hilario, Román, Sositeo y Emma.

Nuestro santo fue educado por su tío San Odo, arzobispo de Canterbury, que lo convirtió en deán de Winchester. Pasó después a Francia, donde se hizo monje en Fleury. Sin embargo, al poco tiempo se le ordenó regresar a Inglaterra, donde fue elegido obispo de Worcester. Dedicó sus primeros años a fundar monasterios por toda su diócesis.

No pasaron muchos años antes de que se le ordenara aceptar también la dignidad de arzobispo de York, con lo cual Osvaldo tenía dos diócesis de las que encargarse. Ni mucho menos se dio por vencido. Continuó fundando iglesias y monasterios, predicó sin descanso y procuró evitar cualquier tipo de abuso. También se dedicó con ahínco a formar a los monjes y sacerdotes en la doctrina cristiana y toda clase de conocimientos. En medio de estas labores, conseguía encontrar tiempo para refugiarse en algún monasterio y unirse a los monjes en sus oraciones y ejercicios contemplativos, que consideraba imprescindibles para hallar la fuerza necesaria para continuar su trabajo.

Siendo ya anciano, cayó enfermo mientras se hallaba retirado en el monasterio de Santa María, en Worcester, y expiró mientras rezaba gozoso, repitiendo una y otra vez: «Gloria a Dios Padre».

29 DE FEBRERO

SAN ROMANO
(† 460)

Se celebran los santos del día 28 de febrero.

1 DE MARZO

SAN DAVID DE GALES
(† 544)

Otros santos: Rosendo, Herculano, Dand, Senanio, León, Donato, Nicéforo, Abundancio, Antonina, Adriano, Hermetes, Eudocia, Félix, Albino, Sultberto y Siviardo.

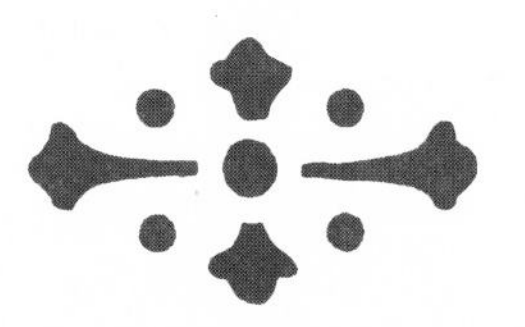

SAN ROMANO († 460) 29 DE FEBRERO

Su fiesta corresponde habitualmente al 28 de febrero, pero en los años bisiestos se celebra el día 29 con redoblada devoción.

No sabemos dónde ni cuándo nació: el relato de su vida suele comenzar cuando él y su hermano Lupicino se retiraron a unas montañas, cerca de Aventicum, para vivir en soledad. Pasaron años dedicados a cantar salmos y buscar raíces, que eran su único alimento. Al cabo del tiempo decidieron fundar el monasterio de Condat, que pronto se hizo tan famoso por su dura disciplina que acudían monjes de todo el país para vivir en él. Lupicino se encargaba de la dirección general, mientras Romano hacía las veces de guía espiritual de los frailes.

Se cuenta de Romano que tenía el don de la curación. Una vez en que se hallaba de viaje, una tormenta le sorprendió y nuestro santo tuvo que refugiarse en un hospital de leprosos. Sin siquiera ser consciente de ello, San Romano los curó a todos con su sola presencia.

Murió muy anciano, mientras rezaba en su monasterio. En sus últimos momentos fue asistido por su hermano, que lo enterró con sus propias manos cerca de la abadía.

La historia de Romano y Lupicino parece un reto para la imaginación: dos santos hermanos que aparecen de la nada para constituirse en ejemplos de santidad. Como dos ángeles que hubieran venido a la Tierra para honrar a Dios junto a los hombres.

SAN DAVID DE GALES († 544) 1 DE MARZO

Santo nacional de los galeses, es patrón de los recién nacidos por razones no muy bien aclaradas. Es famoso por su predicación incansable, por su elocuencia y por su carácter estricto (no en vano se le conoce como *waterman*, el hombre de agua, el abstemio).

Era hijo del príncipe de Cardiganshire; después de ser ordenado sacerdote se retiró a la isla de Wright para estudiar y llevar una vida ascética. Cuando se sintió preparado, abandonó su soledad para ponerse a predicar.

Construyó una capilla en Glastonbury y fundó doce monasterios. Creó una regla especialmente estricta: los monjes debían trabajar manualmente sin descanso y sin utilizar animales de carga, no podían hablar salvo en casos extremos, debían orar continuamente y alimentarse sólo de verduras y pan.

Hacia el año 512 hubo un sínodo en Cardiganshire con el objeto de combatir la herejía pelagiana. San David fue invitado, y son memorables los discursos que allí pronunció defendiendo la fe de la Iglesia. Se cuenta que, mientras hablaba, la tierra se abrió bajo sus pies y la paloma del Espíritu Santo fue a posarse sobre su hombro, como señal de que cuanto decía era la verdad.

Después del sínodo, David fue ordenado obispo de Caerlon. Se le permitió trasladar la sede a Menevia (ahora conocida como San David), un lugar apartado, rodeado por la naturaleza e ideal para la meditación. Al poco tiempo, David convocó un nuevo sínodo en Victoria, donde se confirmaron las actas del primero y se elaboró una regla común para todas las iglesias y monasterios británicos. Desde su nueva sede, nuestro santo continuó con sus labores de predicación, fundó un gran número de monasterios y fue el padre espiritual de muchos santos británicos e irlandeses.

San Ceada († 673) — 2 de marzo

San Ceada era de una familia del norte de Inglaterra que dio varios santos, obispos y monjes a su tierra. Se educó en un convento, viajó a Irlanda para profundizar en su aprendizaje, y por fin fue a Yorkshire para suceder a su hermano San Cedd en el gobierno de la abadía de Lastingham.

En el año 666 fue ordenado obispo de York, pero pocos años después surgieron dudas sobre la licitud canónica de esta consagración. San Teodoro, arzobispo de Canterbury, que había estado fuera de Inglaterra, le pidió que abandonara su cargo, a lo cual nuestro santo respondió afirmativamente: nunca había sido digno de tal honor y sólo lo había aceptado por obediencia. Volvió, pues, al monasterio de Lastingham.

Pasó muy poco tiempo antes de que fuera llamado para suceder al obispo Jaruman de los Mercedarios. Fue él quien fijó la sede en Lichfield (que significa «campo de muertos», por los muchos mártires que habían derramado su sangre allí), y mientras desempeñó este cargo fue un arquetipo de celo y de piedad. Siguiendo el ejemplo de los apóstoles, hacía sus visitas siempre a pie, y San Teodoro hubo de prohibírselo debido a su avanzada edad. San Ceada murió al cabo de casi tres años de haber sido ordenado, a causa de la gran plaga de peste que asoló la zona en el año 673.

Siempre se ha afirmado que San Ceada estaba bendecido con uno de los dones del Espíritu Santo: el temor de Dios. Esto no se traduce en miedo ni en superstición, sino en una especial sensibilidad para escuchar con el corazón los deseos del Altísimo. Nuestro santo podía ver en la naturaleza (el viento, las tormentas, los animales...) el lenguaje secreto de Dios, que está ahí para guiarnos a todos hacia la santidad.

2 DE MARZO

SAN CEADA
(† 673)

Otros santos: Pedro de Zúñiga, Lucio, Jovino, Basileo, Pablo, Heraclio, Absalón, Secundila, Jenara, Lorgio y Ceadio.

3 DE MARZO

SANTA CUNEGUNDA, EMPERATRIZ
(† 1040)

Otros santos: Emeterio, Celedonio, Marino, Félix, Marcia, Asterio, Eutropio, Basileo, Cleónico, Luciolo, Fortunato y Ticiano.

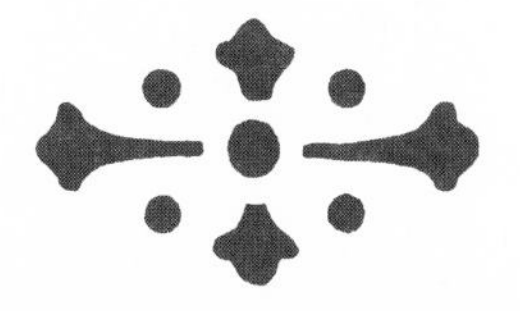

Santa Cunegunda, emperatriz († 1040) — 3 de marzo

Piadosa desde su infancia, Santa Cunegunda renunció a todo el lujo y el esplendor de la corte imperial para convertirse en la más humilde de las monjas.

Era hija del conde de Luxemburgo; muy joven contrajo matrimonio con San Enrique, duque de Bavaria, que fue elegido rey de los romanos y coronado emperador por el Papa.

Con el consentimiento de su marido, Cunegunda había hecho voto de virginidad antes de casarse. Sin embargo, fue acusada de haberle sido infiel con otros hombres de la corte. Para demostrar su inocencia, la emperatriz caminó descalza sobre brasas ardiendo sin sufrir ningún daño. Enrique, arrepentido de haber dudado de ella, la pidió perdón humildemente, y desde entonces ambos vivieron en la más estrecha unión.

En una ocasión en que Cunegunda cayó enferma, hizo voto de que si sanaba construiría un gran monasterio, como efectivamente hizo en Capungen, entregándolo después a las monjas benedictinas. Desde aquel momento, la emperatriz invirtió todos sus tesoros en fundar abadías y obispados y en aliviar las penas de los necesitados. Cuando murió su marido, a nuestra santa le quedaba ya muy poco de su riqueza, pero se desprendió de los restos y tomó los velos religiosos.

Una vez consagrada a Dios, olvidó por completo que una vez había sido emperatriz y se comportó como si fuera la última entre las monjas, viviendo en la más severa de las austeridades. Se cuenta que, cuando estaba ya agonizante, vio que preparaban una mortaja de oro para cubrirla cuando muriese, pero no pudo descansar hasta que obtuvo el juramento de que la enterrarían con su hábito, como la humilde religiosa que en su corazón siempre había sido.

4 DE MARZO

SAN CASIMIRO (1458-1482)

Otros santos: Basilio, Eugenio, Agatodoro, Eterio, Capitón, Néstor, Elpidio, Efrén, Arcadio, Cayo, Cirilo, Arquelao, Focio y Adrián.

5 DE MARZO

SAN FOCIO († 320)

Otros santos: Eusebio, Adrián, Teófilo, Gerésimo, Juan José de la Cruz y Olivia.

SAN CASIMIRO (1458-1482) — 4 DE MARZO

Patrón de Polonia, San Casimiro es señalado como ejemplo de príncipe cristiano. Y no por sus logros terrenales, sino precisamente por lo contrario. No alcanzó ninguna de las glorias que se esperan de un príncipe de esta época; además murió muy joven, pero vivió siempre con la alegría de saberse amado por Dios.

Era hijo de Casimiro III de Polonia e Isabel de Austria, y desde su más tierna infancia fue piadoso y devoto. En vez de dedicarse a los juegos y cacerías propios de un niño de su condición, pasaba las horas libres en la iglesia rezando y hablando con Dios. Era extremadamente caritativo y empleaba todo el dinero que su padre le daba en ayudar a los pobres.

Los nobles húngaros no estaban satisfechos con su monarca, Matías Corvin, y por tanto pidieron al rey de Polonia que situara a su hijo Casimiro en el trono de Hungría. Nuestro santo no deseaba acceder a la realeza, pero por obediencia a su padre marchó hacia tierras húngaras con un ejército. Cuando llegó allí, comprobó que las diferencias entre Matías y sus nobles se habían solventado y que, de hecho, le estaban esperando con otro ejército dispuestos a presentar batalla. Casimiro se negó a luchar y, feliz de no tener que ser rey, volvió a su tierra.

Su padre interpretó lo ocurrido en clave de derrota, y Casimiro pasó los doce años que le restaron de vida haciendo penitencia y buscando la santidad. Se mantuvo casto hasta el final, a pesar de que los propios médicos le recomendaban que se casara, considerándolo bueno para su delicada salud.

Murió de tisis con veintitrés años de edad.

SAN FOCIO († 320) — 5 DE MARZO

Conocemos a San Focio o Focas por un hermoso panegírico que para él escribió el obispo San Asterio en el siglo V. Era un hortelano de Sinope, que vivía en una casa muy modesta dedicado a cultivar un pequeño terreno. Nunca se casó, ya que prefería guardar su castidad intacta para Dios.

Focio era un hombre extremadamente generoso, compartiendo siempre los frutos de su trabajo con los pobres y los necesitados. Se dice que las puertas de su casa estaban siempre abiertas; cuando alguien se acercaba le acogía y le atendía como si fuera el más ilustre de los invitados.

Cuando el emperador Trajano decretó la persecución contra la Iglesia, Focio no se inmutó. Podría decirse que tenía la sangre muy fría o que no tenía miedo de nada. Quizás, como la hermana de Marta, hubiera encontrado ya lo importante y no necesitara buscar más. El caso es que nuestro santo permaneció en su casa como si no ocurriera nada, trabajando la tierra y ayudando a los demás como había hecho siempre, incluso cuando las autoridades dieron orden de busca y captura contra él, cuya reputación de cristiano era bien conocida en toda la región.

Unos días más tarde, varios soldados llegaron a casa de Focio para detenerle. Éste, cuando les vio entrar, les invitó a sentarse a su mesa, les dio comida y bebida y les ofreció su hospitalidad. Los alguaciles, que no le conocían, le contaron que estaban buscando a un tal Focio, y le pidieron ayuda para encontrarlo. Focio, haciendo gala de su sangre fría, les dijo que le conocía muy bien y que no se preocuparan, que él se encargaría de todo.

Invitó a los soldados a que se quedaran a dormir, y cuando éstos ya estaban acostados, salió al jardín y cavó su propia tumba. A la mañana siguiente, les anunció que él era el cristiano a quien andaban buscando. Ellos no se atrevían a matarlo, siendo el propio santo quien tuvo que animarles a que cumplieran con su deber.

6 DE MARZO

SANTA COLETE
(† 1147)

Otros santos: Marciano, Víctor, Victorino, Claudiano, Bass, Conón, Olegario, Basilio, Evagrio y Rosa de Viterbo.

SANTA COLETE († 1147) — 6 DE MARZO

Viajera incansable, Santa Colete cargó sobre sus hombros la responsabilidad de reformar la orden de Santa Clara, y a ello dedicó gran parte de su vida.

Nació pobre, hija de un carpintero, siendo educada en la humildad y en la austeridad. Desde niña amó la soledad, pasando su tiempo socorriendo a los pobres y a los enfermos mientras vivía en un pequeño cuarto en la casa de sus padres. Cuando éstos murieron, distribuyó lo poco que tenía entre los necesitados y se retiró a una comunidad seglar de Beguinas. Al poco tiempo, decidió adoptar el velo religioso e ingresó en un convento de penitentes. Tres años después se traspasó a las claras aliviadas, resuelta a reformar esta orden para devolverla a su primitiva austeridad.

Viajó por varios monasterios difundiendo sus enseñanzas antes de acudir a visitar a Pedro de Luna, que había sido reconocido Papa por los franceses durante el gran cisma de la Iglesia. Éste la nombró superiora general de la orden de Santa Clara y le encargó oficialmente que la reformase. Santa Colete fue de convento en convento, recorriendo toda Francia, Flandes y España. Muchos monasterios franciscanos también adoptaron su reforma.

A pesar del poder con que se le había investido, Santa Colete siempre fue humilde y desdeñosa de todos los bienes materiales. Murió como ha-

7 DE MARZO

SANTAS PERPETUA Y FELICIDAD († 203)

Otros santos: Sátiro, Revocato, Saturnino, Secúndulo, Eubulo, Teófilo, Gaudioso, Pablo, Pablo *el Simple* y Teresa Margarita.

Sta. Teresita del Niño Jesús

8 DE MARZO

SAN JUAN DE DIOS (1495-1550)

Otros santos: Quintilo, Cirilo, Filemón, Apolonio, Felícitas, Urbano, Mamilo, Herenia, Ariano, Teótico, Rogato, Beata, Silvano, Julián, Félix, Hunfredo y Veremundo.

bía vivido, en la pobreza, después de una corta enfermedad que le asaltó mientras cumplía con su misión en el convento de Ghent.

SANTAS PERPETUA Y FELICIDAD († 203) — 7 DE MARZO

La historia de estas dos mártires de la persecución de Septimio Severo es escalofriante. Es la narración de cómo el amor a Dios puede ser más fuerte que el instinto maternal, sin duda una de las fuerzas más poderosas de la naturaleza.

Perpetua y Felicidad vivían en Turba, muy cerca de Santiago. Eran dos mujeres de condición muy diferente: la primera era una matrona de alta cuna y la segunda, una esclava. Pero tenían dos cosas en común: ambas eran cristianas, y mientras Perpetua criaba a un bebé de meses, Felicidad estaba en los últimos días de embarazo.

En medio de una gran redada contra los cristianos, ambas mujeres fueron hechas prisioneras. Como era habitual, fueron llevadas a los tribunales, donde primero intentaron convertirlas de nuevo al paganismo; después las amenazaron y, por último, las torturaron. Las actas de su martirio nos cuentan con qué sentido del humor afrontaban estas dos ilustres mártires todos sus tormentos, y la leyenda nos habla de los sueños que Dios les enviaba para reconfortarlas y darles esperanza.

Al fin, Felicidad da a luz un hijo en la cárcel de Cartago e inmediatamente lo da en adopción a una familia cristiana. En cuanto al hijo de Perpetua, será su padre quien se haga cargo de él, desolado porque su esposa no sea capaz de renunciar a Dios por su familia. Perpetua y Felicidad murieron en el anfiteatro junto con otros muchos mártires. Las actas reflejan que, antes de que soltaran a los leones, los condenados se intercambiaron un beso como señal de paz.

Estas dos grandes mujeres renunciaron a sus propios hijos por el amor de Jesucristo. ¿Quién sería capaz de imitarlas? Ellas decidieron darles el mejor regalo que se puede tener: una madre amante en el cielo, en primera fila en la corte de los elegidos de Dios.

SAN JUAN DE DIOS (1495-1550) — 8 DE MARZO

San Juan de Dios llevó una vida de búsqueda. La mayor parte del tiempo, sin saber siquiera qué estaba buscando. Pero al fin dio con ello: la misericordia. No en vano fue el fundador de la orden de la Caridad.

Cuando tenía nueve años, Juan se escapó de su casa en Portugal para irse a vivir como pastor a Oropesa, en Toledo. Cansado de la vida campestre, ingresó en el ejército del emperador Carlos, y lo encontramos luchando en Fuenterrabía y en Austria. A su regreso peregrinó a Santiago; dispuesto a cambiar de vida, viajó a Gibraltar para trabajar como vendedor ambulante de estampas y libros religiosos. Se trasladó a Granada y abrió allí una tienda.

Durante su estancia en esta ciudad, escuchó uno de los sermones de Juan de Ávila, que le llegó a lo más profundo del alma. Salió de la iglesia implorando a gritos misericordia del Señor e hizo tantas extravagancias movido por la devoción que lo ingresaron en una casa de locos, bajo la protección del propio Juan de Ávila.

Cuando por fin salió de allí, decidió dedicar el resto de su vida a los pobres y a los enfermos. Alquiló una casa y acogió en ella a todos los necesitados de la ciudad que llamaran a su puerta: esta casa llegó en pocos años a ser uno de los hospitales más grandes y famosos de toda Europa. Para obtener el dinero necesario salía todos los días a la calle, con dos marmitas al cuello, pidiendo limosna: «Hermanos, haced bien para vosotros mismos».

Después de diez años de duro trabajo en el hospital, cayó enfermo. En un principio trató de ocultarlo, pero pronto una mujer rica que solía colaborar con él se percató de su estado y lo llevó a su propia casa. Murió allí, tras haber dado su bendición a la ciudad. A su muerte, la fundación se convirtió en la orden hospitalaria de los Hermanos de la Caridad.

9 DE MARZO
SANTA FRANCISCA
(1384-1440)
Otros santos: Paciano, Gregorio Niseno, Catalina de Bolonia y Domingo Savio.

Santa Francisca (1384-1440) — 9 de marzo

Santa Francisca fue una mujer singular al llevar una estricta vida monástica dentro del matrimonio.

Nació en Roma; hija de una ilustre familia, que la desposó con el joven Lorenzo Ponzani a pesar de que ella habría preferido ingresar en un convento. Sin embargo, Francisca se tomó muy en serio su matrimonio, se dice que amó mucho a su marido, y de hecho fueron una pareja modélica y feliz.

Francisca sacó adelante a sus hijos y encontró tiempo para orar y meditar sin descanso. Se mortificaba constantemente, llegando a dañar su cuerpo; llevaba una dieta muy estricta que se asemejaba mucho al ayuno. Trataba a los empleados domésticos como si fueran sus hermanos, nunca como a sirvientes. A pesar de su dinero, renunció por completo al lujo y a la ostentación: no llevaba joyas ni ropas finas, y su ejemplo fue adoptado por muchas damas romanas.

Tuvo que sufrir Francisca el tormento de ver morir a dos de sus hijos. Sin embargo, encontró un gran consuelo cuando el segundo, agonizante, dijo que podía ver a su hermano en la Gloria que salía a recibirlo.

Aún en vida de su marido, Francisca fundó el convento de Oblates, y lo puso bajo la regla benedictina. No pudo ingresar en él hasta que murió su marido, pero en ese mismo instante se puso una soga al cuello y acudió al convento suplicando que se la admitiera. Continuó con el mismo modo de vida humilde que había llevado siempre, aunque al poco tiempo de su ingreso fue nombrada superiora.

Salió por última vez del convento para visitar al último de sus hijos, que estaba gravemente enfermo. Francisca se contagió y murió a los pocos días. Santa de éxtasis y milagros, se cuenta que cuando paseaba por Roma era visible junto a ella un ángel de la guarda que despedía tanta luz que ella podía leer en la oscuridad.

10 DE MARZO

LOS CUARENTA MÁRTIRES DE SEBASTE

Otros santos: Cayo, Alejandro, Víctor, Codrato, Cirión, Cándido, Dionisio, Pablo, Cipriano, Crescente, Anecto, Simplicio, Macario, Atalo y Droctoveo.

11 DE MARZO

SANTA LEOCRICIA († 859)

Otros santos: Eutimio, Firmano, Firmo, Gorgonio, Heraclio, Zósimo, Cándido, Piperión, Constantino Pedro y Ramiro.

El martirio de San Pedro, Caravaggio.

Los cuarenta mártires de Sebaste — 10 de marzo

Cuarenta fueron los soldados que sufrieron martirio en Sebaste, la capital de Armenia, durante el reinado del emperador Lucinio. Pertenecientes a distintos países, formaban la duodécima legión, que estaba destinada en Sebaste.

Licinio había sido vencido por su cuñado, el piadoso Constantino. Al no poder vengarse, descargó toda su furia contra los cristianos, decretando una violenta persecución. Agrícola, el gobernador de Armenia, sabía que la duodécima legión era cristiana; por tanto, mandó arrestar a todos los soldados y les ordenó adorar a los dioses del Imperio. Los cuarenta se negaron rotundamente, afirmando que ningún tormento les haría abandonar su religión.

El general de la legión trató de convencer a sus soldados, pero todos sus argumentos fueron en vano. Agrícola en persona les amenazó de muerte, también en vano. Ofendido por su coraje, el gobernador ideó un tipo de martirio especialmente cruel, destinado a minar su perseverancia: los hizo encerrar desnudos en la superficie de un estanque helado, en pleno invierno armenio. Una bañera con agua caliente esperaba a cualquiera de los soldados que quisiera renunciar a su fe.

Los soldados no esperaron a que se les obligara a cumplir la sentencia: se desnudaron ellos mismos y acudieron gozosos a su encierro. Por la noche, el carcelero que los vigilaba, Gorgonio, tuvo una visión: vio a 39 ángeles que llevaban sendas coronas para los soldados. Se extrañó de este número, ya que eran cuarenta los condenados. En ese momento, uno de los legionarios se acercó a él para renegar de su fe y acceder al agua caliente. En ese instante, Gorgonio se convirtió, se despojó de sus ropas y se encerró junto al resto de los mártires.

Todos ellos murieron durante la noche, menos Melito, el más joven, que fue quemado vivo después de que su piadosa madre lo animara a perseverar en la fe.

Santa Leocricia († 859) — 11 de marzo

Los árabes llegaron por primera vez a la península Ibérica en el año 711 y un siglo después sólo el reino de Asturias quedaba como reducto cristiano. En el resto de la Península, el al-Andalus, casi todos los antiguos habitantes se habían convertido al Islam y sólo había pequeños grupos de cristianos: los mozárabes. Es cierto que los musulmanes practicaban una política tolerante, y cristianos y judíos tenían libertad religiosa siempre que pagaran un tributo especial. La situación se agravó en el año 850: el impuesto subió y surgieron muchos tumultos que aumentaron la rigidez de los árabes. Muchos cristianos se mostraron más que dispuestos a morir por su religión, siguiendo el ejemplo de los antiguos mártires del Imperio Romano.

Las autoridades eclesiásticas andalusíes llamaron a sus feligreses a la paciencia: no era necesario el derramamiento de sangre. Sin embargo, había un sacerdote llamado Eulogio que animaba a la gente a aceptar el martirio. Entre sus seguidores había una virgen llamada Leocricia, de familia noble, que había sido bautizada en secreto. Huyó de casa de sus padres e hizo profesión pública de su fe, por lo cual fue apresada por las autoridades: los cristianos tenían libertad de culto, pero manifestarse públicamente en contra del Islam era lo mismo que negar las leyes de los omeyas. Fue llevada ante el cadí, el juez musulmán, y no se conformó con mantenerse firme en su fe, sino que intentó explicar que Mahoma era en realidad un estafador. Aquello fue demasiado para la paciencia de los árabes, que la condenaron a muerte.

¿Tiene sentido lo que hizo Leocricia? Sin duda. Cristo nos llama a la evangelización, y mantenerse escondido, oculto, como si ser cristiano fuera un defecto o algo de qué avergonzarse, no puede ser bueno. Leocricia podría haberse salvado de la muerte si se hubiera comportado como una sierva sumisa, pero ¿tiene Cristo que agachar la cabeza? Aún hoy, muchos no nos atrevemos a seguir el ejemplo de esta mártir y ocultamos nuestra fe por miedo al desprecio de quienes se creen superiores.

SAN TEÓFANES, ABAD († 818) — 12 DE MARZO

Santo de la paciencia, es el Job de la Edad Media. Soportó durante su vida, y siempre con alegría, las más dolorosas enfermedades y los más crueles castigos.

El padre de Teófanes era un hombre poderoso dentro del Imperio bizantino, pero murió cuando su hijo tenía sólo tres años, dejándole una gran fortuna. No sabemos bien cómo, nuestro santo creció en el desprecio de los bienes mundanos, desarrollando una gran humildad. Siendo ya un hombre, contrajo matrimonio, pero él y su mujer hicieron voto de castidad y cada uno de los esposos se retiró a un monasterio.

Algunos años después asistió al concilio de Nicea, y todos se quedaron admirados al ver tan austero a quien habían conocido como un hombre rico y poderoso. Ya en esta época empezó a sufrir de piedras y cólicos nefríticos, pero soportó sus dolores con verdadera felicidad.

En el año 814 el emperador Leo reanudó la persecución contra la Iglesia católica, prohibiendo el uso de imágenes sagradas. Conocía la reputación de Teófanes, de modo que intentó ganárselo para su causa. Le ofreció compensaciones y llegó a amenazarle, pero todo fue en vano, de modo que ordenó que el santo fuera encarcelado en una mazmorra pestilente en condiciones infrahumanas. En vez de hundirse en sus penurias, Teófanes aprovechó los tres años de reclusión para escribir su *Cronografía,* una breve historia sobre los últimos siglos.

Al fin fue sacado de prisión para desterrarlo a la isla de Samotracia, donde murió a los 17 días de haber llegado.

SANTA EUFRASIA (380-410) — 13 DE MARZO

Eufrasia, en griego, significa «alegría», y con este talante vivió siempre nuestra santa, practicando sus muchas virtudes.

12 DE MARZO

SAN TEÓFANES, ABAD
(† 818)

Otros santos: Bernardo, Egduno, Pedro, Maximiliano e Inocencio I.

13 DE MARZO

SANTA EUFRASIA
(380-410)

Otros santos: Nicéforo, Rodrigo, Salomón, Cristina, Macedonio, Patricia, Modesta, Teusetas, Horrio, Teodora, Ninfodora, Marco, Arabia, Sabino y Ansovino.

Nació en Constantinopla, hija de un rico senador que murió cuando su hija tenía un año. Su madre la llevó entonces a Egipto, donde tenían posesiones, y allí vivieron en las cercanías de un monasterio de monjas. La madre de Eufrasia las visitaba con frecuencia, rogándoles que rezaran por el alma de su difunto marido. Así fue cómo despertó en nuestra santa la vocación religiosa, que a los siete años rogó a su madre que la enviara al convento, a lo que ésta consintió alegremente.

La madre de Eufrasia murió al poco tiempo y el emperador, enterándose de que se había quedado huérfana, la escribió ofreciéndole un marido en la corte. La santa respondió con todo candor que ya estaba casada con Dios, y pidió al emperador que repartiera todas las riquezas de sus padres entre los pobres y que liberara a todos sus esclavos.

Dicen que el Demonio tentó a Eufrasia de mil maneras, pero ella resistía con ayuda de su abadesa y entregándose al duro trabajo, a la oración y a la penitencia. En una ocasión, estuvo durante días cargando pesadas piedras para luego devolverlas a su posición original. Parece ser que Satanás llegó a atacarla físicamente, y sembraba la semilla del rencor entre sus hermanas: las otras monjas llegaron a acusarla de ambición e hipocresía, dado lo severo de sus penitencias.

Fue bendecida con el don de los milagros antes y después de su muerte, que ocurrió cuando sólo tenía treinta años.

14 DE MARZO

SANTA MATILDE, REINA (895-968)

Otros santos: León, Eutiquio, Pedro, Afrodisio y Arnaldo.

San Pedro in vinculis (detalle), José de Ribera.

SANTA MATILDE, REINA (895-968) — 14 DE MARZO

Esta madre de los pobres, como se le llamaba, fue incomprendida por sus propios hijos a causa de su enorme generosidad. Atrajo discrepancias e injurias porque sus virtudes eran difíciles de interpretar para la mayoría.

Hija de un poderoso conde sajón, fue educada en un monasterio del cual era abadesa su propia abuela. Permaneció allí hasta los diecisiete años, cuando sus padres la casaron con Enrique, duque de Sajonia, que fue elegido rey de Germania.

Mientras su marido extendía por las armas las fronteras del país, Matilde atendía a los pobres y los instruía, enseñándoles a vivir según el ejemplo de Cristo. Visitaba con frecuencia a los prisioneros, animándoles a arrepentirse de sus pecados y concediéndoles la libertad si encontraba alguna injusticia en su condena. Fue guía y consejera de su marido, y contribuyó a suavizar el violento carácter del monarca, que así lo reconoció justo antes de su muerte, después de 23 años de matrimonio.

Cuando enviudó, Matilde renunció a todos los lujos y, como símbolo de ello, donó todas sus joyas a la Iglesia. Esto le causó problemas con dos de sus hijos, Otón y Enrique, que le acusaron de haber despilfarrado el tesoro del Estado en dárselo a los pobres. Las humillaciones fueron continuas y crueles, pues venían de aquellos a los que ella más amaba. Sin embargo, no dejó que esto redujera su generosidad: sus limosnas se hicieron aún más frecuentes, fundando numerosas iglesias y monasterios.

Murió en el monasterio de San Gervasio, después de haberse confesado públicamente, yaciendo sobre un lecho de cilicio y ceniza. Dispuso que la enterraran junto a su amado esposo.

San Longinos (siglo I) 15 de marzo

Casio era el legionario que atravesó con su lanza a Jesús. El Evangelio nos lo perfila muy someramente. Primero se maravilló al ver que de la herida manaba agua con la sangre (prodigio que después de todo es natural: los médicos aseguran que se trataba de líquido pleural debido al lugar donde se hizo la punzada), y cuando Cristo murió y el sol se ocultó, y la tierra tembló y el velo del templo se rasgó por el medio, murmuró para sí: «Verdaderamente, este hombre era justo». Palabras que apuntan a una sincera conversión.

En torno a esta figura se tejió en la Edad Media una riquísima leyenda. Las gotas de sangre de Jesús cayeron sobre los ojos del legionario, que era miope, y desde ese momento comenzó a ver con claridad. También hay historias que aseguran que este soldado ayudó a José de Arimatea a recoger la sangre del Salvador en el Santo Grial.

Más verídica parece la narración de la vida posterior del soldado. Arrepentido de lo que había hecho —aunque se limitaba a cumplir órdenes—, dejó la carrera militar, cambió su nombre por el de Longinos (que deriva de lanza en griego) y marchó a Cesarea de Capadocia para llevar una vida de oración y predicación. Se supone que allí fue apresado por las autoridades, torturado y después asesinado, por todo lo cual se le venera como mártir.

Al margen de todas las historias que se han tejido a su alrededor, algunas de las cuales serán ciertas y otras no, la figura del Evangelio ya es impactante de por sí: un soldado que participa en la Pasión por mera casualidad. No le va nada en ello, está allí como mero profesional, cumpliendo con su deber. Sin embargo, al ver al Señor y los prodigios que rodearon su muerte, no puede sino reconocer al menos que «ese hombre era justo».

San Abraham († 360) y su sobrina Santa María 16 de marzo

San Abraham fue un hombre solitario que sólo abandonó su retiro penitente para dedicarse a predicar el Evangelio.

Nació en Mesopotamia y sus padres, muy ricos, deseaban buscarle un lugar adecuado en el mundo. Con ese fin lo desposaron, pero Abraham escapó después de la ceremonia con la intención de convertirse en un ermitaño penitente. Se confinó en una celda y tapió la puerta para no poder salir: sólo tenía una pequeña ventana por la que recibía lo indispensable para sobrevivir. Llevaba diez años encerrado cuando murieron sus padres; heredó una gran fortuna, que entregó a un virtuoso amigo para que la distribuyera entre los necesitados. Cuarenta años más vivió confinado en su refugio.

15 DE MARZO

SAN LONGINOS (SIGLO I)

Otros santos: Raimundo de Fitero, Aristóbulo, Menigno, Nicandro, Matrona, Leocricia, Probo, Especioso, Luisa de Marillac y Clemente María Hofbauer.

16 DE MARZO

SAN ABRAHAM († 360) Y SU SOBRINA SANTA MARÍA

Otros santos: Hilario, Agapito, Patricio, Heriberto, Taciano, Largo, Félix, Julián y Dionisio.

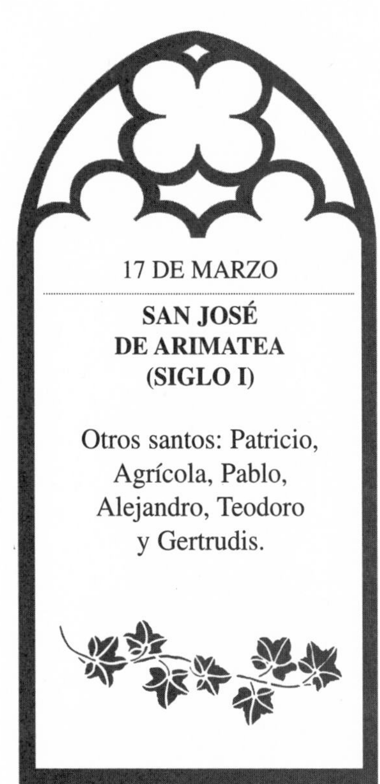

17 DE MARZO

SAN JOSÉ DE ARIMATEA (SIGLO I)

Otros santos: Patricio, Agrícola, Pablo, Alejandro, Teodoro y Gertrudis.

El obispo de Lampsaco le suplicó que accediera a predicar en un pueblo de las cercanías cuya barbarie y constancia en el paganismo eran proverbiales. No sin resistencia, Abraham consintió en ser ordenado sacerdote y aceptó la misión que le encomendaban.

En primer lugar, levantó una suntuosa iglesia y después destruyó a todos los ídolos que se adoraban en el pueblo. Como es natural, la gente del lugar montó en cólera, le golpearon y le expulsaron. Al día siguiente volvió a predicar, y se repitieron los mismos hechos. Y así día tras día hasta que, al cabo de tres años, los idólatras, asombrados por la fe y la perseverancia de aquel hombre, se avinieron a escucharlo. No tardaron en convertirse.

Volvió inmediatamente a su celda, pero de nuevo su soledad se vio perturbada, pues tuvo que hacerse cargo de su sobrina María, que vivió junto a él en otra celda durante veinte años. Un buen día, seducida por un monje perverso, huyó para dedicarse a una vida libertina. Abraham salió a buscarla y con sus tiernas palabras la convenció de que se arrepintiera de sus pecados y volviera junto a él como penitente.

Ambos murieron en el desierto, en la más completa austeridad.

San José de Arimatea (siglo I) — 17 de marzo

Muy poco se sabe de San José de Arimatea. Los cuatro evangelistas lo mencionan, precisando que era un hombre rico e ilustre, miembro del Sanedrín. Persona buena y honrada que aguardaba el reino de Dios, era discípulo de Jesús, pero clandestino, por miedo a las autoridades judías. Cuando murió el Maestro, se armó de valor y pidió permiso a Pilatos para sepultar a Jesús. Una vez concedido, y con la ayuda de Nicodemo, desclavó el cuerpo de la cruz y lo llevó al Santo Sepulcro.

Tenemos, pues, a un discípulo vergonzante que, justo cuando los apóstoles son presa del pánico y están escondidos, saca fuerzas de flaqueza para señalarse como amigo e incluso seguidor de Jesús.

El resto es leyenda. Antes de sepultar a Jesús, José de Arimatea recogió su sangre en el Santo Grial, la misma copa que había utilizado en la Última Cena. Tomó también una espina de la corona con que torturaron a Jesús. Después de la resurrección del Maestro, José tomó también la Sábana Santa (el sudario con el que él mismo le había envuelto) y partió para predicar en la Galia, donde entregó esta última reliquia a una comunidad de religiosos. Más tarde viajó a Gran Bretaña, donde por fin se asentó en Glastonbury, uno de los centros del culto druídico en la isla. Allí construyó una capilla para custodiar el Grial y plantó en el huerto la espina que, milagrosamente, creció y floreció para convertirse en el Santo Espino. En la Edad Media, nuestro santo se convirtió en una figura casi mítica, que se enlaza con las historias del rey Arturo y con los secretos de los templarios.

La leyenda también asegura que San José enseñó el cristianismo a los druidas de Glastonbury y que vivió en armonía con ellos, aprendiendo también de su antigua sabiduría y de su particular modo de comunicarse con Dios. Curiosa historia que habla de la tolerancia en tiempos en que ésta parecía no haberse inventado todavía.

San Cirilo (315-386) 18 de marzo

Cirilo nació cerca de Jerusalén y tras ser educado en la fe y en la doctrina de la Iglesia (aunque también leyó con atención a los filósofos paganos), fue ordenado sacerdote por el obispo de esta ciudad. Se le encomendó que fuera predicador y catequista, y así lo hizo durante años hasta que el obispo murió y él fue designado para sucederle.

A los pocos días de estar Cirilo en el cargo, Jerusalén presenció una señal: un cuerpo luminoso en forma de cruz apareció en el cielo justo sobre el Gólgota, llegando hasta el monte de los Olivos. No fue éste un augurio de paz, ya que poco tiempo después el arzobispo de Cesarea se convirtió a la herejía arriana, y al ver que Cirilo no le seguía, decidió deponerlo. Para ello, le acusó de graves crímenes y el concilio aprobó su decisión. Nuestro santo hizo todas las apelaciones posibles, y al fin el emperador Julián *el Apóstata* decretó que todos los obispos desterrados volvieran a sus sedes. Con esto pretendía causar aún mayor confusión en el seno de la Iglesia.

Con todo, Cirilo pudo volver a Jerusalén justo cuando el emperador había ordenado que comenzaran las obras de reconstrucción del templo judío. De nuevo se presentaron las señales milagrosas, ya que lo que los trabajadores construían por el día era destruido por terremotos al anochecer, y un buen día una gran cruz reluciente apareció sobre la ciudad.

Cirilo fue nuevamente depuesto algún tiempo después, y sólo pudo volver tras 11 años. Encontró a su congregación muy dividida, pero a pesar de todo continuó trabajando. Era ya anciano cuando asistió al concilio de Constantinopla, donde condenó con elocuencia a los herejes arrianos.

Gobernó su iglesia en paz —por fin— durante cinco años más, al cabo de los cuales entregó su alma a Dios.

San José (siglo I) 19 de marzo

Descendiente directo de los grandes reyes de las tribus de Judá, era sin embargo un hombre pobre y humilde que, junto a la Virgen María y al Niño Jesús, forma la Sagrada Familia.

Los apócrifos afirman que era carpintero, y la tradición le supone mucho mayor que María. Lo cierto es que no pudo haber mejor guardián de su castidad, ni mejor protector contra las calumnias que podrían haberse producido al quedar la Virgen encinta del Hijo de Dios. Una prueba de su justicia y su caridad es que, sin estar enterado del misterio de la Encarnación, y consciente de su propia conducta casta hacia María, no la repudió. Quizá por ello Dios le envió un ángel para que despejara sus dudas.

Fue José el que, avisado desde el cielo, sacó a la Virgen y al Niño de Belén para llevarlos a Egipto, a salvo de la matanza de Herodes. Cuidó a Jesús y le educó durante su infancia, y el Evangelio nos dice que el Niño Dios le obedecía. No se hace más mención de él, por lo que se cree que debió morir antes de las bodas de Caná, sin duda asistido por Jesucristo y la Virgen (ésta es la causa de que sea patrón de la buena muerte).

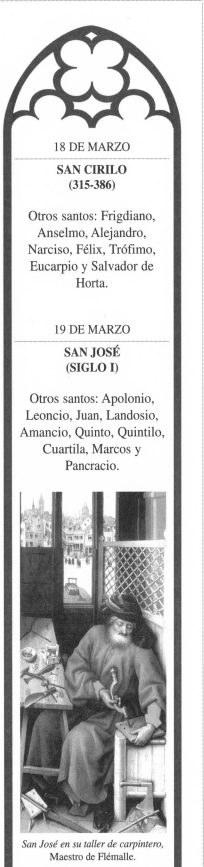

18 DE MARZO

SAN CIRILO (315-386)

Otros santos: Frigdiano, Anselmo, Alejandro, Narciso, Félix, Trófimo, Eucarpio y Salvador de Horta.

19 DE MARZO

SAN JOSÉ (SIGLO I)

Otros santos: Apolonio, Leoncio, Juan, Landosio, Amancio, Quinto, Quintilo, Cuartila, Marcos y Pancracio.

San José en su taller de carpintero, Maestro de Flémalle.

20 DE MARZO

SAN CUTBERTO
(† 687)

Otros santos: Nicetas, Wulfrano, Arquipo, Pablo, Cirilo, Eugenio, Jos, Alejandra, Claudia, Juliana, Fótima, Víctor, Anatolio, Sebastián, Focio, Fótides, Teodosia, Matrona, Parasceves, Ciriaca, Eufrasia, Eufemia, Martín de Dumio y el beato Ambrosio.

21 DE MARZO

SANTA FABIOLA
(† 400)

Otros santos: Lupicinio, Serapión, Birilo, Filemón, Dommino y Nicolás de Flue.

La santidad de este patriarca del bastón florecido es muy discreta y silenciosa, tanto, que no encontramos en los evangelios una sola palabra que haya pronunciado San José. Sin duda ésta debió de ser una de sus muchas virtudes: el silencio. Hizo siempre lo que Dios le encomendaba, calladamente, sin réplicas, aunque no pudiera comprenderlo.

SAN CUTBERTO († 687) — 20 DE MARZO

San Cutberto fue siempre un monje humilde que ansiaba la soledad de su celda para encontrar la unión con Dios, pero que por obediencia accedió a la dignidad episcopal y se convirtió en un activo predicador.

San Aidano había fundado dos monasterios en Norte Umbría cuando ésta abrazó el cristianismo: el de Melrose y el de Lindisfarne. Cutberto creció en los alrededores del primero de ellos y, maravillado desde niño por los rigores de la vida monástica, trataba de imitar a los frailes mientras cuidaba de las ovejas de su padre. Una noche, mientras oraba, vio cómo el alma de San Aidano ascendía al cielo. Interpretando esto como una señal, corrió enseguida a Melrose y tomó los hábitos. Se trasladó al monasterio de Rippon temporalmente para ocuparse de los extranjeros, pero al poco tiempo regresó a Melrose y fue nombrado prior. Desde este puesto trabajó de forma muy activa intentando apartar al pueblo de las costumbres paganas y de las supersticiones, visitando sobre todo las aldeas más recónditas. Muchos años después fue trasladado a Lindisfarne para ser también prior, y allí continuó con las mismas obligaciones.

Al cabo del tiempo, y con el permiso del abad, se retiró a la isla de Farne buscando una mayor soledad para acercarse a Dios. El lugar estaba completamente deshabitado y carecía de recursos, pero Cutberto recibía del cielo todo lo que necesitaba gracias a sus oraciones. Vivió durante años recluido en su celda, sin salir bajo ningún concepto, y cuando sus hermanos lo visitaban para pedirle consejo se lo ofrecía a través de la ventana.

Poco después se decidió que nuestro santo fuera nombrado obispo de Lindisfarne. El propio monarca tuvo que acudir a su celda para convencerle de que aceptara el nombramiento. Durante el tiempo que ocupó este cargo, continuó con sus anteriores austeridades, aunque salía a predicar y a enseñar renunciando a su soledad.

Cuando predijo que su muerte se acercaba, volvió a la isla de Farne. A los dos meses cayó enfermo y murió poco después, asistido por dos monjes.

SANTA FABIOLA († 400) — 21 DE MARZO

Fabiola pertenecía a una ilustre familia del Imperio Romano. Hermosa, rica y devota cristiana, poseía todas las prendas que un hombre podía desear, y a los veinte años contrajo matrimonio con un joven patricio. Al poco tiempo, su marido empezó a demostrar que no era la clase de persona que ella había pensado: cruel y violento, solía golpearla y abusar de ella. Fabiola no estaba dispuesta a admitir un trato semejante: lo abandonó y, al poco tiempo, se casó de nuevo, esta vez con un hombre bueno y caritativo que le amaba mucho. Los años que pasaron viviendo juntos, hasta que él murió, estuvieron bendecidos por la más completa felicidad.

Ya era viuda nuestra santa cuando un sacerdote con quien se estaba confesando le habló de la doctrina de la Iglesia sobre la indisolubilidad del matrimonio. Fabiola no podía creer lo que estaba escuchando: ella se había separado de su primer marido según las leyes del Imperio y nunca había imaginado que estuviese cometiendo un pecado al casarse de nuevo. Quedó muy conmovida y decidió hacer penitencia pública.

Desde ese momento, sólo pensó en ejercer la caridad. Distribuyó su fortuna entre los pobres y los enfermos, fundó hospitales y se dedicó ella misma a atender a los moribundos. Murió en la ciudad de Ostia, donde todo el mundo le llamaba madre de los desamparados.

Hoy el tema del divorcio es muy controvertido, y desde luego no es el objeto de este libro ahondar en la discusión. Simplemente consideremos que Fabiola hizo lo que creía correcto, pero al saber que estaba violando los mandamientos de la Iglesia no pensó más en ello: se arrepintió e hizo penitencia. O dicho de otra forma, aceptó la fe como una niña, sin hacer preguntas. ¿No es eso lo que dijo Cristo?

San Basilio († 362) 22 de marzo

El relato del martirio de San Basilio es estremecedor. Sacerdote en Ancira, fue un hombre de vida ejemplar que predicaba el Evangelio sin descanso.

Sus sufrimientos empezaron en el año 360, cuando los obispos le prohibieron celebrar asambleas eclesiásticas y Basilio los ignoró. Muy pronto Julián *el Apóstata* accedió al trono imperial y restauró el culto a los dioses paganos. Nuestro santo intensificó sus sermones y recorrió la ciudad entera animando a los cristianos a mantenerse firmes en la fe. Los idólatras reaccionaron violentamente, y después de humillarle y golpearle, le llevaron ante el procónsul acusado de sedición. Éste ordenó que fuera torturado en el potro y después encarcelado. Durante su encierro, Basilio no cesó ni un instante de glorificar a Dios.

22 DE MARZO
SAN BASILIO
(† 362)
Otros santos: Pablo, Deogracias, Bienvenido, Epofrodito, Octaviano, Saturnino, Calínica, Basilisa, Zacarías y Lea.

Pocos meses después, el emperador Julián pasó por Ancira y San Basilio fue llevado ante él. Julián intentó convencer al santo de que su fe era errónea, asegurándole que Cristo nunca había resucitado. El mártir replicó con valor a estas palabras, asegurando al emperador que había cometido un error al abandonar a Cristo justo cuando le había sido conferida la dignidad imperial. Vaticinó que por esta causa perdería el Imperio y la vida.

Julián, ante su irreverencia, le condenó a una cruel tortura: cada día, la piel de Basilio era rasgada por siete lugares diferentes. A los pocos días, el mártir pidió audiencia con el emperador. En vez de hacer apostasía, como todos esperaban, le arrojó a Julián un trozo de su propia carne, mientras juraba que nunca adoraría los falsos dioses. La tortura

23 DE MARZO

SAN TORIBIO DE MOGROVEJO (1538-1606)

Otros santos: José Oriol, Teódulo, Félix, Victoriano, Fidel, Teodosia, Diomicio, Nicón, Pelagia, Aquila, Eparquio, Benito y Julián.

San Benito.

24 DE MARZO

SANTA CATALINA DE SUECIA (1330-1381)

Otros santos: Epifanio, Pigmenio, Marcos, Timoteo, Simeón, Timolao, Páusides, Dionisio, Rómulo, Alejandro, Segundo, Agapito, Latino y Seleucio.

de Basilio se intensificó: además de rasgarle la piel, su espalda era magullada con púas de hierro al rojo vivo. Llegó un momento en que a Basilio no le quedaba piel sobre la carne, y sus entrañas eran claramente visibles. Sin embargo, soportó el sufrimiento y continuó rezando constantemente y alabando a Dios hasta que, finalmente, expiró.

San Toribio de Mogrovejo (1538-1606) — 23 de marzo

Toribio fue, durante la mayor parte de su vida, un jurista seglar que destacaba por su justicia y su virtud. Estudió en Valladolid y Salamanca, y fue profesor en la Universidad de Coimbra. Conoció al rey Felipe II, quien lo designó para un cargo muy delicado: presidente de la Inquisición granadina. Desempeñó este oficio durante cinco años, siendo modelo de integridad.

Al cabo de este tiempo, Felipe II dispuso que Toribio fuera nombrado arzobispo de Lima. Nuestro santo era muy reacio a aceptar; recordemos que era un piadoso seglar que no estaba muy de acuerdo con el privilegio de los reyes españoles de nombrar obispos. Sin embargo, al fin convino en aceptar el cargo. Después de formarse durante un tiempo, recibió las cuatro órdenes menores en cuatro domingos sucesivos y al fin fue ordenado obispo.

Llegó a Lima en 1581 para encontrarse con una diócesis más grande que la mayoría de los reinos europeos, con caminos imposibles, indios indomables y españoles acostumbrados a hacer ley de su capricho. Toribio comenzó inmediatamente a recorrer el territorio y al cabo de dos años convocó un sínodo diocesano buscando evitar los escándalos entre el clero. También tuvo que luchar día y noche para combatir los abusos de los primeros conquistadores, reacios a un cambio en su situación. Llenó el país de hospitales, iglesias y seminarios, pero siempre intentó mantenerse en la mayor humildad.

En uno de sus viajes cayó enfermo y, después de ordenar que todas sus posesiones fueran repartidas entre sus sirvientes y entre los pobres, murió.

Santa Catalina de Suecia (1330-1381) — 24 de marzo

Catalina era hija de Santa Brígida, princesa de Nericia. Fue educada en el monasterio de Risberg en la más estricta obediencia y austeridad: se dice que con siete años prometió a Dios que dedicaría todo su tiempo libre a orar, sin permitirse juegos ni diversiones mundanas.

Muy joven, contrajo matrimonio con el conde Edgardo por orden de su padre. Obligada a vivir en la corte, fue objeto de burlas por su santidad y su modestia: sin duda, sus costumbres austeras llamaban la atención en medio del lujo de la nobleza.

Cuando murió el padre de Catalina, Brígida marchó a Roma. Nuestra santa quedó viuda muy poco después, de modo que viajó a la Ciudad Eterna para vivir junto a su madre en la mayor de las austeridades, dedicadas las dos a cuidar a los pobres, a los enfermos y a dar consejo a los papas. Hizo con Santa Brígida una peregrinación a Jerusalén, y como ésta muriera al regresar a Roma, nuestra santa decidió volver a su patria e ingresar en el monasterio de Vadstena, del cual fue elegida abadesa.

Sólo abandonó los muros del convento una vez para acudir al Vaticano a defender la causa de la canonización de su madre. Después volvió al monasterio, en el cual permaneció los 25 años que le quedaban de vida. Cuenta la tradición que, cuando murió, apareció una estrella sobre el convento que no dejó de brillar hasta que la santa fue enterrada.

La Anunciación de la Santísima Virgen María — 25 de marzo

Nueve meses antes de la Navidad se celebra uno de los misterios más grandes de la Historia. La encarnación de Jesús, el Hijo de Dios, en una virgen de Nazaret llamada María.

San Gabriel, el arcángel mensajero de Dios, fue el encargado de esta embajada. El Ave María nos recuerda el saludo que el arcángel dirigió a María: «Dios te salve, llena de gracia, el Señor es contigo». Nunca un miembro de la corte celestial se ha dirigido con tal respeto a un ser humano. El Evangelio nos dice que María, en su humildad, se turbó al escuchar estas palabras. San Gabriel la tranquilizó: «No temas, porque has hallado gracia delante de Dios, y concebirás y darás a luz un Hijo a quien pondrás por nombre Jesús. Será grande y se le llamará Hijo del Altísimo». María, inquieta, preguntó: «¿Cómo podrá ser esto, si no conozco varón?» «El espíritu Santo vendrá sobre ti y la virtud del Altísimo te cubrirá con su sombra, porque nada hay imposible para Dios.»

Pero quizá la frase más importante de este diálogo que estremece el alma de cualquier cristiano es la respuesta final de la Virgen: «He aquí la esclava del Señor, hágase en mí según tu palabra».

Hoy la Iglesia nos invita a reflexionar sobre estas palabras y aprender de ellas. Ya habrá tiempo para celebrar la venida al mundo de nuestro Salvador. Para maravillarnos por el hecho de que un Dios omnipotente decida hacerse humano movido por el amor a sus hijos. El 25 de marzo debemos recordar que todo esto fue posible porque una mujer pobre y humilde de Nazaret, casi una niña, pues debía tener doce o trece años, tuvo el valor para aceptar la palabra de Dios.

Como dice una canción a la Virgen: «Madre, enséñanos a decir que sí».

San Ludgero, Apóstol de Sajonia (743-809) — 26 de marzo

Predicador incansable, monje y obispo, San Ludgero es uno de tantos ejemplos de constancia y dedicación en la propagación de la fe.

Nació en Friseland, pero desde muy niño se educó con San Gregorio en Utrech, donde aprendió los pormenores de la vida monástica. Después de un viaje de estudios a Inglaterra, volvió a casa para recibir la ordenación sacerdotal. Se dedicó desde entonces a predicar en Frise-

Anunciación, Francesco del Cossa.

25 DE MARZO

LA ANUNCIACIÓN DE LA SANTÍSIMA VIRGEN MARÍA

Otros santos: Ireneo, Pelayo, Quirino, Dula, Ermelando, Desiderio, Beroncio, Dimas *el Buen Ladrón* y Lucia Filippini.

26 DE MARZO

SAN LUDGERO, APÓSTOL DE SAJONIA (743-809)

Otros santos: Braulio, Cástulo, Félix, Teodoro, Serapio, Ireneo Ammonio Pedro, Marciano, Jovino, Tecla, Casiano, Montano, Máxima, Cuadrato, Manuel, Eutiquio, Eugenia, Bercario y Pedro Liudgero.

land, anunciando el Evangelio a los que nunca lo había escuchado y fundando iglesias y monasterios.

Llevaba Ludgero años con esta empresa cuando los sajones invadieron el país, trayendo consigo su religión y sus costumbres paganas. Nuestro santo huyó a Roma, dispuesto a pedirle consejo al Santo Padre. Se retiró después al monasterio de Montecassino, donde llevó el hábito y acató la regla, aunque no pronunció los votos propios de los benedictinos.

En el año 787, Carlomagno expulsó a los sajones, por lo que Ludgero pudo volver a su particular misión de evangelizar Friseland. En el año 802 fue ordenado obispo de Mimigardeford (hoy Munster). Incorporó a su diócesis los cinco cantones de Friseland que había convertido, fundó importantes monasterios y continuó con sus labores de predicador.

Nuestro santo era un gran conocedor de las Sagradas Escrituras, y cada día dedicaba unas horas a leer algunos pasajes a sus discípulos. Todo su dinero y el del obispado iba dedicado a la caridad y al socorro de los necesitados. También se cuenta que Ludgero exigía de sus monjes una extrema atención durante el oficio divino y que era muy severo al respecto.

La enfermedad le atacó un día por sorpresa, pero nuestro santo no permitió que esto interfiriera con sus múltiples labores. Murió a la noche siguiente.

San Ruperto († 647) — 27 de marzo

Se piensa que Ruperto descendía de la familia de los reyes merovingios. Muy joven fue ordenado obispo de Worms por aclamación popular, y para evitar que el destacado cargo le hiciera caer en el orgullo practicó constantemente las más duras austeridades y mortificaciones. Se enfrentó mucho a los paganos de la ciudad, liderados por el conde Bercario, que al fin lo mandó azotar y lo exilió de Worms.

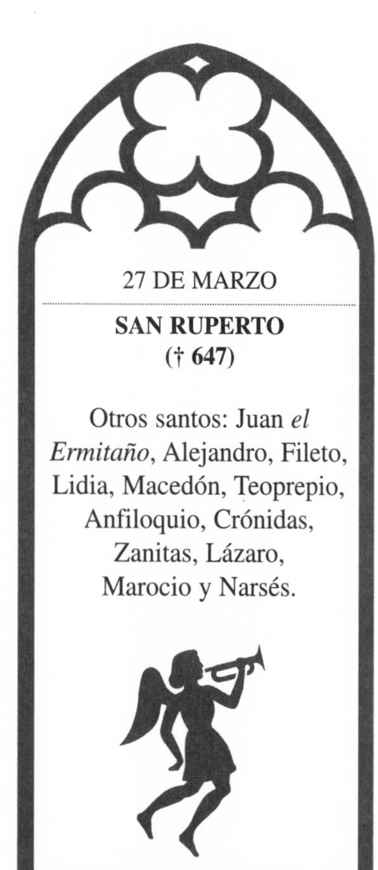

27 DE MARZO
SAN RUPERTO
(† 647)
Otros santos: Juan *el Ermitaño*, Alejandro, Fileto, Lidia, Macedón, Teoprepio, Anfiloquio, Crónidas, Zanitas, Lázaro, Marocio y Narsés.

Así empezó nuestro santo su largo itinerario por la orilla del Danubio, enseñando y bautizando a las gentes. Peregrinó a Roma, donde el propio Pontífice lo recibió con enormes muestras de cariño y respeto. Allí conoció al duque Teodón de Baviera, que al conocer lo que había ocurrido con su diócesis le regaló a Ruperto la región de Zuvave. Cuando el obispo llegó allí, comprobó que la zona estaba en ruinas y prácticamente abandonada: sólo quedaban unos cuantos campesinos pobres que habitaban entre columnas rotas y edificios resquebrajados.

Ruperto se puso de inmediato a trabajar. Atrajo colonos de Italia, y con ellos apartó las ruinas y comenzó a reconstruir. También hizo venir monjes, religiosas y sacerdotes, para los cuales fundó sucesivos monasterios y conventos. La civilización se reavivó en Zuvave: escuelas, iglesias, comercios y huertos. Todo era renacimiento.

Ruperto murió cuando su obra estuvo concluida, cuando sus feligreses, que habían conocido la desesperación y la pobreza, veían ya un horizonte de prosperidad. Se dice que estaba oficiando la misa cuando el Señor le llamó, acudiendo nuestro santo de inmediato a su presencia.

San Sixto III, Papa (finales siglo IV-440) 28 de marzo

Oímos hablar de Sixto cuando aún es un sacerdote más de Roma, famoso por su implacable lucha contra la herejía. No había argumento que se le resistiese: era capaz de refutar cualquier error en la fe con tanta rapidez y eficacia como si el propio Espíritu Santo le inspirase las palabras.

Era tal su fama de inteligencia y pureza en la fe que, cuando murió el Papa San Celestino, Sixto fue elegido inmediatamente su sucesor. El pueblo de Roma y la Iglesia en general lo aclamaron con alegría.

Uno de los primeros hechos que conocemos de Sixto, ya como Pontífice, fue su controversia con el hereje Nestorio. El concilio de Éfeso del año 431 había dejado muy claro cuál era la doctrina de la Iglesia respecto a la Santa Virgen: ella era, realmente, la Madre de Dios, elegida antes de todos los tiempos por su pureza y su virtud. Aún no se había aceptado el dogma de la Inmaculada Concepción, pero el catolicismo ya apuntaba en esa dirección.

El obispo Nestorio se negó a aceptar la doctrina y continuó afirmando que María no era Madre de Dios; por tal motivo, fue desterrado al monasterio de San Euprepio. Nuestro santo, preocupado por la unidad de la Iglesia, intentó hablar con Nestorio para que volviera al redil y aceptara lo que había promulgado el concilio, pero el hereje no sólo se negó, sino que empezó a difundir la mentira de que el propio Papa había abrazado la doctrina nestoriana. Mucho le costó a Sixto III demostrar que era inocente.

Sixto es, por excelencia, el Papa caritativo, el misericordioso. Otra de las grandes anécdotas de su vida nos habla de un sacerdote resentido llamado Baso, que acusó al Pontífice ante el emperador de horribles delitos. El concilio que investigó el asunto absolvió a Sixto y excomulgó a Baso. Cuando este último estaba a punto de fallecer, nuestro santo acudió a su lecho de muerte, levantó su excomunión, le absolvió de sus pecados y le acompañó en sus últimos momentos.

Este Santo Padre tuvo muchos problemas a lo largo de su vida a causa de su caridad. Todos buscaban doble sentido e intenciones ocultas en su inmensa capacidad para perdonar, tan impropia de un hombre de tal dignidad. Sixto nunca olvidó que el Papa, antes que el gobernante de la Iglesia, es el vicario de Cristo y, por tanto, debe seguir su ejemplo de misericordia hasta el final.

28 DE MARZO

SAN SIXTO III, PAPA (FINALES DEL S. IV-440)

Otros santos: Esperanza, Prisco, Malco, Alejandro, Castor, Doroteo, Gundelina, Proterio y beatos Conón, Antonio, Venturino y Juana María.

29 MARZO

SAN EUSTASIO († 625)

Otros santos: Jonás, Baraquisio, Ludolfo, Segundo, Pastor, Victoriano, Armogastes, Máscula, Sáturo, Bertoldo, Húndelo, Cirilo y beatos Esteban X, Carmelo Tempier, Raimundo Lulio y Beatriz de Silva.

San Eustasio († 625) 29 de marzo

San Eustasio nació en el seno de una ilustre familia borgoñona. Muy joven, oyó hablar de San Columbano, el monje irlandés que había fundado el monasterio de Luxen en el monte Vosga, muy cerca de su casa. Siendo casi un niño, nuestro santo fue uno de los primeros monjes en ponerse bajo la disciplina de San Columbano. Pronto tendría más de seiscientos monjes.

Sin embargo, al cabo de no muchos años el convento entero cayó en desgracia, ya que el santo fundador y sus discípulos reprendían constantemente en sus sermones al rey Tierry de Borgoña y a toda su familia, que

30 DE MARZO

SAN JUAN CLÍMACO (525-605)

Otros santos: Régulo, Pastor, Zósimo, Clinio, Pedro Regalo, Quirino, Dommino y Víctor.

31 DE MARZO

BEATO AMADEO († 1472)

Otros santos: Amós, Balbina, Benjamín, Teódulo, Anesio, Félix, Cornelia, Acacio, Esteban, Guido y beato Buenaventura.

practicaban una conducta escandalosa y anticristiana. Columbano fue exiliado, el convento disuelto y los monjes, dispersados.

Eustasio y otro monje fueron acogidos por el devoto Teodoberto, hermano del rey Tierry. Pronto el santo fundador se unió a ellos, y entre los tres construyeron un nuevo monasterio en el país de los suizos. Al cabo de los años, Eustasio volvió a Luxen, que había quedado a cargo de un tal Agrestino, el cual había introducido en el convento la indisciplina y la relajación de costumbres. Incluso intentó refutar la regla de San Columbano en un concilio, pero le fue imposible. Nuestro santo reformó la casa en la que se había educado y pasó el resto de sus días en este monasterio. Tuvo multitud de discípulos que lo admiraban por su virtud y por los prodigios que florecían a su alrededor en los últimos años de su vida.

Murió tras una grave enfermedad que le hizo sufrir intensamente durante más de un mes, suplicio que Eustasio acogió con alegría.

San Juan Clímaco (525-605) — 30 de marzo

Juan fue un monje del monasterio del monte Sinaí que gozó de extraordinaria fama como director de almas. Su recuerdo está vinculado a un libro, *Clímax o escalera hacia la perfección* (del cual recibe su nombre de Clímaco). En él une la elevación a la sencillez: en treinta escalones hace recorrer todo el camino que lleva desde el hombre hasta Dios.

Nació en Palestina, y a los dieciséis años renunció a todas las oportunidades que se abrían ante él para dedicarse a Dios. Se retiró al monte Sinaí bajo la disciplina de un anciano anacoreta llamado Martirio, quien le instruyó en los caminos de la santidad. Guardaba silencio siempre que le era posible, y era un ejemplo de obediencia y humildad. Muerto su maestro, tomó el hábito religioso y abrazó la vida de ermitaño en una celda cercana al monte. Estudiaba la doctrina de la fe sin descanso, y llegó a ser uno de los doctores más sabios de la Iglesia, aunque ocultaba sus conocimientos y no hacía gala de ellos. Acudía todos los sábados y domingos a escuchar el santo oficio con el resto de los monjes y, en ocasiones, como si su celda no estuviera lo bastante aislada, se refugiaba en una cueva de la montaña para orar en completa soledad, sin que nadie pudiera perturbar su diálogo con Dios.

Los monjes del monte Sinaí vivían esparcidos en celdillas o ermitas separadas, de modo que todo el monte era un gran monasterio. San Juan tenía sesenta y cinco años cuando fue elegido abad del monte Sinaí. Fue a raíz de su nombramiento cuando escribió *Escalera hacia la perfección religiosa,* a modo de regla y guía para sus monjes.

Se ocupó de las labores de gobierno tan sólo durante cuatro años, al cabo de los cuales volvió a retirarse a su celda. Murió poco tiempo después.

Beato Amadeo († 1472) — 31 de marzo

Amadeo fue el noveno duque de Saboya y sus padres le habían inculcado, desde muy niño, que la fe sin obras es fe muerta y que a Cristo ha de buscársele entre los pobres, por lo que, desde pequeño, se dedicó al ejercicio de la caridad y ya de adulto su primera preocupación fueron los pobres.

Se había casado, muy joven todavía, con una hija de Carlos VII de Francia, Violante, y con ella supo vivir su cristianismo movido siempre por la caridad. «Así lo he aprendido de Jesucristo; mis soldados me defienden delante de los hombres, pero los pobres me defienden ante Dios», solía decir a quienes le reprochaban que su excesiva preocupación por los pobres le hacía desatender otros asuntos de Estado. Y en una de las ocasiones, como no tuviese suficientes medios económicos para atender una necesidad urgente de un grupo de necesitados, entregó su más preciada condecoración para que, vendida, procurase recursos suficientes.

Pero su caridad no se limita sólo a los pobres, sino que también sabe serlo con sus iguales: al duque Sforza, de Milán, detenido cuando cruzaba de incógnito la Saboya, le concede la libertad tan pronto se entera y le recibe en el seno de su propia familia, pese a haberlo tenido como enemigo en el Piamonte.

En la disciplina de sus súbditos, consideraba más digno de castigo quienes ensuciaban las calles con juramentos, blasfemias e impurezas que quienes lo hacían con basuras materiales.

«Haced justicia a todos, sin excepción de personas, y aplicad en ayuda de todos vuestros esfuerzos para que florezca la religión y Dios sea servido», dejó escrito en su testamento.

Murió el 31 de marzo de 1472 en Verceli.

1 DE ABRIL

SAN HUGO (1053-1132)

Otros santos: Venancio, Teodora, Víctor, Esteban, Quinciano, Ireneo, Celso, Macario y Walerico.

San Hugo (1053-1132) — 1 de abril

San Hugo es modelo de obispos, uno de los más santos que ha habido, aunque es probable que nunca haya habido nadie con menos vocación episcopal.

Nació en el seno de una noble familia del Delfinado, y desde niño fue una bendición. Siguió la carrera eclesiástica; recién acabada fue honrado con un canonicato en la catedral de Valencia. Desde ahí se extendió la fama de su santidad, que llegó a Roma. De este modo, cuando quedó vacante la silla episcopal de Grenoble se propuso a San Hugo para ocuparla. El legado papal tuvo que hacer enormes esfuerzos para convencer a nuestro santo de que aceptase, ya que se sentía indigno e incapaz.

San Hugo visitando el refectorio, Zurbarán.

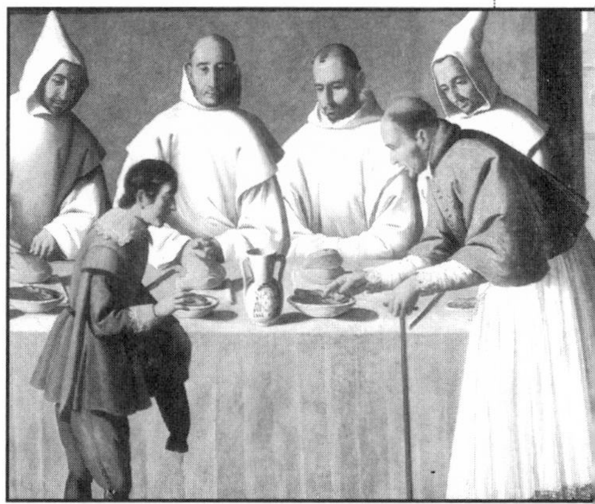

Cuando llegó a Grenoble, encontró su diócesis sumergida en los vicios y abusos: concubinato de clérigos, simonía, usura, falta de moral entre los fieles y mala administración en el obispado. A pesar de los problemas, gobernó sabiamente, ganando los corazones de todos sus feligreses y consiguiendo que poco a poco los abusos fueran desapareciendo. Pero San Hugo tenía una inclinación al retiro, y sintiendo además que no era lo bastante fuerte para luchar contra todos aquellos vicios, salió secretamente de su ciudad para refugiarse en un monasterio. El propio Papa tuvo que ordenarle que regresara. La feligresía, deseosa de que su santo obis-

2 DE ABRIL

SAN FRANCISCO DE PAULA (1416-1508)

Otros santos: Teodosia, Apfiano, Abundio, Urbano, Nicelio, Víctor y María Egipcíaca.

3 DE ABRIL

SAN RICARDO (1197-1253)

Otros santos: Sixto I, Pancracio, Benigno, Evagrio, Ágape, Quionia, Vulpiano, Ricardo, Nicetas y Burgundófora.

po permaneciera en la ciudad, se propuso colaborar más decididamente a reformar las costumbres.

Al cabo de un tiempo, Hugo tuvo un sueño: siete estrellas resplandecientes iban a esconderse a un desierto. A la mañana siguiente, San Bruno fue a visitarle con seis compañeros, pidiéndole consejo para fundar un instituto. Recordando su sueño, el obispo les donó una zona desértica llamada Cartuja, y edificó para ellos algunas celdas y una capilla. Así, San Hugo se convirtió en padre y protector de los primeros cartujos.

Nuestro santo murió a los setenta y nueve años, después de una vida de duros trabajos apostólicos.

San Francisco de Paula (1416-1508) — 2 de abril

San Francisco nació en Paula, hijo de una familia muy pobre. Sus padres habían vivido muchos años sin descendencia y pidieron a Dios que les bendijera con un hijo. No sospechaban que la bendición sería tan grande.

Después de haberse educado en un convento de monjes franciscanos, Francisco peregrinó a Roma con sus padres. A su regreso a Paula, eligió un retiro en lo alto de una roca, junto a la costa. Enseguida se le unieron dos personas más, y los propios vecinos ayudaron a construir sus celdas y una capilla. Así fue la fundación de la orden de los Mínimos, en 1436.

Años después, el número de monjes se había incrementado mucho, y San Francisco se propuso construir un nuevo monasterio algo más grande. Se cuenta que un monje franciscano visitó a nuestro santo pidiéndole ver los planos y, al estudiarlos, le aconsejó que hiciera el monasterio mucho más grande. El Papa León X interpreta que este monje era San Francisco de Asís.

Toda la ciudad de Paula ayudó una vez más en la construcción del monasterio. Prescribió entonces Francisco una regla basada en la penitencia, la caridad y la humildad. Humildad por encima de todo. Para recordársela constantemente a sus monjes, eligió el nombre de su orden, los Mínimos.

San Francisco llegó a ser tan famoso por su santidad que el propio Luis XI, rey de Francia, lo mandó llamar después de años de sufrir una dolorosa enfermedad para que implorara a Dios que le devolviera la salud. El santo le replicó: «La vida de los reyes tiene sus límites como la de los demás mortales, yo sólo vengo a ayudaros a bien morir».

Nuestro santo murió con más de noventa años, después de una vida apostólica de oración y sacrificio. El Señor lo bendijo con el don de hacer milagros antes y después de su muerte.

San Ricardo (1197-1253) — 3 de abril

Entre la miríada de obispos medievales adictos al lujo, San Ricardo fue un pastor humilde y austero, que pasó a la historia como un hombre sencillo y muy bondadoso. Daba muestras de una sensibilidad extraordinaria, llegando a prohibir que mataran pajarillos para su comida, ya que los pobres animales no habían hecho ningún daño.

Era el segundo hijo de Ricardo y Alicia de Worcester, y demostró desde niño su buen corazón aceptando ser el sirviente de su hermano mayor, salvándole en varias ocasiones de circunstancias angustiosas. Estudió en Bolonia, Oxford y París, se especializó en arte y, finalmente, se asentó como canciller en la Universidad de Oxford.

Se convirtió en el más íntimo colaborador de San Edmundo, arzobispo de Canterbury, con quien compartió el exilio en Francia. Cuando murió su compañero, se retiró a un monasterio de dominicos en Orleáns, donde recibió la ordenación sacerdotal. Poco después de su regreso a Inglaterra, fue consagrado obispo de Chichester en contra de la voluntad del rey, con quien hubo de enfrentarse para que éste no se apropiara de los beneficios eclesiásticos. Sin embargo, nunca permitió que estos problemas interfirieran con sus deberes pastorales, y siempre demostró una gran caridad. En una ocasión, sus administradores se quejaron de que el importe de las limosnas superaba el de los ingresos, y el santo repuso que se vendieran su bandeja y su caballo. Fue especialmente inflexible con los crímenes dentro del clero, aunque siempre recibía a los penitentes con ternura y caridad.

Murió, presa de unas fiebres, mientras predicaba una guerra santa contra los sarracenos. Sus últimas palabras fueron para la Virgen.

SAN PLATÓN († 813) — 4 DE ABRIL

Nacido en una familia de la aristocracia bizantina, emparentada con los emperadores, renunció a una vida de lujo y comodidades para ingresar como monje en un monasterio cuando cumplió los veinte años de edad.

En aquella época, el imperio bizantino sufría una honda transformación. Los dominios militares se hicieron hereditarios en las familias de los soldados al servicio de Bizancio; la helenización del imperio fue absoluta; la lengua griega se convirtió en la oficial, legislativa y administrativamente, helenizándose los títulos de los funcionarios y hasta la misma titulación imperial. Los problemas religiosos turbaron la política durante las dinastías Isáurica y Amoriana (717-867), expresándose en dos grupos antagónicos: los iconoclastas, enemigos del culto a las imágenes, y los iconódulos, partidarios del mismo.

Durante el decenio 770, Platón rige santamente el monasterio del Símbolo, en el monte Olimpo, y desde su gobierno se enfrenta duramente con la corrupción que imperaba en el tiempo desordenado que le había tocado vivir, haciéndose con muchos y muy poderosos enemigos.

En el año 789 el emperador Constantino Cópronimo pide al patriarca de Constantinopla que le conceda la anulación de su matrimonio; no tarda en oírse por todo el imperio la voz de Platón que censura como escándalo la pretensión del emperador. El hacerse escuchar por todo Bizancio en franca crítica a la decisión imperial le lleva a la cárcel, donde permanece confinado por un período indeterminado de años.

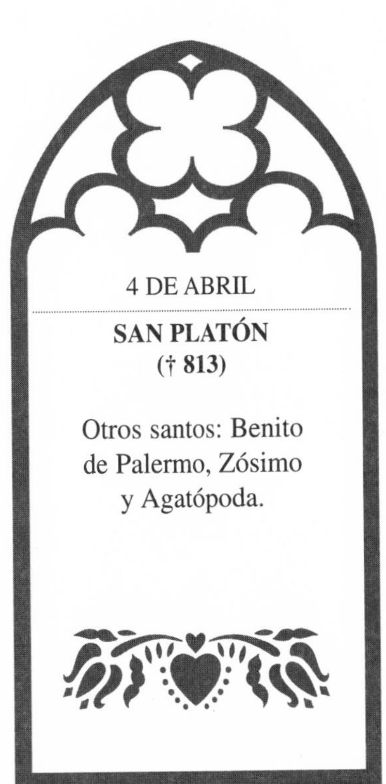

4 DE ABRIL
SAN PLATÓN
(† 813)
Otros santos: Benito de Palermo, Zósimo y Agatópoda.

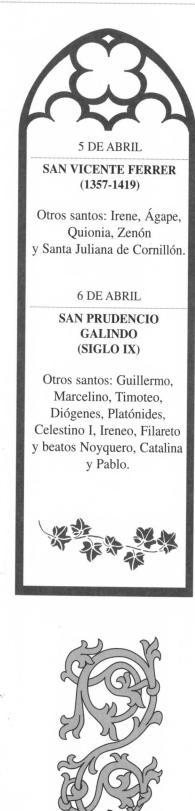

5 DE ABRIL

SAN VICENTE FERRER (1357-1419)

Otros santos: Irene, Ágape, Quionia, Zenón y Santa Juliana de Cornillón.

6 DE ABRIL

SAN PRUDENCIO GALINDO (SIGLO IX)

Otros santos: Guillermo, Marcelino, Timoteo, Diógenes, Platónides, Celestino I, Ireneo, Filareto y beatos Noyquero, Catalina y Pablo.

Tampoco permite Platón la dictadura injustificable que pretende imponer el nuevo emperador Nicéforo y por hacer pública su repulsa en numerosos discursos fue desterrado.

Cuando quisieron nombrarle, desde la sede patriarcal, obispo de Nicomedia rechazó humildemente el nombramiento, no considerándose digno de tan alta magistratura. Murió santamente en su retiro de religioso, a punto de cumplir los ochenta años.

San Vicente Ferrer (1357-1419) — 5 de abril

Vicente era hijo de una noble familia valenciana, y su padre tenía para él grandes esperanzas mundanas. Sin embargo, nuestro santo rechazó los honores que se le ofrecían y manifestó su voluntad de ingresar en la orden de Santo Domingo. Su familia le apoyó en todo momento.

Progresó en sus estudios y en la carrera eclesiástica con enorme rapidez, y antes de los veinte años publicó su primer libro. Después de algunos viajes por España, el cardenal Pedro de Luna le eligió para que le acompañara en una misión ante el rey de Francia. Durante este viaje ocurrió el Gran Cisma de Occidente y Pedro de Luna fue proclamado Papa por españoles y franceses, tomando el nombre de Benedicto XIII. Vicente hubo de trasladarse a Avignon para ser su confesor. Siendo consejero del Papa Luna, intentó persuadirle de que pusiera fin al cisma, pero como sólo obtuvo promesas, pidió el traslado a las misiones apostólicas.

San Vicente viajó por toda España, Italia, parte de Alemania y Flandes, Inglaterra, Escocia e Irlanda, predicando con asombrosa eficacia y haciendo algunos milagros. Al cabo de los años comenzó a sentirse enfermo y emprendió el camino de regreso a su tierra montado en un asno, como era su costumbre. Empeoró y tuvo que detenerse en la ciudad de Vannes, donde murió después de haber escuchado la Pasión de Jesucristo.

Por su papel de consejero político y defensor del Papa Luna (aunque al final de su vida le retiró su apoyo para poner fin al cisma), dejó una estela de rencores y polémicas. Pero San Vicente es admirado sobre todo por su don de la palabra (que él consideraba un don de Dios y de ningún modo un mérito propio). Sus sermones eran extraordinariamente expresivos, y con ellos lograba conversiones en masa, atraía al cristianismo a musulmanes y judíos y conseguía que multitudes de hasta diez mil personas le siguieran.

San Prudencio Galindo (siglo IX) — 6 de abril

No se sabe bien cuáles fueron los motivos de Prudencio Galindo para abandonar su tierra española (pudo ser Cataluña o Aragón). Posiblemente, al igual que otros ilustres españoles de su tiempo, dejó su patria conquistada por los árabes para buscar acomodo en la corte carolingia, como habían hecho sus amigos, el poeta Teodulfo y el escriturista Claudio, obispos de Orleáns y Turín, respectivamente.

Llega al imperio en tiempos de desórdenes, en plena disputa por la sucesión imperial. El emperador Ludovico Pío había tenido cuatro hijos, que fueron nombrados reyes de distintas regiones del imperio y después comenzaron a pelearse entre sí, incluso en vida de su padre. Aparte del emperador, sólo quedaba el abad de Corbie, Wala, a la sazón primer ministro, reuniendo a los defensores de la unidad del imperio.

En este ambiente caótico se encuentra Prudencio y parece ser que es el propio Wala el que pone en contacto al español con el emperador, hombre de espíritu profundamente religioso. Admirado por la gran preparación de Prudencio como teólogo e historiador, le nombra capellán y consejero imperial, pasando más tarde a ejercer las mismas funciones con el hijo menor, Carlos, que fue llamado El Calvo.

De sus escritos poco ha llegado hasta nosotros: unos *Anales Reales,* conocidos como de *Saint-Bertin;* algunas polémicas sobre el tema de la predestinación, y obras de piedad como el *Breviarium psalterii* y el *Florilegium ex Sacra Scriptura.*

Sí parece que fue un gran orador de enorme fuerza espiritual y con un poder de convicción notable. Magnífico pastor de almas y sensato y eficaz consejero, murió siendo obispo de la ciudad de Troyes, en la Champaña.

El mayor mérito de este santo es haber sabido mantener la unidad en Cristo en el momento en que toda diferencia de opinión en cualquier asunto humano o divino suponía un *casus belli.*

7 DE ABRIL

SAN JUAN BAUTISTA DE LA SALLE (1651-1719)

Otros santos: Epifanio, Peleusio, Donato, Rufino, Caliopio, Ciriaco, Saturnino, Afraates, Hegesipo, Alberto, Teodoro, Ireneo, Serapión, Amón y beatos Herman, Ursulina y Everardo.

San Juan Bautista de la Salle (1651-1719) — 7 de abril

Nacido en Reims, Francia, el 30 de abril de 1651, fue fundador del instituto de los hermanos de las Escuelas Cristianas y restaurador de la escuela popular francesa.

Hijo de una familia noble, con raíces españolas, realizó sus primeros estudios en su casa, al cargo de ayos y preceptores. Cursó estudios secundarios en el colegio de la Universidad de Reims e ingresó en el seminario de San Sulpicio de París en 1669, comenzando también estudios de teología en La Sorbona.

Su estancia en el seminario orientó la vocación de La Salle hacia la pedagogía; allí pudo ponerse en contacto con las clases más humildes de la sociedad a través de las catequesis dominicales, lo que le permitió conocer el abandono espiritual en que se encontraba el pueblo. Por medio de esas catequesis encontró un alumnado deseoso de seguir su mensaje: «Pedir a Dios maestros de escuela dignos para desempeñar las santas funciones de la enseñanza».

En 1678 colabora activamente en el establecimiento de las hermanas del Santísimo Niño Jesús para la educación cristiana de las niñas pobres. Secundó posteriormente la iniciativa de Adriano Nyel en la fundación de dos escuelas de caridad para niños, que serían el punto de partida del instituto de los hermanos de las Escuelas Cristianas, fundado el 24 de junio de 1682.

La preocupación por la formación del maestro fue la característica sustancial de la pedagogía de La Salle, que dio origen a tres instituciones que constituyeron su aportación más importante y original a la historia de la educación: la congregación de hermanos de las Escuelas Cristianas, los seminarios de maestros urbanos y los seminarios de maestros rurales.

La Salle estuvo al frente del instituto hasta 1717, dejando en manos del hermano Bartolomé el gobierno del mismo. Murió en Rouen el 7 de abril de 1719, siendo beatificado por el Papa León XIII en 1888 y canonizado por el mismo Pontífice en mayo de 1900.

Al cumplirse el 50 aniversario de su canonización, Pío XII le proclamó, el 15 de mayo de 1950, patrono de los educadores.

SAN DIONISIO DE ALEJANDRÍA (SIGLO III) — 8 DE ABRIL

Maestro y director de la escuela catequética de Alejandría y obispo de la misma sede, es conocido desde el siglo IV con el sobrenombre de El Grande.

Nacido antes del año 200 e hijo de padres paganos, se convirtió al cristianismo tras serios y profundos estudios, teniendo como maestro a Orígenes, a quien guardará gratitud y amistad, a pesar de que no le llamó de nuevo a Alejandría al ocupar dicha sede.

Cuando Heraclas fue nombrado obispo de Alejandría, Dionisio, ya sacerdote, le sucede como director de la escuela catequética, tomando su lugar en la sede en el año 247. Al año de obispado estalla en su diócesis una persecución contra los cristianos y dos años después sobreviene la gran persecución de Decio, de consecuencias terribles de delatores, fugitivos y mártires. Dionisio tiene que huir acompañado por su familia y sus discípulos, es hecho prisionero y liberado por unos campesinos. Regresa a Alejandría a ocupar su sede hasta que en el año 257 estalla de nuevo la persecución, esta vez bajo el emperador Valeriano.

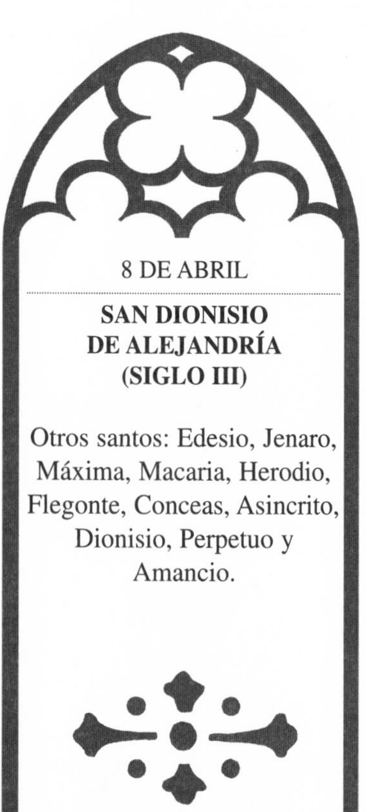

8 DE ABRIL

SAN DIONISIO DE ALEJANDRÍA (SIGLO III)

Otros santos: Edesio, Jenaro, Máxima, Macaria, Herodio, Flegonte, Conceas, Asincrito, Dionisio, Perpetuo y Amancio.

Dionisio es desterrado a Libia, donde va acompañado de numerosos seguidores y discípulos. Desde allí mantiene una intensa correspondencia con varios de sus fieles y escribe su tratado *Sobre la naturaleza,* dedicado a Timoteo. Galieno, hijo de Valeriano, le levanta el castigo de destierro en el año 262, pero una revolución que estalla en Alejandría le aparta de sus fieles con los que no puede comunicarse más que por carta. A través de Eusebio conocemos íntegra su misiva a Noviciano, apremiándole a volver al seno de la Iglesia. Se conocen también sus cartas al Papa Cornelio, una carta diaconal a Hipólito, una al Papa Esteban, dos al Papa Sixto, a Fabio de Antioquía, etc.

Nuestro santo fue autor de numerosos tratados; también fue acusado de herejía ante el Papa Dionisio, el cual convocó un sínodo en Roma para discutir las teorías del obispo de Alejandría.

En el año 264 es invitado a tomar parte en el sínodo de Antioquía, donde había de juzgarse a Pablo de Samosata, pero él excusa su asistencia a causa de su salud. Muere durante la celebración del sínodo, habiendo ocupado durante 17 años la sede de Alejandría.

Santa Casilda (siglo xi) 9 de abril

Es difícil saber con exactitud la realidad de muchos de los relatos de su vida, ya que son numerosas las tradiciones locales. Se le conoce mejor por su culto y por la devoción que se le profesa, sobre todo en la comarca de Bibriesca (Burgos), que por los hechos reales de su vida, de la que poco se puede asegurar dada la ausencia de documentación.

Hija del rey moro de Toledo Al-Mamún, que se sometió a vasallaje a Fernando I de León, se dedicaba a ayudar a los cautivos cristianos llevándoles alimentos y consolándoles en sus tribulaciones. Se cuenta de ella que, llevando un día una cesta llena de panes para alimentar a los prisioneros, su padre quiso averiguar qué llevaba en el canastillo. Casilda le contestó que rosas y, al destapar el rey moro la cesta, grandes ramos de flores llenaron con su fragancia las calles de Toledo.

Casilda padecía un flujo de sangre incurable y un cautivo cristiano le aseguró que su enfermedad se curaría si se bañaba en el lago de San Vicente, en los montes de Bibriesca. Hasta allí se fue la princesa mora acompañada de un gran séquito, en el cual estaban los castellanos cristianos prisioneros de su padre. Allí recuperó la salud y allí mismo se hizo bautizar, para después internarse en la montaña donde llevó una vida piadosa y solitaria hasta el momento de su muerte, que le llegó habiendo cumplido más de cien años. Fue enterrada en la misma roca que le sirvió de refugio y, a comienzos del siglo xvi, se erigió sobre su sepulcro un gran templo de tres naves al que fue trasladado su cuerpo en 1529.

Se invoca su intercesión para curar el flujo de sangre y la esterilidad femenina. También libra de accidentes en los caminos y de caídas. Según la creencia popular, a pesar de lo escarpado de la sierra de los montes burgaleses, ni pastores ni ganado sufrieron percance alguno desde los tiempos en que Casilda habitó aquellos parajes.

9 DE ABRIL

SANTA CASILDA (SIGLO XI)

Otros santos: María de Cleofás, Prócoro, Heliodoro, Dosio, Demetrio, Conceso, Hilario, Eusiquio, Acacio, Marcelo, Hugo y Waldetrudis.

10 DE ABRIL

SAN MIGUEL DE LOS SANTOS (1591-1625)

Otros santos: Ezequiel, Apolonio, Pompeyo, Terencio, Africano, Macario, Paladio, Fulberto, Antonio, Bada, Paterno y beatos Arcángel, Marcos y Magdalena.

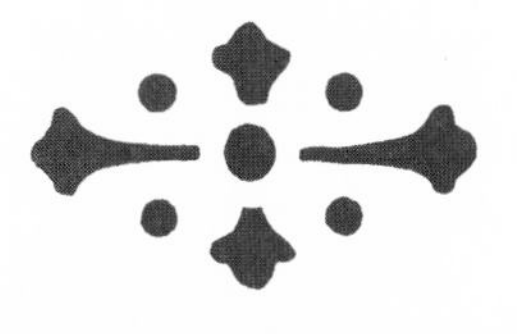

San Miguel de los Santos (1591-1625) 10 de abril

«Sin sosiego, en quietud andar procura», escribió Miguel de los Santos, y ésa era la norma de vida de este trinitario español de familia distinguida y piadosa nacido en Vich.

De carácter tímido y retraído, gustaba de la soledad y en ella fue madurando su vocación religiosa. A los ocho años quiso ingresar en los franciscanos, que denegaron su ingreso en el convento dada su corta edad. Recién cumplidos los doce ve realizado su sueño de ser fraile al ser admitido por los trinitarios calzados de Barcelona. No satisfizo a su espíritu riguroso y a su propia exigencia de sacrificio esta orden, a la que encontraba cómoda y blanda en exceso, y tras hablar con un religioso trinitario descalzo el 30 de septiembre de 1607 profesó en la orden reformada de Pamplona. Siendo inteligente y muy aficionado al estudio se le destinó a Salamanca y en su universidad completó su formación. Posteriormente recorre las casas de su orden en Madrid, Baeza, Zaragoza, Valladolid y Sevilla admirando a todos con su conducta ejemplar. Tenía a menudo raptos de éxtasis lo que hizo que se le conociera como Miguel *el Extático*.

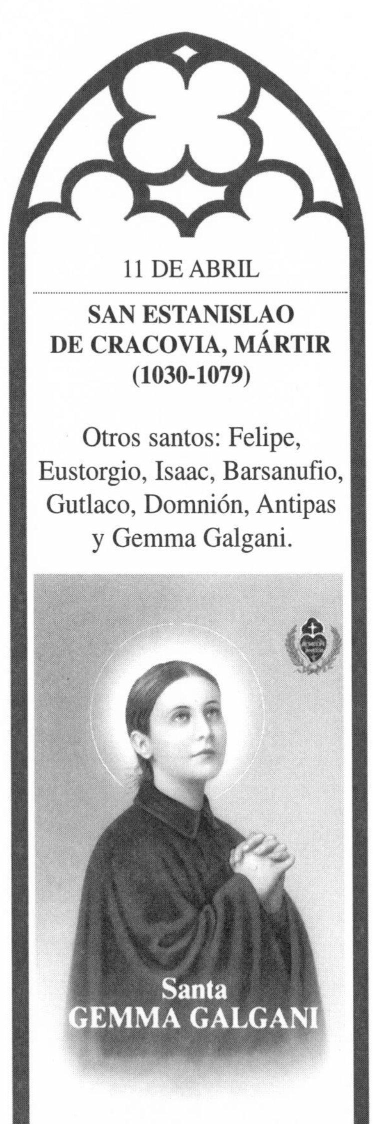

11 DE ABRIL
SAN ESTANISLAO
DE CRACOVIA, MÁRTIR
(1030-1079)
Otros santos: Felipe,
Eustorgio, Isaac, Barsanufio,
Gutlaco, Domnión, Antipas
y Gemma Galgani.
Santa
GEMMA GALGANI

Había cumplido los treinta años cuando comenzó a dedicarse continuadamente a la oratoria sagrada. Poseía grandes aptitudes para ello, además de una sólida preparación, amplios conocimientos en teología y un gran ascendente sobre los fieles. Sus frecuentes éxtasis durante la predicación excitaban la curiosidad de los feligreses, que aumentaban de día en día para poder ver cómo al orador se le iba «el santo al cielo», en el sentido literal de la frase.

En 1622 fue nombrado superior del convento de Valladolid, en la que sería la última etapa de su vida. En esta tarea se distinguió por su discreción como consejero y como padre espiritual encomiable. Cuando murió, la ciudad de Valladolid demostró en qué alto concepto tenían a la santidad de su vida.

Hombre de letras, dejó varias muestras de su obra literaria y espiritual, como *El alma y la vida unitiva* o el *Breve tratado de la tranquilidad del alma.*

San Estanislao de Cracovia, mártir (1030-1079)

11 de abril

San Estanislao es la mejor imagen del martirio intrépido por la fe y por decir la verdad y hacer lo que debe hacerse, incluso si con ello se ofende la vanidad de los poderosos.

Nació cuando sus padres ya habían perdido toda esperanza de tener hijos. Como muestra de agradecimiento, se lo ofrecieron a Dios para su servicio. Estudió en varias ciudades de Polonia y en París. Regresó a su tierra tras la muerte de sus padres, para disponer que sus bienes fueran repartidos entre los pobres. Inmediatamente fue nombrado predicador y vicario general por el obispo de Cracovia, a quien sucedió.

Boleslao II era por aquel entonces rey de Polonia, y era más conocido por su tiranía y su lujuria desenfrenada que por sus muchas victorias en la guerra. Era un escándalo en la corte su actitud hacia las mujeres de los nobles, y nuestro santo le recriminaba constantemente por ello. En un momento dado, la situación llegó a ser insostenible. Boleslao raptó a la esposa de un caballero y la retuvo violentamente en palacio, teniendo con ella varios hijos. La nobleza en conjunto pidió al clero que interviniera, pero ningún sacerdote u obispo quería hacerlo por miedo a provocar al monarca. El único que tuvo el valor necesario fue Estanislao, que acudió a la corte para exhortar al rey a poner fin a semejante conducta. Viendo que las palabras no daban ningún fruto, el santo optó por excomulgar al monarca, tras haberle advertido de que éste sería su próximo paso.

Boleslao montó en cólera, persiguiendo con su ejército a Estanislao hasta la capilla de San Miguel, donde se encontraba orando. Allí dio orden a sus soldados de que le masacraran, pero éstos se negaron a hacerlo con una suerte de temor reverencial. Al fin hubo de ser el propio rey el que le asesinara con sus propias manos. Los soldados despedazaron su cuerpo y lo repartieron por los caminos, pero se dice que las águilas protegieron los restos hasta que fueron recogidos por los canónigos de la catedral.

San Zenón, obispo de Verona († 380) 12 de abril

Hay una discusión sobre si San Zenón fue mártir o no. La Iglesia católica no lo venera como tal, pero muchos autores como San Gregorio Magno afirman que lo fue. Sea como fuere, nuestro santo fue un pastor de almas humilde y caritativo que luchó ardientemente para defender la auténtica fe.

Nada sabemos de él hasta el momento en que fue consagrado obispo de Verona en el año 362. Cada año bautizaba a un gran número de paganos, y predicaba sin descanso contra las herejías arriana y pelagiana. Su ejemplo y sus sermones sirvieron para difundir la virtud de la caridad entre todos los habitantes de Verona, que se hicieron famosos por ello. Las casas siempre estaban abiertas a los pobres extranjeros, y las limosnas se ofrecían sin necesidad de que hubiera que pedirlas.

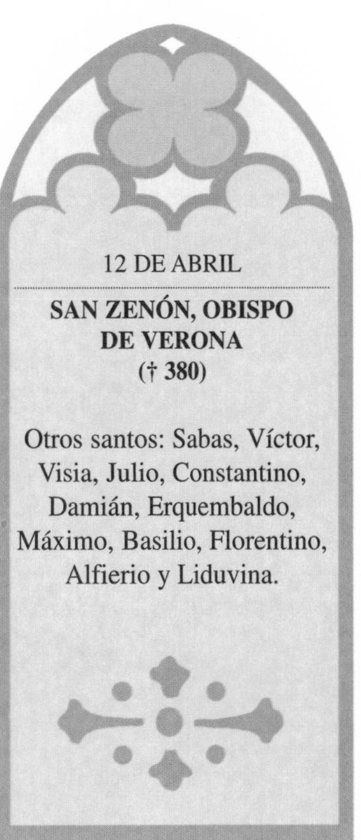

12 DE ABRIL

SAN ZENÓN, OBISPO DE VERONA († 380)

Otros santos: Sabas, Víctor, Visia, Julio, Constantino, Damián, Erquembaldo, Máximo, Basilio, Florentino, Alfierio y Liduvina.

Santa Casilda,
Zurbarán.

San Hugo visitando el refectorio, Zurbarán.

13 DE ABRIL

SAN HERMENEGILDO
(† 586)

Otros santos: Martín, Carpo, Papilo, Agatónica, Agatodoro, Máximo, Dadio, Quintiliano y Urso.

San Zenón vivió siempre en una gran pobreza, entregado a la educación de sus sacerdotes. Fundó un convento de vírgenes consagradas a Dios y organizó un sistema para que las mujeres pudieran llevar el velo sagrado viviendo en sus propias casas. También fue el inventor de una devota costumbre, las fiestas del amor, que se hacían en honor de los mártires.

En el año 378 los vándalos hicieron gran número de cautivos en la batalla de Adrianópolis. El ejemplo de nuestro santo y de sus feligreses ablandó el corazón de los invasores, que liberaron a muchos presos de la esclavitud y perdonaron la vida a multitud de hombres y mujeres.

San Hermenegildo († 586) — 13 de abril

Hermenegildo ha sido un santo muy famoso entre los colegiales españoles de hace algunas décadas. Era una estampa ejemplar y dramática en medio de la lista de los reyes godos.

En el año 571 el rey visigodo Leovigildo decidió hacer hereditaria la corona española. Dividió el país entre sus dos hijos: a Recaredo la Penibética y a Hermenegildo la Bética, y dispuso que antes de su muerte cada uno fuera gobernador de su futuro reino. Leovigildo era un monarca arriano, y en esta herejía había educado a sus hijos. Al morir su esposa, contrajo matrimonio con Gosvinda, también arriana y arquetipo de madrastra malvada.

Poco después, Hermenegildo se casó con Ingunda, mujer católica y de rara virtud. La reina hizo pasar enormes sufrimientos a la joven princesa, que sin embargo se mantuvo firme en su fe. Tal fue la fuerza de su ejemplo que nuestro santo abrazó la religión de su esposa. En un ataque de rabia, el rey Leovigildo le privó de su herencia y del cargo de gobernador. Sin embargo, Hermenegildo decidió defenderse, se proclamó rey de la Bética y plantó cara a su padre ayudado por los católicos españoles, que sin embrago eran demasiado débiles para vencer a los arrianos. Pidió ayuda a romanos y bizantinos, pero no recibió socorro. Al fin, derrotado, se vio obligado a refugiarse en una iglesia, a donde fue a buscarle su hermano Recaredo prometiéndole el perdón de Leovigildo. Cuando Hermenegildo salió a postrarse ante los pies de su padre, éste lo mandó prender y lo encerró en una torre de Sevilla. Tras algunos intentos de convertirle de nuevo al arrianismo, ordenó que fuera ejecutado. Nuestro santo aceptó el martirio con fe y entereza.

Es difícil saber si los datos con que contamos son los únicos decisivos en esta historia. ¿Hasta qué punto fue sólo una disputa religiosa entre padre e hijo? Nunca sabremos si entre los motivos de ambos no había ambiciones políticas y diferencias sobre asuntos más terrenales. Sin embargo, hay un hecho claro: Hermenegildo habría conservado la vida si hubiera abrazado el arrianismo, y no lo hizo. Sólo eso es bastante para confirmar que fue un auténtico mártir.

14 DE ABRIL
SANTOS TIBURCIO Y VALERIANO (SIGLO III)
Otros santos: Máximo, Próculo, Domnina, Tomaides, Lamberto, Froncio, Abundio y Benedicto.

Santos Tiburcio y Valeriano (siglo III) — 14 de abril

No se tiene documentación sobre estos mártires, y lo que ha llegado hasta nosotros se basa más en la leyenda que en la historia, de la que poco se sabe. En la Roma imperial perseguidora de los cristianos, triunfaban los hermanos Tiburcio y Valeriano, jóvenes poetas y compositores que deleitaban tanto a los miembros de las más altas familias, como a los componentes de la plebe con sus representaciones teatrales.

La muerte de Cómodo, la guerra civil y el triunfo de Séptimo Severo consagraron las tendencias a la monarquía igualitaria y el lema de «pan y circo» se hizo patente, aunque más inclinado hacia «una cultura al alcance de todos». Así, los jóvenes de la nobleza rivalizaban por quién era mejor rapsoda o actor, quién entonaba más acertadamente o quién escribía el mejor poema. El teatro ya no era una profesión para marginados más o menos tolerados por la sociedad, sino un foro donde demostraban su capacidad creadora todos aquellos que tenían vocación artística y dinero para poder manifestarla en los teatros públicos.

No se sabe exactamente cuál era la especialidad de los dos hermanos, pero parece ser que se relacionaba con la música y la poesía; fuera cual fuera, parece cierto que su éxito era grande y su prestigio reconocido.

Las historias de San Bernardino (detalle: San Bernardino), il Pinturicchio.

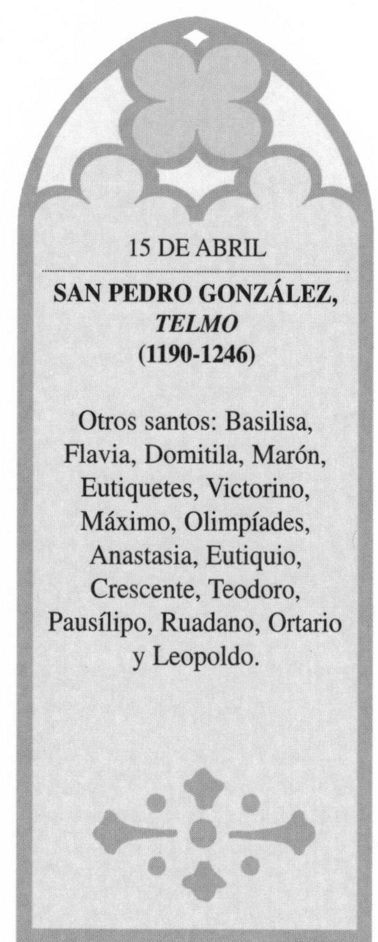

15 DE ABRIL
SAN PEDRO GONZÁLEZ, *TELMO* (1190-1246)
Otros santos: Basilisa, Flavia, Domitila, Marón, Eutiquetes, Victorino, Máximo, Olimpíades, Anastasia, Eutiquio, Crescente, Teodoro, Pausílipo, Ruadano, Ortario y Leopoldo.

Una tarde estaba Valeriano ensayando cuando un grupo de jóvenes doncellas se paró a escucharle. Un ademán del artista hizo que las improvisadas espectadoras salieran corriendo. En tan breve espacio de tiempo, Valeriano había quedado prendado de una de sus espontáneas admiradoras.

Gracias a la ayuda de sus padres pudo saber que la joven era una noble romana, hija de una de las familias más distinguidas del Imperio. Ante la pasión que había despertado en Valeriano la belleza de Cecilia y, puesto que las familias eran de parecida condición, se concertó la boda de los dos jóvenes.

La noche de la boda Cecilia le confesó a su marido que ella era cristiana y que un ángel custodiaba su virginidad. Le hizo ver que su paganismo no le ofrecía una vida eterna, invitándole a creer en un único Dios y a bautizarse. Bautizado Valeriano en la vía Apia por el Papa Urbano, volvió junto a su esposa, a la que encontró en compañía del ángel, que coronó a los esposos con flores blancas. Convertido también su hermano Tiburcio y bautizado por el mismo Urbano, ambos hermanos se dedicaron a enterrar a los mártires de la persecución del turco Almaquio. Denunciados por esta práctica, fueron decapitados. Su verdugo, Máximo, conmovido por el comportamiento de los dos mártires, les dió sepultura, por lo que fue también ejecutado.

SAN PEDRO GONZÁLEZ, *TELMO* (1190-1246) — 15 DE ABRIL

Casi con toda seguridad, si no se es un estudioso de las biografías de los santos, muy pocas personas reconocerían a éste por su nombre y apellidos, pero si se le llama simplemente Telmo, se recuerda al momento a un santo que cuenta con multitud de devotos, sobre todo marineros, por los que en su vida tuvo una especial predilección.

Nació Pedro en el seno de una notable familia de Astorga, y al ser su tío obispo de Palencia, el muchacho fue pronto destinado por sus padres al servicio de la Iglesia. Con gran cultura y versado en teología, siendo muy joven fue ya ordenado sacerdote y nombrado decano del cabildo catedralicio. Al parecer Pedro era apuesto y su gallardía, unida a sus títulos eclesiales y a una inclinación al exceso de lujo en su indumentaria, le envaneció tanto que parecía haber olvidado su verdadero destino.

Pero Dios no lo olvidó y así, a semejanza de Saulo de Tarso, aprovechando una cabalgata a las puertas de Palencia, mientras Pedro se ufanaba antes los admirados espectadores montado en un magnífico corcel, en unión a los restantes canónigos, el caballo se encabritó y Pedro fue a dar con sus huesos y sus hermosas vestiduras en un estercolero, mientras el pueblo que contemplaba el vistoso cortejo se partía de risa.

Este accidente, en el que su vanidad sufrió bastante más que su cuerpo, le llevó a un estado de melancolía del que sólo le sacó el convencimiento de que su futuro no debía ir por el camino de la vanidad. Para evitar una recaída en la soberbia, ingresó en la orden de los dominicos.

Los apóstoles Pedro, Pablo y Juan con Zenón, obispo de Verona.

Como predicador consiguió numerosas conversiones y su fama creció de tal manera que el propio rey Fernando III de Castilla y León lo llamó a la corte y se lo llevó a sus campañas militares. Pedro, temiendo recaer en sus antiguas vanidades, abandonó el cargo dado por el rey y dedicó su labor a los pobres que vivían fuera de las ciudades.

Sentía una especial predilección por los barqueros y marineros, con los que se reunía en oración y a los que seguía hasta sus embarcaciones para apoyarles espiritualmente. Cuentan que los hombres del mar miraban asombrados cómo nuestro San Telmo sacaba peces del agua usando solamente sus manos

Durante los sermones de Cuaresma, en el año de 1246, cayó enfermo en Tuy y allí murió.

Santa Bernadette Soubirous (1844-1879) 16 de abril

Nació en el seno de una familia relativamente acomodada que, poco a poco, fue perdiendo su fortuna hasta llegar a la más terrible miseria. Bernadette, la mayor de cuatro hermanos, de constitución frágil y delicada, aquejada de asma y minada por la tuberculosis, a pesar de su quebrantada salud cuidaba de sus hermanos con verdadero cariño y dedicación. Su mal estado físico y el tener que ocuparse de las labores de la casa le impidieron ir a la escuela y a la catequesis, por lo que a los catorce años no sabía leer ni escribir, aunque, aprendidas de oído, sí decía a diario sus oraciones y rezaba el rosario. El 11 de febrero de 1858 se dirigía a recoger ramas secas, acompañada de su hermana y una amiga, cuando en la gruta de Massabielle, a poca distancia de Lourdes, se le apareció una señora bañada en luz y con un rosario entre las manos, invitándola a rezarlo con ella. Fue la primera de las 18 apariciones, en el transcurso de las cuales le dio a conocer su nombre la Inmaculada Concepción. En esas apariciones le confió su mensaje de oración y penitencia por los pecadores, le pidió que dijera a los sacerdotes que acudieran allí en procesión y que erigieran una capilla en ese lugar, anunciándole que ella no sería jamás feliz en este mundo, sino en el otro.

Esta pobre criatura gastó la poca salud que tenía intentando llevar el mensaje de la Señora, pero los sacerdotes y las monjas de su ciudad la menospreciaban al creer que una mísera analfabeta no podía recibir tan altos favores, acusándola de mentir y fantasear con cosas sagradas. Perseguida y humillada por la sociedad y los miembros de las comunidades religiosas, fueron las gentes sencillas del pueblo las que, admiradas de la sinceridad y el fervor de su testimonio, llegaron a miles, primero desde Francia y después desde toda Europa, a rezar a la gruta.

Fueron años de trabajo esforzado en los que esta niña, agotada y enferma, consiguió que la Iglesia creyera en el mensaje que transmitía. El 4 de abril de 1864 se inauguró la imagen de Nuestra Señora de la Gruta, se hizo la primera procesión oficial y Bernadette fue admitida como novicia en la congregación de las hermanas de la caridad de Nevers. A pesar de su precario estado de salud, siempre estuvo llena de alegría, ofreciendo sus sufrimientos por los pecadores y, ya en su lecho de muerte, afirmó ser «más feliz con el crucifijo en las manos que una reina en su trono». Murió el 16 de abril de 1879, invocando el nombre de la Inmaculada Concepción.

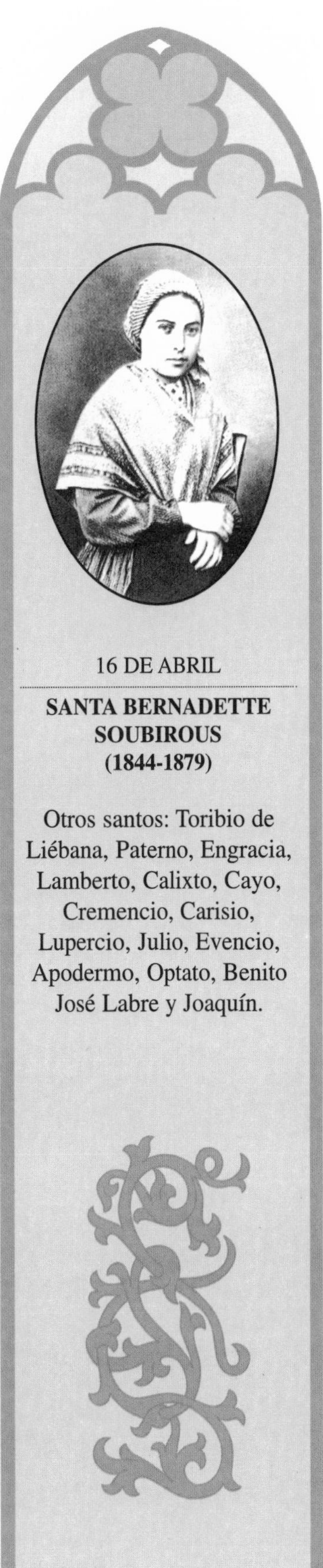
16 DE ABRIL
SANTA BERNADETTE SOUBIROUS
(1844-1879)
Otros santos: Toribio de Liébana, Paterno, Engracia, Lamberto, Calixto, Cayo, Cremencio, Carisio, Lupercio, Julio, Evencio, Apodermo, Optato, Benito José Labre y Joaquín.

Santa Cecilia, Poussin.

17 DE ABRIL

SAN ESTEBAN HARDING (1050-1134)

Otros santos: Aniceto, Elías, Pedro, Landricio, Pablo, Isidoro, Mapálico, Marciano, Fortunato, Hermógenes, Inocencio, Pantágato, Esteban y Roberto

San Esteban Harding (1050-1134) — 17 de abril

Nació en el seno de una honorable familia inglesa y fue educado en el monasterio de Sherbourne. Hizo viajes de estudio por Escocia, París, Roma y Lyon, y al fin ingresó en el monasterio benedictino de Molesme, esperando llevar allí una vida de sacrificio por Cristo.

La regla de este monasterio era extremadamente estricta, y los monjes vivían sumidos en una gran pobreza. Con frecuencia se veían obligados a alimentarse con hierbas del campo, aunque es cierto que los vecinos solían cubrir sus necesidades. En un momento dado, las costumbres empezaron a relajarse, hasta el punto de que los monjes descuidaban sus obligaciones.

San Esteban y otros veinte frailes pidieron permiso al obispo para fundar un nuevo monasterio en Cîteaux, una zona pantanosa cerca de Dijon. Se les concedió, y ellos mismos construyeron el edificio, trabajando duramente. Hicieron profesión de la regla de San Benito en 1098, dando lugar a la orden cisterciense.

En 1109 Esteban fue elegido tercer abad del Cister, y como tal hubo de enfrentarse a una época difícil en que la orden estuvo a punto de extinguirse, ya que parecía tan austera que nadie tenía el coraje de ingresar en ella. Las visitas estaban casi totalmente prohibidas; de hecho, sólo al duque de Burgundy se le permitía la entrada, y éste dejó de hacerlo cuando se le rogó que él y su corte no perturbaran los días sagrados. La petición hizo enfadar al duque, que retiró sus ayudas al monasterio, lo cual fue un desastre pequeño en comparación con la horrible plaga que diezmó a los monjes muy poco después. Las desgracias parecieron terminar cuando San Bernardo y otros treinta caballeros tomaron el hábito: su ejemplo fue seguido por muchos otros, con lo que la continuidad del Cister estaba asegurada.

El santo se retiró ya anciano de sus obligaciones, después de haber escrito eminentes obras. Murió en 1134.

San Eleuterio (siglo II) — 18 de abril

Eleuterio nació en Roma, en plena época de la persecución cristiana. Su madre pertenecía a una familia muy ilustre (su abuelo era senador), pero desde la cuna instruyó a su hijo en los mandamientos de Cristo. Fue ella misma quien ofreció a su hijo al Papa Anacleto para que lo adiestrara en el servicio de Dios.

El Santo Padre envió a Eleuterio a Ecana, donde nuestro santo profundizó en su conocimiento de la religión y fue ordenado sacerdote. Progresó muy rápidamente y era aún un hombre joven cuando fue elevado a la dignidad episcopal, ocupando el puesto de obispo de Aquileya.

Estaba de camino para tomar posesión de su sede cuando fue hecho prisionero por las autoridades imperiales. Fue llevado ante la presencia del mismísimo emperador Adriano, que había oído hablar de las conversiones en masa que realizaba Eleuterio. Le reprochó que, descendiendo de una de las familias más ilustres de Roma, hubiera abandonado a los dioses de los antepasados para abrazar el oscuro culto de un extranjero. Eleuterio se mantuvo firme y sereno: replicó que los viejos ídolos eran sordos y ciegos, y que sólo hay un único y verdadero Dios. Adriano montó en cólera y ordenó que fuera torturado y ejecutado para ejemplo de los romanos.

Como ocurre a menudo, el relato pormenorizado del martirio de nuestro santo es un tanto desagradable. Baste saber que resistió los tormentos con valor e incluso alegría, siendo finalmente decapitado. Su madre, desolada, confesó su religión entre lágrimas sobre el cadáver de su hijo y fue decapitada junto a él.

San Elfego (953-1012) — 19 de abril

Elfego renunció a la riqueza y a los honores terrenales para tomar el hábito en el monasterio de Derherste, en Gloucester. Algunos años más tarde se trasladó a la abadía de Bath, donde vivió encerrado en su celda durante mucho tiempo, siendo ejemplo de virtud y de humildad.

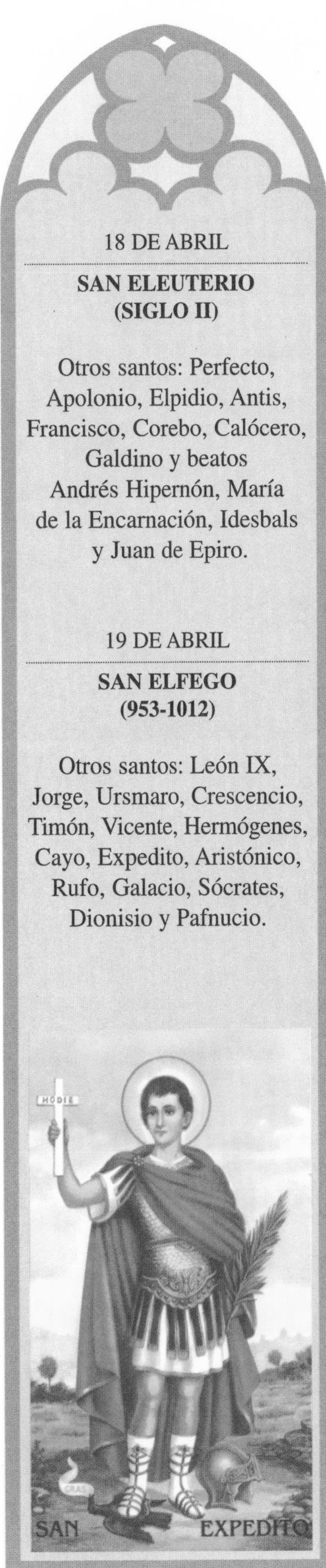

18 DE ABRIL

SAN ELEUTERIO (SIGLO II)

Otros santos: Perfecto, Apolonio, Elpidio, Antis, Francisco, Corebo, Calócero, Galdino y beatos Andrés Hipernón, María de la Encarnación, Idesbals y Juan de Epiro.

19 DE ABRIL

SAN ELFEGO (953-1012)

Otros santos: León IX, Jorge, Ursmaro, Crescencio, Timón, Vicente, Hermógenes, Cayo, Expedito, Aristónico, Rufo, Galacio, Sócrates, Dionisio y Pafnucio.

La Madre de Dios se aparece a San Luis y Santa Catalina, Carracci.

Finalmente, fue elegido abad de Bath. Se le consagró obispo de Winchester cuando sólo tenía treinta años.

Su labor episcopal estuvo marcada por la severidad consigo mismo y por la caridad. Se dice que en los veinte años que desempeñó este cargo no hubo un solo mendigo en toda su diócesis. Al cabo de este tiempo, fue trasladado a la sede de Canterbury.

Llevaba poco tiempo allí cuando los daneses invadieron Gran Bretaña ayudados por un conde traidor. Saquearon el país, cometieron barbaridades contra la población y se asentaron frente a Canterbury. La nobleza inglesa pidió al arzobispo que bendijera una defensa armada, pero nuestro santo se negó. La ciudad fue tomada por asalto en medio de una gran violencia. San Elfego se abrió paso entre las tropas y se presentó ante el enemigo, suplicando que acabara la matanza. Fue arrestado de forma inmediata y encerrado en una mazmorra.

Quiso el cielo que una plaga asolase a los invasores daneses, y éstos lo atribuyeron a un castigo divino por el mal trato que habían dado al arzobispo. Lo sacaron del calabozo y la peste remitió. Pensaron los enemigos en pedir un rescate por su libertad, pero el arzobispo repuso que todos los recursos del obispado estaban destinados a los pobres, y que sólo estaba dispuesto a pagar su libertad con enseñanzas sobre el Evangelio. Furiosos, los daneses lo derribaron con sus hachas y lo lapidaron, prolongando su martirio hasta que un soldado converso se apiadó de él y le cortó la cabeza.

20 DE ABRIL

SANTA INÉS DE MONTEPULCIANO (1268-1317) Y SANTA CATALINA DE SIENA (1347-1380)

Otros santos: Teótimo, Marcelino, Teodoro, Sulpicio, Serviliano, Víctor, Zósimo, Zenón, Acindino, Cesáreo, Severiano, Crisóforo, Teonás Antonino, Bernicia, Prosdocia, Domnina, Secundino, Marciano y beata Oda.

Santa Inés de Montepulciano (1268-1317) y Santa Catalina de Siena (1347-1380)

20 de abril

Junto con Rosa de Lima, estas dos mujeres forman el gran trío de las santas dominicas.

Catalina, en su *Diálogo,* pone en boca de Jesucristo las siguientes palabras: «La dulce virgen Santa Inés, que desde la niñez hasta el fin de su vida me sirvió con humildad y firme esperanza sin preocuparse de sí misma».

Inés ingresó en un convento a los nueve años de edad, y a los diecisiete ya era abadesa. Vivía como una auténtica penitente: su cama era el suelo, con una piedra como almohada, y se alimentaba sólo de pan y agua. Después de recuperarse de una grave enfermedad, fundó un nuevo monasterio sobre las ruinas de un burdel, en Montepulciano, y lo puso bajo la regla de la orden de Santo Domingo. Vivió allí el resto de su vida, bendecida por éxtasis, visiones y milagros, aunque Inés seguía profesando la mayor humildad. Murió tras una larga enfermedad que afrontó con paciencia, valor y esperanza.

Santa Catalina de Siena es doctora de la Iglesia desde 1970, a pesar de que no sabía escribir: tuvo que dictar todas las obras que nos ha dejado.

Ingresó de joven en la orden terciaria de Santo Domingo y durante bastantes años fue una virgen penitente que afrontaba con valor las peores tentaciones. Al fin alcanzó la unión mística con Dios, siendo bendecida con éxtasis y visiones. Se dedicó a los enfermos durante una plaga que asoló su región, y se dice que muchos se congregaban sólo para verla y oírla.

Visión de San Pedro Nolasco (detalle), Zurbarán.

Durante el Gran Cisma de Occidente, fue consejera de los papas divididos entre Roma y Avignon. La Iglesia, que había perdido de vista el Espíritu para sumergirse en la política, no pudo buscar mejor mediadora que esta santa, asceta y mística, que recordó a los príncipes eclesiásticos que su primer deber era servir a Dios.

San Anselmo (1033-1109) — 21 de abril

Doctor de la Iglesia, San Anselmo es uno de los grandes teólogos medievales. Aún hoy se estudia su prueba ontológica de la existencia de Dios, en la que identifica la realidad mental con la material de un modo muy platónico. Defendió también la Inmaculada Concepción de la Virgen, por lo que es uno de los «capellanes de Nuestra Señora».

San Anselmo nació en el seno de una noble familia inglesa. A los quince años pidió ingresar en un monasterio, pero su padre se negó. Así, cuando murió su madre, nuestro santo se fugó de casa y marchó al extranjero a estudiar. Al cabo de los años tomó los hábitos en el monasterio de Bec, en Normandía, donde llegó a ser prior y más tarde, abad.

En el año 1092 tuvo que viajar a Inglaterra para resolver asuntos de su monasterio, y allí se encontró con que el arzobispado de Canterbury estaba vacante. El rey, que durante años había usurpado los beneficios vacantes de la Iglesia, estaba muy enfermo y temía que, si le llegaba la muerte antes de que la sede de Canterbury estuviera ocupada, se condenaría. Por este motivo nominó a San Anselmo, que sólo fue ordenado tras haber conseguido que el monarca devolviera todas las tierras a la Iglesia.

21 DE ABRIL

SAN ANSELMO (1033-1109)

Otros santos: Anastasio *el Sinaíta*, Simeón, Abdecalas, Ananás, Arador, Pusicio, Fortunato, Félix, Silvio, Vidal, Apolo, Isacio, Codrato y Conrado Parzham.

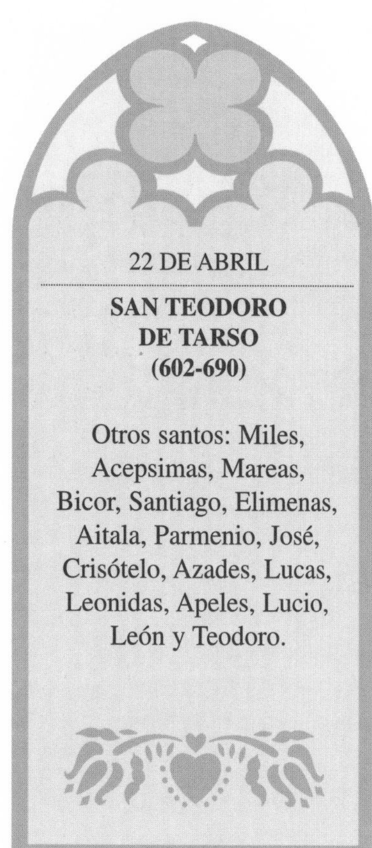

22 DE ABRIL
SAN TEODORO DE TARSO (602-690)
Otros santos: Miles, Acepsimas, Mareas, Bicor, Santiago, Elimenas, Aitala, Parmenio, José, Crisótelo, Azades, Lucas, Leonidas, Apeles, Lucio, León y Teodoro.

El estado de salud del rey mejoró y empezó a buscar nuevas formas de oprimir a la Iglesia. San Anselmo viajó a Roma para pedir consejo al Papa, quien le prometió su apoyo; el monarca falleció antes de su vuelta, siendo sucedido por Enrique I. Nuestro santo regresó presuroso a su sede.

Con el nuevo rey tuvo aún más problemas que con el anterior, ya que San Anselmo se negaba a ordenar obispos nombrados directamente por Enrique, sin elección canónica. Nuevamente viajó nuestro santo a Roma para pedir consejo al Papa, que esta vez optó por excomulgar al monarca inglés y a todos los que habían recibido dignidades eclesiásticas de su mano. San Anselmo regresó pronto a Inglaterra, pero cayó enfermo y murió poco después de llegar.

San Teodoro de Tarso (602-690) — 22 de abril

Nació en Tarso de Ciliciam y allí recibió su primera educación, marchando posteriormente a Atenas para continuar sus estudios. Se desconoce cuándo y por qué llega a Italia, aunque pudiera ser que lo hiciera acompañando al emperador Constante II. Una vez allí, ingresó en un convento de la regla de San Basilio, aunque sin recibir las órdenes sagradas.

Inmediatamente después de la conversación religiosa de Whitby, originada por la crisis de la Iglesia de Inglaterra entre los defensores de los usos cristianos o irlandeses y en la que se decidió la aceptación de la observancia eclesiástica romana en toda la Heptarquía, quedó vacante la sede primada de Canterbury. Los monarcas de Nortumbria y Kent enviaron a Roma para su consagración a Wighard, sucesor de la sede, pero éste falleció antes de recibir la bendición papal. Para sustituirle el Papa Vitaliano nombró a Teodoro, que fue consagrado el 26 de marzo del año 668. El año siguiente, acompañado de Benito Bicop Baducing y de Adriano, tomó posesión de la sede de Canterbury.

La obra fundamental de Teodoro a la cabeza del primado de Inglaterra fue disciplinar y jurídica, mostrándose como el gran realizador de la Iglesia inglesa. Convocó tres sínodos: el de Hetford, en el que se limitó a aceptar las disposiciones tomadas de la *Collectio Canonum* de Dionisio *el Menor;* el de Hatfield, en el que hace aplicar las decisiones del sínodo romano contra el monotelismo, y el sínodo de Twyford. Teodoro reestructuró las demarcaciones territoriales de la Iglesia inglesa, incrementó su fuerza expansiva y misionera y las cuatro diócesis que existían a su llegada se convirtieron en más de doce. Fue obra suya la regularización del derecho, la disciplina, el calendario, la liturgia y el coro; los propios estudios fueron organizados por él, ya que creó una escuela catedralicia en Canterbury. Unificó las leyes canónicas inglesas con las romanas y en cuanto al estudio del latín y del griego, consiguió que fueran muy numerosos los alumnos que hablaran tan correctamente estas dos lenguas como su propio idioma.

En el año 686 restaura la paz de la Iglesia nacional mediante la reconciliación de Wilfrido. Se supone que éste debe ser el último acto de su episcopado, ya que su muerte se localiza en este año.

Santa Inés.

Los Desposorios de Santa Catalina,
Rubens.

San Jorge (siglos III-IV) 23 de abril

Poco o nada se sabe a ciencia cierta sobre San Jorge, el Prometeo cristiano, hasta el punto de que, desde 1970, la Iglesia ha hecho optativa su fiesta. A pesar de todo, este santo guerrero es uno de los que recibe mayor veneración popular. Aún hoy es santo patrón de Cataluña, Portugal y Génova.

Hay una famosa leyenda sobre San Jorge, que lo pinta como un gallardo caballero que mata a un dragón para salvar a una princesa. Hoy nadie da crédito a esta historia, en la que se quiere ver una alegoría: el dragón es el Diablo, la bestia del Apocalipsis, y la princesa es la Iglesia de Cristo.

Parece probable que San Jorge naciera en Capadocia, pero que a la muerte de su padre viajara con su madre a Palestina. Allí se alistó como soldado en las legiones del emperador Diocleciano, pero cuando éste ini-

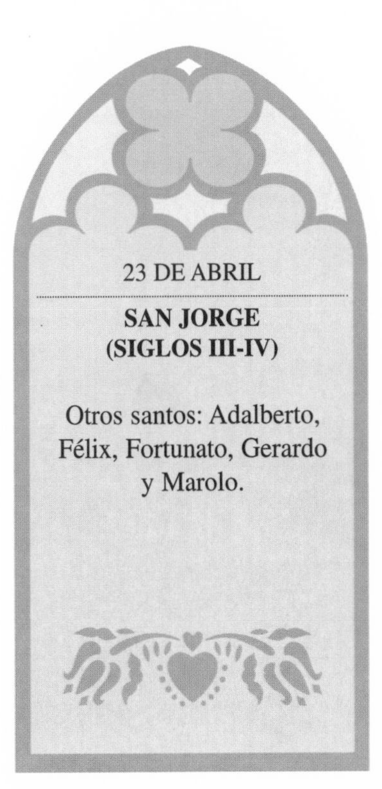

23 DE ABRIL

SAN JORGE (SIGLOS III-IV)

Otros santos: Adalberto, Félix, Fortunato, Gerardo y Marolo.

San Jorge y la princesa,
Huguet.

24 DE ABRIL

SAN FIDEL DE SIGMARINGA (1578-1622)

Otros santos: María Eufrasia Pelletier, Sabas, Alejandro, Eusebio, Neón, Leoncio, Longino, Melito, Gregorio, Honorio, Egberto, Bova, Doda, Wilfrido y Daniel.

ció la persecución contra los cristianos se enfrentó a él, por lo cual fue encarcelado y posteriormente decapitado. De todos modos, estos datos menos fantásticos tampoco son comprobables.

Son famosos los relatos de sus múltiples apariciones ante las tropas cristianas, aunque quizá la más conocida es aquella en la que se presentó ante el rey Ricardo Corazón de León cuando éste dirigía una cruzada contra los sarracenos. Desde entonces es patrón de los militares.

San Fidel de Sigmaringa (1578-1622) — 24 de abril

Markus Rey era hijo del burgomaestre de Sigmaringa. Joven despierto e inteligente, cursó estudios de leyes en la Universidad de Friburgo. Desde el principio de su carrera llamó la atención de todos con sus dotes intelectuales. Un noble le encomendó la tutela de su hijo y de unos compañeros en un viaje por Europa que duró seis años.

A su regreso, comenzó a ejercer como abogado en Alsacia: practicaba esta profesión con tal virtud y justicia que la gente le llamaba el «abogado de los pobres». Sin embargo, pronto se dio cuenta de que era difícil dedicarse al derecho y vivir cristianamente, por lo cual decidió renunciar al mundo para hacerse monje capuchino.

Estaba estudiando su curso de teología cuando se le planteó una importante duda: si se hacía fraile contemplativo, ¿no estaría desperdiciando los «talentos» que le había concedido Dios, y de los cuales tendría que rendir cuentas a su muerte? Al fin decidió seguir su vocación, y tomó los hábitos en 1612 con el nombre de fray Fidel.

La congregación De Propaganda Fide le encomendó misiones de predicación en tierras protestantes, en Suiza, Austria y Alemania. Fue elegido guardián del convento de Friburgo y demostró su virtuoso heroísmo en una epidemia de peste. Desarmaba a sus adversarios a fuerza de caridad y, de este modo, conseguía convertir a muchos calvinistas.

Hay que tener en cuenta que las guerras de religión a menudo se hacían por medios crueles, y los misioneros eran el blanco natural de las iras. Cuando San Fidel viajaba por el país de los grisones, se cruzó con veinte soldados calvinistas encabezados por un ministro que le llamaron falso profeta y le exhortaron a abrazar la herejía. Nuestro santo se negó, y fue por tanto asesinado a golpes y puñaladas, mientras pedía al cielo que perdonara a sus enemigos. El ministro que estaba con los soldados se convirtió al catolicismo al ver la fe de aquel hombre.

25 DE ABRIL
SAN MARCOS EVANGELISTA (SIGLO I)
Otros santos: Herminio, Esteban, Filón, Agatópodo, Hermógenes, Calixta, Evodio y Aniano.

SAN MARCOS EVANGELISTA (SIGLO I) — 25 DE ABRIL

La iconografía cristiana representa a los cuatro evangelistas con las formas de los cuatro vivientes del Apocalipsis: un león, un toro, un águila y un hombre. San Marcos es el león alado, patrón de la ciudad de Venecia.

Marcos era un judío de Jerusalén que, sin ser uno de los apóstoles, sí pertenecía al círculo de los primeros seguidores de Jesús. Es posible que hable de sí mismo en su Evangelio al narrar el prendimiento de Cristo en Getsemaní, cuando dice que «cierto joven le seguía envuelto en una sábana y trataron de apoderarse de él, mas él dejando la sábana huyó desnudo».

Se piensa que escribió su Evangelio por encargo de los romanos, que deseban tener por escrito lo que San Pedro les había transmitido por medio de la palabra. Pedro revisó la obra una vez acabada, la aprobó y autorizó que fuera leída en las asambleas de creyentes.

Fue enviado por San Pedro a Egipto como obispo de Alejandría, y en estas tierras convirtió a las multitudes haciendo innumerables milagros. Los grandes progresos de nuestro santo enfurecieron a los paganos, y Marcos se vio obligado a ausentarse dos años de la ciudad hasta que se calmaran los ánimos. A su regreso, se encontró con una conspiración para darle muerte. El día que se celebraba la fiesta de un antiguo dios egipcio, encontraron a San Marcos diciendo misa en una capilla. Lo prendieron y, atado de pies y manos, fue arrastrado por las calles durante todo el día.

San Gregorio.

San Agustín y San Gregorio,
Pacher.

26 DE ABRIL

SAN ISIDORO DE SEVILLA (560-636)

Nuestra Señora del Buen Consejo.
Otros santos: Cleto, Marcelino, Pedro, Basileo, Clarencio, Lucidio, Ricardo, Pascasio, Alda, Valentina, Domingo y Gregorio.

Por la noche Dios lo reconfortó con visiones del Paraíso y, a la mañana siguiente, murió en medio del delirio.

Se dice que sus restos fueron trasladados a un lugar secreto bajo la basílica de San Marcos, en Venecia, y que continúan ocultos allí.

San Isidoro de Sevilla (560-636) 26 de abril

Entre una familia de santos (sus hermanos Leandro, Fulgencio y Florentina pasaron también a la santidad), el niño Isidoro era la oveja negra: rudo, desatento y poco aplicado. Sus padres murieron siendo nuestro santo muy niño, por lo que quedó al cuidado de sus hermanos, que lograron con mucho esfuerzo enderezar su camino.

Cuando era ya un jovencito, entró en la carrera eclesiástica y ayudó a su hermano Leandro, arzobispo de Sevilla, en la conversión de los visigodos. Dedicó todo su tiempo libre a orar y a estudiar, haciéndose un experto en todos los autores antiguos, tanto sagrados como profanos. Cuando murió su hermano, le sucedió en el obispado de Sevilla.

Fundó una ilustre escuela en la que se educaron muchos hombres santos y escribió multitud de obras sobre ciencia y religión, entre las que destacan *Etimologías* y *Varones ilustres*. Era tan grande su sabiduría que, aunque se había consensuado que el cargo de primado de España correspondería al arzobispo de Toledo, era San Isidoro quien presidía las reuniones del sínodo y los concilios de obispos españoles. Desde hace siglos se le venera como doctor de la Iglesia.

Con los años su salud fue empeorando, pero nunca interrumpió sus ejercicios cotidianos ni sus labores eruditas y pastorales. Sus caridades eran tan reconocidas que los pobres de toda la ciudad de Sevilla se congregaban alrededor de su casa, e incluso acudían necesitados de todos los rincones de la Península. Cuando sintió próxima su muerte, oró y pidió en voz alta perdón por sus pecados y por las ofensas que hubiera podido cometer. Tras recibir los sacramentos, marchó tranquilamente a su casa y murió allí, en paz.

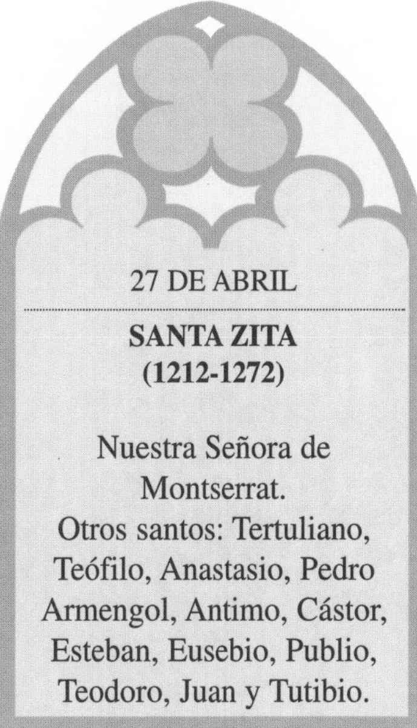

27 DE ABRIL

SANTA ZITA
(1212-1272)

Nuestra Señora de Montserrat.
Otros santos: Tertuliano, Teófilo, Anastasio, Pedro Armengol, Antimo, Cástor, Esteban, Eusebio, Publio, Teodoro, Juan y Tutibio.

Santa Zita (1212-1272) — 27 de abril

Santa Zita es patrona de las criadas, un patronazgo que como tal va desapareciendo poco a poco, ya que el servicio doméstico se está extinguiendo. Pero eso no significa que el servicio a los demás deba dejar de existir y, por tanto, bien podemos fijarnos en Santa Zita como ejemplo de entrega y dedicación al prójimo.

Nació en Italia, en el seno de una familia muy pobre, y se dice que su madre, para educarla, sólo tenía que decir «ésta es la voluntad de Dios» o «esto no place a Dios». Zita fue una niña dulce, callada y trabajadora que despertaba el amor en todos los que la conocían.

Las cosas cambiaron cuando entró a servir a los doce años en la casa de Fatinelli, un acaudalado tejedor. Nuestra santa consideró su trabajo un empleo proporcionado por Dios y obedecía a sus amos en todo. Trabajaba sin descanso, quitándose horas de sueño para rezar y asistir a misa cada día. Ayunaba constantemente y prefería dormir sobre el suelo. Por todas estas causas era objeto del odio de los demás sirvientes, que veían estupidez en su modestia y humildad, y orgullo vano en su incesante trabajo. Sus amos tampoco la tenían en mucha estima pues, al parecer, siendo sirvienta principal, era demasiado generosa en la gestión de las limosnas.

Hay quien dice que al final de su vida fue finalmente reconocida por el tejedor y su familia como el tesoro de virtud que era, pero lo cierto es que parece más probable que fuera detestada hasta el fin. Hoy en día, los que buscan la forma de trabajar lo menos posible y de eludir sus responsabilidades, odiarían a Zita, viendo en ella poco más que a una estúpida que no hace sino dejarles en mal lugar a causa de su esfuerzo.

Retrato de San Juan de la Cruz.

San Luis adorando a la Virgen y al Niño, Coello.

28 DE ABRIL

SAN LUIS MARÍA GRIGNON (1673-1716)

Otros santos: Vidal, Pablo de la Cruz, Valeria, Marcos, Teodora, Pánfilo, Afrodisio, Caralipo, Agapio, Eusebio, Polión, Patricio, Acacio, Menandro y Polieno.

San Luis María Grignon (1673-1716)

28 de abril

Luis María nació en Montfort y era hijo de un abogado. De niño estudió con los jesuitas, después ingresó en el seminario y, a los veintisiete años, era ordenado sacerdote. Su gran ilusión era evangelizar en tierra de infieles, pero viendo el panorama de la Francia de su época decidió establecer su misión en su propio país.

Trabajó como capellán en un hospital de Poitiers, dando el consuelo de la fe a los enfermos y a los moribundos. Su actitud devota no era muy bien vista por sus superiores laicos; finalmente fue despedido. Durante años fue un predicador errante, que pedía limosnas para comer, hasta que decidió unirse a las misiones populares. Con ellas recorrió gran parte de Francia, enfrentándose a los jansenistas y al propio clero corrupto.

Se cuenta que era extremadamente devoto de la Virgen y que, en su nombre, llamaba al orden a sacerdotes y obispos que habían abandonado a Dios para seguir las corrientes de la época. Y es que en plena época de las luces, la religión empezaba a verse como algo anticuado incluso entre los propios religiosos. Luis María aparece como una voz que viene del pasado, recordando que la Ilustración y la ciencia están muy bien, pero que todo ello debe emplearse para servir mejor a Dios.

Luis María tuvo el valor de ser santo cuando la santidad estaba mal vista. Y, pensándolo bien, si nuestro santo hubiera vivido hoy le habría ocurrido exactamente lo mismo. ¿Alguno de nosotros tiene el valor de dedicarse por completo a Cristo y olvidarse de todo lo demás?

San Pedro de Verona (1205-1252) 29 de abril

Cuando nació, Pedro estaba sin duda destinado a ser un hereje. Su padre, así como toda su familia, pertenecía a la secta cátara, pero al no encontrar ningún colegio en todo Verona de esta doctrina, tuvo que enviar a su hijo a estudiar con los católicos. En una ocasión en que Pedro salía de la escuela, un tío suyo se cruzó con él y le preguntó qué había aprendido ese día. Cuando nuestro santo se puso a recitar el Credo, su pariente se escandalizó y corrió a regañar a su padre, pero éste no le dio ninguna importancia.

Al alcanzar la edad reglamentaria, Pedro abandonó Verona para ingresar en la Universidad de Bolonia, donde consiguió mantenerse puro a pesar de la corrupción y el libertinaje que reinaban entre sus compañeros. No bien acabó sus estudios, ingresó en la orden de Predicadores de la mano del propio fundador, Santo Domingo, que tomó a nuestro santo bajo su especial protección. Pedro dedicaba todo el tiempo a aprender oratoria, ya que su gran ilusión era predicar a las multitudes. Sin embargo, tuvo un problema con sus hermanos debido a una aparición de la Virgen. Hablaba nuestro santo con la Madre de Dios, y un monje creyó escuchar la voz de una mujer. Pedro fue duramente castigado, pero al fin se demostró que era inocente.

Su carrera fue extremadamente brillante. Utilizaba su don de palabra y de gentes para predicar el Evangelio sin cesar, y está en las crónicas que llegaba realmente al corazón de la gente. Poco después fue nombrado inquisidor general, oficio que desempeñó con tanto celo que los herejes tramaron una conspiración y lo asesinaron, aunque nunca llegó a descubrirse quiénes fueron los culpables. La Iglesia lo venera como mártir.

San Pío V, Papa (1504-1572) 30 de abril

Miguel Ghisleri nació en el Piamonte en el seno de una familia muy humilde. A los quince años tomó el hábito de los dominicos y tras un largo retiro, fue ordenado sacerdote. Durante años fue inquisidor en la diócesis de Como, mientras enseñaba filosofía y teología a los novicios.

En 1556 fue consagrado obispo de Nepi y Sutri, y al año siguiente fue ordenado cardenal. Sus dignidades no mitigaron sus austeridades, ya que Miguel seguía siendo un sencillo fraile en el corazón. Cuando Pío IV subió a la silla de San Pedro, trasladó a nuestro santo al obispado de Mondovi, donde hubo de enfrentarse a la guerra y abusos de todo tipo.

En diciembre de 1565, Pío IV falleció. El cónclave, a instancias de San Carlos Borromeo, eligió a Miguel Ghisleri, que fue Papa con el nombre de Pío V. Era notorio que el nuevo Pontífice no iba a ser blando y transigente. Continuó con sus costumbres monacales, viviendo en la más extrema austeridad. Celebraba misa todos los días, era muy caritativo y especialmente devoto del rosario.

29 DE ABRIL

SAN PEDRO DE VERONA (1205-1252)

Otros santos: Severo, Tiquico, Agapio, Secundino, Emiliano, Tértula, Antonia, Paulino, Hugo y Roberto.

30 DE ABRIL

SAN PÍO V, PAPA (1504-1572)

Otros santos: Mariano, Santiago, Eutropio, Amador, Pedro, Luis, Lorenzo, Afrodisio, Máximo, Sofía, Severo, Donato y Erconvaldo.

1 DE MAYO

SAN JOSÉ OBRERO (SIGLO I)

Nuestra Señora de Estíbaliz. Otros santos: Jeremías, Andéolo, Orencio, Paciencia, Segismundo, Amador, Asafo y Grata.

2 DE MAYO

NUESTRA SEÑORA DE LUJÁN, PATRONA DE ARGENTINA

Santa María Reparadora. Otros santos: Atanasio, Saturnino, Neópolo, Germán, Celestino, Exuperio, Zoe, Ciriaco, Teódulo, Félix, Vindernial, y Antonio.

Afrontó la limpieza de la ciudad de Roma de todo tipo de vicio, y con sus edictos expulsó a muchas personas de mala vida. Gobernó la Iglesia con mano férrea, promoviendo multitud de reformas en cuanto a la elección de obispos, a la lucha contra el nepotismo y a la vigilancia del cumplimiento de las obligaciones. Publicó el catecismo que lleva su nombre, refundió el breviario y el misal e hizo reeditar a Santo Tomás de Aquino.

Se unió a la Santa Liga, que consiguió la victoria de Lepanto sobre los turcos, tras la cual Pío V instauró la fiesta de Nuestra Señora del Rosario. Su política fue siempre controvertida: se enfrentó en ocasiones a Felipe II y excomulgó a Isabel de Inglaterra. Murió tras una dolorosísima enfermedad, después de haber ocupado sólo seis años la sede vaticana.

SAN JOSÉ OBRERO (SIGLO I) — 1 DE MAYO

¿Qué cabe decir de San José en su faceta de obrero? En los evangelios sólo hay una referencia colateral, cuando se dice de Jesús: «¿No es éste el hijo del carpintero?» (Mateo, 13,55). El resto lo sabemos sólo por las leyendas piadosas y por los apócrifos. Es particularmente entrañable una anécdota de la infancia de Jesús que, por supuesto, no está comprobada. A San José le habían encargado un trabajo particularmente difícil, en que tenía que hacer encajar dos piezas que realmente no podían encajar. Viéndolo Jesús afligido por este asunto, tomó las dos piezas en las manos e hizo milagrosamente que encajaran. También nos dicen los apócrifos que, de niño, Jesús aprendió la profesión de San José, y que en su adolescencia y primera juventud solía ayudarlo.

Sin embargo, ¿cuál es el mensaje de todo esto? La Iglesia quiso celebrar el 1 de mayo (precisamente la jornada internacional del trabajo desde finales del siglo XIX) la fiesta de San José obrero para cristianizar una celebración laica. Con esto se pretendía demostrar que no sólo Dios está con los trabajadores (al fin y al cabo, Cristo nació de un obrero, cuando podía haber elegido nacer de un rey o de un noble), sino que la Iglesia también está comprometida con las causas sociales.

Es, en definitiva, la construcción del reino de Dios en la Tierra, un objetivo que Cristo mismo señaló como prioritario. El cristianismo llama a no quedarnos dormidos, a luchar por la igualdad, la libertad y la fraternidad. Al fin y al cabo, las Bienaventuranzas son todo un programa político en el mejor sentido de la expresión, y el cristianismo es la utopía más bella que jamás se haya inventado: sólo tenemos que fijarnos en las primeras comunidades de cristianos. El 1 de mayo, la Iglesia nos invita a imitarlos aunque sea sólo un poco.

NUESTRA SEÑORA DE LUJÁN, PATRONA DE ARGENTINA — 2 DE MAYO

¡Virgen gaucha!, que sabes de carretas, boyeros y negritos, de abrojos y rocío en el vestido; que has escuchado el susurro de miles de confidencias de muchas generaciones de argentinos». Así reza el himno a la llamada Madre Gaucha de Luján, la Virgen patrona de Argentina. Ciertamente, pocas representaciones de Nuestra Señora simbolizan tan bien la humildad que caracterizaba a María, la Madre de Cristo: su imagen, de arcilla cocida, mide apenas cuarenta centímetros. Morena, con el rostro ovalado y ojos azules, representa a la Inmaculada Concepción, y hay quien asegura que tiene una cierta semejanza con las obras de Murillo.

Fue modelada en Brasil, pero en 1630 fue trasladada a la Argentina. Según la leyenda, fue la propia Virgen la que eligió el lugar en el que quería establecer su morada. Una carreta transportaba dos imágenes desde Buenos Aires a Santiago del Estero, una de María con el Niño, y otra, la pequeña virgencita de arcilla. Cuando pasaban a las orillas del río Luján, los bueyes se negaron a seguir avanzando. Se aligeró la carga y se cambiaron los animales, pero éstos no parecían dispuestos a proseguir la marcha. Los encargados de la expedición, desesperados, decidieron descargar también la figura de la Virgen con el Niño, que era la más grande y por tanto la que más pesaba, pero tampoco se obtuvo ningún resultado. Al fin, se decidió apear de la carreta a la imagen de la Inmaculada, e inexplicablemente, los bueyes echaron a andar.

Martirio de San Felipe, Ribera.

Los testigos, asombrados, decidieron repetir la experiencia tratando de comprender, y el resultado fue siempre el mismo: si la pequeña estatua de barro estaba sobre el carro, los animales se detenían. Así, todos comprendieron que la Inmaculada deseaba permanecer en Luján.

En un principio, Nuestra Señora fue llevada a la casa de don Rosendo Oramas, que vivía muy cerca del lugar, y fue él quien fabricó la primitiva capilla donde se dio culto a la imagen de la Virgen hasta que se le construyó un santuario apropiado.

San Felipe y Santiago *el Menor*, apóstoles (siglo I)

3 de mayo

Felipe y Santiago *el Menor* fueron dos de los primeros seguidores de Jesucristo. Se emparejan en el calendario por una circunstancia histórica fortuita: las reliquias de ambos se trasladaron al mismo tiempo a la basílica de los Santos Apóstoles en Roma.

3 DE MAYO
SAN FELIPE Y SANTIAGO *EL MENOR,* APÓSTOLES (SIGLO I)
Otros santos: Alejandro, Evencio, Teódulo, Timoteo, Maura, Diodoro, Rodoplano y Juvenal.

Felipe era un judío de Betsaida, en Galilea. Le bastó una palabra del Maestro, «Sígueme», para dejarlo todo (casa, mujer e hijos) y convertirse en uno de los doce. Tan pronto como descubrió al Mesías, corrió a compartirlo con su amigo Bartolomé: «Hemos encontrado a aquél del que escribieron Moisés en la ley y los profetas». Bartolomé se unió al grupo de los apóstoles.

El Evangelio demuestra que sentía un cariño especial por Jesús, y nos da la sensación de no ser un hombre brillante, sino más bien sencillo y fiel, con muy buena voluntad. Después de la Ascensión, predicó en Escita y Frigia, y fue martirizado con la crucifixión cabeza abajo, como San Pedro.

Santiago fue llamado *el Menor* para distinguirlo del hijo de Zebedeo, y no se sabe si el apelativo le viene por la edad, la estatura o el hecho de que se incorporó más tarde a los doce. Era primo de Jesús (la tradición

griega afirma que se parecía mucho a él) y se vio favorecido por la aparición de Nuestro Señor después de la Resurrección. Fue llamado el Justo mientras presidía la comunidad cristiana de Jerusalén. Participó activamente en el primer concilio y es autor de una epístola canónica. Fue acusado de violar las leyes y arrojado desde las escaleras del templo, muriendo lapidado por el pueblo.

SAN FLORIANO († 304) — 4 DE MAYO

Floriano nació en Zeiselmauer, en la Baja Austria, siendo un niño excepcionalmente vivo y despierto. Con diez años, salvó a sus padres de un incendio en la casa en que vivían, apagando él mismo el fuego con unos cubos de agua.

Fue educado en el cristianismo y de joven ingresó en el ejército, donde procuraba cumplir con sus obligaciones sin faltar en nada a los mandamientos de Jesús. Sin embargo, todo cambió cuando llegó a la provincia la orden de perseguir a los cristianos.

Florián estaba fuera de la ciudad, por lo que no estaba presente cuando la primera redada capturó a varias decenas de fieles. Volvía a su casa cuando se encontró a la multitud de prisioneros caminando hacia la cárcel. Preguntó cuál era su crimen y al enterarse de que eran condenados por su fe, sintió que la sangre hervía en su interior. Corrió ante el prefecto y le declaró que él también era seguidor de Jesús, por lo que pedía compartir la misma suerte que sus hermanos. Fue inmediatamente encadenado y, después de algunas torturas, se le exigió que hiciera apostasía y ofreciera sacrificios a los dioses. Nuestro santo se negó, los tormentos se incrementaron y finalmente murió ahorcado. Se dice que sus restos fueron encontrados gracias a una aparición suya, y que desde que fue enterrado los prodigios y milagros comenzaron a florecer alrededor de su tumba.

Floriano fue un joven decidido y justo que no aprovechó su posición social para evitar los tormentos, sino que deseó en todo momento sufrir lo mismo que padecían sus hermanos. Santo de la justicia por excelencia, fue también un maestro en el arte de vivir en el mundo según los mandamientos del cielo. Lo cual era difícil en una profesión como la suya.

SAN HILARIO DE ARLÉS (400-449) — 5 DE MAYO

Hilario era un hombre de letras con mucha facilidad de palabra, y tenía su futuro en el mundo asegurado gracias a sus múltiples talentos. Pero su pariente San Honorato, que siempre había amado a Hilario, logró convencerle de que dedicara su vida a Dios y al servicio de los hombres, no sin mucho esfuerzo por su parte.

Al fin, Hilario tomó los hábitos en el monasterio de Lérins bajo la tutela de su pariente. Cuando éste fue elegido obispo de Arlés, nuestro santo permaneció en el convento como segundo abad. Al cabo de los años acudió a Arlés para ayudar a su pariente en las labores episcopales, y cuando éste murió le sucedió en el obispado no habiendo cumplido aún los treinta años.

4 DE MAYO

SAN FLORIANO
(† 304)

Otros santos: Silvano, Ciriaco, Pelagia, Antonia, Porfirio, Paulino, Sacerdote, Venerio, Godehardo y Curcódomo.

5 DE MAYO

SAN HILARIO DE ARLÉS
(400-449)

Nuestra Señora de Araceli, Nuestra Señora de las Gracias y La conversión de San Agustín. Otros santos: Ángel, Eutimio, Silvano, Crescenciana, Irene, Ireneo, Joviniano, Peregrino, Niceto, Eulogio, Teodoro y Máximo.

Fue Hilario un obispo memorable. Amante de la austeridad, solía recorrer los caminos descalzo para visitar su diócesis. Predicaba sin descanso a sabios y a ignorantes, y aunque era compasivo con los pecadores, era muy duro en algunos aspectos, como el rigor de la disciplina monástica.

Su celo era un tanto excesivo, y alguna vez entró en conflicto con el Papa León I, siempre por sobrepasar sus atribuciones como obispo. Depuso a un obispo porque había estado casado, sin esperar órdenes de Roma; y en otra ocasión ordenó un obispo para sustituir a otro que estaba enfermo, y cuando el segundo se curó, tuvo dos obispos para la misma sede. Era excesivo también en su caridad con los pobres, hasta el punto de que vendió objetos del culto para dar limosna.

Cuando murió Hilario, el propio León I, con el que tanto se había enfrentado, fue el primero en alabar las virtudes de un hombre que es modelo de ímpetu arrollador, sin contemplaciones, para defender la causa de Dios.

6 DE MAYO

SAN EADBERTO (SIGLO VII)

Nuestra Señora de Belén y Juan *ante portam latinam.* Otros santos: Teodoto, Evodio y Venerio.

7 DE MAYO

SAN JUAN DE BEVERLEY († 721)

Nuestra Señora de la Victoria. Otros santos: Eufrosina, Teodora, Juvenal, Flavio, Augusto, Agustín, Cuadrato, Juan y Pedro.

San Eadberto (siglo vii) — 6 de mayo

Eadberto sucedió a San Cutberto (probablemente uno de los santos más populares en Inglaterra) en el cargo de abad de Lindisfarne. En cierta forma, este santo siempre ha estado bajo la sombra de su predecesor pero, a pesar de todo, ha sido canonizado por méritos propios.

No sabemos nada de él antes de su nombramiento como abad. Pero, a partir de entonces, destacó por su profundo conocimiento de las Escrituras, por su obediencia a las leyes de Dios y por su generosidad con las limosnas.

Particularmente llamativo es su absoluto respeto al derecho de asilo: cualquier hombre que entrara en su iglesia, ya fuera criminal o perseguido, tenía derecho a permanecer allí, y era defendido con todas las fuerzas del santo abad y de toda su congregación. No pocas veces tuvo Eadberto que enfrentarse a las autoridades por esta causa, pero siempre fue inflexible: estaba dispuesto a morir antes de permitir que se violase el santo refugio.

Su generosidad se extendía más allá de las limosnas. Era muy conocido en la zona como abogado de los deudores, y siempre andaba persiguiendo a los ricos para que perdonasen a los pobres el dinero que les debían (¡qué habría dicho hoy de la deuda externa!). También se nos habla de su afición por la soledad. En Cuaresma y durante el Adviento, se retiraba a un lugar alejado de todos para orar, ayunar y meditar.

Algunos ven en Eadberto un caso de «santidad por contagio», una expresión no muy ortodoxa pero que revela cómo puede influir en nuestras vidas el ejemplo y las enseñanzas de una persona realmente buena.

San Agustín.

San Juan de Beverley († 721) — 7 de mayo

Nació en Yorkshire, y el deseo de formarse lo mejor posible para servir a Dios lo llevó a estudiar a Kent. Cuando regresó a su tierra continuó sus ejercicios en el monasterio de Whitby, bajo la dirección de San Gildas, hasta que fue nombrado obispo de Hexam.

8 DE MAYO

SAN PEDRO DE TARANTASIA (1102-1174)

Nuestra Señora de la Antigua. Otros santos: Víctor, Acacio, Dionisio, Eladio, Pedro, Wiron, Bonifacio IV y Benedicto II.

9 DE MAYO

SAN PACOMIO (292-348)

Otros santos: Geroncio, Gregorio Ostiense, Hermas, Beato y Nicolás Albergato.

Ejercía las labores pastorales prácticamente sin descanso, y el poco tiempo que le restaba lo ocupaba con la contemplación. En ocasiones se retiraba a la iglesia de San Miguel para meditar, y llevaba a un pobre consigo para atenderlo y así aprender humildad. Un día en concreto se hizo acompañar por un joven mudo y calvo cuyo cuerpo estaba cubierto de escamas. San Juan curó todas sus enfermedades haciendo la señal de la cruz sobre el joven, y después dedicó meses a enseñarle a hablar correctamente y a escribir.

Después de algunos años fue trasladado al obispado de York, y se nos cuenta que hizo allí muchos milagros. Construyó un monasterio para hombres y mujeres en Beverley, al que solía retirarse para renovar el espíritu de su devoción. Allí pasó los últimos cuatro años de su vida cuando, sintiéndose enfermo, dejó la silla episcopal para dedicarse con sencillez a la vida monástica.

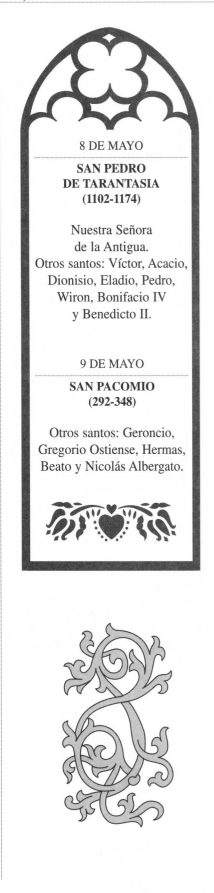

San Pedro de Tarantasia (1102-1174) — 8 de mayo

Procedía de una familia de labradores. A los veinte años tomó el hábito cisterciense en Bonnebaux. Su ejemplo convenció a sus padres y hermanos de que abrazaran también la vida religiosa.

Llevaba un año siendo monje cuando Amadeus (un pariente del emperador que también había tomado los hábitos por consejo de San Pedro) fundó el monasterio de Tamies y pidió a nuestro santo que fuera su abad. Los dos amigos construyeron en el convento un hospital donde se atendía a todos los enfermos; los cronistas aseguran que todo el monasterio parecía sacado directamente del Paraíso.

En 1141 San Pedro fue ordenado arzobispo de Tarantasia. Cuando llegó a su diócesis encontró la situación desastrosa. Tuvo que trabajar muy duro para recuperar los diezmos, y hubo de implantar de nuevo la costumbre de educar a los jóvenes en la fe y dar limosna a los pobres. La carga de sus obligaciones era tan pesada que huyó de la diócesis para esconderse en un convento en Alemania; pronto fue encontrado, y tanto superiores como feligreses le obligaron a regresar. El santo se concentró entonces en sus funciones con más dedicación que nunca, sintiéndose reconfortado tras el tiempo que había pasado en meditación: fundó hospitales, evitó guerras y sirvió de embajador entre los príncipes. El emperador del Sacro Imperio puso a un Papa cismático en Alemania, y San Juan fue el único que tuvo el valor de hablar en contra de la intervención de los príncipes en materias espirituales, abogando por la unidad de la Iglesia.

Sus últimos años los pasó haciendo servicios y encargos para el Papa, que valoraba sobremanera su capacidad diplomática. Murió de enfermedad justo después de regresar de un viaje.

San Pacomio (292-348) — 9 de mayo

San Pacomio nació en Tebas, siendo educado en la antigua religión egipcia. Cuando tenía veinte años, entró a formar parte de las legiones imperiales romanas, embarcando en una nave que fue a naufragar cerca de una comunidad cristiana. Los legionarios recibieron tanta caridad y cuidados que quedaron impresionados. Pacomio, en el camino de vuelta a Tebas, paró en una ciudad en la que vio una iglesia y se inscribió entre los aspirantes al bautismo. Después de la ceremonia, se retiró al desierto para servir a Dios bajo la dirección de un anciano anacoreta llamado Palemón. Al principio, éste no pensó que Pacomio fuera a soportar la vida que él llevaba, pero viendo la fe y la devoción del joven decidió aceptarlo.

Un día, mientras nuestro santo oraba a orillas del Nilo, en Tabenna, escuchó una voz celestial que le pedía que construyera un monasterio en aquel lugar. Ayudado por Palemón llevó a cabo la empresa, y poco tiempo después muchos monjes se habían puesto bajo su cuidado, entre ellos su propio hermano. Fundó otros seis monasterios en Tebas, además de un convento de monjas para su hermana, a la que se negó a ver por tratarse de una mujer. Construyó también iglesias para los pastores más pobres y luchó duramente contra el arrianismo.

En el año 348, una plaga de peste asoló los monasterios matando a cien monjes. Pacomio fue uno de ellos. Cuando entregó su alma a Dios, tenía bajo su cuidado a siete mil monjes.

10 DE MAYO
SAN ANTONIO DE FLORENCIA (1389-1459)
Otros santos: Juan de Ávila, Antonino, Cataldo, Gordiano, Epímaco, Job, Calopodio, Palmacio, Simplicio, Félix, Blanda, Alfio, Filadelfo, Cirino, Dioscórides y Amaro.

San Antonio de Florencia (1389-1459) — 10 de mayo

San Antonio, Antonino, el Pequeño Antonio, nació en Florencia en el seno de una familia aristocrática. Siendo casi un niño conoció a fray Domingo y quedando maravillado con sus sermones, le pidió el hábito dominico. El monje le consideró demasiado joven; le dijo que estudiara la ley canónica antes de ingresar en un monasterio, especialmente el decreto de Graciano. En menos de un año, nuestro santo se presentó de nuevo ante fray Domingo pidiendo ser examinado. Dio muestras sobradas de su capacidad, por lo que el fraile no lo dudó más y le dio el hábito a los diecisiete años.

Pronto fue ordenado sacerdote y elegido para gobernar el monasterio de Minerva, en Roma. Fue prior, sucesivamente, en Nápoles, Cortona, Siena y Florencia. Su reputación se fue extendiendo gracias a las eminentes obras que publicaba, y el Papa Eugenio IV lo convocó al concilio general de Florencia. Poco después fue consagrado obispo de esta misma ciudad.

San Antonio siguió observando la regla de Santo Domingo en la medida en que ésta era compatible con sus funciones episcopales. Era especialmente caritativo con los pobres, de los que se declaró protector, y fundó el colegio de San Martín, donde podían estudiar las personas sin recursos económicos. Cada año recorría su diócesis entera, siempre a pie. Cuando la plaga de peste asoló la región en 1447, San Antonio se expuso a sí mismo y a todo su clero al contagio asistiendo a los enfermos, perdiendo por ello a muchos de sus frailes. Años después hubo violentos terremotos, y una vez más encontramos al obispo de calle en calle socorriendo a los necesitados y ayudando a reconstruir las casas con sus propias manos.

11 DE MAYO

SAN FRANCISCO DE JERÓNIMO (1642-1716)

Otros santos: Antimo, Sísimo, Evelio, Máximo, Basso, Fabio, Anastasio, Dioclecio, Florencio, Gangulfo, Mamerto, Mayolo, Iluminado e Ignacio de Laconi.

12 DE MAYO

SAN PANCRACIO († 304)

Otros santos: Nereo, Aquiles, Domitila, Dionisio, Domingo de la Calzada y Felipe Agrión.

Hasta la fecha de su muerte, San Antonio siempre estuvo allí donde se le necesitaba o donde alguien requiriese su consuelo.

San Francisco de Jerónimo (1642-1716) — 11 de mayo

Francisco de Jerónimo siempre había admirado a San Francisco Javier. Sus padres le dieron su nombre en honor del santo, y desde la más tierna infancia escuchó hermosos y terribles relatos de las aventuras del jesuita en Oriente. Por eso abandonó Tarento, la tierra que le había visto nacer, para estudiar con los jesuitas. Apenas tuvo la edad suficiente, ingresó en la Compañía de Jesús.

Sus maestros enseguida detectaron dos rasgos en él. Primero, su compasión, su misericordia. No podía ver a un hombre necesitado, a una persona en apuros, sin que le doliera en lo más profundo del alma. Y después su don de palabra: de él se ha dicho que parecía un cordero cuando hablaba y un león cuando predicaba.

Apenas se ordenó sacerdote, fue trasladado a Nápoles. Para Francisco era sólo un paso antes de ser enviado a las Indias, o al menos eso pensaba él. Se puso a trabajar de inmediato, y no como otros predicadores, que se limitan a hablar a las multitudes y después se van a su casa. Nuestro santo recorría los callejones más oscuros buscando al mendigo que se muere de frío, a la prostituta enferma, al ladrón desamparado, al chiquillo de tres años que está aprendiendo a robar para poder sobrevivir. Y a todos les llevaba la luz de Cristo.

Muchas veces fue rechazado, insultado y calumniado. El siglo XVII no era tan distinto de nuestra propia época, ¿qué diría un heroinómano desahuciado si un jesuita se acercara a él y comenzara a hablarle de Jesús? Pero, poco a poco, como el agua que, gota a gota, va excavando una cueva en la montaña, Francisco se iba haciendo oír. Los delincuentes y marginados empezaron a conocer a aquel cura tan extraño, que no estaba en su iglesia recogiendo las limosnas de los ricos, sino asistiendo partos de mujeres descarriadas y enseñando italiano a los inmigrantes sin medios.

Francisco nunca llegó a abandonar Nápoles. Permaneció con su gente, con los desamparados, el resto de su vida. Como el propio Maestro, siempre estuvo entre los que le necesitaban, entre los enfermos y los afligidos, intentando devolver al redil a esa oveja negra tan querida por el Señor.

San Pancracio († 304) — 12 de mayo

San Pancracio quedó huérfano de muy niño. Fue adoptado por un tío suyo de Roma, y en esta ciudad recibió las enseñanzas cristianas. El Papa Cornelio lo bautizó con sus propias manos.

Los padres de San Pancracio pertenecían a una familia muy ilustre del Imperio. Por eso, cuando fue capturado por cristiano, el propio emperador quiso verle. Le prometió que, si regresaba al culto de sus antepasados, le perdonaría y le daría tantos honores como a un hijo suyo. El mártir no quiso ni tan siquiera oír hablar de ello: los dioses del Imperio no eran más que demonios que se asesinaban unos a otros y jugaban con el destino de los mortales, ¿cómo podría rendirles culto? El emperador, muy desilusionado, ordenó decapitar a San Pancracio.

Nada más sabemos de este mártir. Sin embargo, fue venerado desde muy pronto. En los primeros tiempos se decía que era patrón del perjurio y que si alguien juraba en falso ante su tumba, un demonio le poseería y le volvería loco. Sucesivamente fue patrón de los caballeros (quizá porque su padre pertenecía al *ordo equester,* los caballeros romanos) y de los niños. Pero desde hace siglos, Pancracio es patrón de la salud y del trabajo, dos dones efectivamente no muy espirituales pero sin duda importantes. El motivo, esta vez, es indescifrable.

Por eso es conocido y venerado hoy San Pancracio: patrón del trabajo, es el estandarte eclesiástico de la lucha contra el paro. En muchos hogares católicos hay una pequeña imagen de nuestro santo adornada con una ramita de perejil, que es su ofrenda tradicional. ¿Costumbre un poco pagana? Pues sí. Pero bien está, al tiempo que le pedimos al Padre que nos dé nuestro pan de cada día, rogar a San Pancracio por un trabajo que nos permita ganarnos nosotros mismos ese pan.

13 DE MAYO

SAN JUAN
EL CALLADO
(454-559)

Nuestra Señora del Rosario de Fátima.
Otros santos: Miguel Garicolts, Andrés-Huberto Fournet, Mucio y Gliceria.

La Virgen del Rosario

SAN JUAN *EL CALLADO* (454-559) 13 DE MAYO

Juan nació en Armenia, descendiente de una antigua estirpe de gobernadores y generales. Al morir sus padres cuando él tenía dieciocho años, nuestro santo optó por construir un monasterio y encerrarse en él junto con diez fervorosos compañeros.

Diez años más tarde, el arzobispo de Sebaste le obligó a dejar su retiro para hacerse cargo de la sede episcopal de Colonia. Durante nueve años Juan cumplió con todos los deberes del obispado, dedicándose especialmente a la predicación y al consuelo de los afligidos. Sin embargo, llegó un punto en que sintió que tantas obligaciones estaban minando su camino personal en la fe, por lo que viajó a Jerusalén para internarse en el monasterio de Laura, bajo la dirección de San Sabas.

Allí empezó ayudando en las labores de construcción de un hospital, para pasar más tarde a ocuparse de los extranjeros. Por fin consiguió que San Sabas le permitiera retirarse a una ermita, donde se dedicó a la contemplación. Durante la semana nunca salía de su celda, aunque los sábados y domingos asistía al culto público en la iglesia.

San Sabas estaba admirado con su virtud y le nombró administrador de Laura. Cuatro años después dispuso que fuera ordenado sacerdote, y así se lo rogó al patriarca Elías. Juan confesó al patriarca que había sido ordenado obispo, pero que había abandonado su puesto a causa de sus pecados, esperando encontrar a Dios en la soledad. San Sabas fue hecho partícipe de la situación y permitiendo a nuestro santo vivir apartado en su celda. Sin embargo, pasados los años, Sabas tuvo que abandonar el monasterio, y Juan vivió en una zona salvaje hasta que su maestro regresó a Laura y lo llevó con él.

14 DE MAYO

SAN MATÍAS, APÓSTOL (SIGLO I)

Otros santos: Bonifacio, Poncio, Víctor, Corona, Justina, Justa, Enedina, Isidoro, Harbaldo y María Domingo Mazzarello.

15 DE MAYO

SAN ISIDRO LABRADOR (1080-1130)

Otros santos: Torcuato, Tesifonte, Cecilio, Indalecio, Esiquio, Eufrasio, Segundo, Mancio, Isidoro, Dimpna, Pedro, Casio, Andrés, Pablo, Victorio, Máximo, Dionisio y Simplicio.

Desde este momento y hasta su muerte, 40 años después, Juan *el Callado* vivió en su celda, sin hablar prácticamente con nadie.

SAN MATÍAS, APÓSTOL (SIGLO I) — 14 DE MAYO

Poco sabemos de este decimotercer apóstol, aparte de la anécdota de su elección.

San Matías fue designado para ocupar entre los doce el lugar que había dejado Judas Iscariote. Después de la Ascensión del Señor, los apóstoles se reunieron en compañía de la Virgen en una casa retirada. San Pedro tomó la palabra para explicar que los apóstoles tenían que continuar siendo doce, para que el número correspondiera con las doce tribus de Israel y así se cumplieran las Escrituras. En aquel cenáculo se optó por echar a suertes el nombre del nuevo apóstol, de modo que fuera el cielo quien decidiera. Matías fue el afortunado.

Algunos autores nos recuerdan, al contar este punto, que las personas carentes de la autoridad de los apóstoles y profetas deben abstenerse de utilizar medios como los sorteos o la interpretación de sueños, que están en los límites de la superstición, para intentar atisbar la voluntad divina.

Estos hechos ocurrieron antes de Pentecostés, de modo que Matías recibió con el resto de los apóstoles la plenitud del Espíritu Santo. Cuando los doce partieron a predicar por todo el mundo, a Matías le correspondió el reino de Judea. Recorrió cada una de sus regiones, obteniendo muchas conversiones, hasta que finalmente fue acusado por las autoridades judías y condenado a muerte.

SAN ISIDRO LABRADOR (1080-1130) — 15 DE MAYO

El patrón de Madrid nació en esta ciudad, de padres extremadamente pobres y virtuosos que, aunque no tenían medios para proporcionarle una educación, le enseñaron desde niño a seguir al pie de la letra las enseñanzas de Cristo. Ya de joven empezó a trabajar como labrador para Juan de Vargas y, poco después, tomó por esposa a María Toribia (según la tradición, Santa María de la Cabeza). Tuvieron un hijo, y justo después de su nacimiento hicieron voto de vivir en castidad, como hermano y hermana.

Poco más sabemos de su vida: fue hombre madrugador, muy devoto y amante de los pobres. El resto de su historia pertenece al género de las leyendas piadosas. En un año de sequía, hizo brotar una fuente del suelo a un golpe de su azada. No sólo era caritativo con las personas, sino también con los animales: en una ocasión en que llevaba al molino un saco de grano, se lo ofreció a los pájaros para comer, pero cuando llegó al molino su saco estaba nuevamente lleno.

Quizá el episodio más conocido es el que nos habla de un día en que Isidro detuvo sus labores en el campo para rezar. Su amo pasó justo en ese momento para inspeccionar su trabajo, y vio a nuestro santo de rodillas, sin ocuparse de sus obligaciones. Iba a reprenderle cuando vio que dos ángeles habían tomado el arado y estaban haciendo por él los surcos en el suelo. Cierto es que no parece un ejemplo a imitar, pero es un buen símbolo de la ayuda práctica que Jesús promete a los que buscan el reino de Dios.

Después de su muerte hizo muchos más milagros y, de hecho, el pueblo de Madrid empezó a rendirle culto mucho antes de que fuera beatificado.

SAN JUAN NEPOMUCENO (1330-1383) — 16 DE MAYO

San Juan nació en Nepomuc, un pueblecito de Bohemia, y sus padres lo enviaron muy niño a estudiar fuera de casa. Ya de joven estuvo en la Universidad de Praga, donde se distinguió en filosofía, teología y ley canónica. Su máxima ambición era el sacerdocio, siendo ordenado después de doctorarse en la facultad. El obispo que lo ordenó le encomendó que dedicase sus muchos talentos a la predicación, y así lo hizo nuestro santo. Tenía tal facilidad de palabra que el pueblo entero se congregaba para escucharlo, sabios e ignorantes por igual, y muchos pecadores se arrepentían sólo con oírlo.

Cuando Wenceslao subió al trono imperial alemán teniendo sólo diecisiete años, llamó a Juan para que predicara la Cuaresma en la corte. La emperatriz, que era muy virtuosa, lo escogió como su director espiritual y, gracias a su guía, superó el temor a desentonar por su piedad en un palacio repleto de nobles opulentos.

Wenceslao comenzó a preocuparse por las extremas devociones de su esposa, temiendo que ella hubiera cometido algún grave pecado y por ello se le hubiera impuesto una dura penitencia. Preguntó por tanto a San Juan qué le había revelado la emperatriz en sus confesiones. Nuestro santo se negó a romper el secreto, y el emperador ordenó que el sacerdote fuera torturado en el potro y arrojado a una mazmorra. La emperatriz se enteró de todo y rezó con fervor por la liberación de su director; quizá también rogara ante su marido jurando su inocencia. Finalmente fue escuchada y Juan puesto en libertad. Sin embargo, la siguiente ocasión en que Wenceslao vio a nuestro santo volvió a indignarse contra él; dispuso que fuera asesinado secretamente ahogándolo en el río.

Así ocurrió, y se cuenta que cuando por fin expiró una luz celestial apareció entre las aguas justo encima de su cuerpo.

SAN PASCUAL BAYLON (1540-1592) — 17 DE MAYO

San Pascual nació en Torre-Hermosa, una pequeña ciudad del reino de Aragón. Sus padres eran jornaleros y tan pobres, que no disponían de medios para ofrecerle ningún tipo de educación. Pascual acudía a cuidar el rebaño con un libro bajo el brazo; pedía a los que encontraba que le enseñaran algunas letras. De este modo consiguió aprender a leer.

Cuando tuvo suficiente edad, fue contratado por un maestro para que cuidara a sus ovejas. Este trabajo encantaba a nuestro santo, ya que disponía de tiempo para leer y estudiar, contando además con alguien que podía instruirle. El maestro lo quería tanto que incluso llegó a ofrecerse

16 DE MAYO

SAN JUAN NEPOMUCENO (1330-1383)

Otros santos: Andrés Babola, Ubaldo, Posidio, Audas, Peregrino, Aquilino, Victoriano, Genadio, Félix, Honorato, Domnolo, Brandano, Fídolo y Máxima.

17 DE MAYO

SAN PASCUAL BAYLON (1540-1592)

Otros santos: Restituta, Heradio, Pablo, Aquilino, Basilia, Víctor, Adrión y Solocón.

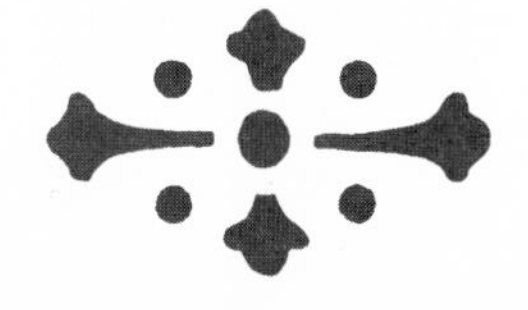

para adoptarlo como hijo, pero Pascual renunció para ingresar en un convento de franciscanos descalzos reformados en el reino de Valencia.

Los superiores del monasterio trataron de convencerlo para que se hiciera sacerdote, pero no pudieron enfrentarse a su humildad y finalmente lo admitieron como hermano lego. Siguió siempre la regla de la orden con exquisita obediencia, incluso cuando tenía que cambiar de convento para evitar lazos personales, como es preceptivo entre los franciscanos.

Tuvo que hacer un viaje a Francia acompañando al general de la orden, siendo perseguido por los hugonotes, que llegaron a hacerle una seria herida en el hombro. Sin embargo, San Pascual nunca hablaba de este tema salvo que se le preguntase explícitamente. Murió en Valencia, en su celda, cuando contaba cincuenta y dos años.

18 DE MAYO

SAN ERICO, REY DE SUECIA († 1151)

Otros santos: Juan I, Venancio, Potamión, Félix, Dióscoro, Teódoto, Eufrasia, Faina, Matrona y Félix confesor.

19 DE MAYO

SAN DUNSTANO († 988)

Otros santos: Pedro Celestino, Juan de Cetina, Pedro de Dueñas, Pudenciana, Pudente, Ciriaca, Calócero, Filótero, Partenio y Teófilo de Corte.

SAN ERICO, REY DE SUECIA († 1151) — 18 DE MAYO

Erico formaba parte de una de las familias más nobles de Suecia, y contrajo matrimonio con la princesa Cristina, hija del rey de Suecia. Cuando éste murió, los nobles se reunieron para emplazar a un nuevo monarca: Erico fue el elegido.

Durante todo su reinado, nuestro santo se esforzó por ser un auténtico padre y servidor para su pueblo. Administraba él mismo la justicia, especialmente a los pobres, cuyas desgracias siempre intentó aliviar. Visitaba con frecuencia a los enfermos, y como ya había bastante dinero en el Tesoro, no recaudaba impuestos. También emprendió una ardua labor legislativa encaminada a mejorar las costumbres de su pueblo.

Entre todas sus tareas reales, Erico no descuidaba su alma. Trataba a su propio cuerpo con gran severidad, ayunando y guardando vigilia, y oraba siempre que podía.

Durante su reinado hubo frecuentes incursiones de idólatras finlandeses que le obligaron a luchar contra ellos, venciéndoles en una gran batalla. Se cuenta que lloró amargamente al ver el campo de batalla lleno de los cuerpos de sus enemigos, ya que habían muerto sin bautizar.

Erico acabó siendo víctima de una conspiración que mezclaba motivos religiosos y políticos. El hijo del rey de Dinamarca se alió con los paganos suecos para asesinar a nuestro santo y quedarse con la corona. Erico estaba oyendo misa cuando recibió noticias de que los rebeldes se había levantado en armas. Terminado el oficio, el monarca se dirigió él solo hacia los enemigos, pues no quería que el pueblo derramara su sangre por defenderle. Los conspiradores le arrojaron de su caballo y le cortaron la cabeza.

SAN DUNSTANO († 988) — 19 DE MAYO

Parece ser que Dunstano nació en Glastunbury, donde fue educado por los monjes de la abadía. Después de tomar las órdenes menores, fue llamado a la corte del rey Athelstan, donde permaneció hasta que tomó los hábitos y se ordenó sacerdote.

Volvió nuestro santo a Glastonbury, donde se construyó él mismo una pequeña celda para vivir retirado en ayuno y oración. Llenaba su tiempo haciendo trabajos manuales: hacía objetos para el culto y copiaba e ilustraba libros. Llegamos a una época históricamente muy agitada, pues en pocos años se sucedieron cuatro reyes en el trono. San Dunstano tenía una gran reputación de santidad, por lo que los sucesivos reyes lo ascendieron a abad de Glastonbury y después a consejero en la corte. Pero la santidad también puede ser una desventaja política, sobre todo cuando Dunstano reprendió al último de estos reyes, Edwi, por su conducta lujuriosa. El monarca lo desterró y la emprendió contra el monacato en general, ocupando su tiempo en destruir abadías y conventos.

Al fin Edwi murió y su hermano Edgar se convirtió en el soberano único de Inglaterra. Enseguida llamó a Dunstano para que regresara del exilio y lo nombró arzobispo de Canterbury. Además, nuestro santo fue designado por el Papa legado pontificio. Desde estas responsabilidades, se dedicó día y noche a restablecer la disciplina eclesiástica y a reconstruir los monasterios destruidos, primero por los daneses y después por el tirano Edwi. Visitó todas las zonas del país, predicando la fe, incluido Glastonbury, lugar al que se retiraba con frecuencia para apartarse del mundo.

Murió por su exceso de santidad, como ocurre tan a menudo. Sintiéndose un día muy enfermo, no reparó en ello, sino que estuvo todo el día predicando. Contrajo unas fiebres y expiró pocos días después.

20 DE MAYO

SAN BERNARDINO DE SIENA (1380-1444)

Otros santos: Basilia, Baudelio, Aquila, Alejandro, Asterio, Talaleo, Austregisilo, Teodoro, Anastasio e Ivo.

San Bernardino de Siena (1380-1444) 20 de mayo

Bernardino es el predicador que se negó a ser obispo porque afirmaba que toda Italia era su diócesis. Franciscano de aspecto lamentable, cuando hablaba parecía venir de otro mundo.

Nació en Massa; perdió a sus padres de muy niño, por lo que fue educado por una tía muy piadosa. A los diecisiete años entró en la confraternidad de Nuestra Señora, en el hospital de Scala, para atender a los enfermos. En el año 1400 una plaga de peste asoló la zona y Bernardino, que por entonces estaba a cargo de todo el hospital, tuvo que trabajar día y noche para consolar a los moribundos y tratar a los que aún tenían cura. Cuando la situación volvió a la normalidad, tuvo que estar cuatro meses en cama. Apenas se había recuperado cuando su virtuosa tía cayó enferma, y tuvo que estar a su lado cuidando de ella hasta que murió al cabo de catorce meses.

Libre de esta responsabilidad, sintió la llamada del Señor en su corazón, y tomó el hábito franciscano, dedicándose desde entonces a predicar. Recorrió toda Italia, hablando a la gente en iglesias y plazas públicas de un modo a la vez risueño y violento, con una familiaridad que llegaba a todo el mundo, pero siendo implacable con el pecado. Con frecuencia, mostraba después de sus sermones una tabla con el nombre de Cristo grabado en letras de oro, e invitaba al pueblo a que lo adorase junto a él. Esto fue mal interpretado y le valió acusaciones ante el Papa, pero éste lo absolvió y hasta le ofreció varios obispados. Bernardino los rechazó, y hasta el último día de su vida estuvo viajando y predicando.

21 DE MAYO

SAN HOSPICIO (SIGLO VI)

Otros santos: Valente, Segundo, Timoteo, Polio, Eutiquio, Polieucto, Victorio, Donato, Teopompo, Secundino, Nicastrato, Antíoco, Sinesio, Felicia y Gisela.

22 DE MAYO

SANTA JULIA (SIGLO V)

Otros santos: Joaquina de Vedruna, Faustino, Timoteo, Venusto, Casto, Emilio, Basilisco, Quiteria, Marciano, Fulco, Atón, Román, Elena y Rita de Casia.

Santa Rita

San Hospicio (siglo VI) — 21 de mayo

No sabemos muy bien dónde nació San Hospicio, ya que oímos hablar de él por vez primera cuando parte hacia Egipto para conocer la vida de los santos solitarios del desierto. Después de pasar con ellos algunos años, vuelve a Europa y se instala en un torreón abandonado en las afueras de Niza, dispuesto a llevar una dura vida de ermitaño.

La fama del anacoreta del torreón se fue extendiendo por la región. Había un monasterio relativamente cerca del lugar, y los monjes que allí habitaban iban con frecuencia a visitar a nuestro santo para pedirle consejo y guía. Se cuenta que Hospicio no salía para nada de su torre; para atender a sus visitantes, solía asomarse a una pequeña ventana y predicar los caminos de la perfección.

Es fama que nuestro santo profetizó la invasión lombarda, y gracias a él mucha gente pudo salvarse abandonando casas y bienes para esconderse. Su predicción se cumplió pronto. Cuando los soldados lombardos llegaron a la torre, la escalaron para llegar a la celda de Hospicio. Lo vieron cargado de cadenas, pues era ésta su forma de mortificarse, lo tomaron por un delincuente y a punto estuvieron de matarlo. Pero Dios quiso que el hombre que levantó su espada contra nuestro santo se quedara paralizado, siendo el propio Hospicio quien le devolvió la salud haciendo la señal de la cruz.

Desde ese momento, empezaron a acudir enfermos y tullidos al viejo torreón para ser curados por el santo. Pasó Hospicio el resto de sus días encerrado en su refugio, convirtiendo a las multitudes con sermones y milagros.

Santa Julia (siglo V) — 22 de mayo

Sabemos muy poco de esta virgen que murió en la cruz por no querer renunciar a Cristo. Era una muchacha noble de Cartago, muy piadosa. Cuando la ciudad fue tomada por Genseric, fue capturada y vendida a un mercader pagano de Siria.

A pesar de su condición de esclava y de los duros trabajos que tenía que hacer, consiguió encontrar la felicidad. Ocupaba su poco tiempo libre en oraciones y en la lectura de libros piadosos; ayunaba todos los días excepto los domingos. Aunque su amo intentaba convencerla de que fuese menos severa consigo misma y se divirtiera un poco, ella se mantuvo firme en su actitud.

En cierta ocasión partió de viaje con su amo hacia la Galia. Cuando llegaron a Córcega, el mercader ancló el barco y fue a tierra para unirse a una fiesta pagana. Julia prefirió quedarse apartada, meditando, pues desconfiaba de ese tipo de ceremonias. Félix, el gobernador de la isla, preguntó al comerciante por qué permitía que su esclava insultara a los dioses, a lo que éste respondió que era una cristiana convencida, pero tan servicial y eficiente que por nada del mundo se separaría de ella. Félix le ofreció comprársela, pero el mercader no quiso oír hablar de ello.

Cuando el amo de Julia se quedó dormido, el gobernador acudió a hablar con ella, ofreciéndole la libertad si renunciaba a su religión. Nuestra santa explicó que ya tenía toda la libertad que deseaba, ya que se le permitía honrar a Jesucristo. Félix, herido en su orgullo, la abofeteó y ordenó que fuera crucificada.

San Desiderio († 611) — 23 de mayo

Desiderio venía de una familia de la antigua nobleza gala. Hijo menor, fue destinado a la carrera eclesiástica, en la cual hizo rápidos avances: era aún muy joven cuando fue elevado a la silla episcopal de Viena.

Era aquel un tiempo de grandes perturbaciones políticas. El rey Sigisberto de Borgoña había sido asesinado y su viuda, Brunilda, había sido nombrada regente. La reina era una mujer viciosa y disoluta: apenas había sido enterrado su marido, ya era pública su incestuosa relación con un sobrino. San Desiderio no podía consentir una conducta así, y empezó a hacer claras alusiones al tema en sus homilías. La reina y sus partidarios decidieron difundir calumnias sobre él: forzaron a una joven noble para que declarara que Desiderio había intentado seducirla en la intimidad del confesionario.

No había pruebas a favor ni en contra, sólo los testimonios enfrentados del obispo y de la aristócrata pero, amenazados por la reina, los miembros del sínodo decidieron exiliar a nuestro santo, que se refugió en la tierras del rey franco Clotaire II. Se cuenta que, en el cuarto año de su destierro, ocurrió un milagro singular: Desiderio prendió una lámpara ante el sagrario de la iglesia y ésta parecía durar indefinidamente, sin consumir mecha ni aceite. Al divulgarse el prodigio, la gente de todo el reino acudía a la iglesia para orar ante la lámpara y untarse las heridas con el aceite. Muchos enfermos sanaron espontáneamente.

Al mismo tiempo, se produjo una conspiración de nobles en Borgoña contra la reina Brunilda, que escapó de la muerte por muy poco. Ella y su bisnieto, el rey niño, al unir estos hechos con la leyenda de la santidad del obispo, supusieron que los problemas en la corte se debían a un castigo de Dios y permitieron regresar a San Desiderio.

Desde el mismo momento de su llegada, Desiderio se dispuso a educar en la fe al pequeño monarca, llegando a tener más influencia sobre él que la propia regente. Brunilda, temiendo el momento en que su bisnieto cumpliera la mayoría de edad y ella perdiera todo su poder, tramó la muerte del obispo. Le acusó de infidelidad a la corona, crimen castigado con la lapidación entre los germanos, y nuestro santo fue cruelmente asesinado cuando salía de la iglesia.

Clotaire II, al saber de la muerte del obispo, emprendió una guerra contra Borgoña, saliendo victorioso.

San Vicente de Lérins († 450) — 24 de mayo

Este santo tiene la peculiaridad de que se equivocó en sus opiniones teológicas. Esto ocurrió, sin embargo, cuando la cuestión en sí aún estaba abierta a debate, y sólo después de su muerte la Iglesia se pronunció definitivamente sobre la doctrina.

23 DE MAYO

SAN DESIDERIO
(† 611)

Conmemoración de Santiago Apóstol.
Otros santos: Epitacio, Basileo, Lucio, Quinciano, Julián, Miguel, Eusebio, Mercurial, Juan Bautista Rossi, Eutiquio y Florencio.

24 DE MAYO

SAN VICENTE DE LÉRINS
(† 450)

Nuestra Señora Auxilio de los Cristianos y Nuestra Señora de la Estrada.
Otros santos: Susana, Marciana, Afra, Paladia, Donaciano, Rogaciano, Robustiano, Juan de Prado y beatos Agustín, Damián, Pedro, Lucía, Ana, Águeda, Magdalena, Bárbara, Ester y Mardoqueo.

San Vicente nació en la Galia. Después de una esmerada educación, fue oficial del ejército durante algún tiempo, aunque fatigado de ver sangre y violencia se retiró al monasterio de Lérins para tomar los hábitos y dedicar el resto de su vida a la contemplación, la oración, la teología y la escritura. Fue un hombre muy docto en las Sagradas Escrituras y un temible polemista, que se opuso a San Agustín en el difícil problema de armonizar gracia divina y libertad.

Gran parte de sus obras están dedicadas a la lucha contra la herejía. San Vicente nos explica que, cuando un punto ha sido decidido en un concilio general, no cabe más discusión. Por otro lado, ¿cómo se puede afirmar, a través de una regla general, que lo que dice la Iglesia es verdad y lo que afirman los herejes es falso? Vicente se apoya en dos pilares: las Sagradas Escrituras y la tradición de la Iglesia. Las Escrituras son revelaciones directas de Dios, que no pueden ser cambiadas, pero sí interpretadas. Y es precisamente a la Iglesia católica a la que Dios ha confiado la tarea de interpretar sus palabras, interpretación que queda en las obras de los doctores de la Iglesia y en los concilios.

Parece ser que se confundió en algún punto oscuro de sus escritos, en algún detalle teológico que está más allá de la comprensión de los legos. A pesar de todo, la Iglesia reconoce su fe y su dedicación, y no sólo perdona su error, sino que lo venera como santo.

25 DE MAYO

SAN BEDA, PADRE DE LA IGLESIA (673-735)

Otros santos: Gregorio VII, Urbano, María Magdalena de Pazzi, Magdalena Sofía Barat, Aldelmo, Dionisio, Zenobio, Pasícrates, Valencio, León y Vicenta María.

SAN BEDA, PADRE DE LA IGLESIA (673-735)

25 DE MAYO

Beda (que no debe confundirse con el monje de Lindisfarne) fue internado de muy niño en el monasterio de San Pedro, en Weremouth, para ser trasladado a los siete años a San Pablo de Jarrow. Este niño brillante y precoz sorprendió a todos los monjes con sus muchos talentos, siendo, en justicia, ordenado diácono a la edad de diecinueve años. Continuó profundizando en el conocimiento de todo lo divino y lo humano hasta que fue ordenado sacerdote algunos años después.

Desde ese momento comenzó a escribir libros, la mayor parte de ellos comentarios de la Biblia o tratados de teología, pero también es el autor de eruditas obras sobre filosofía natural, astronomía, aritmética, gramática e historia. Fundó una escuela en la que él mismo educaba no sólo a los niños, sino también a sus hermanos monjes.

Nunca quiso ser más que un sacerdote dedicado al conocimiento; por tanto, rechazó la oportunidad de ser abad de su monasterio e incluso declinó el honor de viajar a Roma, donde el propio Papa quería conocerle. Sólo salió de su abadía para fundar una escuela en York y enseñar allí durante algunos meses (suponemos que lo hizo como favor personal hacia uno de sus antiguos alumnos, que había sido consagrado obispo de esta diócesis).

Murió en Jarrow, donde había vivido toda su vida, rodeado por sus alumnos y sus hermanos, que estuvieron con él en sus últimos momentos.

SAN FELIPE NERI (1515-1595) — 26 DE MAYO

San Felipe es uno de los santos más simpáticos del calendario. Conversador afable y bromista, en Roma lo conocía todo el mundo. Cuando el pueblo lo veneraba por su ejemplo y sus milagros, él reaccionaba con chistes y ocurrencias extrañas, despojándose de ese aire solemne que solemos atribuir a los santos.

Nació en Florencia, hijo de un abogado. Estaba destinado a heredar una cuantiosa fortuna familiar, pero prefirió dejarlo todo y marchar a Roma, donde profundizó en sus estudios de ley canónica mientras cultivaba su alma orando constantemente. Cuando estimó que había aprendido lo suficiente, vendió sus libros para repartir el dinero entre los pobres.

Su afición preferida era visitar a los enfermos en los hospitales, y con este fin creó la confraternidad de la Sagrada Trinidad, en Roma. En su humildad, no se creía preparado para tomar las órdenes sagradas, pero al fin, convencido por su confesor y después de años de estudio, fue consagrado sacerdote y se retiró a una pequeña comunidad. Hombre inquieto, no pasó mucho tiempo antes de que su mente concibiera un nuevo proyecto, la congregación de Oratorios, que con el tiempo transformó en una orden regular.

Varios papas trataron de hacerle obispo y cardenal, pero él siempre rechazó. Se dice que su mayor ilusión era convertirse en misionero, pero una voz le avisó: «Tus Indias están en Roma». Allí permaneció toda su vida, predicando y ayudando a los demás, siempre con una sonrisa en los labios y una broma dispuesta a alegrar a los melancólicos.

San Agustín y San Gregorio.

SAN AGUSTÍN DE CANTERBURY († 604) — 27 DE MAYO

San Agustín fue designado por el Papa San Gregorio Magno para ser superior de la misión encargada de evangelizar Inglaterra.

En la travesía hacia las islas, los misioneros escucharon espeluznantes relatos sobre la ferocidad de los ingleses, estando San Agustín a punto de abandonar. Una carta del Papa logró convencerle de que siguiera adelante.

Cuando al fin desembarcaron en Gran Bretaña, fueron recibidos en audiencia por el rey Ethelbert de Kent. El monarca, cuya esposa era una cristiana convencida, no tardó en convertirse, y construyó una iglesia y una abadía en Canterbury para que le sirviera a Agustín de sede episcopal.

Los misioneros y el monarca trabajaron codo con codo en la conversión del pueblo. San Agustín en persona viajó por toda su diócesis, ordenando obispos y convocando sínodos y conferencias encaminadas a borrar los antiguos cultos de la faz de la isla. Intentó llegar a un acuerdo con los bretones para que le ayudasen a evangelizar a los ingleses, pero los obispos de Bretaña lo consideraban orgulloso y falto de humildad, por lo que no estuvieron dispuestos a trabajar junto a él. Su labor fue tan ardua que el propio Pontífice la reconoció en varias cartas que envió a nuestro santo.

San Agustín murió mucho antes de que su misión estuviera concluida, ya que los cultos celtas y druídicos estaban extremadamente arraigados en

26 DE MAYO

SAN FELIPE NERI (1515-1595)

Otros santos: Eleuterio, Zacarías, Simitrio, Cuadrado, Felicísimo, Heraclio, Paulino, Prisco y María Ana de Jesús de Paredes.

27 DE MAYO

SAN AGUSTÍN DE CANTERBURY († 604)

Otros santos: Hildeberto, Julio, Arnulfo, Restituta, Teodora, Dídimo, Bruno, Gausberto y Oliverio.

28 DE MAYO

SAN GERMÁN DE PARÍS (496-576)

Otros santos: Justo, Senador, Podio, Emilio, Félix, Crescente, Luciano, Eladio, Pablo, Elcónida, Príamo, Dioscórides, Carauno, Ignacio de Rostov y Guillermo.

29 DE MAYO

SANTOS SISINIO, MARTIRIO Y ALEJANDRO († 397)

Otros santos: Restituta, Teodosia, Máximo, Maximino, Eleuterio y Bona.

Inglaterra. Sin embargo, el obispo trabajó hasta la extenuación. Hacia el final de su vida, ordenó a Lorenzo su sucesor como arzobispo de Canterbury, y sabiendo que había hecho cuanto era posible en una sola vida, expiró.

SAN GERMÁN DE PARÍS (496-576) — 28 DE MAYO

Germán nació en la Borgoña, en el seno de una familia numerosa de costumbres complicadas. Durante quince años llevó una vida de ermitaño junto a un tío suyo, y sólo abandonó su retiro para ordenarse sacerdote. Al poco tiempo fue designado abad de San Sinforiano.

En el año 554 fue consagrado obispo de París. Los esfuerzos de San Germán estaban divididos entre la conversión del pueblo y la cristianización de su monarca, Childebert, junto con su corte. Logró con creces esta última empresa, ya que el rey no sólo se convirtió, sino que se hizo tan devoto que donó a la Iglesia gran parte de su tesoro, y desde ese momento trabajó arduamente junto a su obispo en la evangelización de sus súbditos, contribuyendo en la construcción de iglesias y monasterios.

San Germán mantuvo durante toda su vida las austeridades que había aprendido como ermitaño. Era tan caritativo que su casa estaba siempre rodeada de pobres y afligidos (se dice que muchos mendigos se sentaban a la mesa del propio obispo).

Cuando murió el monarca, fue sucedido por una serie de reyes que consecutivamente fueron sumergiendo París en el vicio: Clotaire, que sólo empezó a respetar al obispo cuando éste lo curó de unas fiebres, y Charibert, que fue excomulgado por nuestro santo a causa de su conducta licenciosa. A la muerte de este último, París fue dividido entre sus tres hermanos y hundido en la guerra y la confusión. San Germán, que ya era anciano, hizo lo que pudo por mantener la paz y por continuar con sus labores episcopales, muriendo agotado por sus esfuerzos.

SANTOS SISINIO, MARTIRIO Y ALEJANDRO († 397) — 29 DE MAYO

Breve y trágica es la historia de estos tres mártires. Sabemos que eran miembros del clero en Roma y que, conociendo su perseverancia y su fe, San Ambrosio los envió a los Alpes para predicar el Evangelio entre los tiroleses.

Sisinio, Martirio y Alejandro partieron de inmediato, asentándose en un hermoso valle donde había un pequeño núcleo rural. Su intención era crear una comunidad fuerte y unida de cristianos allí, y después extenderse enviando misiones y predicadores al resto de la cordillera. El comienzo se desarrolló perfectamente: los tres misioneros recorrían los prados y las casas hablando de Jesús y de la salvación. Poco a poco fueron calando en la moral de las gentes, empezando a bautizar a los tiroleses a las pocas semanas de haber llegado. Construyeron una pequeña iglesia de madera, continuaron con sus sermones y la joven comunidad cristiana iba creciendo rápidamente.

Sin embargo, los sacerdotes paganos no veían con buenos ojos lo que estaba ocurriendo. Ocupaban puestos de gran autoridad en el pequeño pueblo y no se resignaban a perderlos, de modo que albergaban un gran odio contra los tres santos.

Aprovecharon cierta ocasión en que se celebraba una especie de procesión floral para pedir a los dioses fertilidad en los campos y buenas cosechas para invitar a Sisinio, Martirio y Alejandro a que participaran. Evidentemente se negaron; ellos y sus seguidores se quedaron en la iglesia alabando a Dios.

Los sacerdotes se dieron cuenta de que había más gente en la iglesia que en su procesión, y eso les llenó de rabia. Exhortaron a los pocos paganos que quedaban a emprender una guerra santa contra la comunidad cristiana, alegando que los dioses de la tierra se iban a enfurecer si no se les rendía el culto adecuado: esto traería consecuencias horribles para todos, como tormentas, mal tiempo y malas cosechas. Los pobres y sencillos tiroleses, engañados, corrieron a la iglesia armados con aperos de labranza y asesinaron a los tres mártires y a todos los cristianos.

De esta triste forma acabó la primera misión en los Alpes. Sisinio, Martirio y Alejandro murieron víctimas del ansia de poder de algunos y de la ignorancia de otros. Es una historia tan vieja como el mundo, que aún hoy se repite en pequeña y en enorme escala.

30 DE MAYO

SAN FERNANDO III, REY DE CASTILLA Y LEÓN (1198-1252)

Otros santos: Félix I, Gabino, Críspula, Sico, Palatino, Exuperancio, Anastasio, Juana de Arco, Basilio y Emilia.

SAN FERNANDO III, REY DE CASTILLA Y LEÓN (1198-1252)

30 DE MAYO

Fernando III es una de las figuras más emblemáticas de la Reconquista española, la eterna cruzada que extendió el cristianismo desde un pequeño reducto en Asturias hasta abarcar toda la península Ibérica. Es todo un paradigma del poder de la cruz, del «por este signo venceréis», que dijo Constantino. Se dice que nunca en toda su vida desenvainó su espada con otro motivo que defender su religión.

Era hijo de Alfonso de León y de Berenguela de Castilla; cuando ambos murieron, heredó sus respectivos reinos y los unió en uno solo. Contrajo matrimonio con Beatriz, hija del emperador de Alemania, que le dio siete hijos y tres hijas. Parece ser que su política interior estuvo marcada por la difusión de la fe: fue un gran constructor de hospitales, obispados, iglesias y monasterios.

Sin embargo, el motivo de su fama estriba en sus campañas contra los árabes españoles. Conquistó plazas que habían estado en posesión de los musulmanes durante siglos, como Jaén, Baeza, Córdoba y Sevilla. Antes de su muerte, estaba preparando una nueva expedición para invadir África.

Hoy en día los santos guerreros no parecen estar muy bien vistos. Ya en el siglo XXI, prácticamente ningún cristiano justificaría quitar la vida a otro ser humano por motivos de religión. Nadie cree en las cruzadas o en la guerra santa. Pero tenemos que comprender a estos personajes a través del prisma de la historia, y ver a Fernando no como un guerrero intolerante, sino como un hombre que era capaz de arriesgar su vida, su patrimonio y su honor por la causa que él creía de Dios.

Visitación (detalle), Pacher.

31 DE MAYO

SANTA PETRONILA (SIGLO I)

La Visitación de Nuestra Señora. Otros santos: Cancio, Canciano, Cancianila, Crescenciano, Hermias, Lupicino y Pascasio.

1 DE JUNIO

SAN JUSTINO (100-167)

Nuestra Señora Reina de los Apóstoles. Otros santos: Íñigo, Juvencio, Reveriano, Pablo, Pánfilo, Valente, Paulo, Tespesio, Isquirión, Firmo, Felino, Gratiniano, Segundo, Próculo, Crescenciano, Fortunato, Simeón y Caprasio.

SANTA PETRONILA (SIGLO I) — 31 DE MAYO

Se dice que Petronila era hija de San Pedro, pero hay una cierta controversia sobre si era hija natural o espiritual. Realmente no es tema de especial trascendencia, pero parece que la segunda hipótesis es más acertada: el nombre de la santa, que deriva del de Pedro, apunta a una doncella romana convertida. Además sabemos que en Roma era considerada extremadamente hermosa, y los cánones de belleza del Imperio no encajaban precisamente con los rasgos judíos.

Sea como fuere, Petronila vivía en casa del apóstol como fiel discípula suya. Pasó años y años en cama, postrada por una enfermedad que le impedía moverse. En una ocasión, se le preguntó a San Pedro por qué, si su sombra bastaba para sanar a cualquier paralítico, no curaba a su propia hija. Respondió el apóstol que a algunas personas Dios les enviaba los males como regalos y no como castigos: Petronila era tan bella que, si no hubiese estado enferma, sin duda se habría dejado corromper por el orgullo y se habría dejado seducir por algún joven de malas costumbres.

Cuando Pedro fue martirizado, Petronila recuperó la salud y pronto comenzó a ser pretendida por un joven insistente llamado Falco. Se negaba a escuchar las negativas de la doncella y volvía a importunarla día tras día. Al fin, nuestra santa le respondió que le dejara tres días para pensarlo con calma. Y Falco, seguro de que la respuesta iba a ser afirmativa, marchó feliz a hacer los preparativos de la boda. Sola en su casa, la doncella oró al Señor pidiéndole que no la obligara a casarse con aquel hombre, y he aquí que Dios la escuchó y se la llevó con ella.

SAN JUSTINO (100-167) — 1 DE JUNIO

San Justino fue un filósofo y como tal, desesperado por hallar la verdad. La diferencia es que él busca una verdad sencilla, asequible, ajena a las complicadas teorías filosóficas de los autores clásicos.

Nació en Samaria, y formaba parte de una colonia de griegos que el emperador Tito había enviado a la región. Pasó su juventud leyendo a los poetas, oradores e historiadores, y al fin se adentró en los terrenos de la filosofía. Profundizó mucho en las obras de Platón, esperando alcanzar algún día la sabiduría necesaria para ver la idea suprema, la verdad única, el rostro de Dios. Después de indagar en las doctrinas cristianas, abrazó esta religión por puro convencimiento filosófico. Después de su conversión, escribió dos obras exhortando a los griegos a imitar su ejemplo.

Poco después viajó a Roma, donde se ganó una gran reputación entre los cristianos, que acudían a su casa para ser instruidos. Allí escribió su primera *Apología*, dirigida al emperador Antinius quien, después de concederle audiencia, decidió levantar los edictos contra los cristianos. Partió Justino de la Ciudad Eterna para recorrer el mundo conocido durante veinte años, pues consideraba que una vez que había encontrado la verdad, o al menos gran parte de ella, era su obligación compartirla con sus semejantes. Al cabo de este tiempo, escribió una nueva *Apología*, que no sentó tan bien como la anterior al nuevo emperador. Fue juzgado junto a otros seis mártires ante el prefecto de Roma, que los condenó a ser azotados y decapitados cuando éstos se negaron a ofrecer sacrificios a los dioses del Imperio.

Aparte de sus dos *Apologías*, nos dejó también el *Diálogo con Trifón*. Por la profundidad filosófica de estas obras, Justino es venerado como padre de la Iglesia.

2 DE JUNIO

SANTA BLANDINA († 177)

Otros santos: Marcelino, Pedro, Erasmo, Potino, Santos, Vecio, Maturo, Pontido, Biblides, Atasio, Alejandro, Amelia, Eugenio I y Nicolás.

3 DE JUNIO

SANTA CLOTILDE, REINA DE FRANCIA (475-545)

Otros santos: Carlos Lwanga, Isaac, Paula, Pergentino, Laurentino, Luciniano, Claudio, Hipacio, Pablo, Dionisio, Oliva y beatos Juan Grande y Pablo Dung.

SANTA BLANDINA († 177) — 2 DE JUNIO

Santa Blandina, patrona de las criadas junto con Santa Zita, era una sirvienta de Lyon en casa de una noble dama.

Por aquel tiempo, bajo el gobierno de Marco Aurelio, corrió por todo el Imperio la voz de que los cristianos practicaban el canibalismo, el incesto y además se entregaban a extrañas orgías. Este rumor sin sentido tenía el peligro de que era en cierta forma creíble, ya que muchos paganos habían escuchado que los cristianos comían el cuerpo de Cristo y bebían su sangre; además, era la religión del amor, y los «hermanos» vivían en comunidades muy unidas «compartiéndolo todo». Estas realidades podían ser muy mal interpretadas en un contexto en el que la decadencia de las costumbres romanas favorecía el florecimiento de un sinfín de cultos hedonistas en honor al dios Baco (Dioniso). Muchos que no habían escuchado nunca el Evangelio pensaron que el cristianismo era una más de esas sectas extrañas.

El prefecto de Lyon, habiendo escuchado todo esto, y teniendo además un decreto del emperador que ordenaba perseguir a los cristianos, decidió exterminar de raíz el culto a Jesucristo en la zona de su jurisdicción. Blandina fue una de las capturadas, destacando sobre todos los demás mártires por su carácter heroico y su valentía. A pesar de su complexión débil, soportó las torturas sin una sola queja, mientras gritaba con alegría: «Soy cristiana y no hay nada malo en eso». Por las noches consolaba y cuidaba a sus compañeros, mostrándose fuerte aunque ella misma estaba moribunda. Les hablaba de esperanza y de redención. Al fin fue llevada al circo, donde un toro salvaje acabó con su vida.

Santa Blandina nunca había demostrado ser una mujer especial. Era una humilde criada que cumplía con su obligación e intentaba servir a Cristo. Pero ante una situación extrema, supo reaccionar y con la ayuda de Dios demostró que había mucho más dentro de ella de lo que todos pudieran imaginar.

SANTA CLOTILDE, REINA DE FRANCIA (475-545) — 3 DE JUNIO

Esta reina de Francia tiene el mérito de llegar a ser santa en un ambiente de guerreros brutales y vengativos. Clotilde era una princesa burgundia que en su infancia tuvo que presenciar el asesinato de su padre y hermanos. Después de la matanza, fue llevada a la corte de su tío, donde se la educó en el catolicismo.

Destacando por su belleza e ingenio, fue desposada con el rey Clodoveo I de los francos, el cual la prometió libertad absoluta para practicar su religión, aunque él profesaba la antigua fe en los dioses guerreros Thor y

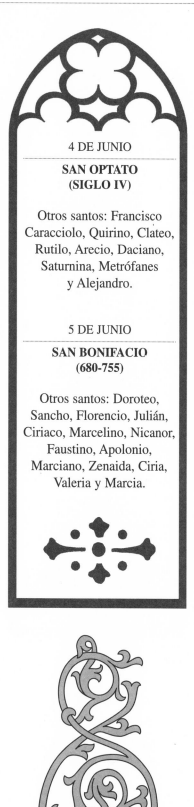

4 DE JUNIO

SAN OPTATO (SIGLO IV)

Otros santos: Francisco Caracciolo, Quirino, Claleo, Rutilo, Arecio, Daciano, Saturnina, Metrófanes y Alejandro.

5 DE JUNIO

SAN BONIFACIO (680-755)

Otros santos: Doroteo, Sancho, Florencio, Julián, Ciriaco, Marcelino, Nicanor, Faustino, Apolonio, Marciano, Zenaida, Ciria, Valeria y Marcia.

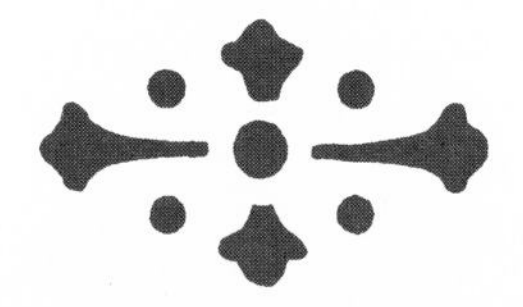

Odín. El monarca amaba mucho a su esposa y, efectivamente, permitió que ella se hiciese construir un pequeño oratorio en palacio, donde dedicaba muchas horas a la meditación y al rezo.

Clotilde intentó durante años que su marido abrazara el cristianismo, pero éste no lo hacía por temor a ofender a su pueblo. Finalmente se convirtió, después de observar numerosos milagros que se produjeron a raíz de las oraciones de la reina. Desde ese momento y hasta la muerte del monarca, nuestra santa se convirtió en su más fiel consejera.

Muerto Clodoveo, el reino se repartió entre sus hijos, y una vez más Santa Clotilde tuvo que presenciar cómo su familia se dividía en pugnas por el poder y en sangrientos asesinatos. Hastiada del mundo y de sus intrigas, se retiró a Tours para llevar una vida de abstinencia y oración, pidiendo a Dios por los pecados de todos sus seres queridos.

Poco antes de morir de larga enfermedad, dispuso que todos sus bienes fueran repartidos entre los pobres. En su lecho de muerte, exhortó a su primogénito a respetar los mandamientos y a servir al bien.

SAN OPTATO (SIGLO IV) — 4 DE JUNIO

Muy poco se sabe de la vida de este pastor africano, obispo de Milevum, en Numidia, salvo que fue el paladín de la Iglesia en la lucha contra el cisma donatista.

Los hechos empezaron de un modo muy sencillo. Durante la persecución de Diocleciano, hubo muchos sacerdotes cristianos que, sin llegar a la apostasía, entregaron las Sagradas Escrituras a sus perseguidores con el fin de evitar la muerte y el tormento. Este acto de cobardía se consideró un grave pecado, pero la Iglesia decidió readmitir a estos clérigos en sus funciones y perdonarlos por medio de duras penitencias.

Sin embargo, el obispo Donato estimó que esta decisión era errónea y se rebeló contra ella. No sólo se negó a readmitir a sacerdotes penitentes, sino que declaró que los católicos eran en realidad paganos por no haber sido capaces de morir por Cristo. Se separó oficialmente de la Iglesia y empezó a rebautizar a todos los cristianos que llegaban a él, afirmando que los sacramentos recibidos de manos de los paganos no eran válidos. Su decisión dio lugar al gran cisma donatista.

Uno de los grandes defensores de esta secta era el obispo Parmenian, un hombre muy versado en la sofística que era capaz de hacer fuerte el argumento más débil. San Optato es muy reconocido por los siete libros que escribió contra este obispo, en los cuales refuta cada uno de sus argumentos defendiendo la verdadera fe y exaltando la virtud de la misericordia, que fue predicada por el mismísimo Hijo de Dios.

SAN BONIFACIO (680-755) — 5 DE JUNIO

Nació en Devonshire, Inglaterra, con el nombre de Winfrid, que cambió por el de Bonifacio al tomar el hábito benedictino. Desde los trece años vivió en un monasterio profundizando en el conocimiento de la fe, ordenándose sacerdote a los treinta.

Desde entonces se dedicó fundamentalmente a la predicación. Estuvo evangelizando en Friseland, pero las guerras le obligaron a regresar a su abadía. Después de dos años en Inglaterra, viajó a Roma para pedir al Santo Padre que lo enviara en una misión para predicar entre los infieles. El Papa le entregó cartas de recomendación para muchos monarcas y le encargó evangelizar a los germanos.

Nuestro santo cruzó los Alpes y comenzó sus labores apostólicas en Baviera y Turingia, donde bautizó a muchos infieles y reformó a numerosos cristianos que se habían desviado del camino. Volvió durante tres años a Friseland, donde las guerras ya habían concluido, para partir de nuevo hacia Hesse y Sajonia.

El Papa lo mandó llamar, y Bonifacio fue ordenado obispo en Roma. Volvió inmediatamente a Hesse, donde taló un gran roble dedicado a Júpiter y con su madera construyó una capilla. Desde allí centralizó su labor evangelizadora, fundando iglesias y monasterios por todo el territorio. A los pocos años fue nombrado primado de toda Alemania, con el poder de fundar nuevos obispados.

Después de un retiro en el monasterio de Montecassino, encontramos a Bonifacio ungiendo en nombre del Papa al rey Pipino *el Breve* de los francos, en cuya corte permaneció como legado pontificio. Continuó en Francia sus labores de predicación, siendo asesinado por una banda de paganos mientras se dirigía, una vez más, a Friseland para predicar.

6 DE JUNIO

SAN NORBERTO (1080-1134)

Otros santos: Claudio, Juan, Eustorgio, Alejandro, Felipe, Artemio, Amancio, Cándida y Paulina.

SAN NORBERTO (1080-1134) — 6 DE JUNIO

Norberto era alemán, estando su familia emparentada con el emperador. Ya de joven nos lo encontramos como un capellán de espíritu mundano, muy culto y brillante, que superaba a todos en la elegancia de sus vestiduras y en la belleza de los poemas que escribía para las damas de la ciudad.

Su vida dio un vuelco mientras viajaba hacia Westfalia, poco antes de cumplir los treinta años. Fue sorprendido por una tormenta, cayendo un rayo a los pies de su caballo que arrojó a su jinete al suelo. Norberto estuvo inconsciente durante una hora y, al despertar, decidió dejar atrás todo su pasado. Se retiró a un monasterio para hacer penitencia y repartió todas sus riquezas entre los pobres. Trabajó muy duro para superar su fama anterior.

Poco después fue ordenado sacerdote y recibió del Papa la misión de ir a evangelizar. Recorrió el norte de Francia descalzo, sin una moneda en el bolsillo, predicando y confundiendo a los herejes. No fue bien recibido en todas partes, pues a menudo tuvo que marcharse para evitar la violencia.

Después del concilio de Rheims, al que asistió, se le encomendó que fundara un monasterio. Norberto eligió hacerlo en el valle de Prémontré, de ahí el nombre de su orden, los premonstratienses. Pronto acudieron allí muchos monjes y la orden se extendió por toda Europa.

Tuvo que dejar el monacato para ser nombrado arzobispo de Magdeburgo. Ocupando esta dignidad, y por no ser blando ni transigente, fue objeto de varios intentos de asesinato. Finalmente, nuestro santo murió en paz, de muerte natural, en el año 1134.

SAN PEDRO DE CÓRDOBA Y COMPAÑEROS († 851) 7 DE JUNIO

Muy poco sabemos de la vida de San Pedro y de sus heroicos compañeros. Eran cristianos en al-Andalus, mozárabes que terminaban huyendo tras las murallas de la ciudad, donde su vida era poco menos que imposible, para refugiarse en pequeños monasterios donde profesaban su devoción al Señor.

A mediados del siglo IX hubo una gran agitación entre los cristianos que convivían con los árabes. Cansados de la marginación, exigieron la libertad o el martirio. El emir Abderramán II terminó por decretar que todos los que hicieran profesión pública del cristianismo fueran condenados a muerte.

Los cristianos de los monasterios, al saber de esta nueva ley, abandonaron sus celdas y salieron a las calles proclamando a voz en grito su fe en Cristo Jesús. Pedro de Córdoba y sus compañeros, Isaac, Albi, Walabonso, Sabiniano y Habencio, fueron algunos de ellos.

Todos habían sido ciudadanos más o menos ilustres de Córdoba, dentro de los límites en que un cristiano podía ser ilustre. Notario uno, soldado del emir el otro, ninguno tendría que haber padecido. Pero lo hicieron, porque no podían permitir que Cristo agachara la cabeza. Fueron ejecutados un domingo, 7 de junio, del año 851.

Hoy, más de un milenio después, aún recordamos el valor de estos mártires que se negaron a permanecer escondidos, que estaban orgullosos de lo que eran y no temían morir por afirmarlo.

7 DE JUNIO

SAN PEDRO DE CÓRDOBA Y COMPAÑEROS († 851)

Otros santos: Pablo, Licarión, Walabonso, Habencio, Jeremías, Sabiniano, Vistremundo, Roberto, Antonio María y Ana del Carmen.

8 DE JUNIO

SAN GUILLERMO DE YORK († 1154)

Otros santos: Maximino, Medardo, Gildardo, Heraclio, Clodulfo, Severino, Salustiano, Victorino, Eutropio, Eustadiola y Calíope.

SAN GUILLERMO DE YORK († 1154) 8 DE JUNIO

Guillermo pertenecía a la alta nobleza inglesa, pero de muy joven repartió sus riquezas entre los necesitados y se dedicó por completo al estudio y a la práctica de la religión. Después de ordenarse sacerdote, fue tesorero de la iglesia de York durante varios años.

En 1144 fue elegido obispo de York por la mayoría del cabildo y consagrado inmediatamente. Surgieron algunas dudas sobre la regularidad de su ordenación y el archidiácono Osbert aprovechó la situación para llevar el caso ante el Papa. Finalmente nuestro santo fue depuesto por Roma y Henry Murdach ordenado obispo de York. Guillermo se tomó la destitución como el más grande de los honores, fue a Winchester y vivió allí en retiro y penitencia durante siete años.

Cuando el obispo Henry falleció, el Papa ordenó que Guillermo acudiese a Roma, donde recibió de manos de Su Santidad el palio episcopal. Cuando regresó a su diócesis, se encontró de nuevo con la oposición del archidiácono, pero no le prestó atención.

Fue recibido con tanta alegría por su pueblo que, al verle llegar, se congregó en un puente para recibirlo. Debido al peso de tantas personas, el puente se derrumbó y muchos cayeron al río. Guillermo reaccionó haciendo la señal de la cruz sobre las aguas y rogando para que no hubiera víctimas: toda la multitud se salvó y nadie sufrió daños graves.

Sólo ocupó la sede durante siete meses, ya que al cabo de este tiempo, cuando sólo estaba empezando a familiarizarse con sus nuevas funciones, contrajo unas fiebres y murió.

San Columba (521-597) — 9 de junio

Nació en Garton, en el seno de una familia de príncipes; cuando tuvo la edad suficiente, fue a la escuela de Cluainiraid para estudiar las Sagradas Escrituras y aprender los rigores de la vida ascética. Fue ordenado sacerdote cuando tenía veinticinco años, dedicándose desde entonces, sobre todo, a la enseñanza. Cuando cumplió los treinta, comenzó a viajar por toda Irlanda y Escocia para fundar monasterios, para los que compuso una regla tomada principalmente de las antiguas instituciones monásticas orientales.

El monarca irlandés no veía con buenos ojos que San Columba tuviera tanto éxito en la propagación del cristianismo, por tanto ordenó que saliera de sus tierras. Nuestro santo marchó a Escocia con doce discípulos, y allí se asentó en la isla de Iona, que le había sido cedida por el rey de los escoceses. Construyó un enorme monasterio, que durante siglos fue el seminario más importante de todo el norte de Gran Bretaña. Desde allí, su influencia evangelizadora se extendió por toda la región.

Columba fue famoso por su austeridad y su virtud. Dormía en el suelo, con una piedra como almohada, y era un hombre caritativo y muy risueño. Tenía tan buena reputación que el rey no se atrevía a dar ni un solo paso sin contar con su consejo. Cuando el monarca falleció y fue sucedido por Aedhan, el nuevo gobernante recibió la insignia real de manos de San Columba.

Nuestro santo vivió sólo cuatro años más, y se dice que en sus últimos tiempos empezó a recibir visiones del cielo. Murió en Iona rodeado de sus monjes, tras haber recibido el sobrenombre de «soldado de la isla» por sus conquistas espirituales.

San Máximo (580-662) — 10 de junio

Máximo nació en Constantinopla, en el seno de una noble familia que estaba emparentada con la estirpe imperial. Estudió en profundidad a los antiguos filósofos, así como las Sagradas Escrituras y la doctrina de los Padres de la Iglesia.

Con treinta años era primer secretario del emperador, pero poco después abandona su cargo, sus honores y a su familia para tomar el hábito cenobita en el monasterio de Crisópilis. Cuando llega la invasión persa, Máximo se ve obligado a huir: Chipre, Creta y, al fin, Egipto, donde de-

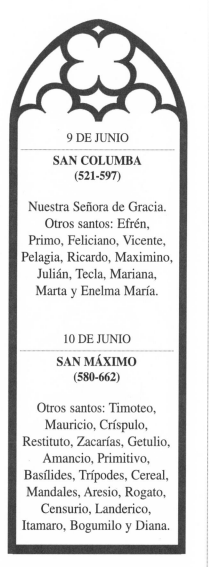

9 DE JUNIO

SAN COLUMBA (521-597)

Nuestra Señora de Gracia. Otros santos: Efrén, Primo, Feliciano, Vicente, Pelagia, Ricardo, Maximino, Julián, Tecla, Mariana, Marta y Enelma María.

10 DE JUNIO

SAN MÁXIMO (580-662)

Otros santos: Timoteo, Mauricio, Críspulo, Restituto, Zacarías, Getulio, Amancio, Primitivo, Basílides, Trípodes, Cereal, Mandales, Aresio, Rogato, Censurio, Landerico, Itamaro, Bogumilo y Diana.

Cristo en casa de Marta y María (detalle), Velázquez.

cide asentarse. Allí participó activamente en el concilio que estudió el tema de las naturalezas humana y divina de Jesucristo, y una vez emitido el dictamen contribuyó a someter a los herejes monotelistas, que no aceptaron la doctrina emanada de ese concilio. Como ocurre con tantas herejías, la diferencia entre lo que decía la Iglesia y lo que ellos pensaban es tan sutil que sólo es comprensible para los expertos en teología.

El asunto se complicó cuando la religión se transformó en política. El emperador se había declarado a favor del monotelismo, y cuando esta doctrina fue condenada por la Iglesia a instancias de San Máximo, las autoridades se echaron sobre él. Acusado de alta traición al imperio, fue exiliado durante algunos años. Cuando volvió a ser llevado a Constantinopla para un nuevo juicio, la sentencia no fue tan benévola. Fue condenado a muerte, torturado y ejecutado, no tanto por no compartir la herejía del emperador como por haberse opuesto a él. San Máximo nos enseña que los detalles (teológicos o de cualquier otro tipo) a veces son importantes, e incluso es posible que merezca la pena morir por ellos.

11 DE JUNIO

SAN BERNABÉ, APÓSTOL (SIGLO I)

Otros santos: Félix, Fortunato, Parisio, Remberto, Máximo, Aleida, Yolencia y Paula.

12 DE JUNIO

SAN JUAN DE SAHAGÚN (1430-1479)

Otros santos: Olimpio, Anfión, Onofre, Basílides, Cirino, Nabor, Nazario y Antonina.

San Bernabé, apóstol (siglo I) — 11 de junio

Bernabé no era uno de los doce, pero desde los inicios de la Iglesia se le ha llamado apóstol. Lucas nos dice que «era un hombre bueno y lleno del Espíritu Santo y de fe».

Nació en Chipre con el nombre de José, pero cuando se unió a los apóstoles éstos le dieron el nombre de Bernabé, que significa «hijo de profeta». En los *Hechos de los Apóstoles* se cuenta que vendió todo cuanto poseía, que era mucho, y lo puso en común con el resto de la congregación cristiana de Jerusalén.

Fue él quien presentó a San Pablo al resto de los apóstoles, ya que éste en principio no era muy bien recibido a causa de su fama de persecutor de cristianos. Poco después viajó con él a Antioquía, Seleucia, Chipre, Iconia y Listra, predicando el Evangelio en todos estos lugares. En Listra, fueron confundidos por dioses: San Pablo con Hermes y San Bernabé con Zeus, de lo cual deducimos que nuestro santo era alto y de porte majestuoso, ya que se le tomó por el rey de los dioses.

Después del concilio de Jerusalén, en que los apóstoles discutieron sobre la necesidad o no de observar los ritos de Moisés, hubo una violenta discusión entre Pablo y Bernabé, aparentemente por la necesidad o no de observar los ritos de Moisés. El caso es que se separaron. El relato canónico de los viajes de nuestro santo se detiene en Chipre, a donde volvió para terminar su labor evangelizadora. Parece ser que todavía emprendió más misiones apostólicas y que finalmente fue martirizado por una muchedumbre que lo apedreó hasta la muerte.

San Juan de Sahagún (1430-1479) — 12 de junio

Juan González del Castrillo nació en Sahagún, hijo de hidalgos leoneses. Pasó su infancia estudiando en la abadía benedictina de su pueblo, pero luego se trasladó a Burgos, donde primero fue paje del famoso obispo Alonso de Cartagena, después canónigo y por fin sacerdote.

No tenía veinte años cuando nuestro santo disfrutaba ya de innumerables beneficios y honores; sintiendo que no había hecho nada para merecerlo, renunció a sus cargos para marcharse a Salamanca. Allí compaginó sus estudios en la universidad con el cargo de simple párroco en Santa Gadea.

Fue en esta época cuando decidió hacerse monje agustino: repartió todo lo que tenía entre los pobres e ingresó en la orden de ermitaños de San Agustín. Sin embargo, Juan no tenía nada de ermitaño: era conocido en toda la ciudad como el «fraile gracioso», a causa de su carácter risueño y sus continuas bromas. Se dice que sus misas eran interminables, ya que en la consagración se le aparecía Cristo en la Sagrada Forma y se ponía a charlar con Él, olvidándose por completo de los feligreses. A pesar de todo, la gente acudía para escucharle: era enternecedor presenciar sus conversaciones con el Salvador y sus homilías tenían fama de excelsas.

No obstante, nuestro santo se ganó muchos enemigos. Podía ser risueño y encantador, pero también era implacable, sobre todo con la hipocresía. Desde su púlpito denunciaba a los nuevos fariseos: con ello atrajo muchos odios, que desembocaron en más de un atentado contra su vida.

En los últimos años de su vida comenzó a hacer milagros, sobre todo curando enfermos con su sola presencia. Falleció en circunstancias algo oscuras, y se habló durante mucho tiempo de que había sido envenenado por una mujer vengativa, que había sido abandonada por su amante a instancias de San Juan de Sahagún.

13 DE JUNIO

SAN ANTONIO DE PADUA (1195-1231)

Otros santos: Peregrino, Fándilo, Felícula, Aquilina, Fortunato, Luciano y Trifilio.

SAN ANTONIO DE PADUA (1195-1231) — 13 DE JUNIO

San Antonio de Padua se llamaba Fernando y nació en Lisboa. Se educó entre monjes, primero con los canónigos regulares de San Agustín y después en el convento de la Santa Cruz, en Coimbra. Había estudiado teología ocho años en esta última ciudad cuando su corazón concibe el deseo de morir por Dios predicando el Evangelio en África. Tomó los hábitos franciscanos y embarcó.

Apenas había desembarcado en el continente africano cuando contrajo unas fiebres que le obligaron a regresar a Europa cuanto a antes. El barco lo llevó a Sicilia, donde se encontró con San Francisco, a quien se ofreció para servir en la cocina de algún convento, cuidándose mucho de ocultar sus conocimientos.

Hubo una asamblea de frailes en Forli y Antonio asistió. En principio guardó silencio, pero sus superiores le ordenaron que diera su opinión. Se reveló entonces la elocuencia de nuestro santo, así como su sabiduría. Fue rápidamente enviado a enseñar teología en Bolonia, Toulouse, Montpellier y Padua, siendo designado superior de Limoges. Finalmente, abandonó las escuelas y universidades para dedicarse por completo a la predicación.

Cuando murió San Francisco, el nuevo general de la orden comenzó a suavizar la regla, y sólo San Antonio y otro monje se atrevieron a opo-

14 DE JUNIO

ELISEO (ANTIGUO TESTAMENTO)

Otros santos: Metodio, Marciano, Anastasio, Félix, Digna, Valerio y Rufino.

15 DE JUNIO

SANTOS VITO, CRESCENCIA Y MODESTO, MÁRTIRES († 300)

Otros santos: María Micaela del Santísimo Sacramento, Esiquio, Dulas, Benilde, Livia, Leónida, Eutropia, Landelino, Abraham y Germana de Cousin.

nerse. Acudieron al Papa, que les dio la razón y dispuso que la orden fuera reformada. Poco después Antonio cayó enfermo, y murió en paz en las habitaciones del director de un convento de monjas, donde se había refugiado para huir de la devoción popular hacia él.

Curiosamente, San Antonio es recordado sobre todo por una anécdota no demasiado trascendente: le fue robado un manuscrito, pero el ladrón se sintió irresistiblemente empujado a devolvérselo y así lo hizo. Es por este motivo que San Antonio es invocado para que ayude a encontrar lo que se ha perdido, ya sea un objeto, el amor (es patrón de los casamientos) o la fe.

ELISEO (ANTIGUO TESTAMENTO) — 14 DE JUNIO

El nombre de Eliseo significa «Dios salva» y, efectivamente, lo poco que sabemos de su tesis profética nos indica que su mensaje se centraba en que Dios es el único que puede salvar al pueblo de Israel. Es el gran problema de los llamados «profetas predicadores»: como no escribieron, no queda prácticamente nada de lo que anunciaban.

Eliseo nació pobre, hijo de un labrador llamado Safat, en el valle del río Jordán. Su vocación profética no le viene de familia, como a muchos otros, sino que tiene un origen divino: fue Dios el que le dijo a Elías que hiciera de él su sucesor. Así, cuando el gran profeta encontró a Eliseo arando en su campo, echó sobre sus hombros su propio manto a modo de símbolo.

Nuestro profeta seguirá a Elías durante mucho tiempo, aprendiendo de él el gran arte de escuchar a Dios, y estará presente cuando un carro de fuego se lo lleve al cielo. Dice la Biblia que Elías le dejó a su discípulo «dos partes de su espíritu». Después de esto, Eliseo comienza su propia carrera profética, marcada por la lucha contra la idolatría y por la multitud de signos que hace gracias al poder de Dios: multiplica los alimentos, sana a los enfermos y hasta resucita a un niño.

El mensaje de Eliseo es un claro anuncio de la venida de Cristo. No hay modo de saber si la profetizó directamente, pero sí queda claro que durante toda su vida alimentó en el pueblo de Israel la esperanza en la llegada de un Mesías que sellara definitivamente la alianza del pueblo con Dios. Como efectivamente sucedió.

SANTOS VITO, CRESCENCIA Y MODESTO, MÁRTIRES († 300) — 15 DE JUNIO

Muy poco se sabe a ciencia cierta de estos tres mártires. Vito era un niño de noble cuna, que fue educado en la fe cristiana por sus ayos, Crescencia y Modesto. Cuando su padre se enteró de que el niño era cristiano, trató de castigarlo y amenazarlo para que abrazara la idolatría, pero viendo que todos sus esfuerzos eran vanos, lo entregó a las autoridades. Vito escapó junto a sus ayos, pero los tres fueron martirizados durante la persecución de Diocleciano.

La leyenda piadosa adorna estos datos con muchos detalles. Vito ya hacía milagros de muy niño. Cuando estaba preso por las autoridades en Sicilia, fue un ángel el que guió a sus ayos en el rescate y posterior huida. Se asentaron en Nápoles, donde un águila les traía de comer cada día. Pero un ministro del emperador fue poseído por el Demonio, el cual manifestó a través de un oráculo que no abandonaría ese cuerpo a no ser que Vito fuese llevado a su presencia. El emperador lo mandó buscar por todos los confines del Imperio; cuando por fin lo encontraron, el propio niño expulsó a Satanás del cuerpo del ministro. El emperador ofreció a Vito adoptarlo si se convertía a la religión pagana, pero como éste se negara, él y sus ayos fueron condenados a muerte. Se sucedieron varios milagros que impedían que la sentencia se ejecutase: en una ocasión, los verdugos quedaron paralizados y después cayeron presa de horribles convulsiones (éste es el origen del «baile de San Vito»); en otra, los leones del circo se negaron a atentar contra ellos. Al fin, Dios quiso llamarles a su presencia y, finalmente, recibieron la corona del martirio.

16 DE JUNIO

SAN QUIRICO Y SANTA JULITA, MÁRTIRES († 304)

Otros santos: Juan Francisco de Regis, Ferreolo, Ferrución, Áureo, Justina, Ticón, Aureliano, Similiano y Benón.

San Quirico y Santa Julita, mártires († 304)

16 de junio

Julita era una joven dama de Iconia, descendiente de los antiguos reyes. Desde su infancia había profesado el cristianismo, ya que en su país las enseñanzas de San Pablo y San Bernabé habían dado sus frutos. Estaba casada con un noble caballero, pero éste murió poco después de que naciera Quirico, el hijo de ambos.

Cuando Quirico apenas había cumplido los dos años, el emperador Diocleciano publicó sus edictos contra los cristianos. El gobernador de Iconia, Domiciano, era excepcionalmente cruel: la plaza de la ciudad estaba repleta de instrumentos de tortura, y en las calles no se hablaba de otra cosa que del martirio. Julita decidió huir con su hijo por el bien de ambos.

Fue a refugiarse a Seleucia, con tan mala suerte que el gobernador de esta región, Alejandro, era aún más cruel que el anterior. Julita fue arrestada y llevada ante él. Cuando le preguntó su nombre y condición, nuestra santa declaró orgullosa: «Soy cristiana». Alejandro ordenó que la separaran de su hijo, y sentando al pequeño Quirico sobre sus rodillas, trató de seducirlo con caricias y halagos. El niño, que no cesaba de resistirse y de alargar sus bracitos hacia su madre, contempló al gobernador y dijo: «Soy cristiano». Alejandro, iracundo, arrojó al niño contra el suelo, lejos de él. Murió inmediatamente.

Julita, en vez de llorar o gritar, expresó a voces su alegría porque su pequeño había sido bendecido con la corona del martirio. El gobernador ordenó entonces que la santa fuera torturada hasta la muerte. Una voz entre el público la exhortó a salvarse haciendo sacrificios a los dioses del Imperio, pero Julita replicó que no adoraba a demonios ni a ídolos ciegos y sordos.

Durante la tortura, Julita rezaba, y justo antes de que el hacha cayera sobre su cabeza, murmuró: «Amén».

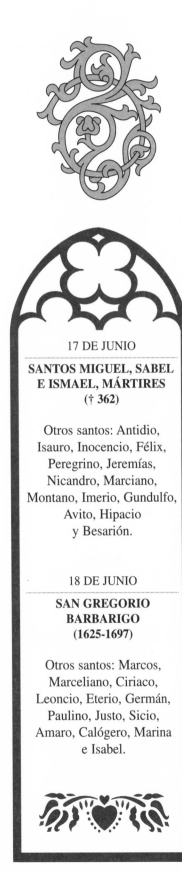

17 DE JUNIO

SANTOS MIGUEL, SABEL E ISMAEL, MÁRTIRES († 362)

Otros santos: Antidio, Isauro, Inocencio, Félix, Peregrino, Jeremías, Nicandro, Marciano, Montano, Imerio, Gundulfo, Avito, Hipacio y Besarión.

18 DE JUNIO

SAN GREGORIO BARBARIGO (1625-1697)

Otros santos: Marcos, Marceliano, Ciriaco, Leoncio, Eterio, Germán, Paulino, Justo, Sicio, Amaro, Calógero, Marina e Isabel.

SANTOS MIGUEL, SABEL E ISMAEL, MÁRTIRES († 362) — 17 DE JUNIO

Miguel, Sabel e Ismael eran tres hermanos, de padre pagano y de madre cristiana, que se había preocupado por criarlos en la religión cristiana. Pertenecían a una familia muy ilustre dentro del imperio persa, y tanto sus padres como sus parientes cercanos ocupaban altos cargos.

Durante la juventud de los tres hermanos, el emperador Juliano *el Apóstata* había estado en guerra con los persas. Cuando por fin se firmó una tregua, el gran rey de los persas decidió enviar a Miguel, Sabel e Ismael como embajadores de paz a Constantinopla, ya que los jóvenes prometían mucho y era ésta la forma de probar sus habilidades.

Juliano y su corte recibieron con agrado a los emisarios, y de inmediato empezaron las conversaciones de paz. Iba todo tan bien que, cuando el emperador tuvo que hacer una visita a la provincia de Bitinia, les pidió a los embajadores que le acompañaran. Éstos, por supuesto, aceptaron.

Cuando llegaron a su destino, había preparada una gran fiesta en honor de Juliano, quien ordenó a su pueblo que ofreciese sacrificios en el templo de Trigón. Los tres hermanos se mantuvieron al margen, y acordaron entre sí que por ningún motivo rendirían culto a aquellos ídolos demoníacos, aunque les costara la vida.

Un camarero oyó la conversación y corrió a referírsela a Juliano. Éste se sintió gravemente ofendido, fue a ver a los embajadores y les preguntó si el gran rey les había enviado para que insultasen a los dioses del Imperio. Los tres respondieron que ellos eran cristianos y que, aunque no pretendían insultar a nadie, se negaban a rendir culto a dioses falsos. El emperador se irritó sobremanera y olvidándose de los tratados de paz y de las inmunidades diplomáticas, ordenó encarcelar y torturar a los embajadores hasta que renunciasen a su fe.

Miguel, Sabel e Ismael se mantuvieron firmes y alegres pese a los tormentos que estaban sufriendo. Al final fueron decapitados y sus cuerpos, quemados. De este modo, las negociaciones con los persas fracasaron a causa del capricho de Juliano *el Apóstata*.

SAN GREGORIO BARBARIGO (1625-1697) — 18 DE JUNIO

Gran obispo y cardenal, Gregorio fue un príncipe de la Iglesia que participó muy activamente en la reforma de las costumbres del clero.

Había nacido en Venecia, en el seno de una poderosa familia. Quedó huérfano de madre siendo muy joven, pero su padre le proporcionó una excelente educación con vistas a que en el futuro ocupara un cargo importante en la ciudad. Tenía veinte años cuando fue enviado para acompañar al embajador Contarini a Munster. Allí, nuestro santo conoció a Fabio Chigi, nuncio de la Santa Sede, hombre que influyó muchísimo en él.

Cuando regresó a Venecia, su padre le había conseguido un puesto de magistrado. Gregorio empezaba a meditar la idea de tomar el hábito carmelita, pero aceptó el cargo por no defraudar a su padre. Sin embargo, pronto quedó convencido de que la vida política no era para él y tras mucho hablarlo con su familia, se trasladó a Padua para ingresar en el seminario. Acababa de ser ordenado sacerdote cuando Fabio Chigi, ahora Papa con el nombre de Alejandro VII, lo llamó a Roma para ser su consejero. Vivió allí algunos años hasta que fue nombrado obispo de Bérgamo, con la misión de reformar aquella diócesis que se hallaba abandonada y sumida en los vicios. Por su buena labor fue nombrado cardenal y trasladado a la sede de Padua, donde tuvo que llevar a cabo la misma misión: reformar la diócesis.

En ambos destinos, Gregorio se caracterizó por el ejemplo de austeridad que daba a sus fieles. Erradicó los abusos, metió en cintura a los monjes y reformó las costumbres; por todo ello, tuvo que enfrentarse a multitud de rebeliones en el seno mismo de su clero, que llegó incluso a planear su muerte. Sin embargo, nuestro obispo continuó adelante, convencido de que había que quitar las armas a los que criticaban a la Iglesia del modo más simple: haciendo que la esposa de Cristo fuese una institución modélica.

Además de por la firmeza de su trabajo, San Gregorio destacó siempre por su generosidad y su misericordia. En medio de sus inmensas labores reformadoras, encontró siempre el tiempo necesario para socorrer a los pobres, a los enfermos y para predicar él mismo a aquellos que sentían que su fe se tambaleaba.

19 DE JUNIO
SANTA JULIANA FALCONIERI (1270-1340)
Otros santos: Romualdo, Gervasio, Protasio, Gaudencio, Culmacio, Ursicino, Zósimo y Bonifacio.

Santa Juliana Falconieri (1270-1340) — 19 de junio

Como Abraham y Sara, los padres de Juliana habían perdido en su vejez toda esperanza de tener descendencia. Sin embargo, pidieron a Dios que les bendijera con un hijo, y Santa Juliana fue la milagrosa respuesta. Como señal de agradecimiento, construyeron la iglesia de la Anunciación de Nuestra Señora y ayudaron a San Felipe Beniti a fundar la orden de los Servitas, personas dedicadas a servir a Dios bajo el patronazgo especial de la Virgen. Esta congregación consta de tres órdenes con distintas labores y funciones.

A los dieciséis años, Juliana renunció a todo lo mundano, consagró su virginidad a Dios e ingresó en la tercera orden de Servitas, las Mantellatae, formada exclusivamente por mujeres que se instruían para servir a los enfermos y realizar obras de caridad.

Juliana fue un miembro muy destacado de su orden. Debido a su reputación de santidad y a su don de gentes fue nombrada priora. Nuestra santa aceptó el cargo con humildad y en todo momento tuvo presente que su primera obligación era servir al resto de las hermanas.

Su vejez estuvo marcada por gravísimas y dolorosas enfermedades. Poco antes de su muerte ocurrió un milagro. Estaba nuestra santa muy afligida porque su enfermedad no le permitía tomar la comunión, ya que su estómago era incapaz de retener cualquier comida. Sin embargo, el sacerdote llevó el cuerpo de Cristo a su celda para que pudiese Julia orar ante él. Apenas entró el cura en la habitación, la hostia desapareció de sus manos y quedó grabada en el pecho de la santa.

20 DE JUNIO

SAN SILVERIO, PAPA († 537)

Otros santos: Florentina, Macario, Novato, Pablo y Ciriaco.

21 DE JUNIO

SAN LUIS GONZAGA (1568-1591)

Otros santos: Eusebio, Terencio, Demetria, Rufino, Marcia, Ciriaco, Apolinar, Albano, Adulto, Raimundo de Barbastro, Ursiceno, Martín y Leutirido.

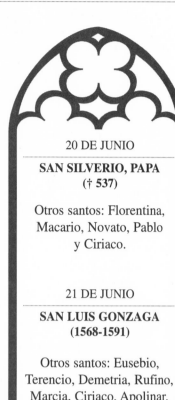

San Silverio, Papa († 537) — 20 de junio

A Silverio le venían la santidad y la vocación eclesiástica de familia. Su padre, después de quedar viudo, se ordenó sacerdote y acabó siendo el gran Papa San Hormisdas.

Silverio fue elegido Sumo Pontífice a modo de compromiso político. La muerte de su predecesor en la silla de San Pedro, San Agapito, había desencadenado una ola de conflictos entre el emperador de Constantinopla, el famoso Justiniano, y el rey Teodato de los ostrogodos, que reinaba en Italia. Así, se eligió al hijo de San Hormisdas porque en cierta forma satisfacía a los dos bandos y bien podía ser utilizado como embajador. Silverio fue consagrado con toda la pompa.

La situación se complicó cuando de pronto surgió un bando nuevo en todo este conflicto: la emperatriz Teodora, esposa de Justiniano, que era una mujer en extremo independiente con sus propias ideas sobre la política mundial. Ella era defensora de la herejía eutiquiana (que niega la doble naturaleza de Cristo) y pretendía que la Iglesia la reconociese como verdadera, a pesar de que había sido ya condenada en un concilio. De modo que envió a Roma a su propio candidato al papado: Vigilio. Cuando éste quiso llegar se encontró con que la sede vaticana ya estaba ocupada, de modo que Teodora cambió de estrategia y decidió atraerse la amistad de nuestro santo. Silverio no se dejó engañar: si bajo ningún concepto consintió en levantar la pena de excomunión sobre los herejes, ¡mucho menos iba a reconocer la herejía como dogma canónico!

Pero la emperatriz no se dejó intimidar. Envió al archifamoso general Belisario para que depusiera al Papa y pusiera en su lugar a Vigilio. Al parecer, el general tenía aprensión a la hora de raptar al vicario de Cristo en la Tierra, pero amaba mucho a su emperatriz y al final la obedeció. Silverio fue capturado en sus propios aposentos, vestido con un hábito de monje y enviado al destierro en un monasterio de Asia Menor. Vigilio fue nombrado Papa directamente por Teodora.

Vuelve entonces a escena el emperador Justiniano, que opinaba que su esposa se había excedido secuestrando al Papa. Trajo a Silverio de Asia y lo mantuvo encerrado en otro convento, pero esta vez en Italia. Cuando nuestro santo murió años después, Vigilio fue elegido Papa (esta vez canónicamente), y a partir de entonces demostró no ser tan maleable como Teodora pensaba. Mantuvo la decisión de San Silverio y nunca aceptó la herejía eutiquiana.

La vida de San Silverio resulta algo extravagante, si no cómica del todo. Pero es muy apreciable su santidad, que soportó con paciencia las humillaciones a las que era sometido y nunca consintió en ser juguete de los reyes y emperadores.

San Luis Gonzaga (1568-1591) — 21 de junio

San Luis Gonzaga era hijo del marqués de Castiglione y de una dama de honor de la reina Isabel, la esposa de Felipe II. Cuando tenía ocho años, su padre le envió junto a su hermano menor a la corte del duque de Toscana, para que profundizase en sus conocimientos humanísticos y en el arte del gobierno. Dos años después, ambos hermanos fueron trasladados a la corte del duque Guillermo Gonzaga, donde el pequeño Luis cayó enfermo y tuvo que guardar reposo. Aprovechó este tiempo para leer libros de devoción, y así decidió ceder a su hermano sus derechos sobre el marquesado y servir a Dios en la Compañía de Jesús. Pero aún era demasiado joven.

Cuando Luis estuvo recuperado, el padre llevó a sus dos hijos a la corte de Felipe II, y allí permanecieron varios años, hasta que nuestro santo decidió que ya era tiempo de tomar los hábitos. Le costó convencer a su padre, pero éste, al fin, dio su consentimiento y Luis marchó a Roma para comenzar su noviciado. Se impuso tales austeridades que pronto cayó enfermo, y sus maestros le prohibieron meditar y orar salvo en casos excepcionales. Pasaron pocos años antes de que hiciera sus votos y recibiera las órdenes menores.

Estaba estudiando teología en Milán cuando la peste invadió Italia y todos los jesuitas tuvieron que salir a las calles para asistir a los enfermos. Luis, que siempre había sido enfermizo, se contagió; aunque al principio pareció que iba a recuperarse, murió cuando tenía veintitrés años.

Durante años se ha exagerado la santidad de San Luis Gonzaga llevándola a lo grotesco. Se le suponía misógino, con un odio exacerbado hacia sí mismo, y traumatizado toda su vida por una mala palabra que pronunció siendo niño. Ninguno de esos detalles parece verídico, y lo cierto es que Luis perdura hoy como ejemplo de renuncia a los honores terrenales y como patrón del ímpetu de la juventud.

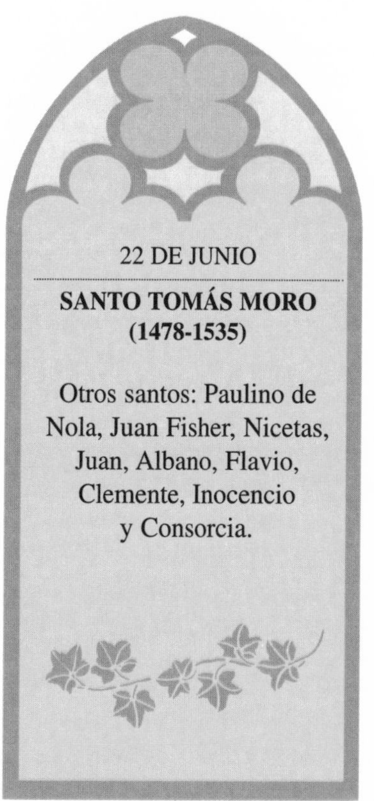
22 DE JUNIO

SANTO TOMÁS MORO (1478-1535)

Otros santos: Paulino de Nola, Juan Fisher, Nicetas, Juan, Albano, Flavio, Clemente, Inocencio y Consorcia.

Santo Tomás Moro (1478-1535) — 22 de junio

El politólogo por excelencia del santoral, Tomás Moro, es sin duda uno de los santos que más disfrutó de su condición de ser humano. Se casó por segunda vez después de quedarse viudo, tuvo numerosísimos hijos y fue siempre un enamorado de la cultura, del arte y de la ciencia política. Además era rico y noble, y se le consideraba uno de los caballeros más elegantes de toda Inglaterra. Tomás Moro nos demuestra que se puede ser santo sin renunciar a ninguno de los placeres del mundo: sólo hay que saber administrarse conforme a la voluntad de Dios.

Nació en Londres; después de desempeñar varios cargos políticos (entre ellos el de lord canciller), se enemistó con Enrique VIII por negarse a abjurar de la fe católica. Esto ocurrió a raíz del divorcio del monarca de Catalina de Aragón: la Iglesia no quiso aceptarlo y, por lo tanto, Enrique hizo apostasía y se proclamó cabeza de la Iglesia anglicana. Poco después, nuestro santo se negó también a asistir a la coronación de Ana Bolena, lo cual fue demasiado para el rey. Acusado de alta traición, fue juzgado, condenado a muerte y decapitado.

Tomás Moro fue ejecutado por defender sus convicciones, simple y llanamente. No es un santo que reivindicara el catolicismo y que insultara a los poderosos por negar la fe. Al fin y al cabo, no era sacerdote, ni monje, ni teólogo: no se consideraba dueño de la conciencia de nadie, salvo de la suya, y se negó a que Enrique se entrometiera en su campo más íntimo.

Las tentaciones de San Antonio (detalle), El Bosco.

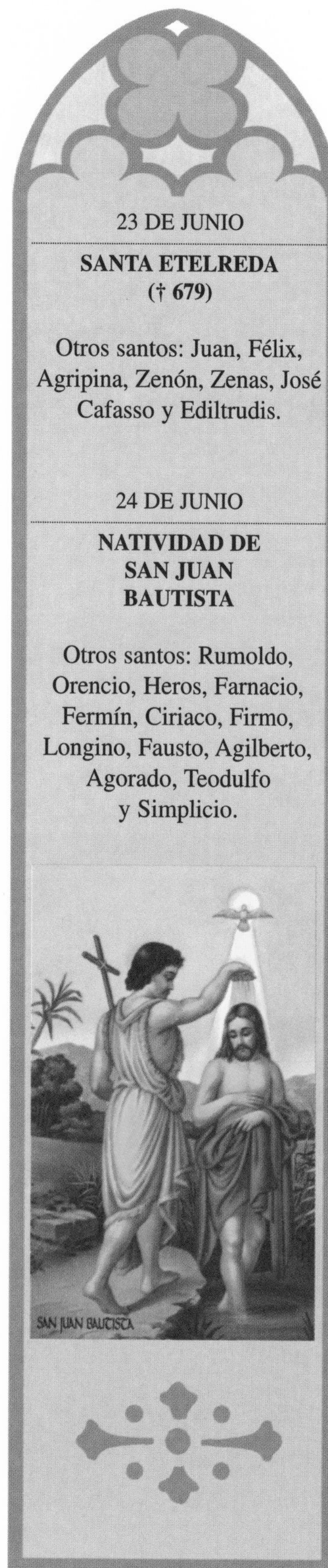

23 DE JUNIO
SANTA ETELREDA
(† 679)
Otros santos: Juan, Félix, Agripina, Zenón, Zenas, José Cafasso y Ediltrudis.
24 DE JUNIO
NATIVIDAD DE SAN JUAN BAUTISTA
Otros santos: Rumoldo, Orencio, Heros, Farnacio, Fermín, Ciriaco, Firmo, Longino, Fausto, Agilberto, Agorado, Teodulfo y Simplicio.
SAN JUAN BAUTISTA

Podemos tener algún atisbo del alma de este gran hombre a través de sus obras, sobre todo una, la que le ha hecho más famoso: *Utopía*. En ella nos demuestra que es un soñador, que cree en un mundo mejor y que está dispuesto a luchar por la implantación del reino de Dios en la Tierra.

SANTA ETELREDA († 679) — 23 DE JUNIO

Etelreda era hija de Anás, rey de los ingleses orientales. En su primera juventud se dejó deslumbrar por los lujos de la corte, pero cuando tuvo uso de razón decidió cultivar su fe y su virtud, consagrando su virginidad a Dios. Sin embargo, su padre tuvo la necesidad de sellar una alianza con el rey Tombrecto de los girvios australes, y por tanto dispuso que la princesas Etelreda se casara con él.

Este monarca estaba advertido del voto que su esposa había hecho, y estuvo dispuesto a vivir con ella como hermano y hermana, en un principio porque la alianza le era ventajosa, pero después simplemente por amor a su reina y por el deseo de no contrariarla. El asunto de la castidad de los soberanos era objeto de habladurías en la corte, y la comidilla oficial era que Tombrecto intentaba por todos los medios convencer a Etelreda de que cohabitara con él, pero que al fin se dio por vencido.

Tres años después del matrimonio, el rey murió y nuestra santa fue nuevamente ofrecida en matrimonio para sellar una alianza con el rey Edfrid de Northumberland. Etelreda vivió con su nuevo esposo del mismo modo que lo había hecho con el anterior, respetando rigurosamente sus votos de castidad. Al fin, la reina obtuvo permiso para retirarse a un monasterio en la isla de Ely, que había recibido como dote, y allí fundó un doble monasterio con su propio patrimonio que gobernaba ella misma. Fue siempre un ejemplo de virtud para sus hermanas: comía sólo una vez al día, sus vestidos eran de sayal, nunca de lino, y solía pasar las noches en vela rezando en la iglesia. Según fueron pasando los años, enfermó de una yaga en el cuello, y ella la bendecía como justo castigo por la vanidad que de joven le había llevado a usar ricos collares.

Después de una lenta enfermedad, entregó su alma en la humildad del monasterio, habiendo olvidado que era reina por derecho propio.

NATIVIDAD DE SAN JUAN BAUTISTA — 24 DE JUNIO

El calendario recuerda a San Juan Bautista en dos ocasiones: el 24 de junio se conmemora su natividad y el 29 de agosto su muerte.

Juan era hijo del sacerdote Zacarías y de Isabel, ambos descendientes de la casa de Aarón. La madre de Isabel era de la tribu de Judá, ya que ésta era prima de la Virgen María.

Zacarías y su esposa vivían en Hebrón; después de muchos años de matrimonio, no habían logrado tener hijos. Entre los judíos, la falta de descendencia es símbolo de una maldición de Dios, y Zacarías rezaba todos los días al Señor para que le perdonase y le fuera enviado un hijo. En una ocasión en que estaba ofreciendo incienso, se le apareció el arcángel San Gabriel: «No temas, Zacarías, porque tu plegaria ha sido escuchada, e Isabel, tu mujer, te dará a luz un hijo, al que pondrás por nombre Juan. Será para ti gozo y regocijo, y todos se alegrarán en su nacimiento, porque será grande en la presencia del Señor». Zacarías pidió al ángel una señal, y he aquí que desde ese momento y hasta el nacimiento del niño, el sacerdote quedó mudo.

Según había anunciado Gabriel, Isabel concibió un hijo. Estaba en el sexto mes de embarazo cuando recibió una visita de su prima la Virgen, y Juan recibió el Espíritu Santo todavía en el vientre de su madre. Cuando nació, le pusieron por nombre Juan.

Siendo todavía muy joven, el Bautista se retiró al desierto donde, por medio del ayuno y la plegaria, se preparó para su misión de abrirle camino a Jesús.

25 DE JUNIO

SAN GUILLERMO DE VERCELLI (1085-1142)

Otros santos: Orosia, Lucía, Fabrinia, Galicano, Próspero, Máximo, Sosípatro, Adalberto, Juan Hispano y Francisco Chien.

San Guillermo de Vercelli (1085-1142) — 25 de junio

Vercelli, la ciudad que vio nacer a San Guillermo, se encuentra entre Turín y Milán. Nada se sabe de él hasta que, a los catorce años, emprendió una peregrinación a Santiago «a la vieja usanza»: descalzo y cargado de cadenas.

Después de visitar las reliquias del apóstol, se retiró a una cueva del monte Virgiliano (cerca de Nápoles) para llevar una vida de ermitaño. Al principio buscaba soledad pero, como no dejaron de acudir discípulos deseosos de ponerse bajo su disciplina, acabó construyendo un monasterio para ellos y consintió en ser su abad. Les impuso la regla de San Benito, les dio un hábito blanco e inculcó en ellos el mayor respeto por el trabajo manual. Dependiendo de este monasterio se fueron fundando otros semejantes, pero pronto Guillermo se sintió coartado por tantas responsabilidades, delegó en uno de sus discípulos y volvió a sus andanzas por toda Italia. Pasó sus últimos años siendo un peregrino sin destino, un ermitaño errante que buscaba a Dios en los caminos. La leyenda nos cuenta una curiosa anécdota sobre él. En uno de sus viajes llegó hasta Palermo, y los nobles de allí comenzaron a burlarse de su aspecto y de su forma de vida. Idearon una forma de tentar su santidad: contrataron a una prostituta para que acudiera al bosque donde él dormía, le dijera que estaba enamorada de él y que «estaba dispuesta a compartir su lecho aquella noche».

Santo Domingo y los albigenses, Berruguete.

Nuestro santo recibió a la mujer y, cuando ésta le dijo lo que había convenido con los cortesanos, Guillermo le pidió que esperase un momento. Encendió una gran hoguera y se tumbó en medio de las

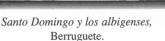

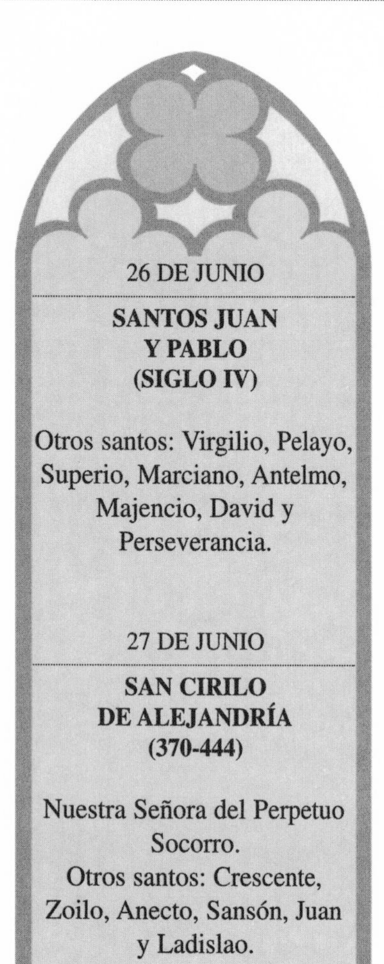

llamas, diciéndole a la prostituta: «¿No querías yacer conmigo? Pues ven y acuéstate junto a mí». Cuando la mujer vio que las llamas no le hacían daño, se convirtió de inmediato y al poco tiempo profesó como monja.

26 DE JUNIO
SANTOS JUAN Y PABLO (SIGLO IV)
Otros santos: Virgilio, Pelayo, Superio, Marciano, Antelmo, Majencio, David y Perseverancia.
27 DE JUNIO
SAN CIRILO DE ALEJANDRÍA (370-444)
Nuestra Señora del Perpetuo Socorro.
Otros santos: Crescente, Zoilo, Anecto, Sansón, Juan y Ladislao.

Santos Juan y Pablo (siglo IV) — 26 de junio

Juan y Pablo eran servidores de la princesa Constancia, hija del emperador Constantino, que se había retirado al campo para llevar una vida humilde después de que Santa Inés le hubiese curado de una grave enfermedad.

Poco después de su llegada, los escitas invadieron la región de Tracia, poniendo en peligro a la misma Constantinopla. El mejor general de todo el Imperio era Galicano, un gentil que sin embargo era muy querido por el emperador. Cuando éste le encargó al general que condujera a las tropas en la guerra contra los escitas, Galicano pidió como única recompensa la mano de la princesa Constancia. Le fue concedida.

El general se llevó consigo a la guerra, como oficiales, a Juan y Pablo, quienes lograron convertirle al cristianismo. Una vez lograda la victoria, la familia al completo (la princesa, su marido con las hijas de su primer matrimonio, Juan y Pablo) se trasladó a Roma, donde vivió muchos años de felicidad.

Los problemas empezaron cuando Juliano *el Apóstata* accedió al trono imperial. No se atrevió a tocar a Constancia dada su elevada posición, ni tampoco a su marido, héroe de guerra, pero decidido a demostrar su poder mandó apresar a Juan y Pablo por cristianos. Después de un interrogatorio que fue una farsa, les condenó a muerte y les ejecutó.

Constancia y Galicano recuperaron sus cuerpos y los enterraron en su propia casa del monte Clelio, donde hoy existe una iglesia en su honor.

Santa Mónica entre las religiosas de su orden, Verrocchio.

San Cirilo de Alejandría (370-444) — 27 de junio

Tenemos noticia de Cirilo por primera vez cuando asciende a la dignidad de patriarca de Alejandría en el año 412, después de haber dedicado muchos años a estudiar las Sagradas Escrituras.

Sus primeros actos fueron cerrar las escuelas donde se enseñaban herejías y expulsar a los judíos de la ciudad. Sin embargo, trajeron alguna consecuencia muy lamentable: una filósofa pagana fue linchada por una muchedumbre que le acusaba de predisponer al gobernador contra el patriarca. San Cirilo se encolerizó, ya que nunca había pretendido que la situación llegara a tales extremos.

Cirilo desempeñó un papel importante en la lucha contra la herejía nestoriana, cuando ésta aún estaba en sus inicios. El sacerdote Nestorius había sido ordenado obispo de Constantinopla y en sus homilías empezó a explicar que Cristo era en realidad dos personas, una humana y otra divina, y que la unión entre ellas era puramente moral. La doctrina canónica enseña que Cristo es una sola persona con dos naturalezas, una humana y otra divina. Como en tantas ocasiones, puede parecernos un detalle teológico que realmente tiene poca aplicación práctica a la vida de los cristianos, pero en esta época la gente estaba dispuesta a morir por defender este tipo de teorías.

Ocurrió que esta herejía llegó a oídos del Papa, que reaccionó emitiendo una sentencia de excomunión contra Nestorius si éste no se retractaba en el plazo de diez días. Cirilo era el portador de esta notificación y como el obispo se negó a rectificar, lo excomulgó. Los desórdenes fueron tan graves que el emperador estuvo a punto de desterrar tanto a Nestorius como a Cirilo, pero finalmente el cisma se contuvo.

San Cirilo volvió a Alejandría, donde pasó el resto de sus años de vida ejerciendo sus labores episcopales.

28 DE JUNIO

SAN IRENEO DE LYON (130-202)

Otros santos: Benigno, Argimiro, Potamiena, Plutarco, Sereno, Heráclides, Herón, Peplo, Raída, Marcela, Paulo I, Vicenta y Gerosa.

San Ireneo de Lyon (130-202) — 28 de junio

Ireneo era griego, discípulo de San Policarpo, el cual a su vez había sido aprendiz de San Juan Bautista.

Cuando nuestro santo era aún muy joven, el cristianismo se estaba difundiendo por la Galia gracias, principalmente, a los comerciantes de iban a estas tierras desde Grecia y Asia Menor. Policarpo mandó allí a Ireneo para que se encargara de las labores de evangelización. Fue ordenado sacerdote ya en su destino, en Lyon. Al poco tiempo de su llegada tuvo que partir de nuevo, esta vez hacia el Vaticano para recibir instrucciones del Papa. A su regreso, fue ordenado obispo y tuvo que enfrentarse a la persecución de Marco Aurelio, que acabó cuando este emperador fue sucedido por su hijo Cómodo.

Ireneo no encontró entonces reposo, ya que fue ése el momento en que empezaron a surgir nuevas herejías, como la gnóstica y la valentiana, y el obispo se dedicó a luchar firmemente contra ellas. También escribió algunas cartas contra el cisma que había creado Blastus, un sacerdote de Roma, y empleó su pluma para convencer al Papa de que tolerase las pequeñas diferencias litúrgicas que empezaban a separar a las Iglesias oriental y occidental.

San Andrés y San Francisco (detalle), El Greco.

29 DE JUNIO

SAN PEDRO Y SAN PABLO, APÓSTOLES (SIGLO I)

Otros santos: Marcelo, Anastasio, Siro, Casio, Benita y María.

La relativa calma en la Iglesia terminó cuando Cómodo fue sucedido en el trono imperial por Severo, que había sido gobernador de Lyon. El nuevo emperador ordenó la quinta persecución contra los cristianos, y como había sido testigo del florecimiento de la diócesis de Ireneo, dispuso que los cristianos de allí fueran perseguidos con extraordinaria severidad.

Nuestro santo fue capturado y, según las crónicas, recibió martirio junto a una gran multitud.

SAN PEDRO Y SAN PABLO, APÓSTOLES (SIGLO I) — 29 DE JUNIO

La Iglesia quiere celebrar el mismo día la festividad del príncipe de los apóstoles y del más famoso converso. Fueron hombres de talante muy distinto y con profundas diferencias. Es famosa su discusión en Antioquía sobre si era necesario o no hacerse judío para ser cristiano. Al final impera la visión más amplia de Pablo, que da nombre a la Iglesia católica, universal.

Jesús conoció a Simón y a su hermano Andrés cuando éstos eran pescadores en el mar de Galilea. Viéndoles echar sus redes al agua, les dijo: «Venid en pos de mí y yo os haré pescadores de hombres». Cristo llamó a Simón Cephas Pedro, es decir, piedra («porque sobre esta piedra edificaré mi Iglesia»), y le nombró el primero entre los apóstoles. A pesar de que le falló en varias ocasiones, fue el primer Papa.

La conversión de San Pablo, Caravaggio.

Pedro fue martirizado en Roma, después de muchos años de predicación y de haber organizado la Iglesia naciente. Después de ocho meses de prisión junto a San Pablo, fue crucificado boca abajo, ya que no se consideraba digno de sufrir la misma muerte que Jesús.

Saulo era de origen judío, pero había recibido educación romana y pertenecía a una familia poderosa. Hasta su caída del caballo, cuando Jesús le preguntó desde el cielo por qué le perseguía e hizo que se le cayeran las escamas de los ojos, fue un implacable persecutor de cristianos. Sin embargo, Cristo quiso ganárselo para su causa, le llamó Pablo, y desde entonces fue el apóstol más universal, el más viajero, el que propagó la fe por más zonas distintas. Le debemos a él que la Iglesia reconociera que el Evangelio no sólo iba destinado a los judíos, sino también a los gentiles.

Fue hecho prisionero en Roma y estuvo encarcelado junto a San Pedro durante ocho meses. Murió el mismo día que él, degollado (su dignidad de ciudadano romano impedía a las autoridades crucificarlo), y la tradición cuenta que su cabeza, al caer, rebotó tres veces, creando tres fuentes en el suelo.

PROTOMÁRTIRES DE LA IGLESIA († 64) 30 DE JUNIO

En el verano del año 64 ocurrió un horrible incendio en Roma, el más grave sin duda de cuantos sufrió la ciudad. Comúnmente se piensa que fue el propio emperador Nerón, «el loco», quien lo provocó, y es famosa la imagen del emperador tocando el arpa sobre un murete mientras observa las llamas destruyendo la capital del Imperio. Hay muchas teorías: desde la simple y llana demencia de Nerón hasta una compleja maniobra política con vistas a replantear todo el urbanismo de Roma. El caso es que, hoy por hoy, no podemos afirmar con seguridad si Nerón fue o no el culpable.

Lo que sí sabemos es que el emperador empezó a preocuparse cuando sus súbditos comentaron que él era el pirómano. De modo que buscó un «cabeza de turco», alguien que pagara las culpas, alguien en quien descargar la ira y la frustración del pueblo romano. ¿Y quién mejor que los cristianos? No adoraban a los dioses del Imperio, tenían fama de raros y hasta se pensaba que eran caníbales o cosas peores. Marginados en definitiva, la gente de la calle estaba dispuesta a demonizarlos.

Así comenzó la primera gran persecución de cristianos. Empezaron siendo decapitados, crucificados o quemados en la hoguera. Pero los romanos, siempre pragmáticos, decidieron buscarles una utilidad a aquellos cientos de condenados a muerte. «Pan y circo» fue siempre uno de los lemas favoritos de los emperadores, de modo que hicieron del martirio de estos hombres y mujeres una diversión para el pueblo romano. Los cristianos se llevaban al coliseo, donde eran devorados por las fieras ante la maravilla y el sobrecogimiento del público, que rompía en aplausos o carcajadas cada vez que un mártir entregaba su vida bajo las garras de un león.

La costumbre parece que tuvo éxito, y durante años los cristianos fueron perseguidos y asesinados. Primero por el incendio, después por el odio que se había inculcado hacia ellos y, por último, porque eran peligrosos, porque se expandían, porque negaban la legitimidad misma de un Imperio basado en la divinidad del gobernante.

SAN SIMEÓN *EL LOCO* († 590) 1 DE JULIO

La Iglesia ha hecho gala de un gran sentido del humor al canonizar a Simeón... no sin resistencia, ya que el santo tuvo que hacer muchos milagros hasta que el Vaticano decidiera que alguien como él podía ser un ejemplo para hombres y mujeres.

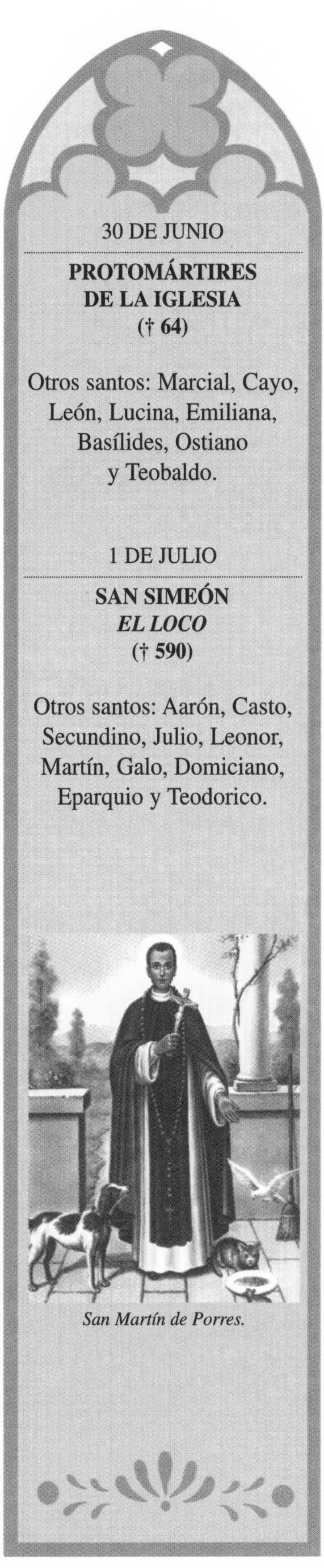

30 DE JUNIO
PROTOMÁRTIRES DE LA IGLESIA
(† 64)
Otros santos: Marcial, Cayo, León, Lucina, Emiliana, Basílides, Ostiano y Teobaldo.
1 DE JULIO
SAN SIMEÓN *EL LOCO*
(† 590)
Otros santos: Aarón, Casto, Secundino, Julio, Leonor, Martín, Galo, Domiciano, Eparquio y Teodorico.

San Martín de Porres.

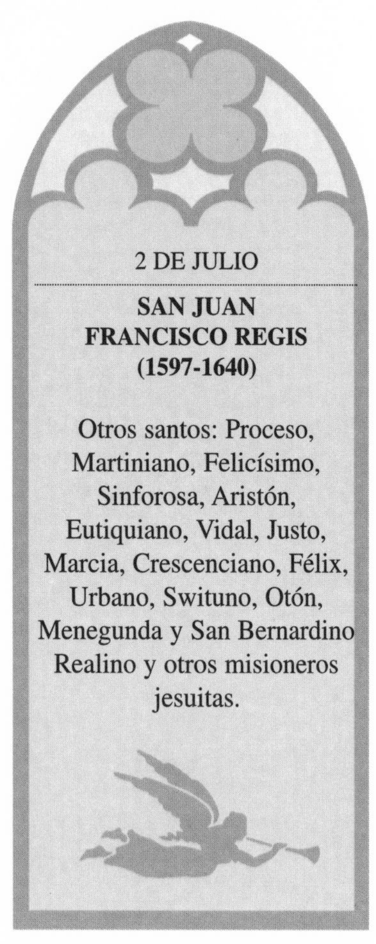

2 DE JULIO
SAN JUAN FRANCISCO REGIS (1597-1640)
Otros santos: Proceso, Martiniano, Felicísimo, Sinforosa, Aristón, Eutiquiano, Vidal, Justo, Marcia, Crescenciano, Félix, Urbano, Swituno, Otón, Menegunda y San Bernardino Realino y otros misioneros jesuitas.

Simeón era, a todas luces, un demente, un loco divino sin duda inspirado por Dios. Abandonó a su madre siendo muy niño para vivir en el desierto como anacoreta, y así pasó el resto de su vida, deambulando, escandalizando a la gente con su doble cara de santidad y locura.

Cuando estaba en una ciudad, se quedaba siempre con las prostitutas y los mendigos, compartiéndolo todo con ellos, haciéndoles reír de lo absurda que es una sociedad que aparta de sí a tantas personas. A medias filósofo cínico, a medias payaso, intenta enseñar a la gente que la creación, el mundo, todo es una gigantesca broma. Dios nos envía al mundo con la misión de amarnos y ser felices, ¿y qué hacemos? Nos matamos, nos odiamos, nos engañamos, nos inventamos complicados sistemas de poder y de autoridad, y lo que es peor, ¡nos lo tomamos todo tan en serio! San Simeón clama a gritos: «¿Nadie se da cuenta de que nada de lo que hacéis tiene ninguna importancia? Ni reyes ni papas, ni pecados ni leyes, ni dogmas, ni costumbres, nada de eso es más que una enorme broma».

Aparte del bufón excéntrico, podemos apreciar en Simeón a alguien que de pronto comprendió el mundo, y puesto en la disyuntiva de si reír o llorar, optó por lo primero. Era sin duda un espíritu iluminado que intentó, con su vida y sus chistes, repetirnos una vez más las palabras que Jesús le dijo a Marta, la hermana de Lázaro: «Marta, Marta, tú te inquietas y te turbas por muchas cosas, pero pocas son necesarias, o más bien una sola».

SAN JUAN FRANCISCO REGIS (1597-1640) — 2 DE JULIO

Juan Francisco fue devoto casi desde su nacimiento; debía tener dos o tres años cuando sus padres comenzaron a llamarle «Ángel del cielo». Estudió con los jesuitas en Narbona, su tierra natal, y muy pequeño entró en la congregación de María, en la cual se distinguió por su fervor: incluso llegó a fundar una suerte de subcongregación de los más devotos.

Estudió teología en Tolosa, y al cabo de los años fue ordenado sacerdote en el seno de la Compañía de Jesús. Pidió ser enviado como misionero a Canadá, donde los jesuitas eran perseguidos, pero se le destinó a predicar en el propio territorio francés. Viajaba de ciudad en ciudad, hablando a las multitudes (hay quien asegura que hablaba como un ángel), confesando durante horas a los penitentes, dando consejo a los afligidos y visitando a los enfermos. Apenas llevaba un mes en la ciudad y ya se advertía el cambio en las costumbres. En varias poblaciones, fundó casas para albergar a prostitutas arrepentidas, lo cual le acarreó más de un intento de asesinato, ya que los hombres que se enriquecían a costa de ellas no estaban dispuestos a permitir que aquel jesuita les arruinase el negocio.

Juan Francisco llevaba una vida muy dura y austera: hacía penitencia constante, ayunaba y sólo se permitía dormir tres horas al día. Algunas noches las pasaba enteras rezando, pidiendo perdón a Dios por las veces que se desviaba del camino e implorando que fuese su guía y sustento. Se cuenta que algunas veces hacía milagros, sobre todo curaciones y multiplicación de alimentos para sustentar a los pobres y a los sin techo.

San Buenaventura recibe el hábito de San Francisco, Herrera El Viejo.

Murió joven, a los cuarenta y tres años, no se sabe si de alguna enfermedad o a causa de los rigores que se imponía.

Santo Tomás, apóstol (siglo I) — 3 de julio

Tomás *el Gemelo* era un judío de Galilea, probablemente pobre como el resto de los apóstoles, aunque sabemos muy poco de él antes de que Jesús le llamara. Es famoso porque no creyó que Cristo hubiera resucitado hasta que tocó la yaga de su costado, ya que él no estaba presente la primera vez que el Mesías se apareció, aunque muchos padres de la Iglesia explican que con esta acción no revelaba su incredulidad, sino su felicidad por ver de nuevo al Maestro. Sea como fuere, su actitud provocó que Cristo bendijera a todos los que creyeran sin haber visto, es decir, nos bendijera a todos nosotros, a pesar de que cada día le pedimos a Dios favores, milagros y pruebas de su existencia.

Cuando los apóstoles se repartieron el mundo para predicar después de la venida del Espíritu Santo, a Tomás le correspondió Oriente. La tradición afirma que nuestro santo se encontró con los Reyes Magos, y que tuvo el consuelo de poder hablarles del hombre al que ellos habían adorado de niño y bautizarlos en la verdadera fe.

3 DE JULIO

SANTO TOMÁS, APÓSTOL (SIGLO I)

Otros santos: León, Trifón, Jacinto, Eulogio, Marcos, Muciano, Musticia, Anatolio, Heliodoro y Dato.

San Simón (detalle), Rubens.

4 DE JULIO

SANTA ISABEL, REINA DE PORTUGAL (1270-1336)

Otros santos: Oseas, Ageo, Laureano, Inocencio, Sebastia, Jacundiano, Nanfanión, Teodoro y Ulderico.

Viajó Tomás por el imperio persa, Hircania y la India, donde predicó el Evangelio entre los brahmanes y creó muchas comunidades cristianas que fueron después descubiertas por los misioneros de la Edad Moderna. Llegó hasta Meliapor, ciudad que, al ser descubierta por los portugueses, fue llamada Santo Tomás, ya que había allí una iglesia que había sido fundada por el propio apóstol. Se supone que sufrió martirio en aquel lugar, víctima de la venganza de los brahmanes ante la conversión del rajá de Meliapor y toda su familia.

Santa Isabel, reina de Portugal (1270-1336)

4 de julio

Isabel era hija de Pedro III de Aragón y de doña Constancia de Sicilia. Desde la más tierna infancia dio muestras de una gran religiosidad, y a los ocho años ya ayunaba con frecuencia y sabía de memoria todos los salmos e himnos. Era tan compasiva con los pobres que, siendo Isabel sólo una niña, éstos le llamaban madre.

Con doce años fue entregada en matrimonio al rey Dionisio de Portugal, quien le dio completa libertad para practicar sus devociones. El mo-

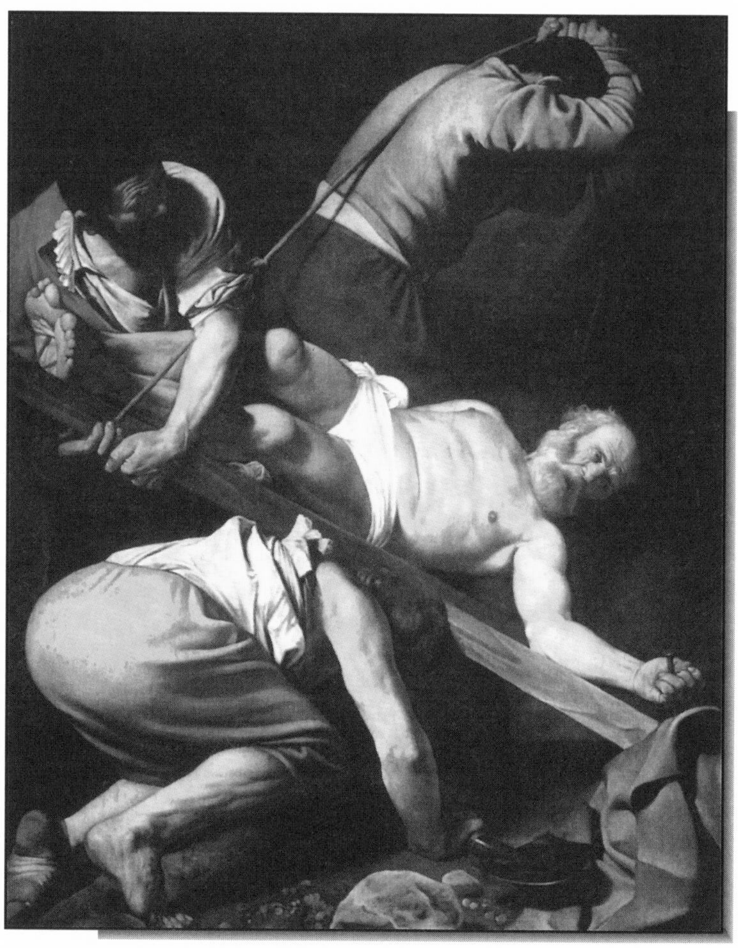

El martirio de San Pedro, Caravaggio.

narca era un hombre muy libertino y aficionado al adulterio, pero su santa esposa logró ablandar su corazón y llevarlo al buen camino.

Uno de los hijos de Isabel se rebeló contra su padre, y la reina fue acusada de favorecer el levantamiento, por lo que fue desterrada en la ciudad de Alanquer. Dedicó todos sus esfuerzos a reconciliar a su marido y al príncipe, por lo que al fin el rey la perdonó. Desde entonces ejerció como embajadora en cuantas disputas se producían en las cortes de la península Ibérica.

Dionisio cayó enfermo tras 45 años de reinado, e Isabel demostró su amor por él no separándose de su lecho hasta que el monarca expiró. Tomó después el hábito religioso en el monasterio de Santa Clara, en Coimbra, donde murió. Durante siglos, este convento evocó dos historias de amor: la de Santa Isabel, patrona de Portugal, y la de Inés de Castro, que fue esposa del nieto de Isabel y coronada reina después de su muerte.

Santa Ana y la Virgen, niña, Murillo.

San Antonio María Zacarías, presbítero (1502-1539)

5 de julio

Antonio María Zacarías nació en Cremona, en la región de Lombardía de la Italia septentrional, que gozaba de una importante sede episcopal con una imponente catedral románica cuyo interior está decorado con frescos de Boccaccio Boccaccino, precursor y máximo exponente de la escuela de pintura cremonense.

Su madre enviudó pronto, dedicándose en cuerpo y alma a educar a su hijo en la virtud y, sobre todo, en el respeto a la Eucarístia y al amor a la Virgen. Al crecer, inició estudios de medicina, pero su inquietud por curar estaba más inclinada al alma que al cuerpo, y así nace su vocación sacerdotal. Un sacerdote, además, con grandes dotes de reformador al estilo de San Pablo, pues en su época tanto las costumbres como la misma doctrina estaban necesitadas de firmeza.

Tan sólo pasó once años de vida presbiteral, pero fueron muy fecundos, con una actividad apóstolica memorable, incitando a religiosos y seglares a practicar la austeridad y oración.

Es el fundador de los Clérigos de la Congregación de San Pablo, también llamados *barbanitas*, que fueron conocidos por su austeridad y su espíritu de mortificación.

Antonio María también reformó el mundo femenino, transformando en un monasterio la fundación que la condesa Luisa Torrelli de Guastala había creado para ayudar a las mujeres. El monasterio se llamará *Angelicus* y, con los años, el mismo Carlos Borromeo afirmará que es la joya más preciada de su mitra.

No contento con estas reformas, crea una tercera fundación para los casados que perpetúa el espíritu cristiano dentro de la familia.

Murió en Cremona, su ciudad natal, y fue canonizado por León XIII en 1980.

5 DE JULIO
ANTONIO MARÍA ZACARÍAS, PRESBÍTERO
(1502-1539)
Otros santos: Atanasio, Zoa, Domicio, Agatón, Trifina, Marino, Teodoto, Sédofa, Cirila y Filomena.

6 DE JULIO

SAN GOAR (SIGLO VII)

Otros santos: María Goretti, Dominica, Isaías, Rómulo, Tranquilino, Antonino, Severino, Diodoro y Dión.

7 DE JULIO

SAN FERMÍN († 303)

Otros santos: Ilidio, Odón, Apolonio, Wilebaldo, Edda, Nicostrato, Castorio, Claudio, Victoriano, Sinforiano, Pompeyo, Luciano, Saturnino, Peregrino, Esiquio, Papio, Germán, Panteno y Edilburga.

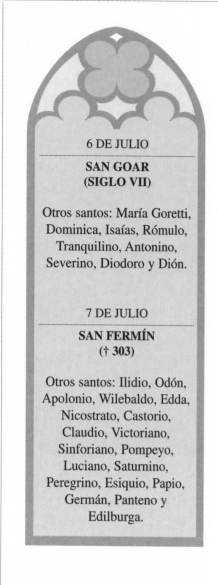

Muerte de Santa Cecilia, Domenichino.

San Goar (siglo VII) — 6 de julio

San Goar goza de una extraordinaria devoción entre los alemanes. Nació con vocación de anacoreta: su única ilusión de la infancia era crecer lo suficiente para poder retirarse a un lugar lejano y vivir en soledad buscando a Dios dentro de sí mismo.

Según se fue haciendo mayor, se fue dando cuenta de que, para poder escuchar la voz de Dios, antes tendría que prepararse. Por eso estudió las Sagradas Escrituras y la doctrina de la Iglesia, y al fin se ordenó sacerdote. Estaba ya preparado para marcharse a las montañas cuando el obispo le dio orden de permanecer en la ciudad encargado de la predicación. Goar había aprendido la virtud de la obediencia, y permaneció dando sermones y exhortando a las multitudes hasta que sus superiores le permitieron ausentarse. Por entonces ya tenía treinta años, había convertido a miles de infieles y multitud de pecadores se habían arrepentido gracias a sus palabras.

Partió al fin hacia Tréveris, donde se instaló en una pequeña cueva a orillas del Rin. Vivía allí en completa austeridad y sólo salía para predicar por los alrededores. Su fama de santidad se extendió tanto que la gente acudía de todas partes para visitarlo. Goar, siempre hospitalario, celebraba la misa para ellos, les atendía espiritualmente y les aconsejaba. Incluso permitía que se quedaran con él algún tiempo, durante el cual los alimentaba en su propia mesa. Se dice que consiguió sus más importantes conversiones sentado, a la hora de la comida, charlando amigablemente.

Se le ofrecieron muchos cargos eclesiásticos, pero nuestro santo siempre los rechazó. Decía que sólo pensaba salir de su retiro para ser sepultado y, efectivamente, así fue. Murió muy anciano é igual que había vivido: repartido entre su soledad y sus huéspedes.

San Fermín († 303) — 7 de julio

Aunque en casi toda la Iglesia se celebra su fiesta el 25 de septiembre, en España, y particularmente en Pamplona, se prefiere hacerlo en esta fecha, a principios de verano, y así lo ha autorizado el Vaticano. Es un santo muy popular, sobre todo por la alegría y el folclore que acompañan a sus celebraciones.

Aunque no hay datos definitivos y los eruditos no se ponen de acuerdo, parece ser que nació en Pamplona, hijo de un senador. Su familia era pagana, pero sus padres y él se convirtieron al cristianismo después de escuchar durante horas a un sacerdote enviado por el obispo de Toulouse, San Saturnino. El propio obispo abandonó su sede y acudió a Pamplona a bautizar a los nuevos creyentes: uno de ellos era Fermín, que sólo contaba diez años, y que viajó con Saturnino a Toulouse para ser educado en la religión.

Volvió a Pamplona al cabo de los años, ahora consagrado primer obispo de esta ciudad. Recorrió su diócesis entera predicando el Evangelio y logrando innumerables conversiones. No contento con sus resultados, decidió emprender un viaje por toda la Galia para hablar a la gentes del Hijo de Dios. Fue encarcelado varias veces en virtud de los edictos imperiales que ordenaban perseguir a los cristianos, pero siempre tuvo la suerte de salir ile-

La Virgen de la Uva, Mignard.

8 DE JULIO

SANTA WITHBURGE
(† 743)

Otros santos: Adriano II, Eugenio III, Quiliano, Colomano, Tonano, Procopio, Aquila, Priscila, Auspicio y Edgardo

so para poder seguir difundiendo la Palabra. Por fin le llegó la hora en Amiens, donde el gobernador ordenó que fuera decapitado.

Santa Withburge († 743) — 8 de julio

Muy poco se sabe de la hija menor del rey Anás. Ella y sus tres hermanas (entre ella Etelreda) son veneradas como santas y sus cuerpos descansan juntos en el monasterio de Ely.

Withburge se dedicó desde muy joven al servicio divino. Mientras su padre el rey vivió, ella habitaba en un austero retiro cerca del mar de Norfolk. A la muerte del monarca se trasladó a Dereham, donde comenzó las obras de construcción de una iglesia y de un convento de monjas. No llegó a ver terminado su proyecto, ya que la enfermedad y la muerte la sorprendieron al poco tiempo de instalarse allí.

Fue enterrada en Dereham y cuando su sepulcro se abrió 55 años más tarde para trasladarla a una iglesia, hallaron su cadáver totalmente incorrupto, como si la santa acabara de morir. También se dice que, al sacar el cuerpo, una fuente de agua pura brotó de la tumba.

9 DE JULIO
SANTA VERÓNICA GIULIANI (1660-1727)
Otros santos: Cirilo, Anatolia, Zenón, Audaz, Patermucio, Copretes, Alejandro, Briccio, Verónica de Julianis y Everilda.

Son numerosos los casos de santas y santos cuyos cuerpos no son reducidos a polvo, como ocurre con el resto de los mortales. ¿Quiere Dios obrar este milagro como símbolo para los hombres? ¿Desea preservar su carne de toda corrupción debido a su santidad, como hizo con la Virgen María al llevársela en cuerpo y alma al cielo? ¿O es simplemente un fenómeno natural que algún día podremos explicar científicamente?

Los caminos de Dios son inescrutables.

Santa Verónica Giuliani (1660-1727) — 9 de julio

La pequeña Úrsula fue una niña singular. Por un lado, dio muestras inequívocas de futura santidad a los cinco meses de edad: se arrojó de los brazos de su madre para ir a adorar una imagen de la Santísima Trinidad. Pero por el otro, según fue creciendo fue llamando la atención por su vehemencia caprichosa y su terquedad. Como ella misma diría más tarde, «yo tendía por naturaleza a la cólera, y cualquier nimiedad me enfurecía de tal manera que enseguida empezaba a patalear». Con ocho o nueve años, nadie hubiera pensado que se encontraban frente a una futura mística. Su padre la daba por perdida y buscaba desesperadamente un posible marido con el carácter lo bastante fuerte como para dominarla.

Sin embargo, un cambio operó dentro de la santa. Aprendió ella misma a controlarse, y a los diecisiete años decidió tomar el hábito capuchino en un convento de Città di Castello, cambiando su nombre por el de Verónica. Era

Santa Verónica con el velo, El Greco.

maestra de novicias cuando de nuevo llamó la atención, y esta vez no por voluntad suya. Fenómenos inexplicables comenzaron a ocurrir a su alrededor: tenía visiones y éxtasis; también llevaba impresos en las manos y en los pies los estigmas de la Pasión. Esto llamó la atención de las autoridades eclesiásticas, que ya en el siglo XVIII procedían con un rigor científico muy elevado. No se encontró ninguna explicación natural: las heridas reaparecían después de curadas sin ninguna causa aparente.

La estigmatización cesó cuando la santa oró a Dios pidiendo, por humildad, que le quitara aquellas marcas: sus hermanas lo tomaban como un síntoma de santidad y la veneraban en vida, pero Verónica pensaba que aceptar aquello rozaba el orgullo y la soberbia. Las heridas desaparecieron como habían venido.

Durante el resto de su vida fue abadesa, demostrando una continua preocupación por los pequeños detalles de cada día que podían hacer más feliz la vida de sus monjas. Su buen humor desconcertaba a las autoridades eclesiásticas, que después de los episodios de estigmatización la suponían un alma unida ya a Dios que, por tanto, debía ser seria y adusta. Una prueba más de que el Señor es alegre.

10 DE JULIO

SAN CRISTÓBAL (SIGLO III)

Otros santos: Jenaro, Félix, Felipe, Silvano, Alejandro, Vidal, Marcial, Rufina, Segunda, Marino, Nabor, Apolonio, Bianor Silvano, Leoncio, Mauricio, Daniel y Amelia.

San Cristóbal (siglo III) — 10 de julio

San Cristóbal podría ser uno más de los mártires anónimos de los cuales está repleto el santoral. Realmente no sabemos nada de él, ni siquiera dónde murió: se cree que en Asia Menor, pero no hay datos que lo confirmen. Surgió como de la nada en los martirologios del siglo V, y hoy es el santo patrón de los automovilistas, a quienes protege en cada trayecto.

Su leyenda está claramente inspirada en el mito de Atlas, pero tiene la virtud de ser excepcionalmente bella y original. Cristóbal, que significa «portador de Cristo», era un hombre de extraordinaria hermosura y fortaleza, además de una altura semejante a la de los gigantes de los que habla la Biblia. Por todo ello era tan orgulloso que quería servir al ser más poderoso del mundo; un amo inferior no sería digno de un siervo como él. Primero estuvo en la corte de un gran rey que poseía extensísimos territorios y no temía a ningún hombre sobre la tierra. Pero el poderoso monarca había vendido su alma al Diablo, y por ello tenía miedo de Satanás, que en cualquier momento aparecería para llevárselo. Decidió Cristóbal entonces servir al propio Demonio, y así lo hizo durante algún tiempo hasta que se percató de que el príncipe del Infierno echaba a temblar con la sola mención de Jesucristo. ¿Quién era Jesucristo? Su amo le respondió que un hombre que había muerto en la cruz. ¿Y después de muerto seguía inspirando al propio Satán tanto miedo? Inmediatamente Cristóbal abandonó al Diablo y se embarcó en la búsqueda de Jesús.

Se cuenta que recorrió la Tierra entera, pero nadie era capaz de decirle dónde podía encontrar a ese tal Jesucristo. Un día, vio a un niño muy pequeño que quería cruzar un caudaloso río, pero no se atrevía por miedo a que lo arrastrase la corriente. Cristóbal le ofreció su ayuda y se lo cargó en los hombros. Según iba avanzando, se iba dando cuenta de que el niño pesaba más y más, tanto que estuvo a punto de romperle los brazos.

Al llegar al otro lado, lo bajó al suelo y le preguntó por qué pesaba tanto. El niño le reveló que él era Jesucristo, y que había tenido que cargar con el peso de Dios que lo había creado todo y que había redimido al mundo. Desde entonces, Cristóbal sólo sirvió a aquel niño.

San Benito (480-547) — 11 de julio

Pablo VI lo nombró patrón de Europa, ya que su regla contribuyó decisivamente a dar forma a nuestro continente. De este modo, además de patriarca occidental del monacato, podemos considerarlo uno de los constructores de la personalidad europea.

Benito, o Benedicto, era oriundo de Umbría, y cuando estuvo preparado para emprender sus estudios superiores marchó a Roma para ingresar en un colegio público. No le agradaba la conducta que observaba en los otros jóvenes, de modo que partió hacia las montañas para vivir en soledad. Allí conoció a un monje que le dio los hábitos y le inició en la vida de ermitaño. Nuestro santo vivió tres años en completo retiro en una gruta, hasta que fue descubierto por unos pastores que difundieron la fama de su santidad. Mucha gente acudió desde entonces a visitarlo.

Cada vez iban yendo más monjes a esas montañas para compartir su modo de vida, y Benedicto emprendió la labor de construir monasterios para todos ellos. En cada uno puso a doce frailes y a un prior. La reputación de esta congregación se fue haciendo tan grande que los más ilustres de Roma acudían para ver a nuestro santo.

Con el tiempo dejó las montañas y se dirigió a Montecassino, una alta montaña en cuya cima se levantaba un antiguo templo de Apolo. Fundó allí dos capillas y varios monasterios de hombres y de mujeres, para los cuales creó una regla basada en el silencio, la soledad, la oración, la humildad y la obediencia. Su intención era crear una escuela donde los hombres pudieran aprender a servir a Dios.

Murió poco después que su hermana Santa Escolástica, y se dice que en los últimos años de su vida estuvo bendecido con el don de los milagros y de la profecía.

11 DE JULIO

SAN BENITO (480-547)

Otros santos: Pío I, Juan, Cindeo, Abundio, Jenaro, Pelagia, Sindronio, Marciano, Sabino y Cipriano.

12 DE JULIO

SAN JUAN GUALBERTO († 1073)

Otros santos: Nabor, Félix, Hermágoras, Paulino, Fortunato, Marciana, Epifanía, Proclo, Hilarión, Vivenciolo y Jasón.

San Juan Gualberto († 1073) — 12 de julio

San Juan es especialmente recordado por ser el fundador de la orden de Valle-Umbrosa, a la que dio una adaptación especial de la regla de San Benedicto.

Juan era un noble florentino, joven e impetuoso. Su único hermano fue asesinado, y él juró vengar su muerte matando al culpable. Después de años de buscarlo, se cruzó con él en un camino una noche de Viernes Santo. El criminal cayó de rodillas y, en nombre de Cristo crucificado, le pidió que le perdonase. Nuestro santo, que había sacado ya la espada para cortarle la cabeza, se detuvo y, tras reflexionar unos instantes, decidió perdonarlo diciéndole al asesino que no podría haber encontrado mejor abogado. Siguió Juan su camino hasta que se detuvo en una iglesia para orar.

Cuando entró en el templo, vio que el crucifijo inclinaba la cabeza, como dándole las gracias.

Estos hechos impresionaron tanto al joven aristócrata que no tardó en tomar el hábito monacal. Después de mucho tiempo de preparación y penitencia, partió con algunos compañeros hacia Valle-Umbrosa, donde fundó un lugar para ermitaños que poco después se transformó en monasterio, que construyó con muros de madera y barro. Juan fue elegido primer abad.

Su congregación se distinguía por su pobreza y austeridad. Cuando murió nuestro santo, con más de setenta años de edad, había fundado doce monasterios de su orden.

San Enrique II, emperador de Alemania (972-1024) — 13 de julio

Enrique, duque de Baviera, fue elegido emperador del Sacro Imperio Romano-Germánico en 1002. Poco después de subir al trono, convocó un concilio general de todos los obispos alemanes para reforzar la observancia de las doctrinas y de la liturgia que emanaban de Roma, potenciando la celebración de diversos sínodos en todo su territorio. El propio Papa Benedicto VIII lo coronó solemnemente emperador en 1014.

A lo largo de su vida emprendió numerosas guerras, tanto para consolidar la monarquía germánica como para proteger y expandir la fe católica; luchó contra la idolatría en Polonia y defendió la Santa Sede de la invasión de los sarracenos.

A pesar de ser un emperador, y de no descuidar en ningún momento sus deberes de gobierno, dedicaba mucho tiempo a la oración, y la leyenda afirma que en repetidas ocasiones intentó abdicar para hacerse monje. Estaba casado con Santa Cuneguda, y también se asegura que vivió con ella en perfecta castidad, ya que ambos habían hecho votos al respecto antes de casarse. Tal era la virtud de la emperatriz que llegó a ser acusada de adulterio por los hipócritas y envidiosos, y Enrique en algún momento se dejó engañar, pero pronto rectificó y pidió perdón a su esposa.

San Enrique es un ejemplo de que se puede alcanzar la santidad desde cualquier condición humana. No es necesario ser pobre, enfermo o monje para hallar gracia ante los ojos de Dios. Lo importante no es lo que se tiene, sino cómo se dispone de ello.

San Camilo de Lelis (1550-1614) — 14 de julio

Hijo de un capitán, cansado y sin fortuna, a la muerte de éste heredó su profesión y entró muy joven en el ejército. Sirvió en las tropas venecianas y napolitanas, hasta que una enfermedad incurable en una pierna le obligó a dejar la carrera militar. Sin otra cosa que hacer, se sumergió en el mundo del vicio. Las cartas y el juego eran su perdición, y en más de una ocasión perdió incluso lo que necesitaba

13 DE JULIO

SAN ENRIQUE II, EMPERADOR DE ALEMANIA (972-1024)

Otros santos: Serapión, Mirope, Joel, Esdras, Turiavo, Eugenio, Salutario, Muricio y Silas.

14 DE JULIO

SAN CAMILO DE LELIS (1550-1614)

Otros santos: Heracles, Ciro, Félix, Optaciano, Francisco Solano, Marcelino, Focas, Justo, Adela y el beato Humberto.

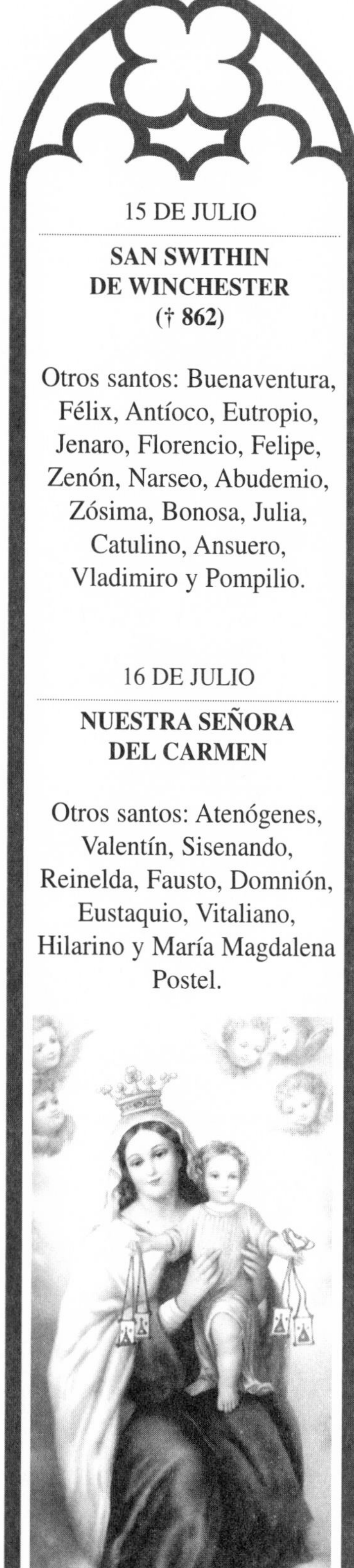

15 DE JULIO

SAN SWITHIN DE WINCHESTER († 862)

Otros santos: Buenaventura, Félix, Antíoco, Eutropio, Jenaro, Florencio, Felipe, Zenón, Narseo, Abudemio, Zósima, Bonosa, Julia, Catulino, Ansuero, Vladimiro y Pompilio.

16 DE JULIO

NUESTRA SEÑORA DEL CARMEN

Otros santos: Atenógenes, Valentín, Sisenando, Reinelda, Fausto, Domnión, Eustaquio, Vitaliano, Hilarino y María Magdalena Postel.

Ntra. Sra. del Carmen

para sobrevivir. Se encontraba ya desahuciado y carente de toda esperanza cuando la exhortación de un capuchino lo llevó a convertirse.

Intentó tomar los hábitos en varias órdenes monásticas, pero no fue admitido ya que nadie se fiaba de él. Y con razón, ya que las conversiones casi nunca ocurren de la noche a la mañana y San Camilo recayó muchas veces en sus anteriores vicios. Finalmente, deseoso de servir a Dios del modo que fuera, marchó a Roma para atender a los enfermos en el hospital de San Jaime. Con el tiempo, su dedicación fue tan admirada que le hicieron director del hospital. Compaginó estas tareas con el estudio de las Sagradas Escrituras, y en 1584 fue ordenado sacerdote. Antes de dejar el hospital para servidor en una pequeña capilla, creó la congregación de sirvientes de enfermos, llamados «camilios», que con el tiempo fue convertida en una auténtica orden religiosa.

Hasta su muerte, él y los suyos curarán enfermos en la iglesia de la Magdalena, viajarán por toda Italia atendiendo a los apestados y se dedicarán a los moribundos. Murió a los sesenta y cuatro años, sin haber tocado un solo naipe desde el momento en que atendió al primer enfermo.

San Swithin de Winchester († 862) — 15 de julio

San Swithin recibió los hábitos en el viejo monasterio de Winchester. Después de recibir la ordenación sacerdotal, pronto fue nombrado diácono de su convento, aunque debido a su reputación de sabiduría y santidad fue llamado a la corte del rey Egbert de los sajones del oeste. Allí fue consejero real mientras se encargaba de la educación del príncipe heredero, Ethelwolf. De este modo, cuando el príncipe sucedió a su padre, gobernó siempre desde los consejos de su maestro, nuestro santo.

En el año 852, Swithin fue ordenado obispo de Winchester, por lo que hubo de abandonar la corte. Su episcopado se caracterizó por la humildad y la caridad con los pobres. Fue un gran constructor de iglesias y con frecuencia hacía sus visitas a la diócesis a pie y de noche, para evitar cualquier lujo u ostentación.

Fue gracias al consejo de San Swithin que el monarca inglés decidió donar un tercio de sus territorios a la Iglesia, exentos y libres de impuestos. Para confirmar la donación, Ethelwolf hizo una peregrinación a Roma, donde la nueva ley fue confirmada por el Papa. A la vuelta de su peregrinación, el rey sólo gobernó dos años más, al cabo de los cuales entregó su alma a Dios.

El buen obispo no tardó mucho en seguir a su soberano. Su cuerpo fue enterrado en el campo de la iglesia, para que cualquiera que pasara pudiese pisar su tumba.

Nuestra Señora del Carmen — 16 de julio

El monte Carmelo es famoso desde la más remota antigüedad. Desde que el santo profeta Elías se refugiara allí, han sido muchos los ermitaños y anacoretas que se han retirado allí para estar, de algún modo, más cerca de Dios. De este modo, cuando San Luis, rey de Francia, llegó a Palestina para conquistar los santos lugares, encontró en el monte Carmelo una comunidad de religiosos que vivían apartados del mundo. Les cedió tierras en su reino y los santos monjes se mudaron allí.

San Simón Stock, un eremita que en su juventud había habitado en el desierto, se unió al convento de los monjes del Carmelo e hizo que se constituyeran en orden religiosa. Él era devotísimo de la Virgen María, por eso puso a los carmelitas bajo la protección de María: de ese modo nació la Virgen del Carmen, que goza de especial devoción entre los marineros.

Se dice que, en su vejez, la Madre de Dios se le apareció a San Simón Stock y le entregó un escapulario, con la promesa de que aquel que muriese llevando esa señal no padecería el fuego del Infierno. Esta tradición ya es dogma eclesiástico, ya que la propia Virgen visitó al Papa Juan XXII para exhortarle a que diera la bendición apostólica al escapulario.

La orden del Carmelo se extendió por todo el mundo, y fue gracias a Santa Teresa de Jesús que adoptó la forma que tiene hoy en día. De hecho, el hábito carmelita expresa tres significados: espíritu de retiro al modo de Elías, de contemplación al modo de Santa Teresa y de amor a la Virgen al modo de San Simón Stock.

SAN ALEJO († 417) — 17 DE JULIO

El padre de Alejo era un senador romano de enorme fortuna. Era además un hombre muy cristiano y extremadamente caritativo: cada día daba de comer a trescientos o cuatrocientos pobres. Educó a su hijo en la más estricta observancia de los mandamientos, pero siendo en el fondo hombre de mundo, pensó que lo mejor para la felicidad de su hijo sería casarlo, y así lo hizo. Alejo contrajo matrimonio con una doncella de muy ilustre familia.

A nuestro santo el casamiento le había sorprendido de improvisto y no había tenido tiempo de reaccionar. Sin embargo, durante la ceremonia tuvo tiempo para pensar. Dios no le había llamado para la vida de casado. Cuando llegó la noche de bodas, se quitó el anillo de desposado y se lo entregó a su mujer junto con el cinturón que llevaba a modo de recuerdo, sin dar ninguna explicación. Esa misma mañana partía hacia Edesa.

Podemos pensar que la actitud del santo fue un poco insensible. ¿Qué pensaría la pobre esposa abandonada? Pero las llamadas de Dios son imperiosas y hay veces que no nos queda sino obedecer. Él sabe lo que hace.

Alejo permaneció en Edesa durante un tiempo pero, temiendo que los criados de su padre lo encontraran, tomó un navío y se dirigió a Mesopotamia: allí vivió como mendigo durante 17 años. Al cabo de ese tiempo, embarcó de nuevo con intención de dirigirse a Tarso. Sin embargo, una tempestad cambió el rumbo del barco, que acabó dejándolo en Roma. Tomándolo por una señal del cielo, Alejo fue a casa de su padre y se presentó ante él. El anciano senador no reconoció a su hijo, que había cambiado mucho en los años que había pasado a la intemperie. Cuando nuestro santo le pidió cobijo, el hombre le asignó un pequeño rincón de la casa, como hacía con todos los mendigos.

17 DE JULIO

SAN ALEJO
(† 417)

La Humildad de Nuestra Señora y los Mártires de Brasil.
Otros santos: León IV, Esperado, Narzal, Citino, Veturio, Félix, Acilino, Letancio, Jenara, Generosa, Jacinto, Generoso, Teódata, Vestina, Donata, Segunda, Ennodio, Teodosio y Marcelina.

18 DE JULIO

SAN PAMBO DE NITRIA († 385)

Otros santos: Federico, Gundena, Marina, Emiliano, Materno, Filastrio, Arnulfo, Bruno y Rufino.

19 DE JULIO

SANTAS JUSTA Y RUFINA († 287)

Otros santos: Epafra, Martín, Áurea, Símaco, Félix, Arsenio y Macrina.

Santas Justa y Rufina, Murillo.

Llevaba un par de días en la casa que lo había visto nacer cuando Alejo sintió que su muerte estaba próxima. Por tanto, tomó un papel y escribió todo lo que le había ocurrido durante su vida, todas sus experiencias. Pocas horas después de acabar, expiró. Podemos imaginar el dolor, mezclado con inmensa alegría, de su padre cuando descubrió esa nota, que llegó hasta el mismísimo Papa.

San Pambo de Nitria († 385) — 18 de julio

Tenemos noticia de San Pambo por primera vez cuando acude al desierto egipcio en busca del abad San Antonio, deseando ser admitido entre sus discípulos. El anciano santo le dio una única lección: debía vivir en penitencia, trabajando sin cesar para poder controlar su lengua y sus apetitos.

Nuestro santo se puso de inmediato a practicar las lecciones. Sobrepasó muy pronto al resto de los monjes en austeridad y mortificaciones, pero tuvo que trabajar mucho más duro para ser capaz de poner restricciones a sus palabras. En una ocasión en que pidió consejo a uno de sus hermanos, éste le respondió con un salmo: «Guardaré tus caminos, sin pecar con mi lengua». Parece que esta frase fue definitiva. San Antonio a menudo decía que el Espíritu Santo moraba en el corazón de su discípulo, ya que su alma era la más pura que conocía.

Cuando Pambo dejó a su maestro, se retiró a un monasterio en el desierto de Nitria. Allí permaneció durante años sumido en las oraciones y en el humilde trabajo de hacer esteras. Santa Melania cuenta una anécdota sobre su falta de interés por los asuntos mundanos: en una ocasión en que fue a visitarlo a su monasterio, le entregó un cofre lleno de dinero para que lo repartiera entre los pobres. Nuestro santo ni tan siquiera contó las monedas. Sin apartarse de su trabajo, dio orden a un discípulo de que lo distribuyera de inmediato entre los necesitados.

Cuando ya estaba próxima su muerte, Pambo reconoció que, aunque había conseguido a lo largo de su vida aprender a controlar sus apetitos y sus palabras (desde que llegó al desierto, nunca dijo nada de lo que se arrepintiera después), consideraba que no había hecho más que empezar a caminar en la senda del servicio a Dios.

Santas Justa y Rufina († 287) — 19 de julio

Justa y Rufina eran hermanas, hijas de un alfarero sevillano, y vivían en la Trajana, el actual barrio de Triana. Sus padres eran paganos, pero ellas se convirtieron al cristianismo en secreto para evitar conflictos y problemas a su familia.

Llegó el tiempo del año en que los habitantes de Híspalis celebraban la fiesta de Venus llorando por Adonis, y las damas nobles recorrían la ciudad con una imagen de barro de la diosa, gimiendo y gritando para recordar el dolor de Venus por la muerte de su enamorado. Cuando pasaron por delante de la casa de Justa y Rufina, las damas de la procesión se detuvieron para pedir a las dos hermanas que hicieran ofrendas en honor de la Venus. Ellas, que siempre habían sido discretas en lo referente a su religión, no podían permitirse cometer un acto de idolatría. De modo que, muy humildemente, se negaron. Cuando les preguntaron por qué, no tuvieron más remedio que decir la verdad: aquella imagen no era una verdadera diosa, ya que Dios es único; la estatua que veneraban era sólo un ídolo sordo y ciego.

Las nobles damas se enfurecieron al escuchar semejante respuesta, y comenzaron a romper todo lo que encontraban en la casa de las hermanas. Ellas reaccionaron tirando al ídolo al suelo, con lo cual se rompió en pedazos. Aquello era sacrilegio y Justa y Rufina fueron llevadas ante el prefecto de la ciudad para ser juzgadas. Él las ordenó abandonar su creencia, pero ellas se negaron; por tanto, se dispuso que fueran torturadas hasta que se venciera su resistencia. Viendo que esto no ocurría, fueron condenadas a muerte: Justa falleció por una infección al ser obligada a caminar descalza por los montes y Rufina, decapitada.

Estas santas son la demostración de que las apariencias muchas veces engañan. Justa y Rufina parecían dos paganas más o, a lo sumo, una pareja de cristianas no demasiado comprometidas. Pero enfrentadas a situaciones realmente difíciles, son capaces de morir antes de negar a Cristo.

ELÍAS (ANTIGUO TESTAMENTO) — 20 DE JULIO

20 DE JULIO

ELÍAS (ANTIGUO TESTAMENTO)

Otros santos: Librada, Pablo, José *el Justo*, Sabino, Julián, Máximo, Macrobio, Casia, Paula, Flaviano, Elías *el Obispo*, Vulmaro y Severa.

Elías Tesbita de Tisbé de Galaad, dijo al gran rey Acab: «Vive Yahvé, Dios de Israel, a quien sirvo. No habrá estos años rocío ni lluvia más que cuando mi boca lo diga».

Así comenzó la vida pública de uno de los más grandes profetas del Antiguo Testamento, anunciando a Acab una gran sequía que asolaría toda la tierra de Israel hasta que el rey dejara la idolatría y se arrepintiera de sus pecados. Tras decirle esas palabras, Elías se marchó de Israel. Al tercer año el profeta oyó la voz de Yahvé que le decía: «Ve a presentarte a Acab, pues voy a hacer llover sobre la superficie de la tierra». Y el profeta fue a presentarse ante el rey.

En el monte Carmelo se hizo un sacrificio de desagravio a Yahvé, se reparó su altar que había sido demolido y se rompió la imagen de Baal, al que habían adorado como Dios. Los sacerdotes del ídolo se marcharon del monte y la lluvia comenzó a caer de una forma torrencial.

Jezabel, la mujer de Acab, no había reconocido a Yahvé como Dios y seguía adorando en secreto a Baal. Ella llamó a dos de sus seguidores para que acusaran falsamente a un agricultor llamado Nabot porque no quiso venderle una viña al rey. Los dos le difamaron delante de todo el pueblo diciendo que había maldecido a Dios y al rey, le llevaron a las afueras y le lapidaron hasta darle muerte.

Enterado Elías del crimen fue al encuentro de Acab, que se hallaba en la viña de Nabot, según le había anunciado Yahvé, y le habló diciendo: «Has asesinado, ¿y además usurpas? En el mismo sitio donde los perros han lamido la sangre de Nabot, lamerán también los perros tu propia sangre».

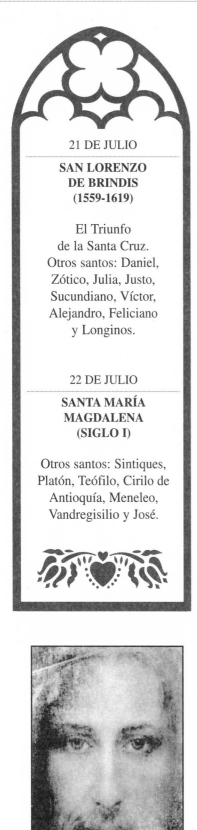

21 DE JULIO

SAN LORENZO DE BRINDIS (1559-1619)

El Triunfo de la Santa Cruz. Otros santos: Daniel, Zótico, Julia, Justo, Sucundiano, Víctor, Alejandro, Feliciano y Longinos.

22 DE JULIO

SANTA MARÍA MAGDALENA (SIGLO I)

Otros santos: Sintiques, Platón, Teófilo, Cirilo de Antioquía, Meneleo, Vandregisilio y José.

Y en una batalla contra el rey de Aram un arquero le atravesó la coraza y Acab murió desangrado sobre su carro. La sangre de la herida caía por entre las tablas y, tal como profetizó Elías, los perros lamieron su sangre en el mismo sitio donde lapidaron a Nabot.

Elías tenía un discípulo llamado Eliseo, y una tarde dijo éste a su discípulo: «Pídeme lo que quieras que haga por ti antes de que sea arrebatado de tu lado». Y Eliseo le pidió dos partes de su espíritu. «Pides algo difícil, pero si logras verme cuando sea llevado de tu lado, lo tendrás.» Iban caminando mientras hablaban cuando un carro de fuego con caballos también de fuego se interpuso entre los dos. Y Elías subió al cielo en un torbellino de llamas dejando dos partes de su espíritu a su discípulo Eliseo.

San Lorenzo de Brindis (1559-1619) — 21 de julio

Cesare de Rossi había nacido en Brindis, pero debido al peligro de una invasión turca se trasladó con sus padres a Venecia siendo sólo un bebé. A los dieciséis años profesó como capuchino, cambiando su nombre por el de Lorenzo. Poco después fue enviado a Padua para estudiar teología en la universidad.

Su brillantez e inteligencia le llevaron a un rápido ascenso dentro de su orden: los cargos se sucedían unos a otros con gran rapidez, hasta que llegó a ser superior general de su orden. Sin embargo, era especialmente conocido como predicador. Estaba especializado en la conversión de judíos, pero hablaba para todo el mundo. Hablaba tantas lenguas que parecía recién salido de Pentecostés.

Pronto llamó la atención en las altas esferas, siendo enviado como misionero y diplomático a varias cortes europeas. Pasó por Austria, Alemania, España y Portugal fundando monasterios y avivando la fe al tiempo que solucionaba conflictos internacionales y negociaba distintas paces. Es especialmente recordado por un episodio épico, casi cinematográfico: en la guerra de Hungría contra los turcos, arengó él mismo a las tropas y las condujo a la batalla sin llevar nuestro santo más armas que un crucifijo y su inmensa fe.

A pesar de estar codeándose con las más altas personalidades de su época, nunca dejó de ser un monje humilde y sencillo que amaba a los pobres por encima de todo. También fue un gran teólogo, y hoy es reconocido como doctor de la Iglesia. Murió en Lisboa, en una de sus múltiples misiones, mientras hablaba del reino de Dios en el cielo pero intentando crearlo aquí, en la Tierra.

Santa María Magdalena (siglo I) — 22 de julio

«Las prostitutas y los publicanos os precederán en el reino de los cielos.» Quizá sea ésta una de las sentencias más agresivas del Evangelio, una de las más difíciles de comprender. Pero ahí queda como ejemplo de que, efectivamente, Jesús no quiere a los tibios, a la gente que hace las cosas «más o menos», a los que obedecen la ley «sólo por cumplir».

Como ocurre con tantos personajes del Evangelio, sabemos muy poco de María la de Magdala. La tradición quiere que la pecadora arrepentida que cuenta Lucas (Lc 7, 36-50), la que derrama perfume sobre los pies del Maestro y a la cuál Él dice: «Tus pecados son perdonados. Tu fe te ha salvado, vete en paz», sea María Magdalena.

De cualquier modo, lo que sí queda claro es que María Magdalena era una mujer pecadora que, arrepentida, se convirtió en una de las discípulas de Cristo. Más aún, María fue amiga de Jesús. Ella le acompañó en cada momento de su pasión, ayudó a llevarlo al sepulcro y lo embalsamó. Fue ella quien primero vio el sepulcro abierto y el cuerpo desaparecido. Y a ella fue a la que Cristo se le apareció en primer lugar, antes que a los doce, antes que a su propia madre.

¿Las prostitutas os precederán en el reino de los cielos? Jesús parece dejarlo claro no sólo con sus palabras, sino con sus obras. Aprendamos del Maestro a no juzgar a la gente por sus pecados, y de la mujer de Magdala, que hagamos lo que hagamos siempre gozaremos del amor del Señor.

Según una antigua tradición, después de Pentecostés María Magdalena partió hacia Marsella, donde pasó el resto de su vida predicando, como hicieron el resto de los discípulos. Seguramente murió en paz, sabiendo que iba a encontrarse con su Maestro, con su amigo Jesús.

23 DE JULIO
SANTA BRÍGIDA
(1303-1373)
Otros santos: Apolinar, Liborio, Primitiva, Rásifo, Apolonio, Eugenio, Trófimo, Teófilo, Rómula, Redenta y Erundina.

Santa Brígida (1303-1373) — 23 de julio

Hija de un legislador de Upland, su padre la casó de muy jovencita con el príncipe Ulpho de Nericia, que a su vez sólo contaba dieciocho años. Todo indica que fueron un matrimonio muy piadoso (ambos eran terciarios franciscanos): tuvieron ocho hijos y contribuyeron a cristianizar la corte del rey Magnus II.

Para romper lazos con el mundo, hicieron una peregrinación a Compostela. Ulpho enfermó durante el viaje y murió poco después del regreso. Brígida renunció a su rango de princesa, repartió las tierras que había heredado entre sus hijos y pareció olvidar que había estado en este mundo. Sólo se reservó algún dinero para fundar dos monasterios (es el inicio de la orden del Salvador), uno de hombres y otro de mujeres. Los puso bajo la regla de San Agustín, aunque con algunas modificaciones originales: en lo temporal, los frailes están sometidos a la priora de las monjas, pero en los asuntos espirituales las mujeres están bajo la jurisdicción de los monjes. La propia Brígida se retiró como una hermana más a su convento, hasta que al cabo de dos años decidió emprender una peregrinación a Roma.

Vivió en la Ciudad Eterna el resto de su vida, dando ejemplo de gran austeridad y ocupándose de los pobres y de los enfermos. Con lo poco que le quedaba de su patrimonio, fundo allí una residencia para estudiantes y peregrinos suecos. Brígida fue consejera de papas y era famosa por las frecuentes revelaciones con que Dios la favorecía.

Murió en Roma a la vuelta de una peregrinación por Tierra Santa. Póstumamente, se publicó un libro con todas sus revelaciones, una obra que fue muy discutida en el seno de la Iglesia, aunque finalmente fue acepta-

24 DE JULIO

SANTA CRISTINA († 300)

Otros santos: Vicente, Víctor, Estercacio, Antinógenes, Menio, Capitón, Niceta, Aquilina, Boriso, Glebo y Ursicino.

25 DE JULIO

SANTIAGO *EL MAYOR*, APÓSTOL (SIGLO I)

Otros santos: Cristóbal, Cucufate, Pablo, Florencio, Félix, Teodomiro, Valentina y Magnerico.

da. Muchos no entendían que Dios puede iluminar a quien Él desee, sin necesidad de que ostente ninguna dignidad eclesiástica o humana.

SANTA CRISTINA († 300) — 24 DE JULIO

La historia de Santa Cristina permanece en los umbrales entre lo real y lo fantástico, y muchos temen que no sea sino el eco de una leyenda oriental. Sin embargo, le ocurre lo mismo que a San Jorge: si lo que se cuenta de ella no es verídico, la devoción de tantos cristianos a través de los siglos sin duda ha hecho que, en un plano espiritual, cobre algo de realidad.

Cristina era hija del gobernador de Tiro, en la Toscana, y su padre era un pagano muy comprometido con la persecución de los cristianos. La niña a menudo presenciaba las confesiones de los mártires junto a su padre, y todo aquel valor fue haciendo mella en su corazón, que pronto abrazó a Cristo.

Un día Cristina entró en el cuarto de su padre, encontrando allí varios ídolos de oro y plata. Los rompió en pedazos y repartió el valioso metal entre los pobres. Cuando su padre se enteró de lo que había hecho, dedujo que su hija se había vuelto cristiana, y se dispuso a devolverla a la religión del Imperio. La niña, sabiamente, respondió que nunca podría creer en unos dioses que ella misma podía romper con sus manos.

El gobernador intentó con todas sus fuerzas apartar a su hija de aquella creencia, que él tenía por locura o hechicería. Al ver que no obtenía ningún resultado, la mandó azotar, rasgando sus carnes con garfios de hierro. La niña afrontó las torturas con valor, y ocurrieron muchos milagros que dificultaban los tormentos. Finalmente, fue atada a un madero y asaetada por los soldados de su padre.

SANTIAGO *EL MAYOR*, APÓSTOL (SIGLO I) — 25 DE JULIO

Santiago era hermano de Juan, el discípulo amado, e hijo del Zebedeo. Era galileo, pescador de profesión hasta que Jesús lo llamó para que le siguiera. Santiago presenció paso a paso la predicación del Maestro, quien le puso el sobrenombre de Boanerge (Hijo del Trueno), probablemente por su carácter explosivo y un tanto violento. Una muestra de su carácter seguro y decidido se halla en una conversación con Jesús. Santiago le pidió sentarse a su derecha en el Paraíso, y cuando el Salvador le preguntó si era capaz de beber del mismo cáliz que él bebería, nuestro santo respondió convencido: «Puedo». Él, Pedro y Juan fueron los únicos discípulos que pudieron presenciar por primera vez la Transfiguración, así como la agonía de Cristo en el huerto.

Según la tradición, después de la Ascensión del Señor estuvo en España predicando. La leyenda asegura que, en un instante de desaliento mientras difundía la fe por la Península, se le apareció la propia Virgen María sobre un pilar, en Zaragoza, para reconfortarlo. Es Santiago de los españoles, punto de referencia en nuestra devoción popular: son incontables los relatos de sus apariciones durante la Reconquista.

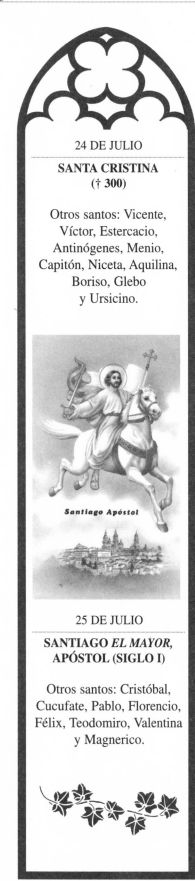

Después de su visita a España, parece ser que regresó a Judea, donde fue martirizado por orden de Herodes Agripa. Algunos de sus discípulos tomaron su cuerpo y lo llevaron de vuelta a la Península, donde fue enterrado en Galicia. Durante siglos se perdió la memoria de su sepultura, hasta que el propio santo se apareció en forma de estrella para revelarlo. Se construyó en el lugar la catedral de Santiago de Compostela (Campo de Estrella, en honor a la aparición), uno de los centros de peregrinación más importantes de toda la cristiandad.

San Joaquín y Santa Ana, padres de la Virgen 26 de julio

Joaquín significa «preparación del Señor» y Ana, «gracia». ¿Se llamaban verdaderamente así los padres de la Santísima Virgen? Los Evangelios no hablan de ellos y sólo aparecen algunas referencias en los apócrifos.

Sea como fuere, la Iglesia los venera como los padres de María, los abuelos del Hijo de Dios. No sabemos absolutamente nada de sus vidas, pero a ellos puede aplicarse la frase de su nieto Jesús: «Por sus frutos los conoceréis». Y no se puede pedir mejor fruto que el de San Joaquín y Santa Ana: María, la Madre de Dios.

Efectivamente, por su fruto suponemos que eran una pareja virtuosa y feliz, una familia modélica que educó a sus hijos en la humildad y en la obediencia. Algunos apócrifos afirman que Joaquín y Ana habían vivido durante años sin descendencia y prometieron a Dios que si les enviaba un hijo, lo consagrarían al servicio del templo. Así nació María, ofrecida a Dios desde su nacimiento, aunque la Iglesia afirma que el Señor ya la había elegido desde antes de todos los tiempos.

Reflexionemos sobre los caminos y las prioridades de Dios. Casi todas las familias nobles guardan con celo su árbol genealógico, y nuestra propia sociedad aparentemente moderna está llena de «hijos de» y «padres de», que no son recordados más que por los logros de otros. Parece imposible un linaje mejor que tener al Hijo de Dios entre la descendencia; sin embargo, San Joaquín y Santa Ana no merecen ni una sola mención en el Evangelio.

Al fin y al cabo, ¿qué es la fama humana para Dios?

San Pantaleón († 303) 27 de julio

San Pantaleón era médico personal del emperador Galerio Maximiano. Su madre era cristiana y su padre, pagano, de modo que en su juventud nuestro santo no tenía muy claras sus ideas religiosas.

En la corte imperial, Pantaleón conoció a un sacerdote cristiano llamado Hermolao, que después de largas conversaciones logró convencerle que de nada le serviría conocer la ciencia de la salud si ignoraba la ciencia de la salvación. Finalmente, nuestro santo decidió abrazar el cristianismo, empujado, según la tradición, por un milagro del cielo. Encontró Pantaleón a un niño que acababa de morir por la mordedura de una serpiente y en nombre de Dios, nuestro santo ordenó al niño que resucitase y a la víbora que

26 DE JULIO

SAN JOAQUÍN Y SANTA ANA, PADRES DE LA VIRGEN

Otros santos: Erasto, Sinfronio, Olimpio, Teódulo, Exuperia, Jacinto, Valente, Pastor, Simeón y Bartolomé Capitanio.

27 DE JULIO

SAN PANTALEÓN († 303)

Nuestra Señora Madre de Misericordia. Otros santos: Sergio, Mauro, Jorge, Félix, Aurelio, Natalia, Julia, Liliosa, Jucunda, Ermipo, Ermócrates, Ermolao, Maximiano, Malco, Martiniano, Dionisio, Juan, Serapión, Constantino, Celestino I y Eterio.

28 DE JULIO

SANTA CATALINA TOMÁS (1531-1574)

Otros santos: Nazario, Celso, Víctor, Incencio, Eustaquio, Acacio, Botuidio, Sansón, Peregrino y Gerardino.

29 DE JULIO

SANTA MARÍA Y SANTA MARTA, DISCÍPULAS DE JESÚS (SIGLO I)

Otros santos: Urbano II, Félix, Simplicio, Faustino, Calínico, Lucina, Beatriz, Flora, Olavo, Eugenio, Teodoro, Antonino, Próspero, Lupo y Guillermo.

muriese. Cuál no sería su sorpresa al ver que sus órdenes se cumplían. Se cuenta que el médico convirtió después a su padre, y que siempre que podía hablaba a las gentes de la religión a la que se había convertido.

Al fin, el emperador descubrió que su doctor personal se había vuelto cristiano. Intentó que volviera a profesar la religión del Imperio, pero viendo que no podía hacer nada para minar su fe, lo condenó a tortura y muerte. La leyenda asegura que los verdugos no pudieron acabar con él hasta que Pantaleón suplicó al cielo que lo bendijese con la corona del martirio.

La sangre de San Pantaleón fue recogida en una ampolla de cristal que se conserva en la iglesia de la Encarnación, en Madrid, y todos los años esta sangre se licua en la víspera y en la fiesta del mártir, el 27 de julio.

SANTA CATALINA TOMÁS (1531-1574) — 28 DE JULIO

Catalina era muy humilde. Pobre, pequeña, casi insignificante; sin duda pasaba inadvertida. A menudo se la ha comparado con una florecilla silvestre: es imposible reparar en su belleza sin pararse detenidamente para contemplarla. Pero Dios siempre se detiene a mirar las cosas pequeñas, que son las que más le gustan. Sin duda, Catalina es una de las santas más entrañables y queridas por nuestro Señor.

No hay mucho que decir de su biografía. Era mallorquina, de Valldemosa, y al quedar huérfana se fue a vivir con un tío suyo. Trabaja como sirvienta y como pastora, mientras el ermitaño Antonio Castañeda la guiaba espiritualmente.

Al cabo de los años, se mudó a Palma con la intención de ingresar en un convento. Pero, al no tener dote ni educación, ninguno quería recibirla. Catalina se puso a trabajar duramente y al fin consiguió ahorrar algo de dinero. No uno, sino varios monasterios quisieron entonces aceptarla: ella eligió el de Santa María Magdalena, de monjas agustinas.

En el convento, Catalina se dedicó a servir, como había hecho siempre, esta vez dividida entre sus hermanas y los enfermos de la ciudad. Según fueron pasando los años, fue siendo bendecida cada vez con más frecuencia con éxtasis y visiones. Pero nuestra santa no se enorgullecía de ello, al contrario; de no ser por sus hermanas, probablemente nadie se habría enterado. Al final la noticia se difundió por todas las islas Baleares, y los fieles acudían de todas partes para pedirle consejo y que los tuviera presentes en sus oraciones.

Santa Catalina murió a los cuarenta años: como se dijo por aquel entonces, Dios no soportó tenerla alejada de Sí por más tiempo. Hoy reparamos en la bendita sencillez de esta santita y no podemos dejar de enternecernos por su pureza y su buena voluntad.

SANTA MARÍA Y SANTA MARTA, DISCÍPULAS DE JESÚS (SIGLO I) — 29 DE JULIO

Marta y María, las hermanas de Lázaro, eran de una familia noble y adinerada de Betania. Es muy probable que los tres hermanos fueran amigos de la familia de Jesús de toda la vida; de hecho, el Maestro siempre se hospedaba en su casa cuando acudía a Betania.

En el Evangelio se señalan dos episodios importantes donde aparecen Marta y María. En una ocasión en que Jesús estaba en su casa, Marta andaba afanada con las labores del hogar, intentando dar lo mejor de sí misma para su huésped. Sin embargo, su hermana María permanecía sentada a los pies del Señor, escuchando sus palabras. Marta se dirigió a Cristo, preguntándole si no le enfadaba que fuera ella la que hacía todo el trabajo mientras su hermana se limitaba a escuchar. El Maestro respondió: «Marta, Marta, tú te inquietas y te turbas por muchas cosas, pero pocas son necesarias, o más bien una sola. María ha escogido la mejor parte, que no le será arrebatada». Toda una lección de la que deberíamos aprender para no estar constantemente deprimidos o preocupados por problemas que, en realidad, no lo son.

El segundo episodio es el de la resurrección de Lázaro. Cuando Jesús llega a la casa, su amigo ya ha muerto, y Marta y María le reprochan que si Él hubiera estado allí, Lázaro seguiría con vida. Es en esta narración en la que más claramente se ve la humanidad de Jesús, pues el Evangelio nos cuenta cómo lloró por la muerte de su buen amigo, antes de resucitarlo para gloria de Dios.

Muchos autores estiman que María, la hermana de Marta, es la misma persona que María Magdalena. En ningún sitio queda claro: en el Evangelio de Lucas se deduce que no, mientras que en el de Juan se deduce que sí. ¿Acaso importa? Sean dos mujeres distintas o una sola, ambas representan el amor incondicional a Jesús, un amor cercano al monacato, por lo que tiene de veneración silenciosa y de oración. Marta es más similar a un misionero, que trabaja y trabaja para poder servir a Dios, a pesar de que a veces la voluntad del Señor es que nos detengamos para escucharle.

30 DE JULIO
SANTOS ABDÓN Y SENÉN
(† 250)
Otros santos: Pedro Crisólogo, Rufino, Máxima, Donatila, Segunda, Julita y Urso.

SANTOS ABDÓN Y SENÉN († 250) — 30 DE JULIO

Abdón y Senén eran dos hermanos cristianos, nacidos en Persia de muy noble cuna. Hay quien asegura que eran sátrapas o príncipes. Realmente resulta extraño que fueran persas y cristianos. ¿Descendientes de alguna comunidad que habían fundado San Judas o San Simón? ¿O algún evangelizador desconocido había llegado hasta aquellas lejanas tierras?

El caso es que nuestros mártires fueron capturados y llevados a Roma como esclavos, donde tuvieron la suerte de ser comprados por unos amos que no abusaban excesivamente de ellos. Cuando comenzó la persecución de Decio, nuestros santos aprovecharon su relativa libertad para dedicar su tiempo libre a visitar las cárceles, donde estaban encerrados los cristianos, para dar esperanza a los que ya la estaban perdiendo. También se dedicaban a visitar a las familias de los mártires para darles consuelo.

No se sabe muy bien cómo, fueron delatados, y el emperador ordenó que fueran llevados a su presencia. Los recibió con todos los honores que correspondían a su antigua jerarquía, a pesar de que en ese momento no eran más que esclavos. Era todo parte de una cruel pantomima, ya que Roma aca-

31 DE JULIO

SAN IGNACIO DE LOYOLA (1491-1556)

Otros santos: Calimerio, Fabio, Demócrito, Segundo, Dionisio, Germán, Firmo y Juan Columbino.

1 DE AGOSTO

SAN ALFONSO MARÍA DE LIGORIO (1696-1787)

Pedro Ad-vincula. Otros santos: Hermanos Macabeos, Bono, Fausto, Mauro, Aquila, Domiciano, Rufo, Menandro, Accio, Fe, Esperanza, Caridad, Félix, Justino, Leoncio, Alejandro, Cirilo, Pedro, Vero, Etelwoldo, Nemesio y Severo.

baba de vencer en una guerra contra el imperio persa, y Decio no quería más que ridiculizar a aquellos dos persas que, además, eran cristianos.

Siguiendo con su papel, Decio les ofreció honores y puestos políticos si adoraban a los dioses de Roma. Pero los dos hermanos no se dejaron engañar, y dijeron que preferían morir antes que renunciar a Cristo. De modo que fueron condenados a muerte. Fueron azotados cruelmente y llevados al circo para ser devorados por los leones. Se cuenta que las fieras se arrojaron a sus pies para rendirles homenaje, y que tuvieron que intervenir los gladiadores para matar a los dos mártires.

San Ignacio de Loyola (1491-1556) — 31 de julio

San Ignacio nació en el castillo de Loyola, en Guipúzcoa, hijo de una de las familias más nobles de la región. De muy joven entró en el ejército, pero en una guerra contra Francia una bala de cañón le alcanzó una pierna, dejándolo cojo para toda la vida.

Nuestro santo tuvo que guardar cama durante muchos meses después de recibir su herida, y durante ese tiempo de reposo se dedicó a leer un libro sobre la vida de Jesús y de los santos que consiguió tocarle el alma. Cuando estuvo recuperado, peregrinó al monasterio benedictino de Montserrat; desde allí fue al convento dominico de Manresa, donde escribió sus *Ejercicios espirituales*. Poco después peregrinó a Tierra Santa y, a su regreso, estudió en Barcelona y en Alcalá.

Fue acusado de herejía, por lo que permaneció algún tiempo en la cárcel, pero finalmente fue absuelto por la Inquisición. Viajó entonces a París para estudiar filosofía y latín; fue allí donde conoció a sus primeros compañeros, que eran todos españoles. Juntos, trazaron el plan de ir a predicar a Tierra Santa, pero primero hubieron de ir a Roma para ser ordenados. Su misión se reveló imposible a causa de las guerras, de modo que optaron por fundar una orden religiosa, la Compañía de Jesús, cuya regla fue redactada por el propio San Ignacio, y que incluía preceptos como hablar perfectamente el idioma del país al que eran destinados (era el único modo de poder predicar eficazmente) o acatar estrictamente las órdenes del Papa.

Los jesuitas pronto abrieron escuelas y misiones por toda Europa y por parte de Asia, y siempre ha sido una de las congregaciones más activas y más devotas del conocimiento, como Ignacio, su fundador.

Entre los discípulos de San Ignacio se encuentran algunas figuras muy importantes, como San Francisco Javier o Pedro Fabro.

San Alfonso María de Ligorio (1696-1787) — 1 de agosto

Alfonso fue un hombre muy completo. Nació en Nápoles, en el seno de una familia noble, y en su juventud se especializó en el estudio del derecho. Ejerció como abogado durante algún tiempo, al cabo del cual optó por ingresar en el seminario y ordenarse sacerdote. La carrera eclesiástica no le privó del gusto por todo lo humano: aprendió poesía, música, historia y algo de arquitectura.

Sin embargo, su gran pasión era la teología. Con ella intentaba devolver al cristianismo el esplendor y prestigio que la Ilustración le estaba quitando. Escribió sobre todos los temas posibles dentro de la religión: sobre la Virgen, la moral, la misericordia de Dios... La más famosa de todas sus obras, llamada comúnmente *El Ligorio*, versa sobre teología moral: en ella aborda casos de conciencia, dudas, escrúpulos y debates morales. Es, en definitiva, una guía indispensable para un alma dudosa y confusa, es decir: para casi cualquier persona.

Sobre todo a causa de su prestigio como teólogo, Alfonso fue ordenado obispo. Nuestro santo se tomó sus responsabilidades muy en serio, y se convirtió en un predicador incansable, misionero cuando hizo falta, que a cada paso demostraba su inmensa misericordia y su gran amor por los pobres.

En sus últimos años padeció una aguda crisis espiritual. No por falta de fe, todo lo contrario: Alfonso se atormentaba porque se consideraba indigno de Dios. Se tachaba de orgulloso, de pecador irremediable, y no podía soportar el peso de las culpas que se atribuía. En este caso, de nada le sirvieron todos sus conocimientos: era un asunto del alma en el que la mente poco tenía que hacer. Cuando murió, con casi noventa años, llevaba mucho tiempo viviendo como penitente.

San Eusebio de Vercelli († 371) — 2 de agosto

Se cree que el padre de Eusebio fue martirizado. Quedándose viuda, su madre se mudó con sus hijos a Roma, donde nuestro santo recibió una esmerada educación religiosa. Pronto fue ordenado lector, y cuando la silla episcopal de Vercelli quedó vacante, fue elegido obispo unánimemente. Eusebio no sólo fue pastor y organizador para sus feligreses, sino que también fundó una especie de comunidad monástica de la que era algo parecido a un abad.

Pero la paz no duró mucho en su vida. El arrianismo, que había sido condenado en el concilio de Nicea, volvió a resurgir con la ayuda del emperador Constancio (muy conocido por su frase «El canon es mi voluntad», emblema del cesaropapismo). El Papa ordenó a nuestro santo que acudiera al concilio de Milán, y su firmeza contra las herejías del emperador le valió una sentencia de destierro.

En primer lugar estuvo en Palestina, donde el conde José y algunos de los delegados de la Iglesia le ayudaron a defenderse de los arrianos. Cuando murió su protector, fue apresado y torturado, pero logró escapar, refugiándose en Capadocia y en Egipto.

Cuando Constancio murió, Eusebio pudo volver a su sede, donde continuó combatiendo el arrianismo junto con su amigo San Hilario de Poitiers. Siempre se comportó con cordura y caridad, demostrando que el destierro no le había hecho fanático, sino que le había ayudado a comprender mejor a los hombres. En sus últimos años, San Eusebio fue un gran defensor de la ortodoxia, pero también un pastor abierto y sencillo dispuesto a hablar y a discutir sobre cualquier tema, respetando siempre las opiniones de los demás por el mero hecho de que también son hijos de Dios.

2 DE AGOSTO

SAN EUSEBIO DE VERCELLI († 371)

Nuestra Señora de los Ángeles.
Otros santos: Esteban, Máximo, Teódota, Evodio, Rutilo y el beato Pedro Fabro.

San Esteban.

3 DE AGOSTO

SAN PEDRO JULIÁN EYMARD (1811-1868)

La invención de San Esteban.
Otros santos: Asprenio, Eufronio, Pedro, Hermelo, Lidia, Marana y Cira.

4 DE AGOSTO

SAN JUAN MARÍA VIANNEY (1786-1859)

Otros santos: Aristarco, Eufronio, Agabio, Perpetua, Tertuliano, Eleuterio y Protasio.

SAN PEDRO JULIÁN EYMARD (1811-1868) — 3 DE AGOSTO

Pedro Julián nació en un pueblecito del este de Francia. Aunque era hijo de un campesino extremadamente pobre que estaba muy alejado de los asuntos políticos, se crió en la conciencia de la Restauración. Más que toda la discusión entre liberalismo y monarquía, a nuestro santo le interesó esta corriente en su faceta de restauración cristiana, de lucha contra la secularización y el abandono de todo ideal espiritual.

Pedro Julián tenía muy claro lo que buscaba: ayudar a sus contemporáneos a encontrar a Jesús. Pero le costó toda la vida encontrar el medio.

Comenzó por estudiar en el seminario y ordenarse sacerdote, lo cual le valió no pocos enfrentamientos con su familia, que quería que Pedro siguiera arando el terreno de sus antepasados. Pero al fin lo consigue y se hace sacerdote rural durante unos años. Conoce por esta época a San Juan María Vianney, hoy patrón de los párrocos, quien le mostró cómo podía contribuir al cambio social dedicándose por entero a un pequeño grupo de almas. Pero esto no satisfizo a nuestro santo, que cambió de vocación y estuvo durante años intentando que se le enviara a las misiones. Nunca lo consiguió.

Al fin encuentra la solución: funda el instituto de sacerdotes del Santísimo Sacramento. Esta congregación defiende la práctica de la adoración perpetua del Cuerpo de Cristo: en vez de cambiar activamente la sociedad, oran ante la presencia real de Jesús en el pan eucarístico por ese cambio. Puede parecer una solución un tanto extraña, vista desde nuestros ojos «modernos» que tienden a despreciar las virtudes de la vida contemplativa. Pero no hemos de subestimar la influencia sobre la realidad que tantísima gente rezando puede tener. Además, su instituto difundió la adoración del Santísimo por todo el mundo, lo cual hoy es una práctica más o menos regular en todas las parroquias que ha dado excelentes resultados.

SAN JUAN MARÍA VIANNEY (1786-1859) — 4 DE AGOSTO

El Santo Cura de Ars, como se le conoce comúnmente, nació en Lyon en el seno de una humilde familia de campesinos. Pasó la infancia entre rebaños, y desde muy niño demostró su generosidad compartiendo lo poco que tenía con los realmente necesitados. A los diecinueve años, la curiosidad lo empujó a estudiar latín bajo la protección del párroco de su pueblo y posiblemente, gracias a los consejos de aquel sacerdote, terminó ingresando en el seminario.

Era aún un hombre joven cuando fue ordenado sacerdote, y de inmediato sus superiores le enviaron a la parroquia de Ecully como vicario. Pasó muy poco tiempo allí, ya que lo trasladaron a Ars (un pueblecito de apenas quinientas personas) para ejercer como párroco.

La llegada de Juan María a Ars supuso todo un cambio. El nuevo sacerdote predicaba tan bien y sus palabras eran tan bellas que su fama se expandió rápidamente, acudiendo gente de toda Francia para oírle perorar. Nuestro santo era igual de apreciado como confesor: nadie daba mejores consejos ni era tan comprensivo, piadoso y amable como él.

Además estaba lleno de iniciativas novedosas destinadas a incrementar la devoción en su parroquia. Fundó una obra, a la que llamó La Providencia, que acogía a niñas huérfanas. Muchos sacerdotes de los pueblos de alrededor tenían envidia de él por la extraordinaria fama de que disfrutaba, y a menudo intentaban encontrarle defectos o errores que luego se revelaban inexistentes. Fue calumniado en muchas ocasiones, pero siempre pasó este tipo de pruebas con humildad y paciencia.

Juan María murió después de regir su parroquia por espacio de 42 años. Aquel día había estado confesando 16 horas seguidas. Hoy, este santo varón, entregado por completo a su pequeño rebaño, es el patrón universal de los párrocos y siempre da aliento a los que, como él, se dedican a esta importantísima pero a menudo ingrata tarea.

5 DE AGOSTO

SAN OSWALDO, REY DE INGLATERRA (604-642)

Dedicación de la Basílica de Santa María.
Otros santos: Emigdio, Eusignio, Cantidiano, Sobelo, Cantoidio, Afra, París, Mammio y Casiano.

6 DE AGOSTO

LA TRANSFIGURACIÓN DEL SEÑOR

Otros santos: Hormisdas, Justo, Pastor, Esteban, Cuarto y Santiago.

San Oswaldo, rey de Inglaterra (604-642) — 5 de agosto

De la familia real de Nortumbria, fue desterrado a Escocia junto con el resto de sus hermanos cuando murió su padre. Allí abrazó el cristianismo; después de una serie de oscuras revoluciones, le fue devuelto el trono de su país.

En cuanto se ciñó la corona, tuvo que hacer frente a Cadwalla, rey de los bretones, que intentaba invadir Nortumbria. Oswaldo reunió a todas sus tropas y, plantando una gran cruz de madera en el suelo, exhortó al ejército a que se arrodillara y pidiera a Dios que les defendiera de los invasores. Contra todo pronóstico, salió victorioso de la batalla.

Nuestro santo se puso de inmediato a la tarea de restaurar el orden en sus dominios e implantar en ellos la fe cristiana. Pidió al rey de Escocia que le enviase un obispo que se encargara de las labores de predicación y evangelización. Aidano fue el elegido para esta peligrosa empresa. Oswaldo le cedió la isla de Lindisfarne como sede episcopal, y se cuenta que estaba tan dispuesto a ayudarle en cuanto hiciese falta que el propio monarca ejerció de intérprete hasta que el nuevo obispo aprendió a hablar inglés.

Oswaldo llevó a cabo numerosas guerras para ensanchar sus fronteras. Cada vez que conquistaba un nuevo territorio, lo primero que hacía era construir una iglesia o un convento que sirviera de sede para los misioneros. Sus dominios llegaron a ser tan extensos que fue llamado rey de los ingleses.

Su última batalla fue contra el rey pagano Penda, que intentaba invadir Nortumbria. Las fuerzas de Oswaldo eran mucho menores, y el propio monarca murió en la batalla, por lo que se le venera como mártir.

Es cierto que Oswaldo es un santo algo rudo, a la medida de su época. Hasta hoy nos llegan los ecos de su entusiasmo en todo lo que emprendía, ya fuera el gobierno de su país o la tarea de predicar el reino de Dios.

La Transfiguración del Señor — 6 de agosto

Aquel día, Jesús llamó aparte a sus discípulos predilectos: Pedro, Juan y Santiago *el Mayor*. Subieron juntos a un monte y comenzaron a

7 DE AGOSTO

SAN CAYETANO DE TIENA (1480-1547)

Otros santos: Sixto II, Felicísimo, Agapito, Donato, Pedro, Julián, Fausto, Carpóforo, Exanto, Casio, Severino, Segundo, Licinio, Domecio, Victricio, Donaciano y Alberto.

orar. Los tres apóstoles pudieron ver cómo el semblante de Cristo se hacía más resplandeciente que el sol y sus vestidos más blancos que la nieve. Aparecieron a su lado Elías y Moisés, y hablaban con Jesús. Entonces una nube los cubrió, y se escuchó una voz que decía: «Éste es mi Hijo amado, escuchadlo».

Con la Transfiguración, Jesucristo se revela por primera vez como Hijo de Dios. Es uno de los grandes misterios de su vida. ¿Por qué lo hizo precisamente ante esos tres apóstoles? ¿Y cuál es su sentido, ya que iba a demostrar su divinidad sin lugar a dudas al resucitar de entre los muertos? Por la elección de los discípulos, es obvio que no lo hizo para que creyeran en Él. Quizá quería que ellos presenciasen la gloria de Dios antes de morir, para poder tener un atisbo de lo que es el Paraíso. O es posible que Jesús necesitase hablar con su Padre y quisiera que sus más queridos amigos estuvieran junto a Él.

Es un detalle muy importante el hecho de que se aparecieran Moisés y Elías. Es una demostración de que hay una vida después de la muerte, y que la religión que Cristo está predicando no es una fe de muertos, sino de vivos. Es también la prueba de que Jesús no viene a romper con la ley y los profetas, sino a perfeccionar lo que ellos ya habían perfilado.

San Cayetano de Tiena (1480-1547) — 7 de agosto

Era hijo de condes y natural de Vicenza, en Lombardía. Estudió teología y derecho civil y canónico en Padua, y ya de joven prometía mucho. Decidió dedicarse al servicio divino, por lo que una vez doctorado inicia la carrera eclesiástica, lo cual le lleva a Roma. Allí, el Papa Julio II lo nombra protonotario apostólico en la Curia de Roma.

A pesar de su origen aristocrático, Cayetano es un hombre humilde y sencillo que se siente decepcionado por el lujo de un Vaticano que está metido hasta el fondo en asuntos de política internacional y que está ordenando a Miguel Ángel que pinte la Capilla Sixtina. De modo que, al cabo de algunos años, regresa a Vicenza, donde ingresa en la confraternidad de San Jerónimo, formada por hombres de condición más bien humilde. Su familia se siente insultada, pero aun así nuestro santo continuó trabajando con sus hermanos en el cuidado de los pobres y los enfermos.

Por consejo de su confesor, termina volviendo a Roma, decidido a aportar su granito de arena en la necesaria reforma de la Iglesia. Junto con el obispo de Caraffa (que después será el Papa Paulo IV) funda una congregación de clérigos regulares, los teatinos, que intenta volver a la sencillez de los primeros cristianos a través de la pureza de los sacramentos, de la predicación y de la generosidad con los pobres y los enfermos. Tienen la particularidad de que no pueden pedir limosna, sino que deben abandonarse a la providencia.

Sufre Cayetano la invasión de Roma por el emperador Carlos V en sus propias carnes, ya que es torturado con el fin de arrebatarle un tesoro que no tenía. Abandonó Roma para fundar institutos de su congregación en Nápoles y Venecia, y en el gobierno de estos dos conventos pasará el resto de sus días.

Santo Domingo de Guzmán (1171-1221) — 8 de agosto

Domingo de Guzmán nació en Caleruega, al sur de Burgos, y desde niño sintió una gran pasión por los libros y el estudio. Cuando era un joven seminarista en Palencia, se desprendió de todos sus códices (de incalculable valor en esa época en que no existía la imprenta) para aliviar a los pobres de la comarca.

Cuando tenía veintiocho años, fue nombrado canónigo en la catedral de Osma, y hubo de acompañar a su tío el obispo en un viaje a Dinamarca para negociar un matrimonio entre el hijo del rey de Castilla y la hija de un conde de aquella región. Esa unión no llegará nunca a celebrarse, porque a su paso por Languedoc los clérigos quedan asustados por la fuerza que la herejía está cobrando allí y deciden quedarse durante un tiempo para predicar, aunque el propio Sumo Pontífice les da permiso para alargar su estancia.

El obispo y nuestro santo reclutaron a algunos monjes cistercienses para que los ayudaran en su labor, dispuestos a convertir a los herejes a través de la palabra, y no con las armas, como pretendían los gobernantes. La primera conferencia de los misioneros con los herejes tuvo lugar en Montpellier, donde se lograron muchas conversiones. Pasan años de crímenes y matanzas, pero también de éxitos en la labor misionera de nuestro santo.

Santo Domingo llevaba diez años predicando en Languedoc con grandes éxitos cuando acometió la fundación de la orden de los Frailes Predicadores, los futuros dominicos. Después de redactar la regla, adaptada de la de San Agustín, tuvo que viajar a Roma para conseguir el permiso del Papa y en esta ciudad fundó dos conventos de su orden, uno de hombres y otro de mujeres.

En sus últimos años, Santo Domingo viajó por Francia y por la península Ibérica para fundar varios monasterios. Por fin se asentó en Bolonia, donde expiró después de un año de gobernar su orden desde allí.

San Román († 258) — 9 de agosto

La vida de nuestro santo estuvo muy ligada a la de San Lorenzo, y es por eso que la Iglesia celebra su fiesta en la víspera de San Lorenzo.

Sólo sabemos de Román que era un soldado a las órdenes del emperador Valeriano. Como tal, participaba activamente en la persecución de cristianos, y probablemente fue él quien capturó a San Lorenzo. Estuvo presente en su interrogatorio, y ya entonces comenzó a pensar en todo lo que decía aquel hombre. Román había escuchado muchas historias acerca de los cristianos: que eran caníbales, que practicaban el incesto y que se entregaban a extrañas orgías. Pero nada de eso correspondía con la actitud de su prisionero, que no hacía más que hablar del amor de Dios y de la fe en un mundo mejor.

Días más tarde, cuando tuvo que presenciar la tortura de San Lorenzo, Román seguía meditando. ¿Era posible que, efectivamente, Dios hubiera venido al mundo y se hubiera dejado matar sólo por amor? Fue en-

8 DE AGOSTO

SANTO DOMINGO DE GUZMÁN (1171-1221)

Otros santos: Ciriaco, Largo, Esmaragdo, Marino, Eleuterio, Leónidas, Hormisdas, Severo, Severino, Carpóforo, Victorino, Emiliano, Mirón y Severo.

9 DE AGOSTO

SAN ROMÁN († 258)

Otros santos: Secundino, Marceliano, Veriano, Firmo, Rústico, Julián, Marciano y Domiciano.

tonces cuando reparó en la actitud del mártir ante los tormentos. No gritaba, ni imploraba perdón, y mucho menos parecía dispuesto a abjurar de su fe. Nuestro santo pensó que tal valor y alegría no podían ser meramente humanos: sin duda estaban inspirados por un ser superior, quizá aquel Jesús del que hablaba San Lorenzo. En ese momento vio a un ángel que estaba limpiando amorosamente las heridas del preso. Ya no lo dudó más: en su corazón se convirtió al cristianismo, y así se lo manifestó al mártir al oído.

San Lorenzo
10 DE AGOSTO
SAN LORENZO, MÁRTIR
(† 258)
Otros santos: Asteria, Basa, Paula, Agatónica, Diosdado, Orencio, Paciencia, Hugo, Arey, Autorio y Blanio.

Deseando bautizarse, se ofreció para escoltar al prisionero hasta la celda. Una vez allí, buscó un poco de agua e imploró al santo que oficiase el sacramento: San Lorenzo lo hizo encantado, feliz de que su martirio diese frutos tan rápidos. Después del bautismo, Román no pudo contenerse, y le reveló al emperador que se había vuelto cristiano a través del ejemplo de aquel hombre. Valerio no lo dudó ni un instante: lo despojó del rango de soldado imperial y ordenó que fuese decapitado.

San Lorenzo, mártir († 258) — 10 de agosto

San Lorenzo es sin duda alguna el mártir más famoso de la antigüedad. Son muchas las iglesias que están dedicadas a él por todo el mundo y en España, el palacio de Felipe II (el monasterio de El Escorial) no sólo está dedicado a San Lorenzo sino que tiene la forma del instrumento de su tortura.

Las primeras noticias que tenemos de San Lorenzo datan de un año antes de su martirio: fue ordenado diácono de Roma en el año 257. Justo en esa fecha, el emperador Valerio publicó un edicto de persecución contra los cristianos. Su primera medida fue condenar a muerte a todos los obispos, sacerdotes y diáconos. Muy pronto fue apresado el Santo Padre, que antes de morir encargó a Lorenzo que distribuyera todos los bienes de la Iglesia en Roma entre los pobres, para que no cayeran en manos de los perseguidores.

Nuestro santo comenzó a reunir todas las riquezas; siendo informado de ello el prefecto, le hizo llamar. Citando las palabras de Cristo «dad a Dios lo que es de Dios y al César lo que es del César», le ordenó entregar al Imperio todo aquel dinero. Lorenzo respondió rápidamente que la Iglesia tenía un gran tesoro, pero que necesitaba algún tiempo para reunirlo: se le concedieron tres días. El mártir los empleó en reunir a todos los pobres de la ciudad y, cuando venció el plazo, presentó a los pobres diciendo que aquel era el verdadero tesoro de la Iglesia.

El prefecto montó en cólera, ordenó que se preparara una gran parrilla y que Lorenzo fuera arrojado a ella, de forma que se fuese quemando muy lentamente. Nuestro santo tenía tal disposición de ánimo y tal alegría de recibir la corona del martirio que incluso se atrevió a bromear con sus verdugos, pidiéndoles que le dieran la vuelta «porque por este lado ya estoy bastante asado». Así demostró, una vez más, que los santos no son siempre las figuras serias que nos imaginamos, y que es posible y hasta deseable entregar el alma a Dios con una sonrisa en los labios, incluso en las peores situaciones imaginables.

San Tiburcio († 286) — 11 de agosto

Tiburcio tuvo un buen maestro en su padre, Cromacio. Éste había sido subprefecto de Roma bajo las órdenes del emperador Diocleciano. Pagano convencido, se había ocupado él mismo de condenar a muerte a multitud de cristianos. Sin embargo, quiso Dios que conociera a San Sebastián y San Tranquilo, quienes con sus palabras, su ejemplo y su martirio cambiaron por completo el corazón de Cromacio, que abrazó la religión de Cristo y se retiró a una casa de campo.

Tiburcio siguió en todo el ejemplo y las enseñanzas de su padre. Era un cristiano devoto que, a pesar de haber estudiado leyes y ser un gran abogado, decidió renunciar a cualquier honor mundano y dedicarse a consolar y ayudar a los cristianos perseguidos.

Su único defecto, si se le puede llamar así, es que era demasiado fervoroso. Tenía un amigo cristiano llamado Torcuato, que no parecía haber comprendido las enseñanzas del Señor: era avaro, egoísta y no creía en la caridad ni en la misericordia. Nuestro santo le reprochó muchas veces su actitud, llegando a llamarle hipócrita y fariseo.

Entre los defectos de Torcuato se contaban también el orgullo y la venganza. Insultado por Tiburcio, juró que su amigo lo pagaría caro. Y efectivamente así fue, pues este Judas entregó a su amigo a las autoridades, acusándolo de cristiano. Cuando nuestro santo fue juzgado, no se contentó con admitir los cargos y negarse a adorar a los falsos dioses: expresó su desprecio hacia el paganismo y hasta se atrevió a intentar convertir al prefecto. Éste, fuera de sí, lo hizo arrastrar sobre brasas ardiendo y después ordenó que fuera decapitado.

Santa Clara de Asís (1194-1253) — 12 de agosto

Desde su más tierna infancia, Clara sintió en su corazón el deseo de consagrarse a Dios. Sin embargo, su padre no hacía más que hablarle de matrimonio, y nuestra santa estaba siempre afligida por este motivo. Se hallaba en la difícil disyuntiva de honrar a su padre o escuchar al Señor.

Por fin, decidió nuestra santa pedirle consejo a San Francisco de Asís, del cual había oído hablar. Después de la conversación, a Clara no le quedó ninguna duda: se escaparía de casa y tomaría el velo de monja. Es la Julieta del santoral, que decide desafiar a su familia para casarse con su amado, que en esta ocasión, en vez de ser un Montesco, es el Hijo de Dios.

Después de la procesión del Domingo de Ramos, Clara huye y acude a San Francisco, que le corta solemnemente los cabellos antes de llevarla al convento benedictino de San Pablo. Ese momento se considera el nacimiento de la orden de las Pobres Claras.

En el mismo instante en que se supo dónde estaba Clara, su familia acudió al monasterio para recriminarla, intentando sacarla a la fuerza de su retiro. Poco después, San Francisco la trasladó a otro convento, y su ejemplo de valentía y decisión fue tan grande que pronto se le unieron su hermana Inés y su madre, así como otras muchas damas de la zona.

11 DE AGOSTO

SAN TIBURCIO
(† 286)

Otros santos: Clara, Susana, Rufino, Alejandro, Taurino, Gaugérico, Equicio, Filomena y Digna.

12 DE AGOSTO

SANTA CLARA DE ASÍS
(1194-1253)

Otros santos: Porcario, Euplio, Hilaria, Digna, Juliana, Largión, Felicísima, Aniceto, Euprepia, Macario, Julián, Fotino, Graciliano, Eunomia, Ninmia y Quiríaco.

13 DE AGOSTO

SAN HIPÓLITO
(† 252)

Nuestra Señora, Refugio de Pecadores. Otros santos: Ponciano, Casiano, Concordia, Centola, Elena, Máximo, Redegunda y Wigberto.

14 DE AGOSTO

SANTA ATANASIA
(† 860)

Otros santos: Eusebio, Marcelo, Calixto, Ursicio, Demetrio y beatos Alain, Santos y Everardo.

Santa Clara comenzó pronto a viajar para fundar conventos por toda Italia y Alemania, y el Santo Padre no tardó en confirmar su orden con una bula, en la cual les concedía el privilegio de la «santa pobreza». Y es que las clarisas eran sin duda la orden femenina más austera de su época. Santa Clara gobernó la orden durante más de cuarenta años, siendo ella misma, a pesar de sus muchas enfermedades, ejemplo de dedicación y de humildad extrema.

SAN HIPÓLITO († 252) — 13 DE AGOSTO

Hipólito fue uno de los 25 sacerdotes de Roma que favorecieron el cisma de Novaciano. Era éste un obispo que, no aceptando la elección pontifical hecha por el colegio cardenalicio, se autoproclamó Papa. Su secta no tenía diferencias doctrinales con la Iglesia, salvo quizá un especial énfasis en el rigor penitencial.

En efecto, Hipólito se comprometió en un primer momento con la causa de Novaciano, pero pronto se dio cuenta de su error, y durante el resto de su vida abogó siempre por la unidad de la Iglesia y por el respeto a sus decisiones.

En el año 252 fue apresado en virtud del edicto de persecución del cristianismo. Durante el tiempo que estuvo en prisión su comportamiento fue ejemplar, ya que consolaba a los otros cristianos hablándoles de esperanza y del reino de Dios. Gracias a él, muchos se mantuvieron firmes en su fe.

Fue llevado a Ostia para su ejecución. La muchedumbre, que lo reconocía como sacerdote, empezó a gritar que aquél era uno de los máximos dirigentes de los cristianos y que, por tanto, debía recibir un tormento especial. Su cuerpo fue atado a dos vigorosos caballos, que lo arrastraron por toda la ciudad y por sus alrededores hasta que no quedó nada de él.

SANTA ATANASIA († 860) — 14 DE AGOSTO

Atanasia era una niña normal. Era alegre, vital, jugaba con otras niñas y no demostró nunca un interés especial por la religión. Sin embargo, su vida cambió radicalmente un día, de pronto, como de la noche a la mañana. Sus padres aseguraron años más tarde que habían visto una estrella descender del cielo, detenerse unos segundos ante el pecho de su hija y después, desaparecer. El caso es que desde ese momento decidió firmemente ser monja.

Sin embargo, sus padres no se lo permitieron: habían concertado su boda con un rico comerciante y necesitaban el dinero. De modo que Atanasia se desposó. Pero el cielo quería que la santa cumpliera su voluntad: llevaba casada 16 días cuando unos piratas africanos asesinaron a su marido. La joven viuda pensó que aquél era el momento de llevar a cabo su deseo, pero un obstáculo se interpuso en su camino. A causa de la escasísima natalidad que había en aquella zona, salió un edicto que obligaba a casarse a todas las mujeres solteras o viudas que estuvieran en edad de procrear. Sus padres insistieron en que debía cumplir la ley, de modo que nuestra santa se vio obligada a contraer matrimonio de nuevo.

Esta vez fue muy clara con su marido, explicándole que necesitaba dedicar un cierto tiempo cada día a Dios. Él no puso ninguna objeción y así Atanasia pudo dedicarse a la oración y al cuidado de los pobres. Esta última actividad la absorbía más que ninguna. Era tan propensa a dar que no hacía distinciones de ningún tipo, y durante una horrible hambruna que azotó la región dio limosnas por igual a católicos y herejes.

Con el tiempo, Atanasia consiguió influir sobre su marido, y ambos se retiraron a sendos conventos para hacer vida contemplativa. Nuestra santa fundó el suyo propio con ayuda de algunas devotas amigas, pero al cabo de un tiempo se retiró para vivir en la más absoluta soledad, hablando a cada minuto con Dios. Se cuenta que, un día, se le apareció un joven desnudo increíblemente hermoso. Era un ángel, que prometió a Atanasia que, si seguía el mismo camino, se convertiría en ángel también. Desde entonces la santa comenzó a hacer algunos milagros; a su muerte, algunas monjas de su convento afirmaron haber visto su imagen, coronada y con un cetro real, custodiada por dos ángeles.

Santa Ana y la Virgen, niña (detalle), Murillo.

15 DE AGOSTO

LA ASUNCIÓN DE NUESTRA SEÑORA

Nuestra Señora de la Perseverancia.
Otros santos: Tarsicio, Alipio y Arnulfo.

La Asunción de Nuestra Señora — 15 de agosto

Por una vez, la Iglesia ha aceptado uno de los hechos que sólo se narran en los Evangelios apócrifos y lo ha proclamado artículo de fe. Dios, no queriendo que la carne mortal de María fuera corrompida en modo alguno, la subió en cuerpo y alma al cielo.

Se cuenta que la muerte (o Tránsito, o Dormición) de la Virgen fue alegre y apacible. Rodeada de todos los apóstoles, pudo despedirse de ellos y encomendarse a Dios antes de exhalar su último aliento. Los discípulos de Jesús la enterraron en un sepulcro en Getsemaní, por mandato del Espíritu Santo, pero Dios envió a sus ángeles para que se llevaran el cuerpo de María al Paraíso. Este prodigio está tan arraigado en la tradición popular que es incluso uno de los misterios gloriosos del santísimo rosario.

Se pueden hacer multitud de lecturas sobre este episodio. La primera y más clara es que la Asunción de la Virgen demuestra su triunfo definitivo sobre el mal: ella es «la mujer vestida de sol con la luna a sus pies y coronada su cabeza con doce estrellas resplandecientes», la que había de pisar la cabeza de la serpiente. María es, en fin, la reina del Universo, tal y como reza el rosario, y Dios escucha atentamente todos sus ruegos. También podemos decir que María era tan santa que no tuvo que esperar al Juicio Final para la resurrección de la carne. Ella está por encima de cualquier juicio.

Pero aún podríamos suponer más: quizá Dios, sabiendo que llegaría una época en que los hombres dominarían el lenguaje de los genes, e inevitablemente comenzarían a jugar con ellos, quiso alejar a su madre de cualquier posible intento de experimentación científica. Los restos de María Santísima, sin duda, revelarían a los sabios de hoy prodigios y milagros que probablemente no deban ser nunca demostrados, sino que deben permanecer como asuntos de la fe.

16 DE AGOSTO

SAN ROQUE
(† 1327)

Otros santos: Esteban de Hungría, Arsacio, Tito, Diomedes, Ambrosio, Simpliciano, Eleuterio y Serena.

17 DE AGOSTO

SAN JACINTO DE CRACOVIA
(1185-1257)

Otros santos: Mirón, Liberato, Bonifacio, Siervo, Rústico, Felipe, Eutiquiano, Rogato, Séptimo, Mamés, Estratón, Máximo, Pablo, Juliana y Eusebio.

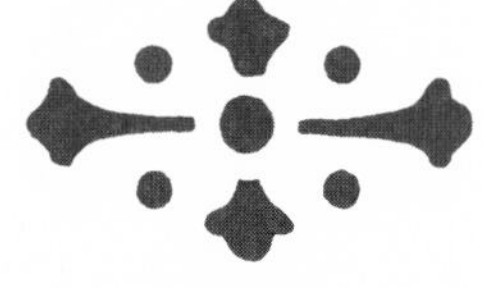

San Roque († 1327) — 16 de agosto

San Roque es un santo muy popular en España. Muchos pueblos que celebran sus fiestas patronales el día de la Asunción de la Virgen tienen también a San Roque como su patrón secundario, y es rara la iglesia rural de nuestro país que no tiene una imagen de nuestro santo y de su fidelísimo perro.

Nació en Montpellier, en el seno de una familia muy noble, pero sintiendo la llamada del Señor repartió todas sus riquezas entre los necesitados, olvidó su posición social y se hizo peregrino. Sin llevarse más que una humilde vestimenta y un bastón, partió a buscar a Dios en los caminos.

Marchó en primer lugar hacia Roma, pero cruzándose con la peste en su camino se detuvo en el primer hospital que encontró para ayudar a cuidar a los enfermos. Él mismo resultó contagiado, y con el fin de no ser una molestia para nadie, se arrastró hasta un bosque cercano. Su estado empeoró, y estaba ya listo para morir cuando de pronto los bubones se abrieron, la fiebre se redujo y volvió a sentir hambre. Sin embargo, aún estaba muy lejos de sentirse con fuerzas para levantarse, y la tradición nos cuenta que fue cuidado por un perro que cada día le llevaba un trozo de pan y le lamía las úlceras de la pierna.

Cuando estuvo plenamente recuperado, partió hacia Santiago de Compostela, esta vez acompañado por el fiel animal. Al pasar por su tierra, fue apresado por vagabundo y encarcelado durante cinco años, al cabo de los cuales murió de inanición. Se dice que muchos signos y milagros demostraron al pueblo que un santo había muerto en su cárcel.

San Jacinto de Cracovia (1185-1257) — 17 de agosto

El apóstol del Norte, santo nacional de los polacos, pertenecía a una familia muy noble de Silesia. Estudió leyes y teología en Cracovia, Praga y Bolonia, y años después era vicario general de la diócesis de Cracovia.

Su obispo dispuso que Jacinto lo acompañase a Roma en una visita al Papa, y en esta ciudad conocieron a Santo Domingo, cuyas prédicas y sermones llegaron a lo más profundo del corazón de nuestro santo. Después de un noviciado de sólo seis meses, ingresó en la orden de los dominicos, recibiendo los hábitos de manos del propio fundador. Pocos meses más tarde se dirigía al norte, encargado de fundar nuevos conventos.

En Polonia, Jacinto fue recibido con inconmensurable alegría: su primer sermón fue todo un éxito. Fundó tres monasterios en su tierra antes de partir hacia las tierras salvajes del Norte.

Su principal preocupación a lo largo de esta misión fue eliminar las supersticiones y las prácticas paganas. Predicó en Prusia, Dinamarca, Suecia y Noruega, fundando monasterios allí donde iba y dejando tras de sí discípulos que continuaban su labor. Después fue a Rusia, donde consiguió que el pueblo y los gobernantes renunciaran al cisma griego y volvieran a la Iglesia católica. Continuó hacia Grecia y después, Danubio arriba, hacia el ducado de Moscovia, donde gente de todas las religiones se congregaba para escucharlo. Se dice que llegó hasta el Tíbet y Catay, y que predicó el Evangelio entre los chinos.

Por fin Jacinto decidió volver a Europa, y en su camino de regreso tuvo que enfrentarse a las oleadas invasoras de los tártaros. Agotado, se detuvo en su convento de Cracovia para descansar, y allí entregó su alma a Dios.

Santa Elena, emperatriz de Roma (250-328) 18 de agosto

Esta santa es principalmente recordada porque se la asocia con el descubrimiento del madero en que fue crucificado Jesucristo, la llamada Vera Cruz, que fue dividida en infinitos trozos y repartida por toda la cristiandad.

La tradición asegura que Elena era inglesa, hija de reyes, y que se casó con el oficial romano Constancio Cloro. Vivió con él en muchas guarniciones del Imperio y de su unión nació el futuro emperador Constantino. Parece ser que hacia el año 292 fue repudiada por oscuras razones políticas, y no se sabe nada más de ella hasta que su hijo Constantino sube al trono imperial en el año 306, le llama para que viva con él en la corte, le colma de honores, le da el título de augusta e incluso acuña monedas con su efigie.

Aunque Constantino siempre había demostrado una gran tolerancia con la fe cristiana, no abrazó esta religión hasta después de una batalla en la que Dios le dio la victoria. Su madre se convirtió con él, y desde entonces practicó la más estricta observancia de todos los mandamientos. Se sabe a ciencia cierta que fue una gran constructora de iglesias y que su caridad era famosa en todo el Imperio.

Ya en su vejez, Santa Elena se encargó de que se construyera una iglesia en lo alto del monte Calvario y otra en el monte de los Olivos. Con este fin peregrinó a Tierra Santa, donde la leyenda afirma que encontró la Santa Cruz en la que murió Cristo. Volvió después a Roma y tras dejarle a su hijo excelentes instrucciones para el gobierno del Imperio, murió.

18 DE AGOSTO

SANTA ELENA, EMPERATRIZ DE ROMA (250-328)

Otros santos: Agapito, Juan, Crispo, Hermas, Serapión, Polieno, Lauro, Juliana, Floro, León y Fermín.

19 DE AGOSTO

SAN SEBALDO († 740)

Otros santos: Juan Eudes, Magno, Magín, Julio, Andrés, Timoteo, Tecla, Agapio, Luis, Donato, Mariano, Rufino, Sixto III y beato Ezequiel Moreno.

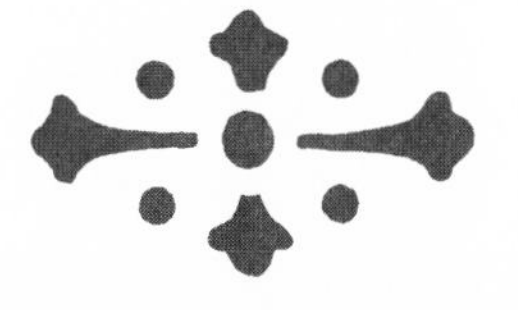

San Sebaldo († 740) 19 de agosto

Sebaldo había nacido en Dacia, pero pasó gran parte de su juventud en París. Hombre respetuoso de su padre y de su madre, cuando éstos le comunicaron que lo habían prometido con una doncella de buena familia, no puso impedimento.

Durante la ceremonia de bodas, una idea empezó a tomar forma en su corazón. Dios le pedía que mantuviera la castidad dentro del matrimonio, igual que la Virgen y San José. Así se lo comunicó a su esposa aquella misma noche, pero ella reaccionó como nuestro santo esperaba: la gran ilusión de su vida era tener hijos y no pensaba renunciar a ella.

Sebaldo meditó y meditó. ¿Hacía oídos sordos de la voz de Dios en su interior o disgustaba a su mujer? Al fin decidió abandonarla y hacerse peregrino: de todas formas el matrimonio no se había consumado, por lo que ella podría anularlo y casarse de nuevo.

20 DE AGOSTO

SAN BERNARDO (1090-1153)

Otros santos: Filiberto, Samuel, Porfirio, Máximo, Leovigildo, Cristóbal, Lucio, Severo y Memnón.

21 DE AGOSTO

SAN PÍO X, PAPA (1835-1914)

Otros santos: Privado, Ciriaca, Anastasio, Luxorio, Ciselo, Camerino, Bonoso, Maximiano, Bassa, Paterno, Teogonio, Agapio, Fidel, Bernardo, Tolomeo, Euprepio, Cuadrato, Sidonio y Balduino.

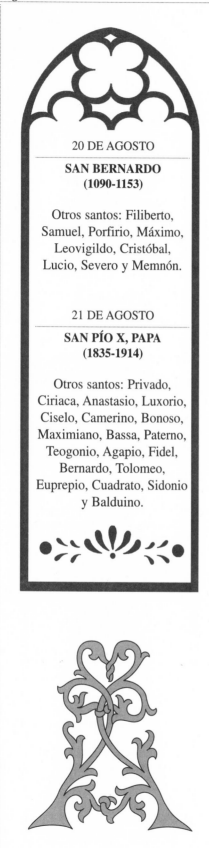

A la mañana siguiente, se puso en camino hacia Roma. Allí fue recibido por el Papa, quien, admirado por su virtud, le pidió que propagara la fe por Alemania. Así lo hizo nuestro santo, que recorrió todo el país de ciudad en ciudad, de aldea en aldea, hablando de Cristo a los paganos y provocando el arrepentimiento de muchos pecadores. Se dice que hacía multitud de milagros y que la gente se congregaba allá donde iba para poder tocarle.

Al fin, Sebaldo se cansó de tanta popularidad: no era eso lo que quería. De modo que se retiró a un bosque, decidido a llevar una vida de anacoreta, dedicado sólo a hablar con el Salvador. Su deseo no pudo hacerse realidad, ya que sus partidarios lo siguieron hasta su refugio y se congregaban a su alrededor para pedirle consejo y guía. Nuestro santo se resignó: si era aquélla la voluntad de Dios, él no era nadie para negarse. De modo que pasó el resto de sus días habitando los bosques y predicando a las multitudes desde las ramas de los árboles, a medias entre ermitaño y evangelizador.

SAN BERNARDO (1090-1153) — 20 DE AGOSTO

Bernardo era un joven aristócrata de Dijon que fue enviado a Chantillon para estudiar en un colegio de sacerdotes. Cuando tenía diecinueve años, su madre murió, por lo que nuestro santo volvió a casa y continuó sus estudios como autodidacta. Empezó a meditar la idea de tomar el hábito cisterciense, pero sus hermanos y amigos intentaban disuadirlo. Bernardo defendió su causa con tanto afán que al fin arrastró a todos sus compañeros a unirse a él.

Ingresaron en Cîteaux (la cuna de la orden cisterciense) en 1114, y desde entonces Bernardo se dedicó con ardor a sus ejercicios monásticos. El número de monjes empieza a crecer hasta más allá de la capacidad del monasterio, por lo que nuestro santo es enviado a la Champaña para fundar un nuevo convento, Claraval, del que será padre abad. Después del éxito de esta labor, los superiores de la orden encargaron a Bernardo la tarea de fundar abadías en varios lugares de Francia y en Portugal, cosa que hizo con gran éxito.

Se dedicó también con gran pasión a la predicación y a la lucha contra la herejía. Fue una gran figura pública de su tiempo, que amonestaba a reyes y papas, asistía a concilios, combatía abusos eclesiásticos y arbitraba en disputas políticas. Con todo esto, aún le quedaba tiempo para escribir cartas y obras de teología, de envergadura tan grande que ha sido nombrado doctor de la Iglesia. Se le propuso varias veces para la dignidad episcopal, pero él siempre se negó afirmando que era un monje de corazón y que Dios no lo había llamado para otra cosa.

Murió en la tranquilidad de su celda, como corresponde a un monje, después de una enfermedad que acabó con él a los sesenta y dos años.

SAN PÍO X, PAPA (1835-1914) — 21 DE AGOSTO

Hacía siglos que no se canonizaba a un Papa. Inocencio XI, que murió en 1689, es beato, pero hay que remontarse a 1572, con San

Pío V, para encontrar al último Pontífice santo. De ahí la singularidad de Pío X, que ya era considerado santo en vida y mucho antes de acceder a la silla de San Pedro.

Nació en Venecia, en el seno de una familia pobre, llamándose Giuseppe Sarto. Desde niño tenía vocación sacerdotal, y era aún joven cuando fue ordenado y nombrado párroco. A los cuarenta y cinco años, fue consagrado obispo de Mantua y algún tiempo después, ascendido a cardenal y patriarca de Venecia. Al fin, en 1903, fue elegido sucesor del Papa León XIII.

En todos sus cargos, desde humilde párroco hasta Santo Padre, se caracterizó por su energía inagotable, por su intransigencia en la fe y por su incondicional defensa de la Iglesia. Siempre fue muy querido por su bondad infinita, que demostraba con cada paso. Era además un hombre entrañable por su espíritu de pobreza: odiaba la pompa vaticana, y lo que es más, se le notaba. Pío X no estaba a gusto en palacios repletos de obras de arte y joyas de valor incalculable. Si le hubieran dado a elegir, habría permanecido toda su vida como párroco, visitando a la gente en sus casas, recorriendo las calles, compartiendo el pan con los pobres y los pecadores.

Sobre todo en sus años de Papa, se le ha acusado de ser demasiado rígido. Es cierto que no se adaptaba al ritmo de los tiempos, ¡pero qué tiempos los suyos! Le tocó vivir la Restauración, la unificación italiana, la época de Bismarck, los mil conflictos balcánicos, el nacimiento del comunismo... y murió en vísperas de la Primera Guerra Mundial y de la revolución rusa. En una época en la que todo cambia con tal velocidad, ¿acaso puede permitirse la Iglesia estar a merced de los devaneos de la historia?

22 DE AGOSTO
SAN FELIPE BENICIO
(1233-1285)
Otros santos: María Reina, Timoteo, Sinforiano, Hipólito, Atanasio, Antonino, Marcial, Saturnino, Epícteto, Mapril, Félix, Fabriciano, Filiberto, Antusa, Agatónico, Zótico, Mauro, Guniforme y Sigfrido.

San Felipe Benicio (1233-1285) — 22 de agosto

San Felipe Benicio es recordado sobre todo por una anécdota singular: es el hombre que se negó a ser Papa. ¿Fue humildad o cobardía? Al canonizarlo, la Iglesia se ha decantado por lo primero; echando una ojeada a su vida, efectivamente, ésa es la impresión que da.

Nació en Florencia, en el seno de una noble familia cristiana. Estudió humanidades en su ciudad natal y, más tarde, se trasladó a París para estudiar medicina. A su regreso, decidió no ejercer su profesión, se supone que inspirado en sueños por la Virgen María. El caso es que abrazó la orden de los servitas.

Comenzó en el monasterio de Monte Senario ocupándose de las labores del campo y de las tareas más desagradables. Pero pronto sus superiores se dieron cuenta de su capacidad y comenzaron a prepararle para el sacerdocio. Poco después era ordenado y, con el tiempo, fue definidor y general de la orden. Ocupaba este puesto cuando el Papa Clemente IV falleció. Felipe había adquirido una gran fama como predicador y se habían demostrado sus inmensos conocimientos teológicos en el concilio de Lyon. De modo que el colegio cardenalicio le votó a él para acceder a la silla de San Pedro. Nuestro santo, horrorizado, corrió a esconderse, tratando a toda costa de evitar el nombramiento. No volvió a Roma hasta que Gregorio X fue consagrado Papa.

23 DE AGOSTO

SANTA ROSA DE LIMA (1586-1617)

Otros santos: Ciriaco, Calínico, Máximo, Arquéalo, Restituto, Donato, Valeriano, Fructuosa, Claudio, Asterio, Neón, Apolinar, Minervo, Eleazar y Lupo.

24 DE AGOSTO

SAN BARTOLOMÉ, APÓSTOL (SIGLO I)

Nuestra Señora de la Salud de los Enfermos. Otros santos: Tolomeo, Román, Áurea, Jorge Limniota, Tación, Audoeno, Patricio, Eutiquio, Emilia Vialar, Juana Antida y Thouret.

El resto de su vida, Felipe Benicio se dedicó esencialmente a la predicación y a difundir la devoción por la Virgen en toda Europa.

Santa Rosa de Lima (1586-1617) — 23 de agosto

Isabel de Flores y de Oliva, a pesar de su origen español, es la primera americana que la Iglesia ha reconocido como santa. Nació en Lima, y el nombre de Rosa le viene de un apodo cariñoso que todos le daban por el color de su tez. Es la patrona de América del Sur.

Desde niña mostró una gran afición por la vida austera, y se dice que ayunaba con frecuencia y oraba sin cesar. Se reveló como una joven de gran hermosura, pero como no quería caer en el orgullo o en la vanidad trataba de desfigurar su rostro cada vez que salía a la calle.

Su familia, que había sido muy rica, cayó en desgracia, y Rosa se vio obligada a trabajar como jardinera y costurera para ayudar a su sustento y el de sus padres. Sus amigos, sin embargo, le aconsejaban que se casara con algún hombre rico que la sacara de apuros, ya que con su belleza sin duda podría conquistar a cualquier caballero. En vez de eso, Rosa decidió ingresar en la tercera orden de las dominicas, congregación no exactamente monástica que le permitía seguir trabajando para ayudar a su familia y le favorecía su vocación de cuidar enfermos.

Amante de la soledad, solía retirarse a una especie de ermita que se había construido ella misma en el jardín de sus padres, donde imaginaba que era una monja de verdad que podía dedicarse a la oración. Su modelo siempre fue Santa Catalina de Siena y, como ella, solía experimentar éxtasis y recibir visiones enviadas por Dios. Estos episodios místicos fueron objeto del recelo de las autoridades eclesiásticas, gracias a lo cual tenemos un interrogatorio que nos permite asomarnos un poco al alma de esta gran mujer.

A pesar de sus constantes mortificaciones, nunca dejó que su vocación penitente fuera advertida por los demás. Era una muchacha vital y trabajadora, siempre alegre, hasta que cayó enferma a los treinta y un años y murió.

San Bartolomé, apóstol (siglo I) — 24 de agosto

El nombre que se le da a este santo no es el suyo propio, sino un patronímico tomado de «hijo de Bartolomé». Está muy extendida la opinión de que hay que identificarlo con Natanael, que aparece en el Evangelio de Juan: en este caso, sería oriundo de Caná de Galilea.

Fue el apóstol San Felipe, que era amigo de nuestro santo, quien le cuenta que han hallado «a aquél del que escribieron Moisés en la ley y los profetas». Bartolomé se resiste a creerlo, pero su amigo le convence de que al menos vaya con él para conocer a Jesús. Al acercarse, el Maestro le dice: «He aquí un verdadero israelita en quien no hay engaño». Pregunta nuestro apóstol de dónde le conoce, y responde Jesús que, antes de que le llamase Felipe, lo vio bajo la higuera. San Bartolomé creyó desde ese instante, y siguió a Cristo a lo largo de toda su predicación.

San Bartolomé asiste a toda la vida pública de Jesús, a su muerte y a su resurrección, pero siempre de una manera anónima, sin que en ningún momento se destaque su nombre.

Después de Pentecostés, la leyenda asegura que nuestro santo fue al este a predicar la palabra: Arabia, Etiopía e incluso la India. En el siglo III, se encontraron algunas comunidades cristianas en Asia que tenían copias del Evangelio de San Mateo, y afirmaban que había sido el apóstol Bartolomé quien se las había entregado. Su último viaje fue a Armenia, donde recibió la corona del martirio siendo desollado vivo.

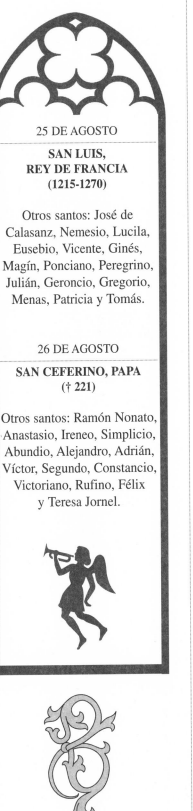

25 DE AGOSTO

SAN LUIS, REY DE FRANCIA (1215-1270)

Otros santos: José de Calasanz, Nemesio, Lucila, Eusebio, Vicente, Ginés, Magín, Ponciano, Peregrino, Julián, Geroncio, Gregorio, Menas, Patricia y Tomás.

26 DE AGOSTO

SAN CEFERINO, PAPA († 221)

Otros santos: Ramón Nonato, Anastasio, Ireneo, Simplicio, Abundio, Alejandro, Adrián, Víctor, Segundo, Constancio, Victoriano, Rufino, Félix y Teresa Jornel.

SAN LUIS, REY DE FRANCIA (1215-1270) — 25 DE AGOSTO

Hijo de Luis VIII y de Blanca de Castilla, quedó huérfano de padre a los doce años y fue coronado de forma inmediata. Su madre fue declarada regente, una mujer de coraje y astucia para esquivar las continuas intrigas y conspiraciones que poblaron la minoría de edad del rey.

Durante su juventud, antes de ser coronado, pasaba prácticamente todo el tiempo preparándose para las labores de gobierno. Pero cada vez que tenía tiempo libre lo dedicaba a sus devociones. Algunos de sus maestros le llamaron la atención porque era demasiado piadoso, pero nuestro santo no les prestó oídos.

Al fin, en 1236, Luis IX fue declarado mayor de edad y tomó las riendas del gobierno del país en sus propias manos, aunque siempre mantuvo a su sabia madre junto a él como consejera. Fue un monarca casi irreal, como sacado de un cuento de hadas: idealista, justiciero, caritativo y generoso. Prohibió todas las formas de usura, protegió a los vasallos frente a los señores feudales y evitaba a toda costa dañar a los inocentes en sus campañas militares. Era además un fervoroso creyente que fundó iglesias y abadías por todo París e intentó en lo posible hacer de Francia el reino de Dios en la Tierra. Recibió del emperador de Constantinopla un gran trozo de la Santa Cruz, en cuyo honor ordenó construir La Sainte Chapelle.

En 1248 nuestro santo decidió hacerse cruzado, y fue derrotado y hecho prisionero por las tropas del sultán en la batalla de Mansurah. Fue liberado en las negociaciones a cambio de una tregua de diez años; después de peregrinar a Tierra Santa, volvió a Francia. Sólo permaneció en el trono el tiempo justo para hacer testamento y encargarse de los últimos detalles del establecimiento de La Sorbona. Partió de nuevo a las cruzadas, esta vez hacia Túnez, donde el rey santo enfermó de peste y murió.

SAN CEFERINO, PAPA († 221) — 26 DE AGOSTO

En el año 202, cuando murió el Papa San Víctor, el clero romano oró pidiendo consejo a Dios para nombrar al nuevo Pontífice. La señal esperada se produjo bajo la forma de una paloma que se posó unos instantes sobre la cabeza de nuestro santo e inmediatamente desapareció. Se vio en ella una imagen del Espíritu Santo, y Ceferino subió a la silla de San Pedro de inmediato.

Santa Mónica

27 DE AGOSTO

SANTA MÓNICA
(331-387)

Otros santos: Rufo, Eulalia, Marcelino, Manea, Juan, Serapión, Pedro, Antusa, Cesáreo, Licerio, Siagrio, Juan, Narno, Margarita y Pemón.

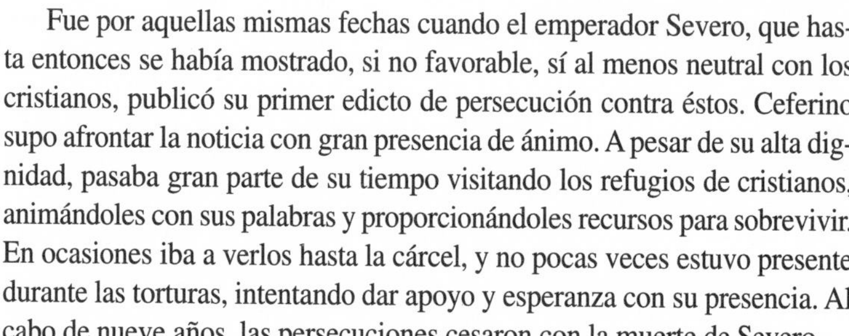

Fue por aquellas mismas fechas cuando el emperador Severo, que hasta entonces se había mostrado, si no favorable, sí al menos neutral con los cristianos, publicó su primer edicto de persecución contra éstos. Ceferino supo afrontar la noticia con gran presencia de ánimo. A pesar de su alta dignidad, pasaba gran parte de su tiempo visitando los refugios de cristianos, animándoles con sus palabras y proporcionándoles recursos para sobrevivir. En ocasiones iba a verlos hasta la cárcel, y no pocas veces estuvo presente durante las torturas, intentando dar apoyo y esperanza con su presencia. Al cabo de nueve años, las persecuciones cesaron con la muerte de Severo.

Pero los problemas a los que debía enfrentarse nuestro santo no habían terminado. Los herejes aprovecharon aquel momento de relativa tranquilidad para difundir sus doctrinas erróneas por doquier. Ceferino fue amable pero implacable con ellos. Se mantenía inamovible en los dogmas eclesiásticos, pero intentaba llegar al corazón de los herejes y hacerles entrar en razón. Llegó a ser acusado de excesiva indulgencia, pero Ceferino siempre recordaba que la misericordia es uno de los más altos valores y que el trabajo esencial de los pastores era traer a las ovejas descarriadas de vuelta al rebaño.

Llevaba Ceferino casi veinte años de pontificado cuando el emperador Antonino promulgó una nueva persecución. El santo padre fue apresado, torturado y condenado a muerte.

SANTA MÓNICA (331-387) — 27 DE AGOSTO

Al igual que en el caso de San Joaquín y Santa Ana, podemos citar aquí una frase del Evangelio: «Por sus frutos les conoceréis». Santa Mónica es la madre de San Agustín, el cual la describió con gran emoción en sus Confesiones.

Mónica nació en el seno de una familia cristiana de Tagaste (hoy Argelia), pero contrajo matrimonio con un pagano llamado Patricio, con quien tuvo dos hijos y una hija. Su marido le hizo sufrir mucho con sus infidelidades y su brutalidad. Santa Mónica, con paciencia y humor, fue capaz de convertir a Patricio, que recibió el bautismo un año antes de morir.

Nuestra santa dedicó todas sus atenciones a educar cristianamente a sus tres hijos, especialmente a San Agustín, que desde niño demostró una brillantez e inteligencia fuera de lo común. Sin embargo, cuando éste fue a estudiar a Cartago abrazó la herejía maniquea y tomó una concubina, para gran desgracia de su madre. Agustín partió hacia Italia para enseñar retórica, cayendo en el viaje gravemente enfermo. Mónica viajó tras él para cuidarlo y consolarlo, encontrándose con él en Milán, donde fue testigo de la conversión del gran santo de manos de San Ambrosio.

Cuando iban a embarcar para regresar a África, Mónica cayó gravemente enferma. En una de sus últimas conversaciones con San Agustín, le explicó que la gran tarea de su vida había sido llevar a toda su familia a los brazos de Cristo. Y ahora que había visto a su primogénito dedicado enteramente al servicio del Salvador, nada le retenía en este mundo. Murió cinco días después en Ostia.

San Agustín (354-430) 28 de agosto

San Agustín es un santo extremadamente humano, que vivió intensamente todos los gozos, pasiones e inquietudes de los hombres. De una enorme profundidad espiritual, es también muy probablemente una de las mayores inteligencias del santoral.

Nació en Tagaste (hoy Argelia) y, a pesar de las buenas enseñanzas de su virtuosa madre, Santa Mónica, muy joven cayó en el vicio y en las tentaciones carnales: vivió catorce años con una mujer, sin llegar a casarse nunca, y tuvo un hijo con ella. Desde la más tierna infancia destacó por su talento y su elocuencia, y cuando por fin se embarcó en una búsqueda de las verdades espirituales se extravió por las sendas de la secta maniquea. Esta herejía parte del cristianismo, pero incluye principios budistas así como enseñanzas de Zoroastro: concluye con que hay un equilibrio en el mundo entre el bien y el mal, y que ambos son igualmente poderosos.

Viajó a Cartago, donde prosiguió sus estudios y abrió una escuela de retórica. Desde allí se trasladó a Italia, con el proyecto de enseñar en Roma. Pero una enfermedad le obligó a detenerse en Milán. Fue éste el escenario de su conversión, gracias, como él mismo nos cuenta, a las plegarias de su madre (que estaba de camino para asistir a su hijo en la enfermedad) y las largas conversaciones con San Ambrosio.

Ya bautizado, y tras la muerte de su santa madre, regresó a Cartago, donde se retiró a una casa de campo con algunos amigos: es éste el inicio de la orden de ermitaños de San Agustín. Después de ser ordenado sacerdote, fundó un nuevo monasterio en Hipona, donde se dedicó especialmente a enseñar y a escribir. Poco más tarde es consagrado obispo de esta ciudad. Durante el resto de su vida, compaginó sus labores pastorales con la lucha contra la herejía. Combatió especialmente los errores de los pelagianos al respecto del pecado original y de la gracia divina.

San Agustín nos ha dejado muchas y brillantes obras, como las *Confesiones* y *La Ciudad de Dios*. Por todas ellas, y por su profundidad filosófica y doctrinal, es reconocido como uno de los más importantes doctores de la Iglesia de todos los tiempos.

Pasión de San Juan Bautista (siglo I) 29 de agosto

Ya comentamos, al recordar la natividad de San Juan Bautista el 24 de junio, que es éste uno de los pocos santos que se celebran dos veces. Primero se conmemora su origen y nacimiento; después, su vida pública y su muerte.

Después de su larga estancia en el desierto, San Juan Bautista se puso a predicar. Fue el precursor que anunciaban las profecías: él abría el camino con el fin de que el pueblo estuviese listo para escuchar la palabra de Cristo. Este santo animaba a la gente a arrepentirse, ya que el reino de Dios estaba cerca.

Se sabe que se vestía muy pobremente, como un peregrino o un ermitaño. La gente acudía a escucharlo allá donde estaba, y él los bautizaba

28 DE AGOSTO

SAN AGUSTÍN (354-430)

Otros santos: Hermes, Alejandro, Julián, Pelagio, Fortunato, Cayo, Antes, Viviano y Moisés.

29 DE AGOSTO

PASIÓN DE SAN JUAN BAUTISTA (SIGLO I)

Otros santos: Sabina, Ipacio, Andrés, Cándida, Niceas, Pablo, Adelfo, Mederico, Eutimio Romano, Sebio, Basila y Sabina.

30 DE AGOSTO

SAN FIARCO
(† 670)

Otros santos: Félix, Adaucto, Gaudencia, Bononio, Pamaquio, Bonifacio, Tecla, Fántino, Flacrio, Pedro y beatos Esteban de Zudaire y Juan de Mayorga.

con agua del Jordán, anunciando que después de él llegaría el que había de bautizar con Espíritu Santo.

El propio Jesús acudió a San Juan para que éste lo bautizara. Al verlo, nuestro santo reconoció al Maestro, y le dijo: «Soy yo quien debo ser por ti bautizado, ¿y vienes a mí?» Pero Cristo insistió, y Juan derramó el agua del Jordán sobre su cabeza. Los cielos se abrieron y la paloma del Espíritu Santo vino sobre Jesús, escuchándose una voz desde el Cielo: «Éste es mi hijo muy amado, en quien tengo mis complacencias».

Poco después de estos hechos, el rey Herodes Antipas ordenó que Juan Bautista fuera detenido, ya que en sus sermones hablaba en contra de los escándalos de la corte, especialmente del amancebamiento de Herodes con Herodías, que era la mujer de su hermano Felipe.

Nuestro santo fue encerrado en el castillo de Maqueronte; el propio rey acudía en secreto para escucharlo. Ocurrió que, algún tiempo después, la hija de Herodías, Salomé, bailó para el rey, y a éste le gustó tanto la danza que prometió a la niña concederle cualquier cosa que le pidiera. Ella, tras consultar a su madre, pidió la cabeza del Bautista. Herodes, contra su voluntad (ya que aún no había decidido si creía en San Juan o si lo odiaba), se vio obligado a cumplir su promesa. De modo que nuestro santo fue degollado y su cabeza presentada en una bandeja de plata a Salomé.

San Fiarco († 670) — 30 de agosto

Fiarco era hijo del rey Eugenio IV de Escocia. Éste, hombre sabio y observador, se dio cuenta de que su hijo daba más muestras de vocación religiosa que política o guerrera, de modo que se lo entregó al obispo Canon para que lo instruyera.

Con el tiempo, Fiarco se dio cuenta de que la decisión de su padre había sido acertada. No sólo disfrutaba de las lecciones con el obispo, sino que odiaba el tiempo que tenía que pasar en la corte rodeado de lujos. De modo que resolvió abandonarla: tras pedirle permiso a su padre, él y su hermana Sira se marcharon a Francia. Allí se presentaron ante un obispo para pedirle consejo, pero sin revelarle sus identidades. Envió a Sira a un monasterio y para Fiarco encontró un lugar solitario en el bosque de Sordille. Allí construyó nuestro santo una capilla en honor a la Virgen y vivió durante años en completa austeridad.

Al poco tiempo empezaron a acudir pobres que pedían limosna a Fiarco. Éste no tenía qué darles, de modo que aró un huerto y lo cultivó afanosamente para darles de comer. El tiempo que no estaba trabajando en su campo oraba o predicaba entre los necesitados que iban a él: nuestro santo era plenamente feliz.

Algunos años después, llegó a Francia una embajada escocesa buscando al príncipe Fiarco. Cuando por fin dieron con él, le comunicaron que por problemas políticos iba a ser él quien sucediera a su padre y que tenía que volver a casa de inmediato para la coronación. El santo pidió a los embajadores que esperaran hasta la mañana siguiente, y por la noche le pidió a Dios que hiciera algo para evitarle ese cruel destino. Cuando los escoceses volvieron a la mañana siguiente, hallaron a Fiarco repleto de yagas supurantes; pensando que estaba enfermo de muerte, lo abandonaron allí. Apenas se hubieron marchado, se recuperó.

Al saber que era un príncipe, la fama que ya tenía aumentó aún más, y acudía gente de toda Francia para visitarlo. Fiarco pensó que esta situación era incompatible con su humildad y pidió a Dios que se lo llevase con Él. Murió pocos días después.

31 DE AGOSTO

SAN AIDANO DE LINDISFARNE († 651)

Nuestra Señora de la Consolación.
Otros santos: Andrés Dotti, Paulino, Cesidio, Robustiano, Marcos, Teódoto, Rufina, Anmia, Domingo del Val, Optato, Amado y Arístides.

San Aidano de Lindisfarne († 651) — 31 de agosto

Aidano era un monje sencillo y caritativo de la isla de Iona. Cuando el rey Oswaldo de Nortumbria pidió a los escoceses que le enviasen a un obispo para predicar el Evangelio en sus tierras, éstos le enviaron a un hombre rudo y de temperamento difícil que pronto volvió a su tierra. Se decidió entonces mandar a alguno de carácter menos severo, y San Aidano fue el elegido. El monarca lo recibió con todos los honores, ofreciéndole la isla de Lindisfarne para que hiciese de ella su sede episcopal.

Durante toda su vida, Aidano había tenido una máxima: predicar mediante el ejemplo. Así continuó haciéndolo desde su nuevo cargo. Fundó un monasterio en Lindisfarne, desde el cual gobernó todas las iglesias de Nortumbria.

Oswaldo siguió en todo momento los consejos del obispo, y gracias a ellos consiguió unificar a todos los pueblos de Bretaña bajo su mandato. Le hacía por tanto múltiples presentes a Aidano, que no los retenía para sí ni un instante, sino que los repartía de inmediato entre los pobres. Se cuenta también que nunca asistía solo a los banquetes de palacio, sino que acudía con algún humilde monje o con algún pobre.

Cuando Oswaldo murió, su sucesor, Oswino, mostró el mismo respeto por el sabio obispo. Sin embargo, en una ocasión regaló un caballo de purísima raza a nuestro obispo, quien se lo entregó a un mendigo. El monarca se enfadó y le preguntó si no podía darle como limosna alguna otra cosa menos valiosa. Aidano replicó preguntándole qué era más importante, si un animal o un hijo de Dios. El rey demostró su humildad poniéndose de rodillas ante el santo y pidiéndole perdón. Un soberano con estas características no podía durar en esta época de barbarie; efectivamente, fue asesinado pocos días después. Dos semanas más tarde, nuestro santo siguió a su real amigo.

1 DE SEPTIEMBRE

SAN GIL (SIGLO VII)

Nuestra Señora de la Cinta y Nuestra Señora de la Fontcalda.
Otros santos: Donato, Félix, Terenciano, Anmón, Leto, Régulo, Prisco, Vicente, Ana, Victorio, Constancio, Lupo, Sixto, Verena y Josué.

San Gil (siglo VII) — 1 de septiembre

Nació en Grecia, probablemente en Atenas, y muy joven decidió dejarlo todo para peregrinar a Roma. Desde allí marchó a Francia, tomó los hábitos monásticos en Arlés y fundó un convento en un bosque de Nîmes (hoy Saint Giles du Gard, famosa etapa en los caminos de Santiago y de Roma), donde vivió muchos años en completa soledad, comiendo frutos silvestres y raíces. La *Leyenda dorada* asegura que durante un tiempo se alimentó de la leche de una cierva y que, gracias a ella, fue descubierto por un príncipe que intentaba cazarla. El santo defendió a la cierva a costa de su propia vida; después, acogió durante algún tiempo al joven noble, que fue quien difundió la reputación de su santidad por toda Francia.

Son famosos los relatos de sus milagros y de los prodigios que le ocurrían. Por ejemplo, en una ocasión en que Gil estaba dudando sobre la perpetua virginidad de María, Dios le envió una señal haciendo que tres flores nacieran en un yermo.

Pronto empezaron a llegar discípulos, a los que nuestro santo acogió en el monasterio del que era fundador. El propio rey de Francia intentó convencerle de que fuera a la corte para ser su consejero, pero San Gil no consintió en renunciar a su retiro.

Nuestro santo es especialmente recordado por su caridad y su misericordia, siendo invocado como intercesor para el perdón de los pecados.

2 DE SEPTIEMBRE

SAN ANTOLÍN (SIGLO V)

Otros santos: Elpidio, Zenón, Teodoro, Evodio, Calixta, Julián, Hermógenes, Diomedes, Felipe, Eutiquiano, Leónides, Filadelfo, Menalipo, Pentágapas, Esiquio y Máxima.

SAN ANTOLÍN (SIGLO V) — 2 DE SEPTIEMBRE

Antolín tuvo la desgracia de quedar huérfano a la tierna edad de diez años. Sin embargo, antes de morir sus padres tuvieron tiempo de hacer arraigar en su alma la fe en Cristo. Fue acogido en la corte de su tío, el rey Teodorico de Tolosa, que era un pagano convencido y estaba empeñado en que su sobrino adorase a los mismos dioses que él. Con esta intención, le mandó a una serie de maestros que debían encargarse de instruir al muchacho en el antiguo culto de sus antepasados. Sin embargo, Antolín se resistía, y así se lo comunicaron los maestros al rey. Nuestro santo, adivinando que su tío montaría en cólera, resolvió huir del palacio.

Peregrinó a Roma y tras una breve instancia, profesó como monje en el monasterio de Salerno, donde se ordenó sacerdote. Durante el tiempo que estuvo allí, llevó una vida básicamente contemplativa, ayunando, mortificándose y orando sin cesar. Fue bendecido con el don de los milagros, siendo muchos los enfermos desesperados que acudían para que los sanara.

Habían pasado 18 años cuando Antolín pensó que la cólera de su tío ya se habría aplacado, de modo que decidió hacerle una visita en la corte de Tolosa. Cuando llegó, descubrió que el rey no sólo no se había calmando, sino que con el paso del tiempo la ira se había convertido en rencor y odio hacia su sobrino, por quien se consideraba engañado y humillado. Nuestro santo tuvo que huir y refugiarse en un bosque, donde se encontró con otros dos cristianos. Junto a ellos fundó una pequeña comunidad de eremitas que vivían como los pajarillos del campo: alimentándose de la providencia.

Cuando murió Teodorico le sucedió su hijo Gesaleico, el cual había sido educado en el profundo odio hacia los cristianos. Uno de sus primeros actos como monarca fue decretar una persecución contra los seguidores de la Iglesia. Antolín y sus compañeros fueron descubiertos por una redada de soldados del rey, que cumpliendo órdenes los decapitaron a todos.

Una devota viuda encontró al cabo de mucho tiempo la cabeza incorrupta de San Antolín, que hoy se conserva en la iglesia de Palencia.

San Gregorio *el Grande*, Papa (540-604)

3 de septiembre

Gregorio nació en Roma, hijo de un senador. Tenía sólo treinta y cuatro años cuando fue nombrado *prefectus urbis*, pero después de la muerte de su padre lo dejó todo para hacerse benedictino: donó su propio palacio en la ciudad para convertirlo en un monasterio en honor de San Andrés.

Había sido elevado al gobierno de su monasterio cuando proyectó la idea de evangelizar a los ingleses. Estando un día en el mercado, un comerciante trató de venderle a unos jóvenes extranjeros como esclavos. Gregorio les preguntó de dónde eran, y ellos respondieron que de Gran Bretaña. Al saber que estas tierras aún no habían recibido la luz de Cristo, decidió embarcarse hacia las islas para predicar, pero su proyecto fue detenido por el Papa Pelagio II, que lo envió a Constantinopla como nuncio. Regresó al cabo de los años para ser secretario del Sumo Pontífice.

Cuando Pelagio murió, el senado y el pueblo de Roma eligió unánimemente a Gregorio como nuevo Papa, a lo que nuestro santo se opone con todas sus fuerzas; parece ser que hasta llegó a tramar su huida. Pero finalmente aceptó y fue consagrado el 3 de septiembre del año 590.

Desde entonces fue un gran Pontífice, tan humilde que adoptó el título de «siervo de los siervos de Dios». Reformó la música de la Iglesia,

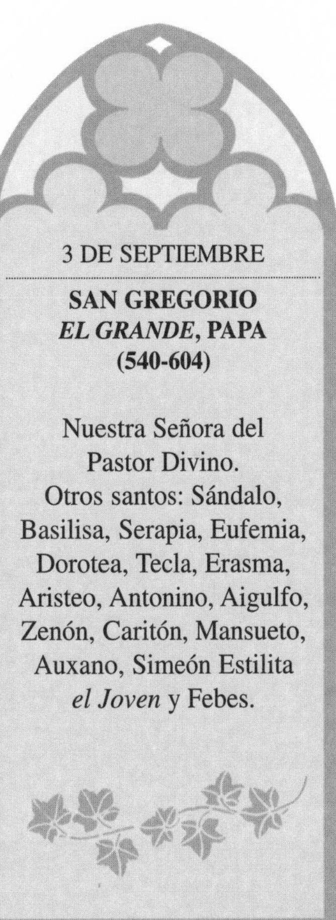

3 DE SEPTIEMBRE

SAN GREGORIO *EL GRANDE*, PAPA (540-604)

Nuestra Señora del Pastor Divino.
Otros santos: Sándalo, Basilisa, Serapia, Eufemia, Dorotea, Tecla, Erasma, Aristeo, Antonino, Aigulfo, Zenón, Caritón, Mansueto, Auxano, Simeón Estilita *el Joven* y Febes.

Virgen del Rosario, Murillo.

4 DE SEPTIEMBRE

MOISÉS (ANTIGUO TESTAMENTO)

Otros santos: Marcelo, Rufino, Silvano, Vitálico, Magno, Casto, Tamel, Máximo, Teodoro, Océano, Amiano, Julián, Rosalía, Cándida, Bonifacio I y Marino.

creando el llamado canto gregoriano, y puso siempre mucho énfasis en la obligación de predicar que tenía todo el clero. Se conservan sus 40 homilías sobre los Evangelios, que nos muestran un estilo sencillo pero profundo, capaz de llegar a todos. Rigió la cristiandad de un modo firme y eficaz, mientras en su soledad se permitía añorar el retiro del monasterio. Logró un pacto con los lombardos, contuvo el cisma de Constantinopla, mandó por fin misioneros a Inglaterra y ejerció siempre su autoridad con gran moderación.

Después de una larga enfermedad, que no le impidió dedicar noches y días a su trabajo, murió a los sesenta y cuatro años de edad.

Moisés (Antiguo Testamento) — 4 de septiembre

Moisés, en tanto que receptor de las tablas de la ley, es uno de los personajes clave del Antiguo Testamento; por tanto, una figura emblemática para nuestra religión. Recordemos que, el día de la Transfiguración, fueron Elías y Moisés los que se aparecieron ante Jesucristo para hablar con él.

La historia de Moisés es conocida por todos. Nació en Egipto, hijo de unos esclavos judíos que lo depositaron en una canasta en el río Nilo. Recogido por la esposa del faraón, fue criado en la corte como hermano del príncipe heredero. Cuando fue mayor, Dios le reveló su origen y su destino: sacar al pueblo de Israel de Egipto y llevarlo a la tierra prometida. Así lo hizo, enfrentándose para ello con su propio hermano adoptivo y con todo el pueblo egipcio.

Martirio de San Lorenzo,
Bronzino.

Moisés, a lo largo de su vida, tuvo que ser el instrumento de la ira de Dios (es el autor de las siete plagas), el líder de su pueblo en la larga travesía por el desierto, el portador de los Diez Mandamientos... y mucho más. Es todo un prototipo de amante del Señor, que deja su posición y a su familia para cumplir su voluntad.

A modo de castigo por sus pecados, Dios no quiso que Moisés llegara a la tierra prometida. La vio, eso sí, desde el otro lado del Jordán, pero murió antes de poder pisarla. Quizá sea esto un símbolo de que la tarea de este gran profeta quedó inconclusa. Legisló para el pueblo judío, renovó la alianza de éste con Dios... pero tenía que venir alguien más para terminar de explicarnos a los hombres cuál es la voluntad del Creador. Alguien que no fuera un portavoz o un mensajero. Tenía que venir Dios mismo a decirnos qué quiere de nosotros.

San Lorenzo Justiniano (1380-1455) 5 de septiembre

Nació en Venecia en medio del lujo y del esplendor; en su primera juventud fue un caballero inquieto y fastuoso que deslumbraba a todos sus ciudadanos. A los diecinueve años de edad (según algunos, movido por una aparición de la Virgen) se dirigió al monasterio de San Gregorio, en la isla de Alga, para pedir consejo. El abad, que vio en él una predisposición para la vida religiosa, le recomendó que se pusiera antes a prueba practicando una vida austera. Volvió Lorenzo a su hogar y siguió el consejo del monje con rigor. Su madre se esforzó por apartarlo del camino eclesiástico, pero al fin nuestro santo se consideró preparado y tomó los hábitos en la abadía de San Gregorio.

Ascendió pronto al sacerdocio y fue elegido general de su orden: introdujo tantas reformas que más tarde sería considerado su fundador. Compaginaba sus obligaciones de gobierno con la predicación, prestando una especial atención a los senadores y magistrados, aconsejándoles dirigir los destinos de su pueblo según las enseñanzas de Cristo.

Se le eligió obispo y, más tarde, patriarca de Venecia. Obligado a vivir en la ciudad que lo vio nacer, tan llena de ostentación y amor por el lujo, Lorenzo prestó especial atención a mantener intacta su humildad y sus costumbres austeras. Fundó quince casas religiosas, aumentó el número de parroquias en Venecia y era famoso por sus limosnas, que siempre daba en forma de alimentos mejor que en dinero, que podía ser mal empleado.

Poco antes de morir, a los setenta y cuatro años, terminó su obra *Los grados de perfección*, de verdadera profundidad teológica.

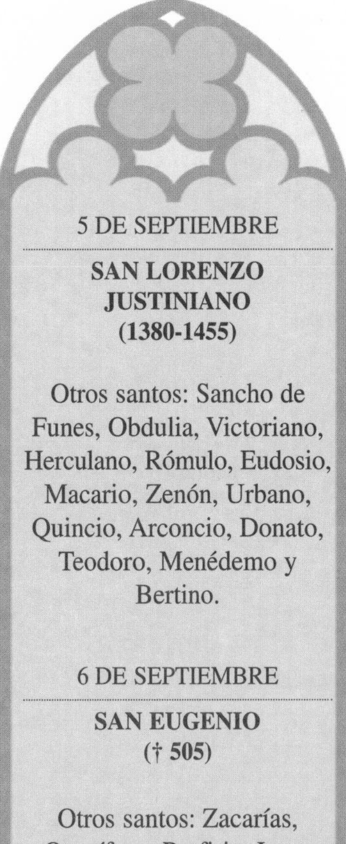
5 DE SEPTIEMBRE

SAN LORENZO JUSTINIANO (1380-1455)

Otros santos: Sancho de Funes, Obdulia, Victoriano, Herculano, Rómulo, Eudosio, Macario, Zenón, Urbano, Quincio, Arconcio, Donato, Teodoro, Menédemo y Bertino.

6 DE SEPTIEMBRE

SAN EUGENIO († 505)

Otros santos: Zacarías, Onesíforo, Porfirio, Leto, Donaciano, Mansueto, Presidio, Germán, Fúsculo, Fausto, Cótido, Macario, Petronio y Eleuterio.

San Eugenio († 505) 6 de septiembre

Nada sabemos de San Eugenio antes de que fuera nombrado obispo de Cartago a instancias de Huderico, rey de los vándalos en la época en que éstos dominaban gran parte de España y del norte de África. Era un hombre moderado respecto a los cristianos, que acabó con los edictos de persecución que había decretado su padre.

Cuando nuestro santo ocupó su sede, se encontró con un gran problema personificado en Cirola, obispo arriano de Cartago. Éste consideraba a Eugenio su enemigo personal, y por envidia acabó convenciendo a Huderico de que prohibiera al obispo católico abrir las puertas de sus iglesias a los vándalos. El santo replicó que sólo Dios podía abrir y cerrar las puertas de su reino, y que él estaba obligado a dejar entrar en la iglesia a todo el mundo.

El rey se irritó sobremanera: no estaba dispuesto a que un simple obispo le llevase la contraria. De modo que apostó soldados a la puerta de la iglesia de Cartago con orden de no dejar entrar a nadie que se acercara con vestimenta vándala. Esto fue un contratiempo, pero los verdaderos seguidores de Cristo encontraron el modo de burlar a los guardias. Huderico sabía que estaba siendo engañado, pero no tenía modo de evitarlo.

Cirola, viendo que su primera estrategia no funcionaba, declaró una especie de «guerra de milagros» a San Eugenio. Habiendo oído que el

San Serapio, Zurbarán.

7 DE SEPTIEMBRE

SAN CLODOALDO (522-560)

Otros santos: Juan, Eusiquio, Sozonte, Anastasio, Nemorio, Regina, Evorcio, Augustal, Pánfilo y Marcos Crisino.

8 DE SEPTIEMBRE

LA NATIVIDAD DE NUESTRA SEÑORA

Nuestra Señora de las Virtudes. Otros santos: Adrián, Timoteo, Fausto, Neoterio, Eusebio, Néstabo, Zenón, Teófilo, Anmón, Sergio I y Corbiniano.

Sagrada familia con Santa Isabel y San Juan, Rafael.

obispo católico había sanado a un ciego de nacimiento, resolvió fingir que había hecho lo mismo, y contrató a un actor para que se hiciese pasar por invidente curado. Hudérico, pensando que le estaban tomando el pelo, envió al exilio a los dos obispos.

Cuando el monarca murió, Eugenio pudo volver a su sede, pero tuvo que volver a partir enseguida cuando el nuevo rey, que era arriano, proclamó una persecución contra la Iglesia. Nuestro santo se refugió en un monasterio de Aquitania, donde vivió el resto de sus días como humilde monje.

San Clodoaldo (522-560) — 7 de septiembre

San Clodoaldo, o Cloud, como lo llaman en su tierra, era hijo del rey de Orleáns. Sobrevivió de milagro a la matanza que acabó con su familia; como agradecimiento, hizo voto de renunciar al mundo y dedicarse a Dios como monje. Se cortó los cabellos él mismo y se retiró a una pequeña celda para vivir en soledad, renunciando sistemáticamente a las ofertas que le hacían sus partidarios de ayudarle a conquistar la corona de su padre: Cloud era consciente de que las dignidades humanas no son importantes y que lo único esencial era servir a Dios.

Después de algún tiempo se trasladó para ponerse bajo la dirección del ermitaño San Severino, de cuyas manos recibió el hábito monástico. Vivían en las cercanías de París, lo cual era un problema para nuestro santo, ya que era una figura pública y muchos acudían a su celda para verlo, importunando su retiro. Resolvió trasladarse a la Provenza, donde tampoco halló descanso, ya que pronto se conoció su residencia y eran muchos los que viajaban hasta allí para visitarlo y pedir su consejo.

Renunció por fin a sus aspiraciones de anonimato y regresó a París, donde fue recibido con una gran alegría. Fue ordenado sacerdote y sirvió en muchas iglesias antes de trasladarse a un convento que él mismo fundó a orillas del Sena. Durante el resto de sus días, se dedicó a la vida contemplativa y austera y a la instrucción del pueblo, tarea que para él era especialmente grata. A su muerte, cedió todo lo que tenía a la Iglesia y a los pobres.

La Natividad de Nuestra Señora — 8 de septiembre

Los Evangelios apócrifos están repletos de historias sobre el nacimiento y la infancia de la Virgen María. Puede que no tengan una gran exactitud teológica, pero ciertamente son relatos llenos de belleza.

Uno de ellos comienza diciendo: «En aquel tiempo, Dios envió a la tierra a un ángel llamado María». Continúa explicando que el Altísimo se enamoró de la Virgen antes de la creación del mundo y que, antes de todos los tiempos, la eligió para que fuera la madre de su Hijo.

Los apócrifos también cuentan cómo la niña María nació sin mácula. Sus padres la habían consagrado a Dios antes incluso de su concepción, y a los tres años fue llevada al templo para servir al Señor. Y se cuenta que, cuando la dejaron allí, la niña se puso a bailar sintiendo la presencia del Altísimo ante ella.

Después de pasar nueve años en el templo, fue entregada en matrimonio a San José, un viudo al que se encargó custodiar la virginidad de María. Poco después del matrimonio, San Gabriel se le apareció a María y le comunicó que iba a concebir al Hijo de Dios.

Hay un episodio en los Evangelios que nos revela lo mucho que Jesús quería, y aún quiere, a su madre: las bodas de Caná. El primer milagro de Cristo, el inicio de su vida pública, se realizó a petición de la Virgen. Y no podemos decir que fuera un asunto de especial trascendencia: en una boda, los novios se habían quedado sin vino que ofrecer a los comensales, y María le pide a su hijo que convierta el agua en vino. Jesús, cómo no, hizo caso a su madre.

Ese detalle nos demuestra qué valiosa abogada e intercesora es la Santísima Virgen. Podemos estar seguros de que, si logramos convencer a María de que necesitamos algo, ella convencerá a su Hijo para que nos lo conceda. Siempre lo ha hecho.

Santa María de la Cabeza (siglo XII) — 9 de septiembre

Santa María de la Cabeza (María Toribia, según algunos cronistas) era la esposa de San Isidro, el patrón de Madrid. No sabemos nada de ella antes de su boda, excepto que fue educada en el catolicismo y que era propietaria de una pequeña huerta cerca de Caraquiz. Allí se fueron a vivir los esposos después de casarse. Pronto tuvieron un hijo, después de cuyo nacimiento parece ser que hicieron voto de castidad.

Poco más sabemos de ella, aunque la tradición popular madrileña está llena de leyendas sobre esta santa. Parece ser que era extremadamente de-

El nacimiento de la Virgen,
Llanos.

9 DE SEPTIEMBRE

SANTA MARÍA DE LA CABEZA (SIGLO XII)

Nuestra Señora de Lluch, Nuestra Señora de Aránzazu y Nuestra Señora de Covadonga.
Otros santos: Gorgonio, Severiano, Doroteo, Jacinto, Alejandro, Tiburcio, Estratón, Rufino, Rufiniano, Audomaro y Pedro Claver.

10 DE SEPTIEMBRE

SAN NICOLÁS DE TOLENTINO (1245-1306)

Nuestra Señora de las Maravillas.
Otros santos: Hilario, Pedro, Salvio, Agapito, Nemesiano, Félix, Lucio, Liteo, Poliano, Víctor, Jaderes, Dativo, Teodardo, Sóstenes, Apeles, Lucas, Clemente, San Pedro de Mezonzo, Pulqueria, Cándida y beatos Carlos Spínola y Sebastián Kimura.

11 DE SEPTIEMBRE

SANTA TEODORA (SIGLO V)

Nuestra Señora de la Cueva Santa.
Otros santos: Proto, Jacinto, Vicente, Diodoro, Diómedes, Dídimo, Pafnucio, Paciente y Emiliano.

Santa María la Blanca

vota de la Virgen y que todos los días iba a Caraquiz para rezar en la iglesia de la Reina de los Ángeles. También se cuenta que los milagros florecían a su alrededor: los ángeles la ayudaban a cruzar los ríos, la comida se multiplicaba en su cesto y los enfermos se curaban ante su presencia.

San Isidro y Santa María eran tan felices y tan respetuosos de Dios que el Diablo quiso romper aquel idilio. En una ocasión en que María rezaba en la iglesia, se le apareció Satanás a Isidro bajo la forma de un labrador para decirle que su mujer le estaba siendo infiel. Pero el patrón de Madrid no creyó ni por un instante en las acusaciones, ya que sabía que su esposa era espejo de virtud.

Cuando Isidro cayó enfermo, Santa María de la Cabeza estuvo a su lado como una buena esposa. A su muerte quedó desolada y sólo encontraba consuelo en el culto a la Santísima Virgen, que se le aparecía en persona para traerle a la santa noticias de su marido y para conversar con ella.

San Nicolás de Tolentino (1245-1306) — 10 de septiembre

Se dice que fue el fruto de las plegarias de su madre, estéril por la edad, que en una peregrinación al relicario de San Nicolás de Bari pidió fervorosamente un hijo que dedicaría al servicio de Dios. Nuestro santo fue la respuesta y al ser bautizado, recibió el nombre de su patrón.

No había acabado sus estudios cuando fue elegido canónigo de la iglesia de Nuestro Salvador, en Fermo, su ciudad de nacimiento. Nicolás se sentía alegre de poder compaginar el servicio a Dios con el aprendizaje, pero después de oír los sermones de un fraile sobre la vanidad del mundo, decidió hacerse monje agustino en un convento de Tolentino y renunciar por completo a toda pretensión de honor mundano. Vivió prácticamente toda su vida en este monasterio, aunque en sus primeros años como fraile tuvo que viajar por mandato de su orden, visitando varios conventos repartidos por toda Italia.

Predicaba todos los días, siendo un hombre de grandes mortificaciones y de una inmensa caridad. Se sabe que era un confesor muy benigno y que a menudo ponía a sus feligreses penitencias más leves de lo que merecían, cargando él mismo con los ayunos y disciplinas que tendrían que haber hecho ellos. Fue bendecido con milagros y visiones; a raíz de un sueño que le fue enviado sobre las almas del Purgatorio, es recordado e invocado como su especial abogado.

Santa Teodora (siglo V) — 11 de septiembre

Teodora era una gran dama de Alejandría, noble, hermosa y rica, que estaba casada con un caballero de semejante condición. Se cuenta que sus costumbres eran irreprochables, nadie había en toda la ciudad con tanta virtud y piedad como ella.

Pero todos somos humanos y Teodora, también. Un joven guapo y fuerte que trabajaba para su marido comenzó a hacerle proposiciones.

Viendo que ella se negaba, recurrió a una vieja alcahueta que con persuasión, engaños y algún que otro hechizo logró quebrar su fortaleza. Teodora engañó a su marido con aquel joven.

Vidriera de San Gil, Cripplegate, Londres.

Casi en el mismo instante de haber pecado, Teodora comenzó a arrepentirse. Sintió una intensa vergüenza de sí misma, caminando por la casa triste y desolada. Su marido no sabía qué hacer para consolarla. A nuestra santa sólo se le ocurrió un modo de redimirse: hacer penitencia, una dura penitencia acorde con la magnitud de su pecado. De modo que resolvió hacer algo insólito: se vistió de hombre e ingresó en un monasterio como penitente, con el nombre de hermano Teodoro. Durante años, admiró a todos por el rigor de sus mortificaciones y por lo hondo de su sentimiento de culpa que, por supuesto, nadie sabía de dónde venía.

Llevaba unos años viviendo como monje cuando fue enviada a otro monasterio para hacer un recado. Por el camino se encontró con una moza que, habiéndose quedado embarazada de un viajero, acusó a Teodora de haberla violado. El abad la expulsó del monasterio. Teodora se hizo cargo de aquel niño en cuanto nació y fue para él un auténtico «padre». Cuando el pequeño tuvo edad para ser admitido en un convento en calidad de estudiante, Teodora suplicó ser readmitida en su antiguo monasterio: se le concedió, pero con la condición de que no saliera de su celda bajo ningún concepto.

Cuando murió, al cabo de los años, se descubrió mientras se la vestía para el entierro que era en realidad una mujer, por lo que comprendieron cuál era la verdadera historia. Todos los monjes quedaron maravillados por su virtud y caridad, y fue enterrada en el altar mayor de la iglesia.

San Guido (950-1012) — 12 de septiembre

El pobre de Anderlecht», como suele llamársele, nació muy cerca de Bruselas en el seno de una familia que rozaba la miseria absoluta. Desde muy niño, Guido tuvo que trabajar como monaguillo en la parroquia para ayudar a sus padres a sobrevivir: sólo se guardaba un poco de dinero, que empleaba en dar limosnas a los que era aún más pobres que él. Su poco tiempo libre lo dedicaba a visitar la iglesia y hablar con Dios.

Cuando ya era un adolescente, conoció a un rico comerciante que le ofreció contratarle en su negocio. Guido aceptó y marchó con su nuevo jefe a vivir en la ciudad de Bruselas. Sin embargo, al poco tiempo empezó a sentir que había traicionado a Dios al dejar su oficio de monaguillo, de modo que volvió a su pueblo y a su antiguo trabajo.

12 DE SEPTIEMBRE
SAN GUIDO
(950-1012)
Otros santos: Autónomo, Curonoto, Hierónides, Leoncio, Serapión, Selesio, Valeriano, Estratón, Macedonio, Teódulo, Taciano, Sacerdote y Silvino.

Era ya adulto cuando se sintió llamado a realizar una peregrinación a Tierra Santa. A la vuelta, decidió pasar por Roma para visitar el Vaticano. Allí conoció a Vondulfo, deán de la iglesia de Anderlecht, que estaba preparándose para hacer también la peregrinación a Tierra Santa. Hablando y hablando con nuestro santo, terminó convenciéndole de que lo acompañara, de modo que allá se encaminó de nuevo San Guido, pensando que no podría gastar su tiempo en nada mejor que en acompañar a un amigo en su búsqueda de Dios. Acababan de llegar a Jerusalén cuando Vondulfo contrajo una enfermedad y murió. Justo antes de expirar, le

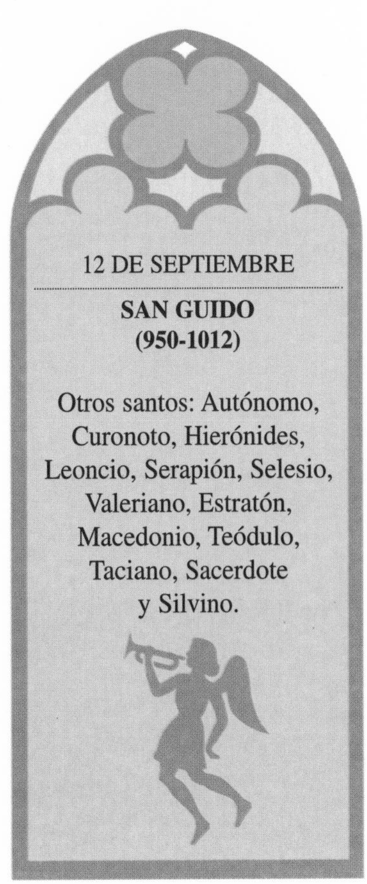

pidió a su amigo que comunicara a su familia y compañeros de Anderlecht que había fallecido.

De modo que el santo volvió a Europa y se encaminó a aquel pueblo, donde transmitió la triste noticia. Fue acogido con tanto cariño que decidió quedarse: primero unos días, después una pequeña temporada y, al fin, el resto de su vida. Allí, además de ayudar en los oficios sagrados, convivía con los pobres y los desesperados, contándoles anécdotas de su vida como peregrino y dándoles amor y esperanza.

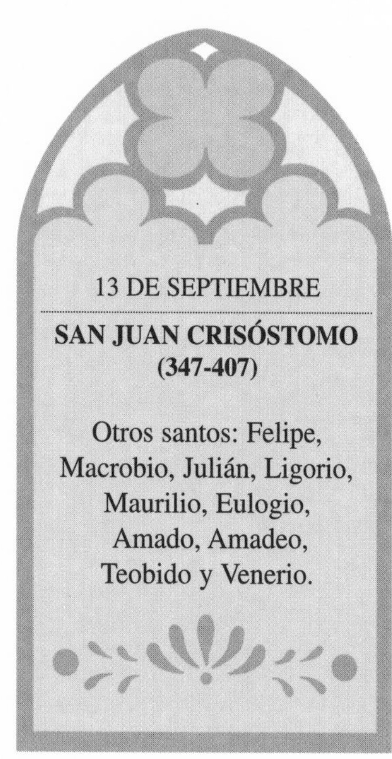

13 DE SEPTIEMBRE

SAN JUAN CRISÓSTOMO (347-407)

Otros santos: Felipe, Macrobio, Julián, Ligorio, Maurilio, Eulogio, Amado, Amadeo, Teobido y Venerio.

San Juan Crisóstomo (347-407) 13 de septiembre

Doctor y padre de la Iglesia, se le considera uno de los mejores oradores de toda la historia de la Humanidad: por ello recibió el sobrenombre de Crisóstomo o Boca de Oro. Nació en Antioquía, hijo de un general del ejército bizantino. Su madre le inició en el mundo de las letras y continuó sus estudios con un famoso orador, que le consiguió un empleo como abogado. Mientras desempeñaba este trabajo, se dejó arrastrar por las diversiones del mundo, hasta que finalmente Dios le llamó para que renunciara.

Desde aquel momento, comenzó a ayunar continuamente y a pasar horas y horas sumido en la meditación y en la lectura de las Sagradas Escrituras. Pronto fue ordenado lector y cuando empezaron a escucharse rumores de que quizá le ascendieran a la dignidad episcopal, Juan huyó secretamente. Volvió a su puesto cuando todas las vacantes en las sillas de los obispados estuvieron cubiertas, y dedicó los siguientes cuatro años a escribir seis libros, *Del Sacerdocio*. Al concluir, se retiró a unas montañas para vivir como anacoreta en una cueva. La humedad y las austeridades hicieron que contrajese una enfermedad que le obligó a regresar a la ciudad.

San Juan Crisóstomo.

Cuando se recuperó fue ordenado sacerdote y, doce años después, patriarca de Antioquía. Se dedicó fundamentalmente a predicar —que era su gran vocación—, a construir hospitales, a reformar el clero y a luchar contra la herejía y el paganismo. En una ocasión, pronunció un discurso contra la vanidad de las mujeres en el que muchos creyeron reconocer a la emperatriz; su marido no tardó en deponerlo y desterrarlo, apoyado por el patriarca de Alejandría.

En el exilio fue conducido a Armenia. Los soldados que lo custodiaban tenían órdenes de darle el peor trato posible, con la finalidad de que el santo muriera en el viaje. Así ocurrió, pues Juan contrajo una grave enfermedad a causa de las penurias que le hicieron pasar durante la travesía y no logró recuperarse.

Santa Norburga (1265-1313) — 14 de septiembre

Norburga era tirolesa, y durante toda su vida fue una empleada del servicio doméstico, primero en el castillo de los condes de Rothenburg y después ayudando en el campo a un labriego que era propietario de su propio terreno. Parece ser que cambió de amos porque el primero la despidió debido a su excesiva generosidad con los pobres.

Sobre su biografía, poco más hay que decir. Siempre ocurre lo mismo con los santos más humildes, que precisamente suelen ser los más importantes, los más puros de corazón, los más cercanos a Cristo. Santa Norburga no publicó libros de teología que podamos comentar, no ocupó altas dignidades eclesiásticas, no viajó por todo el mundo predicando el Evangelio. Tampoco le rodearon grandes milagros, ni éxtasis y revelaciones sobrenaturales. Llevó una vida sencilla, casi monótona, pero sin duda más próxima a las Bienaventuranzas que la de los reyes y cardenales.

Sin embargo, algo podemos decir del carácter de Norburga, de su actitud hacia la vida, que nos ha llegado a través de los testimonios de sus confesores después de su muerte. A pesar de su ingenuidad y bondad naturales, se consideraba una gran pecadora y se atormentaba gravemente cada vez que hacía daño a sus semejantes. No soportaba ver el sufrimiento ajeno, y si alguien hacía algo mal, prefería cargar ella con la culpa antes que ver a otro ser humano sufriendo castigos y reprimendas. Era también extremadamente devota, y dedicaba todo su tiempo libre a rezar y a asistir a los distintos oficios sagrados.

Murió en paz, como había vivido: buscando a Dios entre los pucheros.

San Nicomedes (siglo I) — 15 de septiembre

No conocemos muy bien el origen de San Nicomedes. Debía ser un romano de origen ilustre, que se convirtió al cristianismo y se ordenó sacerdote de manos de alguno de los apóstoles o de sus más directos discípulos. Era muy respetado entre los cristianos por su caridad, su talante abierto y agradable y por la calidad de sus sermones, que convertían a la fe a muchos paganos.

En los 15 años que precedieron a su martirio, Nicomedes gozó de libertad para practicar su oficio de sacerdote, ya que los emperadores, desde Galba hasta Tito, no decretaron persecuciones contra los cristianos. Sin embargo, la situación cambió con la subida al trono de Domiciano, que desde su infancia sentía un odio acérrimo hacia los seguidores de Jesús. Cuando fue coronado, juró que «acabaría con la casa de David» y, fiel a su palabra, su primer edicto fue de persecución contra los cristianos.

14 DE SEPTIEMBRE
SANTA NORBURGA (1265-1313)
Exaltación de la Santa Cruz. Otros santos: Cornelio, Cereal, Salustiana, Crescencio, Rósula, Crecenciano, Víctor, General, Pedro y Alberto.
15 DE SEPTIEMBRE
SAN NICOMEDES (SIGLO I)
Los siete dolores de Nuestra Señora. Otros santos: Emilia, Jeremías, Valeriano, Máximo, Teodoro, Asclepiodoto, Nicetas, Melitina, Porfirio, Leobino, Apro, Albino y Aicardo.

A los pocos días, las cárceles de la capital del Imperio estaban repletas de personas de todas las clases y condiciones, que sufrían martirio por negarse a renunciar a la fe en Cristo. Fue en esta triste situación en la que Ni-

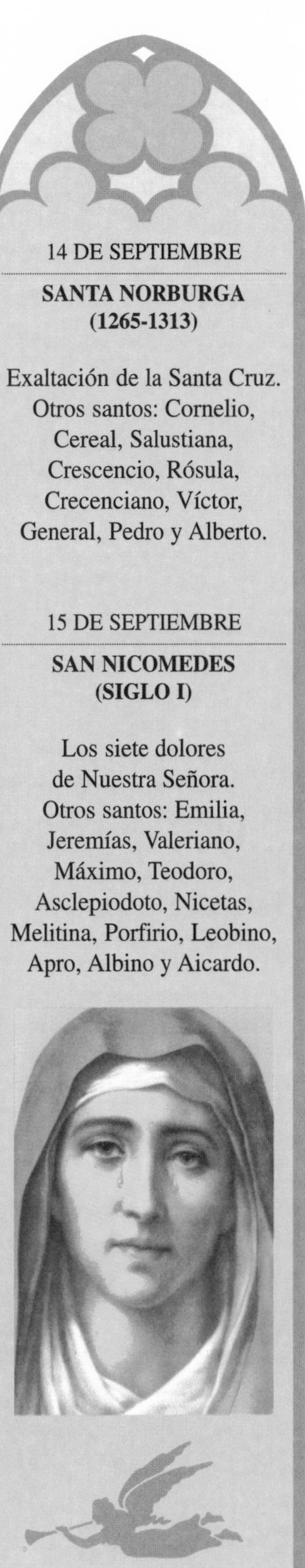

16 DE SEPTIEMBRE

SAN NINIANO
(† 432)

Otros santos: Cornelio, Cipriano, Eufemia, Abundio, Abundancio, Marciano, Juan, Lucía, Rogelio, Servideo, Sebastiana, Edith y Ludmila.

17 DE SEPTIEMBRE

SAN LAMBERTO
(† 709)

Las llagas de San Francisco. Otros santos: Roberto Belarmino, Pedro de Arbués, Justino, Columba, Flocelo, Adriana, Agatoclia, Narciso, Crescención, Sócrates, Esteban, Valeriano, Macrino, Gordiano, Sátiro, Francisco, Hildegarda y Teodora.

San Francisco Javier.

comedes demostró otro rasgo de carácter: el valor. Se jugó la vida en innumerables ocasiones, acudiendo a las prisiones para consolar a los capturados, yendo a las plazas donde se les ejecutaba para aportar esperanza y rezar por ellos, recuperando sus cadáveres para darles cristiana sepultura.

Finalmente, nuestro santo fue descubierto y detenido. Como sus compañeros, se negó a adorar a los falsos ídolos. Por ello, fue apaleado hasta la muerte.

San Niniano († 432) — 16 de septiembre

Hijo de un príncipe britano cumbriano, desde la cuna demostró una excepcional predisposición para la vida religiosa. Mientras otros niños y jóvenes procuraban educarse para conseguir un lugar destacado en el mundo, Niniano sólo quería mejorar su alma y prepararse para la práctica de la religión.

Cuando tuvo edad suficiente, se despidió de su familia y amigos y emprendió un viaje a Roma. Allí pasó muchos años, poniendo todo su empeño en progresar en la carrera eclesiástica. Recibió con gran alegría la orden de que regresara a su tierra para evangelizar a los que aún no habían escuchado la palabra de Cristo.

Una vez en Gran Bretaña, en el país de los pictos, predicó sin descanso a reyes y plebeyos, luchó contra la idolatría y construyó una iglesia de piedra en Galloway, donde fijó su sede episcopal. Desde allí se extendió hasta las tierras de los cumbrianos que lo habían visto nacer, donde convirtió a muchos a la luz de la fe. La iglesia que había fundado se convirtió en un seminario y allí murió, después de una vida sin descanso que fue bendecida por muchos milagros.

Es curioso las vueltas que da el mundo. Niniano, por haber renunciado al mundo, es recordado siglos después por su santidad y se le llama apóstol de los pictos. Si se hubiera aferrado a su dignidad de príncipe, hoy nadie le recordaría. Es cierto que en el reino de los cielos los últimos serán los primeros, pero a veces, en la propia tierra, los últimos aventajan a los primeros.

San Lamberto († 709) — 17 de septiembre

Lamberto nació en Maastricht, hijo de una noble familia de larga tradición cristiana. Desde muy niño, su padre dispuso que fuera instruido en el conocimiento de lo sagrado y encargó su educación al obispo de la ciudad. Cuando éste fue asesinado mientras intentaba que ciertas posesiones que le habían sido arrebatadas a la Iglesia le fueran devueltas, Lamberto fue elegido para sucederle, con el consentimiento del rey Childeric.

Éste había sido un monarca cruel y tiránico, siendo asesinado por una conspiración de sus propios nobles. Como Childeric había beneficiado a nuestro santo, éste fue expulsado de su sede. Se vio obligado a refugiarse en el monasterio de Stavelo. Durante los siete años que permaneció allí, acató en todo la regla como si fuera un simple novicio, siempre entristecido porque el nuevo monarca se entretenía en devastar las iglesias francesas.

Tríptico de San Juan Bautista,
Van der Weyden.

Por fin Teodorico ascendió al trono, acabó con los abusos y se dispuso a devolver a los obispos exiliados a sus sedes. Así Lamberto pudo regresar a Maastricht con renovadas energías, dispuesto a luchar contra la herejía y el paganismo.

Construyó muchas iglesias donde antes habían sido honrados ídolos de piedra y bautizó a auténticas multitudes. También intentó llevar a los nobles a las buenas costumbres, y así se hizo muchos enemigos denunciando adulterios y conductas licenciosas.

Lamberto murió objeto de una injusticia y de un error. Dos hermanos paganos iban cada día a la iglesia de Maastricht para profanarla y saquear sus bienes, y un feligrés, que aún no había logrado suavizar tu temperamento bárbaro, decidió acabar con la situación asesinando a los dos hermanos. Los amigos de éstos emprendieron la venganza contra nuestro santo, a quien consideraron culpable; de este modo Lamberto fue asesinado con un dardo mientras dormía en su propia casa.

18 DE SEPTIEMBRE

SAN JOSÉ DE CUPERTINO (1603-1663)

Otros santos: Metodio, Sofía, Irene, Ferréolo, Ariadna, Eurtorgio, Eumenio y Ricarda.

San José de Cupertino (1603-1663) — 18 de septiembre

José fue llamado fray Asno durante toda su vida a causa de su estupidez. Insultado y calumniado durante toda su vida, incluso por sus hermanos monjes, Dios ha querido elevarlo por encima de todos ellos haciéndolo santo. Y es que para encontrar gracia a los ojos de Dios no hay por qué ser muy inteligente. Jesús ya lo dijo con mucha claridad: hay que ser como un niño.

José era un muchacho extremadamente ignorante. No sabía leer ni escribir y, además, era torpe: todo se le caía, todo lo rompía y hasta el más sencillo de los trabajos le parecía un mundo de dificultad. Cuando tenía diecisiete años pidió entrar entre los franciscanos, pero éstos, tras comprobar su más que apreciable retraso, no lo admitieron. Probó suer-

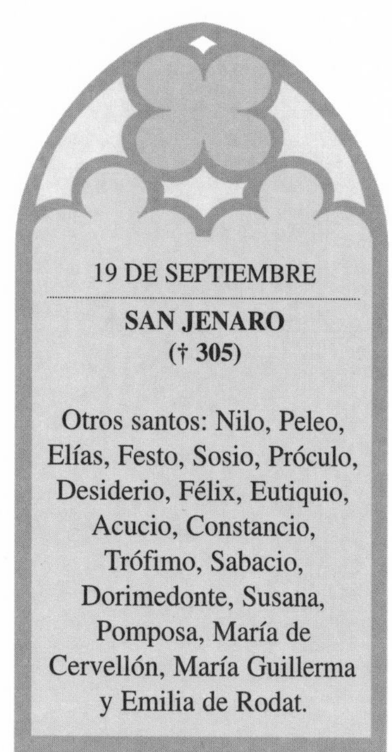

19 DE SEPTIEMBRE

SAN JENARO
(† 305)

Otros santos: Nilo, Peleo, Elías, Festo, Sosio, Próculo, Desiderio, Félix, Eutiquio, Acucio, Constancio, Trófimo, Sabacio, Dorimedonte, Susana, Pomposa, María de Cervellón, María Guillerma y Emilia de Rodat.

La Anunciación (detalle del arcángel San Gabriel), Martini.

te con los capuchinos, que por caridad lo admitieron como hermano lego, pero fue expulsado al cabo de ocho meses por inútil. Siempre persistente, rogó y rogó hasta que finalmente pudo tomar los hábitos franciscanos en el convento de Grotella. No se sabe bien cómo, logró ordenarse sacerdote.

Si José era negado para los estudios, Dios le bendijo de otra forma distinta: los milagros y maravillas se multiplicaban a su alrededor. Curaba a los enfermos, caía frecuentemente en éxtasis y hay testigos de la época que juran haberle visto levitar. Todos estos prodigios atrajeron a la Inquisición, que al conocer a nuestro santo humilde y simplón, lo absolvió de inmediato.

Es éste un santo muy poco habitual. Al aplicarle la parábola de los talentos, no se sabe con seguridad si recibió muy poco y lo multiplicó hasta el infinito, o si realmente recibió mucho más que todos nosotros, ya que le fue otorgado el don de aceptar el reino de Dios como un niño, sin preocuparse nunca en su vida por ninguna de esas cosas que a nosotros nos parecen tan sumamente importantes.

San Jenaro († 305) — 19 de septiembre

Nada de sabe de San Jenaro hasta que es elevado a la silla episcopal de Benevento. Al parecer, su diócesis no lo recibió al principio con demasiada efusividad, por lo cual nuestro santo tuvo que trabajar doble para ganarse el afecto de sus feligreses. Sin embargo, al poco tiempo de tenerle con ellos comenzaron a amarlo y respetarlo por su inmenso celo, su trabajo incansable, su misericordia y su enorme caridad.

Uno de los problemas más graves a los que tuvo que enfrentarse nuestro santo fue a la persecución de cristianos ordenada por el emperador. El prefecto de la Campania, Draconio, era uno de los más crueles y sangrientos de todo el Imperio, y la diócesis de Jenaro se vio castigada con una persecución especialmente violenta. El santo obispo tuvo que dedicarse casi por completo a asistir y socorrer a sus feligreses perseguidos. Los visitaba en los refugios, en las cárceles, en los mismos lugares donde eran torturados, y les aportaba la luz de Cristo.

Al fin, Jenaro fue también hecho prisionero, interrogado y condenado a muerte. Sin embargo, los verdugos no eran capaces de acabar con él. Se apagaban las hogueras a las que era arrojado, los leones del circo se arrodillaban ante él y los soldados que debían matarlo quedaban paralíticos de pronto para ser después sanados por el propio mártir. Al fin nuestro santo imploró a Dios que lo acogiese en su seno, y un centurión fue capaz de degollarlo.

Unos fieles recogieron la sangre del mártir en un frasco de cristal. Aún hoy se conserva, y ocurre que el 19 de septiembre se licua y adquiere una tonalidad viva e intensa, como si acabara de ser derramada. Los científicos la han estudiado en varias ocasiones, y las conclusiones son siempre las mismas: es sangre humana normal y corriente y no hay explicación para el milagro de su renovación.

San Eustaquio († 130)

20 de septiembre

San Eustaquio es uno de esos mártires sobre cuya existencia hay serias dudas. Parece casi comprobado que un hombre llamado así sufrió martirio por su fe en el año 130, pero los hechos que se cuentan sobre su vida son del todo incomprobables. De todos modos, su historia, verídica o no, es todo un ejemplo de paciencia y aceptación de la voluntad divina al más puro estilo de Job.

Se cuenta que Plácido, pues así se llamaba antes de su conversión, era un general romano al servicio del emperador Trajano. Un día, mientras andaba de caza perseguía a un ciervo y, cuando por fin lo tuvo acorralado, vio entre sus astas la imagen luminosa de Cristo crucificado.

Esta visión milagrosa le impactó profundamente, y al cabo de muy poco tiempo se convirtió con toda su familia, tomando el nuevo nombre de Eustaquio. Sin embargo, Dios quiso probar a su nuevo seguidor enviándole multitud de pruebas: se arruinó, tuvo que abandonar Roma y además se vio separado de su familia, a la que consideró muerta en un accidente. Pero todo esto no restó un solo ápice a su fe, que se mantenía firme e, incluso, cada día mayor.

San Lucas, El Greco.

20 DE SEPTIEMBRE

SAN EUSTAQUIO
(† 130)

Otros santos: Evilasio, Cándida, Fausta, Prisco, Dionisio, Privato, Felipa, Teodoro, Agapito, Glicerio e Imelda.

21 DE SEPTIEMBRE
SAN MATEO, APÓSTOL Y EVANGELISTA (SIGLO I)
Otros santos: Alejandro, Isacio, Pánfilo, Eusebio, Melecio, Ifigenia y Jonás.

Pasaron algunos años y el emperador lo mandó llamar para que se pusiera al frente de su ejército en una guerra. Eustaquio consiguió una enorme victoria y fue recibido en Roma como un gran héroe triunfante. Sin embargo, el santo se negó a quemar incienso para los ídolos en su ceremonia de bienvenida. Así se descubrió que era cristiano; por tanto, fue condenado a muerte y ejecutado.

Eustaquio lo tenía todo y lo perdió por su fe, después volvió a recuperar la gloria y la fama, pero renunció a ellas por no traicionar a Cristo. ¿Podemos decir que su historia no está contrastada porque resulta increíble que haya alguien tan santo como San Eustaquio?

San Mateo, apóstol y evangelista (siglo I) — 21 de septiembre

San Mateo era galileo y de profesión, publicano, es decir recaudador de impuestos para los romanos. Este trabajo era muy odiado entre los judíos, que consideraban que los publicanos conspiraban con el Imperio Romano para esclavizar a todos sus compatriotas. Por este motivo les tachaban de ladrones y les prohibían participar en el culto religioso, en la vida civil y el comercio.

San Mateo.

Jesús conoció a Mateo mientras paseaba por las orillas del lago en que nuestro santo trabajaba cobrando el arancel. El Maestro lo llamó, y Mateo decidió dejar su fortuna y su posición para seguirlo. En señal de su alegría, dio una comida en su casa para Jesús y sus discípulos, e invitó a todos sus amigos esperando que también se convirtieran. Los fariseos criticaron mucho a Jesús por comer en compañía de publicanos y pecadores, y el Maestro aprovechó la ocasión para explicar que Él había sido enviado para curar a los enfermos y a los pecadores, no a los que ya estaban en el buen camino.

Éste es el único episodio en que se destaca a San Mateo; por lo demás, fue un apóstol callado y casi anónimo, que seguía a Jesús y lo escuchaba atentamente, pero sin despuntar en nada.

Después de la muerte de Jesús, Mateo será el primer evangelista que escribirá los hechos muy poco después de que hubieran ocurrido.

Su narración destaca por la sobriedad y por el orden, sopesando cada una de las palabras y procurando repetirlas textualmente, tal cual las había oído.

Nuestro santo predicó por Judea y por los países vecinos tras la ascensión del Señor, y más tarde partió hacia el este, probablemente hacia Persia, y se dice que llegó hasta el sur de África.

San Mauricio y sus compañeros mártires († 226) — 22 de septiembre

Mauricio era soldado de infantería, jefe de la legión Tebana. Era africano, y los pintores siempre lo representan como un negro de gran estatura y pelo rizado. Su legión fue destinada al norte de los Alpes para someter a una tribu rebelde a las órdenes del mismísimo emperador Maximiliano.

Al llegar a Octodurum, el emperador ordenó a sus tropas que se detuvieran para acampar y hacer un sacrificio propiciatorio en honor de los dioses del Imperio. La legión de Mauricio, que era cristiana, se retiró discretamente y procuró mantenerse al margen de la ceremonia.

Maximiliano se dio cuenta de su ausencia y les envió orden de que se unieran de inmediato a los sacrificios. Los legionarios se negaron. El emperador no podía permitir que se le desobedeciera, por lo cual ordenó que diez hombres al azar fueran ejecutados como ejemplo para los demás, y ordenó al resto de la legión que acudiera de inmediato a los ritos. Los soldados se exhortaban unos a otros a la perseverancia, y con valor le expusieron a Maximiliano que le obedecerían en cualquier asunto terrenal o militar, pero que en sus almas sólo mandaba Dios. Palabras muy similares a las del alcalde de Zalamea: «Al rey, la hacienda y la vida se han de dar, pero el honor es patrimonio del alma, y el alma sólo es de Dios».

Ante nuevas amenazas, los legionarios respondieron que estaban dispuestos a morir por defender sus creencias y que no pensaban oponer resistencia. El emperador ordenó, por tanto, a su ejército que acabara con los insubordinados, y así ocurrió. La legión Tebana, compuesta por más de seis mil hombres, cumplió su palabra y murió sin levantar una sola lanza.

Esta legión está en lo más profundo de la religión cristiana en Suiza y, cómo no, San Mauricio es el patrón de la guardia suiza del Papa.

Santa Tecla (siglo I) — 23 de septiembre

Si San Esteban es venerado como el primer hombre mártir, Tecla lo es como la primera mujer. Es probable que naciera en Iconia, en el seno de una rica familia, y que se convirtiera al cristianismo tras escuchar los sermones de San Pablo en aquella región. La tradición asegura que el propio apóstol la bautizó y que inspiró en ella tal amor a la virginidad, que rompió un compromiso de matrimonio que había sido sellado por su familia.

Sus padres, al enterarse de la nueva vocación de Santa Tecla, entraron en cólera. La acusaron, la amenazaron, discutieron con ella y hasta pidieron a

San Juan y las mujeres afligidas, Memling.

22 DE SEPTIEMBRE

SAN MAURICIO Y SUS COMPAÑEROS MÁRTIRES († 226)

Otros santos: Emerano, Digna, Emérita, Iraides, Jonás, Exuperio, Inocencia, Vidal, Cándido, Víctor, Félix IV, Santino y Lautón.

23 DE SEPTIEMBRE

SANTA TECLA (SIGLO I)

Otros santos: Lino, Andrés, Juan, Pedro, Antonio, Sosio, Constancio, Xantipa y Polixena.

Martirio de San Dionisio (fragmento), Bellechose.

sus amigos que tratasen de hacerla entrar en razón, sin ningún resultado. Mientras tanto el novio, despechado, estaba tramando venganza, acusándola finalmente ante los tribunales. Aún no había ningún edicto contra los cristianos, pero contó tales mentiras sobre ella que las autoridades la condenaron a muerte.

La *Leyenda dorada* sigue ahora con el relato de una infinidad de prodigios. En primer lugar, Tecla fue llevada al circo donde, completamente desnuda, fue ofrecida a las fieras, pero éstas en vez de agredirla se sentaron a sus pies mansas como corderos. Fue después arrojada a la hoguera, pero salió de las llamas tan ilesa como del pozo de serpientes al que fue llevada más tarde. Después de tantos prodigios, fue considerada una elegida de los dioses y puesta en libertad. Buscó a San Pablo, y se cuenta que se unió a él en muchos de sus viajes apostólicos.

Parece ser que murió en Roma muchos años después, completamente en paz y con fama de santa.

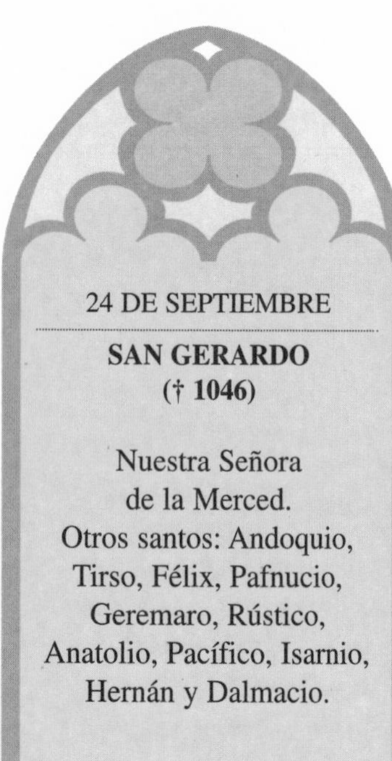

24 DE SEPTIEMBRE

SAN GERARDO
(† 1046)

Nuestra Señora de la Merced.
Otros santos: Andoquio, Tirso, Félix, Pafnucio, Geremaro, Rústico, Anatolio, Pacífico, Isarnio, Hernán y Dalmacio.

SAN GERARDO († 1046) — 24 DE SEPTIEMBRE

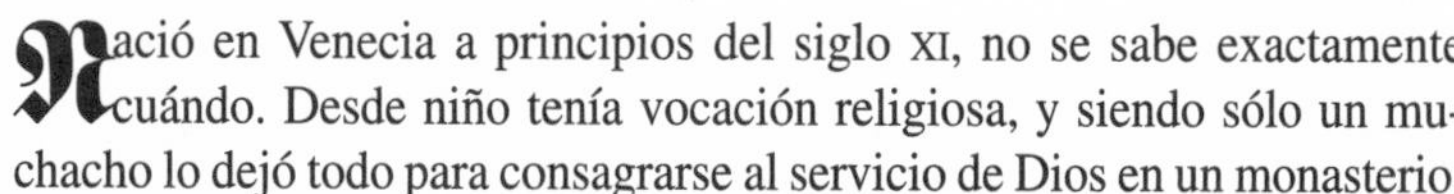

Nació en Venecia a principios del siglo XI, no se sabe exactamente cuándo. Desde niño tenía vocación religiosa, y siendo sólo un muchacho lo dejó todo para consagrarse al servicio de Dios en un monasterio.

Después de muchos años dedicados a la oración y al estudio, partió para hacer una peregrinación al Santo Sepulcro. Al pasar por Hungría conoció a San Esteban, el cual le convenció de que Dios lo había llamado a peregrinar precisamente para que se detuviera en aquellas tierras y contribuyese a difundir allí el Evangelio.

Gerardo se construyó una pequeña ermita para vivir, saliendo desde allí cada día para predicar. El rey, que había oído hablar mucho de él pero no lo conocía, le pidió que aceptara el cargo de obispo de Chonad. Nuestro santo, que sabía lo poco que se había difundido la fe por aquella zona, aceptó gozoso por tener una misión tan difícil. Su labor fue tan fructífera que en poco menos de un año prácticamente todos los habitantes de Chonad se habían bautizado.

En los últimos años de su vida, su labor episcopal se vio perturbada por una terrible inestabilidad política. Los reyes cristianos y paganos se sucedían continuamente, y San Gerardo siempre estaba en el punto de mira, ya fuera como apoyo para los monarcas católicos o como enemigo para los idólatras. Finalmente, nuestro santo fue víctima de estas intrigas. Un nuevo rey había subido al trono con el compromiso firme de expulsar a todos los seguidores de Cristo de sus tierras. Gerardo acudió como parte de una embajada episcopal que intentaba disuadirlo, pero fue capturado por los ejércitos del monarca, que lo asesinaron cruelmente. Sus últimas palabras fueron una cita del Salvador: «Señor, no se lo tengas en cuenta, pues no saben lo que hacen».

25 DE SEPTIEMBRE

SAN CLEOFÁS (SIGLO I)

Nuestra Señora de Fuencisla.
Otros santos: Fermín, Herculano, Paulo, Tata, Sabiniano, Máximo, Rufo, Eugenio, Bardomiano, Eucarpo, Lupo, Anacario, Solemnio, Principio, Vicente María Strambi, Aurelia y Neomisia.

26 DE SEPTIEMBRE

SANTOS COSME Y DAMIÁN († 303)

Otros santos: Calistrato, Eusebio, Vigilio, Amancio, Senador, Nilo y María Victoria.

San Cleofás (siglo I) — 25 de septiembre

Cleofás es uno de los llamados «discípulos de Emaús». Nos cuenta San Lucas que, después de que María Magdalena hubiera anunciado la resurrección del Señor sin ser creída, iban dos discípulos (que no apóstoles) de camino a Emaús, hablando precisamente de lo que la mujer de Magdala les había revelado. Jesús se acercó y se puso a caminar junto a ellos, que no le reconocieron, y al cabo de unos minutos les preguntó de qué estaban hablando. Tomó la palabra uno de ellos, llamado Cleofás, y le contó todo lo que había ocurrido en los últimos días: el prendimiento de Jesús, su pasión y muerte, y que las mujeres habían ido al sepulcro y no encontraron su cuerpo.

El Maestro les replicó con palabras emblemáticas. Les llamó «hombres sin inteligencia y tardíos de corazón» y les explicó cómo todo lo ocurrido había sido vaticinado por los profetas, detallándolo punto por punto. Mientras iban conversando, se hizo de noche, y los discípulos decidieron pararse a cenar. Jesús hizo amago de seguir adelante, pero ellos insistieron y se quedó. Sentado con ellos a la mesa, «tomó el pan, lo bendijo, lo partió y se lo dio». Sólo entonces los discípulos de Emaús se dieron cuenta de con quién estaban hablando, pero en ese mismo instante Jesús desapareció.

¿Cuántas veces nos ha ocurrido lo mismo que a estos discípulos? Los hechos parecen estar claros ante nosotros, la voluntad de Dios también, pero no somos capaces de comprender. Cuando no sabemos qué hacer, muchas veces basta con algo tan simple como lo que hicieron Cleofás y su compañero: pedirle a Jesús que se quede.

Santos Cosme y Damián († 303) — 26 de septiembre

Cosme y Damián, los santos gemelos según la tradición, tienen mucho de real y mucho de legendario. Sin duda existieron, pero gran parte de su historia es probablemente una adaptación del mito de Cástor y Pólux, los hijos gemelos de Júpiter, y otra gran parte es sin duda fantasía.

Nacieron en Arabia y estudiaron ciencias en Siria, donde se hicieron famosos como médicos. Eran cristianos y en virtud de la caridad, nunca cobraron nada por sus servicios, hasta tal punto que se les dio el sobrenombre de «Anárgicos», es decir, sin dinero. A menudo convertían a sus pacientes gracias a su ejemplo y a sus continuas demostraciones de amor al prójimo. Muchas de sus curaciones eran milagrosas, ya que sanaban a

27 DE SEPTIEMBRE

SAN VICENTE DE PAÚL (1580-1660)

Otros santos: Antimo, Leoncio, Euprepio, Adolfo, Juan, Florentino, Fidencio, Terencio, Epicaris y Elceario.

28 DE SEPTIEMBRE

SAN WENCESLAO (907-929)

Otros santos: Privato, Estácteo, Marcial, Lorenzo, Marcos, Alfio, Máximo, Alejandro, Nicón, Neón, Heliodoro, Zósimo, Exuperio, Salomón, Silvino, Eustoquia y Lioba.

enfermos terminales con el poder de la oración. Los relatos de sus prodigios son extensísimos, y no hay forma de saber cuántos ocurrieron de verdad y cuántos son exageraciones piadosas.

Cuando Diocleciano promulgó la persecución contra los cristianos, fueron inmediatamente apresados; después de varios tormentos, que soportaron con valor e incluso alegría, fueron decapitados. Su memoria es tan venerada que sus nombres fueron introducidos en el canon de la misa.

San Vicente de Paúl (1580-1660) — 27 de septiembre

Los orígenes de Vicente se remontan a una humilde granja en la Gasconia. Su familia, aunque humilde, se esforzó mucho por ofrecerle una buena educación y así, tras estudiar con los franciscanos, fue ordenado sacerdote en Toulouse a la edad de veinte años. Se puso entonces de camino hacia Marsella; en la travesía fue apresado por unos piratas africanos que lo llevaron a Túnez y lo vendieron como esclavo. Igual que el lazarillo de Tormes, pasó de amo en amo hasta que finalmente fue comprado por un cristiano renegado que, gracias a los consejos de nuestro santo, se arrepintió de su apostasía y puso en libertad a Vicente. Ambos cruzaron el Mediterráneo en una pequeña barca que los llevó hasta Marsella.

Tras una corta visita a Roma regresó a París, donde entró en la casa de los condes de Joigny como maestro de sus hijos. Empezó a predicar en las calles y tuvo tanto éxito, que hubo de pedir ayuda a los jesuitas, pues no había forma de que atendiera a tantísima gente. Al cabo de un tiempo, Vicente dejó la casa de los condes y se mudó a una pequeña comunidad que fundó en Chantillon.

Agradecida por sus esfuerzos, la condesa le dio un generoso donativo para que fundase una misión perpetua entre el pueblo llano. Así lo hizo nuestro santo. Estableció ciertas reglas para su congregación, que se puso de inmediato a trabajar en la conversión del pueblo y en la formación de los sacerdotes. Vicente fundó más congregaciones, como la de la Caridad, dedicada a atender enfermos, o la de las Damas de la Cruz, que instruía a las jóvenes muchachas. En sus últimos años, fue miembro del consejo real y, primero la reina regente y después el joven monarca, escuchaban siempre sus opiniones. Murió en paz, habiendo atendido a sus muchísimas obligaciones hasta el último momento.

San Wenceslao (907-929) — 28 de septiembre

Wenceslao, duque de Bohemia porque muy niño quedó huérfano de padre, se educa en el cristianismo gracias a su piadosa abuela Santa Ludmila. Su madre, la malvada pagana Drahomira, es la regente del ducado, y el pobre Wenceslao vive rodeado de intrigas y conjuras encabezadas por ella. Encargada del gobierno, desata toda su ira contra los cristianos y favorece a su hijo menor, Boleslao. Ludmila, preocupada por la situación, exhorta a nuestro santo para que asuma las riendas del poder; tras una serie de conflictos la situación se resuelve repartiendo el ducado entre los dos hermanos.

Wenceslao se dedicó en cuerpo y alma a establecer la paz, la justicia y la religión en sus dominios. La cruel Drahomira no dejó de tramar intrigas contra Wenceslao y su abuela, y fue ella misma la que ordenó asesinar a Ludmila, que fue estrangulada con su propio velo. Poco después del crimen, Boleslao invitó a nuestro santo a su castillo para que conociera a su hijo recién nacido. Wenceslao acudió sin ningún recelo, siendo recibido con enormes muestras de alegría y fraternidad. Después de la cena, acudió a orar a la iglesia. Fue seguido por Boleslao quien, a instancias de su madre, lo asesinó con sus propias manos.

Es trágica la historia de este santo, venerado como mártir, que fue víctima de su propia familia a causa de su religión. Ejemplo de monarca cristiano, nos sorprende también por su ingenuidad (muy próxima a la completa inocencia de la infancia), más comprensible si pensamos que Wenceslao sólo tenía veintidós años en el momento de su muerte.

San Miguel, San Gabriel y San Rafael, arcángeles

29 de septiembre

En este día, la Iglesia no sólo quiere honrar a estos tres arcángeles, sino a todos los miembros de la corte angelical de Dios. Según la tradición, éstos están repartidos en tres jerarquías, cada una de ellas dividida en tres coros: serafines, querubines y tronos; dominaciones, virtudes y potestades, y principados, ángeles y arcángeles. Todos ellos forman parte de la llamada Primera Creación: Dios los hizo, puros y perfectos, antes incluso del «Hágase la luz...», pero los creó, no lo olvidemos. No son dioses, son criaturas como nosotros, sólo que un poco más cercanos al Señor.

29 DE SEPTIEMBRE

SAN MIGUEL, SAN GABRIEL Y SAN RAFAEL, ARCÁNGELES

Otros santos: Fraterno, Quiríaco, Grimoaldo, Eutiquio, Plauto, Dadas Ripsimes y Gudecia.

Conocemos por su nombre a tres de estos ángeles: Rafael, Gabriel y Miguel. Como nos explica San Agustín, estos nombres no son indicadores de su naturaleza, sino de su oficio. De este modo, Rafael es el acompañante, Gabriel el mensajero y Miguel el guerrero de Dios.

Rafael aparece en la Biblia sólo una vez, como acompañante de Tobías. Lo guía a lo largo de toda su vida, desde las sombras del mal hasta un feliz matrimonio. Es el más «humano» de los tres: cariñoso y sensible, lo imaginamos como un confesor o un guía espiritual.

Cada vez que, en las Sagradas Escrituras, Dios tiene que dar un mensaje a los hombres, envía a San Gabriel. Sólo en el Nuevo Testamento, es él quien habla con Zacarías, quien lleva a cabo la Anunciación y quien tranquiliza a San José respecto a la virginidad de María. Es el patrón de los periodistas y de los medios de información.

Miguel es el que más aparece en las Sagradas Escrituras, y no en vano, ya que la tradición judía hace de él el arcángel más poderoso. Su nombre significa «Quién como Dios», que es precisamente el lema que gritaba al luchar contra las hordas de Lucifer. Caudillo de los ejércitos celestiales, fue él quien arrojó a Satanás al abismo, el que sacó a Adán y Eva del Paraíso, el que según el *Apocalipsis* vencerá a la Bestia.

En el día de los ángeles de Dios, parece obligado dedicar unos instantes al Ángel Caído, al antiguo Luzbel que se convirtió en Lucifer. La re-

30 DE SEPTIEMBRE

SAN JERÓNIMO (342-420)

Otros santos: Leopardo, Víctor, Urso, Antonino, Gregorio, Honorio y Sofía.

1 DE OCTUBRE

SANTA TERESITA DEL NIÑO JESÚS (1873-1897)

Otros santos: Remigio, Severo, Bavó, Piatón, Crescente, Evagrio, Aretas, Verísimo, Máxima, Julia y Domnino.

belión de Luzbel, el más perfecto de todos los arcángeles, y sus seguidores, que no quisieron adorar a Cristo y por tanto desafiaron al propio Dios, ha sido contada por los hombres desde tiempos inmemoriales. Escuchando la historia, parece inevitable sentir algo de lástima por ese ser casi perfecto que pecó de orgullo y que, precisamente por ser un ángel, ya no tiene posibilidad de arrepentirse y vivirá por siempre apartado de Dios.

Los ángeles son, en fin, una de las partes más hermosas de nuestra fe. Después de siglos de estar casi olvidados, en los últimos años parece que la fe en ellos se está reforzando. Hay quien ni siquiera profesa el catolicismo pero cree firmemente en Miguel, Gabriel y Rafael. ¿Tiene esto algún sentido? Sin duda, ya que, al final, nada ocurre gratuitamente.

San Jerónimo (342-420) — 30 de septiembre

Natural del Aquilea, Jerónimo fue educado en Roma por el famoso gramático pagano Donatus. Se convirtió en un auténtico maestro en lenguas clásicas y olvidándose de las enseñanzas cristianas que había recibido en su infancia, se dedicó de pleno a los proyectos mundanos siendo un destacado abogado. Ni bueno ni malo, era simplemente un hombre de mundo, un jurista más.

Cuando alcanzó la madurez, decidió tomarse un descanso y hacer un viaje por la Galia. No se sabe bien por qué, ya que al parecer no hubo ningún acontecimiento fuera de lo común, pero en medio de sus vacaciones decidió dar un giro radical a su vida. Se encerró en un monasterio en Aquilea; después de mucho meditar allí, resolvió marcharse a Antioquía y, de allí, al desierto, donde pasó cuatro años viviendo como anacoreta. Salió de su retiro a causa de un cisma que ocurrió en aquella zona, ya que no deseaba tomar partido. Fue ordenado sacerdote poco antes de su partida hacia Palestina, donde estudió la lengua hebrea. Pasó también por Constantinopla antes de ser llamado por el Papa, que lo retuvo en Roma y le hizo su secretario.

Después de tres años en el Vaticano, hizo un recorrido por los monasterios de Egipto, tras lo cual se retiró a la ciudad de Belén, donde murió en un convento.

San Jerónimo, además de ser un orador excelente, fue un formidable escritor; por ello ha sido nombrado doctor de la Iglesia. Suya es la *Vulgata,* la primera traducción de la Biblia al latín, así como muchísimas cartas y comentarios sobre las Sagradas Escrituras. Cuidaba tanto su estilo y era tan aficionado a Cicerón, que él mismo tuvo una pesadilla en la cual Dios, a su muerte, le acusaba de no ser cristiano sino ciceroniano.

Santa Teresita del Niño Jesús (1873-1897) — 1 de octubre

Santa Teresa del Niño Jesús, llamada comúnmente Santa Teresita del Niño Jesús, es muy posiblemente la más popular de las santas canonizadas en los últimos tiempos y quizá la de vida menos llamativa: murió a los veinticuatro años, ignorada por todos e incomprendida por compañeras y superiores, repitiendo «Jesús mío, yo te amo», y pasó su corta vida dando muestras de ese amor. Se llamaba Teresa Martín y había nacido en el normando Lisieux, en cuyo Carmelo ingresó apenas cumplidos los quince años tras pedírselo al Papa con ocasión de una peregrinación a Roma.

Durante sus años en el Carmelo tuvo siempre presente una frase de Cristo: «Si no os hacéis como niños, no entraréis en el reino de los cielos». Y supo ser siempre niña ante los ojos del Señor y seguir lo que ella llamaba «el caminito»: adorarle, trabajar, obedecer, perfeccionarse en la piedad y ofrecer a Dios el continuo sufrimiento que su endeble salud la provocaba y su vida toda por las misiones.

En vida, no hizo aparentemente nada extraordinario. En las postrimerías del siglo XIX, vivió de espaldas a la modernidad: su fuerza era tan íntima, su humildad tan profunda, su palabra tan corta cuando no dialogaba con Dios, que sus coetáneos no acertaron a ver en ella sino una monja más del Carmelo, una monjita oscura, vulgar, gris, débil de cuerpo y tísica en los últimos años de su corta vida. Pero después de su muerte, su libro *Historia de un alma* y los milagros que el Señor realizó por su intercesión la elevaron a los altares y la hicieron famosa. Y ella, la humilde monjita de Lisieux, la casi niña a la que una precaria salud impidió desarrollar la tarea misionera que hubiera colmado su vida, es invocada hoy como patrona de las misiones junto a San Francisco Javier, de quien fue muy devota y a quien dedicó al menos una *Novena de la Gracia*.

2 DE OCTUBRE
LOS SANTOS ÁNGELES CUSTODIOS
Otros santos: Saturio, Leodegario, Modesto, Primo, Gerino, Eleuterio, Cirilo, Secundario y Teófilo.
Santo Ángel de la Guarda

Los Santos Ángeles Custodios — 2 de octubre

El Señor, cuando habla de los niños, nos anuncia que «en el cielo, sus ángeles están viendo siempre el rostro de mi Padre Celestial». En el salmo 91, se nos anuncia: «Dios te enviará a sus ángeles para que te guarden en todos tus caminos». Orígenes nos recuerda que «cada uno de nosotros tiene un ángel bueno que nos dirige, nos gobierna, nos corrige y presenta a Dios nuestras plegarias». Y San Bernardo insiste en que «debemos tener para con nuestro ángel de la guarda respeto, gratitud y confianza».

Hasta hace no muchos años, todas las madres cristianas acostumbraban a sus hijos a encomendarse al ángel de la guarda al tiempo que les enseñaban a rezar a Dios y a la Virgen María. «Ángel de la guarda, dulce compañía, no me dejes solo ni de noche ni de día; ángel de la guarda, dulce compañía, no me dejes solo que me perdería» era, junto al «Cuatro esquinitas tiene mi cama, cuatro angelitos que me acompañan: dos a los pies, dos a la cabecera, y la Virgen María que es mi compañía», lo que nos abría las puertas del sueño y espantaba de nosotros todos los miedos.

Es evidente que para creer en el ángel de la guarda se hace preciso ser como un niño, pero la Iglesia venera la figura de los Santos Ángeles Custodios desde hace, al menos, quince siglos, porque Cristo afirmó que no entraríamos en el reino de los cielos si no nos volvíamos como niños y porque la debilidad del hombre, los miedos, titubeos, inseguridades de ese niño que todos llevamos dentro, y nuestro propio temor a la soledad, encuentran en el ángel de la guarda una compañía más fiel y eficaz que los mil sucedáneos que pretenden ofrecernos bajo figura de hadas, gnomos u ositos de peluche.

3 DE OCTUBRE

SAN FRANCISCO DE BORJA (1510-1572)

Otros santos: Cándido, Dionisio, Fausto, Cayo, Pedro, Pablo, Ewaldo, Maximiano, Gerardo, Esiquio, María Josefa Roselló y Juan Macías.

4 DE OCTUBRE

SAN FRANCISCO DE ASÍS (1181-1226)

Otros santos: Pedro, Crispo, Cayo, Fausto, Eusebio, Queremón, Lucio, Marcos, Marciano, Petronio, Áurea e Hieroteo, un ateniense bautizado por San Pablo.

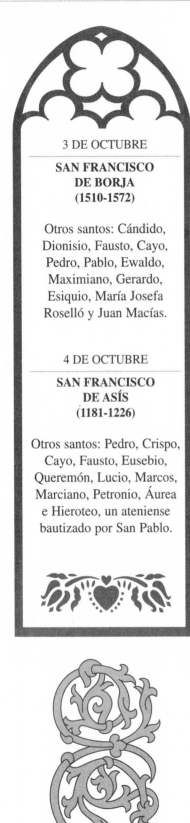

San Francisco de Borja (1510-1572) 3 de octubre

«Jamás serviré a señor que se me pueda morir.» Francisco de Borja, bisnieto del Papa Alejandro VI –el Papa Borgia–, duque de Gandía, marqués de Lombay, jefe de la casa del emperador Carlos V, virrey de Cataluña, feliz esposo y dichoso padre de ocho hijos, rico en dignidades, saberes, palabras y fama, con esa frase renuncia a todo ello y, viudo ya, ingresa en la recién fundada Compañía de Jesús. La muerte de la emperatriz Isabel, su bienhechora, y la contemplación de su cadáver le hace reflexionar sobre la futilidad de las vanidades humanas y la inevitabilidad de la muerte, y desde el fondo de su alma le brota una de las frases más célebres de los anales de la santidad.

Francisco había nacido en 1510, en Gandía (Valencia); era hijo de los duques de ese nombre. Fue educado por el arzobispo de Zaragoza, que era tío suyo, y tras estar algún tiempo al servicio de la hermana del emperador, la infanta Catalina, pasó al servicio y la intimidad de Carlos V y su esposa, Isabel, le incita a casarse con una de sus damas, Leonor de Castro. En 1539, la muerte de la emperatriz y las palabras pronunciadas durante las exequias por San Juan de Ávila despiertan en él la idea de entrar en religión. Ha de esperar algún tiempo, durante el cual ejerce el cargo de virrey de Cataluña y, sobre todo, dialoga cuanto puede con San Ignacio de Loyola. Al morir su esposa, pronuncia la frase que se ha hecho famosa, renuncia a títulos, bienes y estados e ingresa en la Compañía de Jesús, de la que fue nombrado general en 1565 y es considerado segundo fundador. Su humildad le hizo renunciar en siete ocasiones a la dignidad cardenalicia y sólo la certeza de que nunca lo aceptaría hizo que los cardenales reunidos en cónclave renunciasen a su deseo de nombrarle Papa. Murió en Roma, en 1572, tras desgastarse en tareas que le consumieron hasta morir.

San Francisco de Asís (1181-1226) 4 de octubre

Se hace muy difícil, si no imposible, encontrar en el santoral alguien que se identifique con el ideal evangélico en mayor grado que Francisco de Asís, aquel a quien Rubén Darío cantó como «el varón que tiene corazón de lis, alma de querube y lengua celestial, el mínimo y dulce...» Y es difícil porque hizo hasta tal punto norma de vida las Bienaventuranzas evangélicas, que quiso ser tan pobre como las avecillas del cielo y poner siempre el mañana en manos del Señor, mantener el corazón puro, el alma libre de otras ataduras que el amor a Dios, y porque llevó hasta tal extremo el mandato del amor que supo sentirse hermano hasta de la muerte, tras serlo de todos los seres vivientes.

Quiso y supo renunciar a las riquezas y la vida fácil que la posición de su padre, un poderoso mercader, abría ante él y repartir entre los pobres no sólo sus propias riquezas, sino lo que la caridad ajena ponía en sus manos día tras día, al tiempo que él, ejemplo de humildad, se encaraba con valentía a la sociedad en que había nacido y a su propio padre para denunciar el mal uso que venían haciendo de las riquezas que el Señor había puesto en sus manos; y aún más, sin faltar a la obediencia y a la humildad, supo defender con heroísmo sus ideales evangélicos frente a los conformismos de algunos sectores acomodados de la Iglesia de su tiempo.

En el 1209, cuando contaba veintiocho años de edad, se le adhiere un reducido grupo de discípulos que dan origen al núcleo fundacional de los Hermanos Menores. Tres años después, dirige la fundación por Clara de Asís de las Damas Pobres, las clarisas. Y diez años más tarde, y bajo su tutela, surge la orden tercera de Penitencia, que agrupa a seglares deseosos de seguir los pasos del *poverello*. Misiona por Italia, Francia y España, al tiempo que por Tierra Santa, Egipto y Oriente. A su regreso, es relevado en el gobierno de la orden que ha fundado por quienes consideran excesivo el rigor de vida a que deben someterse y, en la soledad de su retiro, quien se había identificado hasta tal punto con las enseñanzas de Cristo, recibe en su carne la impresión de unas llagas como las que Él sufrió.

San Froilán († 905) — 5 de octubre

Patrón de León y de Lugo, San Froilán nació en esa ciudad gallega durante el reinado de Alfonso II *el Casto* en el seno de una familia acomodada y muy piadosa; fue obispo de León, y evangelizó durante la segunda mitad del siglo IX el reino de Alfonso III *el Magno* en sus tierras de Galicia, Asturias, León y las riberas del Duero. En su labor evangélica creó numerosos monasterios, el más importante de los cuales fue el de Távera, en tierras de Zamora, que convirtió el valle del Esla en un faro de cultura y cristiandad, teniendo el privilegio de contar con dos santos entre quienes lo rigieron: el propio San Froilán, que fue abad antes de ser obispo de Lugo, y San Atilano, que sería obispo de Zamora después de ser prior de Távera.

Parece ser que, en su juventud, Froilán se debatía entre una doble vocación: la de eremita y la de predicador, por lo que quiso dejar en manos del cielo la elección y se sometió a un juicio de Dios: introdujo dentro de su boca unas brasas encendidas y, al no quemarse con ellas, supo que debía ser predicador. No fue ésta la única señal que el Señor quiso enviar a quien sería uno de sus santos, ya que, en una ocasión en que detuvo en un yermo su caminar, el cielo se iluminó de repente y dos palomas, una blanca y otra negra, se llegaron hasta él y se introdujeron en su boca, causándole una indecible dulzura al tiempo que un ardor extraordinario en el pecho.

Esas muestras de favor del cielo y su extraordinaria preparación cultural hicieron de Froilán uno de los más grandes predicadores de todos los tiempos, pero huyendo del aplauso que sus intervenciones le granjeaban, buscó la soledad eremita en las montañas de León. La llegada de quien sería San Atilano y la llamada de Alfonso *el Magno* le llevaron a iniciar su actividad de fundador de monasterios y a aceptar la silla episcopal de León. Con años de anticipación profetizó la fecha de su muerte.

5 DE OCTUBRE

SAN FROILÁN
(† 905)

Otros santos: Tráseas, Palmacio, Flaviana, Caritina, Atilano, Marcelino, Apolinar y Gala.

6 DE OCTUBRE

SAN BRUNO
(1033-1101)

Otros santos: Sagar, Román, Erótida, Marcelo, Casto, Emilio, Saturnino, Magno y María Francisca de las Cinco Llagas.

San Bruno (1033-1101) — 6 de octubre

Nacido en 1033 en la ciudad de Colonia y en el seno de una noble familia, ejemplar por sus virtudes, destacó en tal forma en sus estudios que fue enviado muy joven a perfeccionarse y graduarse en la Universidad de París, cosa que hizo al tiempo que recibía el sacerdocio. Al poco, el obispo de Colonia –el que había de ser San Anón– le mandó llamar a su lado y pronto fue elegido magistral y comenzó a dictar clases en la Universidad de

7 DE OCTUBRE

SAN AUGUSTO
(† 560)

Nuestra Señora del Rosario. Otros santos: Marcos, Julia, Justina, Helano, Martín, Marcelo y Apuleyo.

8 DE OCTUBRE

SAN JUAN DE JESÚS
(1618-1669)

Otros santos: Evodio, Sergio, Baco, Marcelo, Apuleyo, Artemón, Reparata, Benedicta, Néstor, Pedro, Demetrio, Palaciata, Lorenza, Tais, Pelagia y el anciano Simeón, el que ayudó a sepultar a Cristo.

Reims, en la que tuvo alumnos tan preclaros como el futuro Papa Urbano II. Sus virtudes y sabiduría hicieron que sus superiores quisieran nombrarle obispo de esa misma ciudad, pero su humildad logró evitarlo, como más tarde haría cuando el Papa, a quien servía como consejero, quiso elevarle a la dignidad episcopal y él, bañado en lágrimas, le pidió que le dejase retirarse a un desierto a hacer vida monástica. No lo hizo en La Cartuja, de la que se le considera fundador, sino en un monasterio que fundó en Calabria.

Se cuenta que, apenas fue ordenado en París, murió un famoso doctor, a quien se consideraba virtuosísimo. Durante los oficios de *corpore insepulto,* a la admonición del sacerdote *responde mihi*, el cadáver se incorporó levemente y dijo: «Por justo juicio de Dios, soy acusado». Suspendidos los oficios, la escena se repitió dos veces más cuando fueron reanudados, entre el asombro y el pavor de todos los asistentes, entre los que se encontraba Bruno con un grupo de amigos. Con ellos, el futuro santo se fue hasta Grenoble para visitar allí a su obispo, el futuro San Hugo, y tras pasar dos días en el palacio episcopal se retiraron a un lugar cercano a Grenoble, donde fundaron un monasterio que llegaría a ser La Cartuja. Murió en olor de santidad el 6 de octubre de 1101.

SAN AUGUSTO († 560) — 7 DE OCTUBRE

Si en los Juegos Paralímpicos la demostración de voluntad y fe de que dan muestra los participantes nos asombra y sobrecoge, al tiempo que nos dan nuevas fuerzas para enfrentarnos a nuestras pequeñas dificultades, San Augusto bien merece la medalla de oro en la más importante de las pruebas en las que puede participar todo hombre: la de la santidad. Y bien merece ser propuesto como ejemplo e intercesor para cuantos, como él, han de superar sus deficiencias físicas con la fuerza de su espíritu y la fe en sí mismos y en Dios.

Paralítico de nacimiento y procedente de una familia de humilde condición, se ve precisado a mendigar arrastrándose con codos y rodillas para hacerlo. Las gentes, conmovidas por el ejemplo de piedad, paciencia y alegre conformidad con que lleva su triste situación, son generosas para con él, con lo que logra ahorrar tras atender a sus necesidades y las de quienes, más pobres aún que nuestro santo, a él piden caridad, logra edificar una ermita en honor de San Martín, en una pradería junto a Brives.

Por voluntad de Dios, en el acto mismo en que la ermita es consagrada, Augusto se ve liberado de su enfermedad y comienza a andar. Allí mismo, decide consagrar su vida al Señor como religioso. Un tiempo después es ordenado sacerdote por Probiano, obispo de Bourges, y se recluye en el monasterio de San Sinforiano, en el que, como religioso y como abad, da constante ejemplo de aquellas virtudes que conmovieron a quienes pedía caridad desde el suelo. En él muere el 7 de octubre del año 560.

SAN JUAN DE JESÚS (1618-1669) — 8 DE OCTUBRE

Dedicamos estas líneas, entre los santos que recuerda hoy en este día nuestra Iglesia, a uno español, relativamente moderno y, pese a ello, muy poco conocido: San Juan de Jesús y de San Joaquín. Hermano carmelita descalzo en el convento de Pamplona, fue humilde en vida y parece como si quisiera seguir siéndolo en el recuerdo de aquellos a quienes dejó ejemplo de santidad.

Con el nombre de Juan Beltrán Leoz, había nacido el 13 de junio de 1618 en Añorbe, cerca del convento en que dedicó su vida al Señor. Tan pronto su edad lo hizo posible, ingresó en el convento de los carmelitas descalzos, en Pamplona, para ser humilde hermano. Y en él transcurrió su vida, una vida dedicada a la caridad, la oración y la penitencia que fue ejemplo para cuantos tuvieron la fortuna de conocerle.

Las gentes del pueblo, conmovidas por sus virtudes tanto como por su simpatía, sencillez y absoluta y alegre entrega a los demás, acertaron a ver en él un hombre bueno de quien tomar ejemplo y, a su muerte, un santo a quien encomendar las plegarias al Señor. Muchos fueron los favores y recados que a cuantos le rodeaban, dentro y fuera del convento, había hecho en vida, y muchos y nuevos favores y encomiendas le hicieron quienes le habían conocido en vida o habían sabido de sus virtudes.

Y una vez más *–vox populi, vox coeli–* la fe del pueblo y su veneración al santo que entre ellos había ejercitado la caridad, llegó a Roma y Roma proclamó su santidad.

Se le conmemora el día de su muerte, de su descanso en el Señor, lo que aconteció el 8 de octubre de 1669.

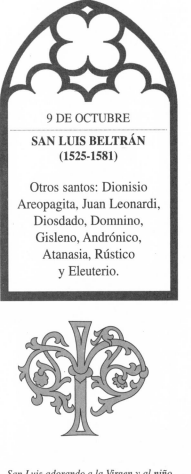

9 DE OCTUBRE

SAN LUIS BELTRÁN (1525-1581)

Otros santos: Dionisio Areopagita, Juan Leonardi, Diosdado, Domnino, Gisleno, Andrónico, Atanasia, Rústico y Eleuterio.

San Luis Beltrán (1525-1581) 9 de octubre

San Luis Beltrán –acaso se apellidara Bertrán– recibió el impulso definitivo para emprender el camino de la santidad con ocasión de su peregrinación a Santiago.

Había nacido en Valencia, en 1525; hijo de un notario de la ciudad, en plena juventud peregrina a Santiago, donde decide seguir los pasos de San Vicente Ferrer, un santo de su tierra, y dedicar su vida al Señor. Ingresa en la orden de Santo Domingo, tras vencer la tenaz resistencia de su padre con una mayor dosis de firmeza y seguridad en su vocación. Ese triunfo sobre la voluntad del padre se vería recompensado, al morir éste, con las palabras que le dirigió: «Hijo mío, una de las cosas que más me ha costado en esta vida ha sido la de verte entrar en religión; pero nada me consuela hoy tanto como verte religioso. A tus oraciones encomiendo mi alma».

Contra su voluntad, que le hacía feliz en la obediencia, fue elegido maestro de novicios y más tarde superior de los conventos de Albayda y Valencia.

En 1562 marchó a América, a tierras de Colombia, y allí desplegó una ingente labor misionera y de caridad. Se cuenta que, estando en tierras americanas, y viendo que algunos españoles oprimían a los indígenas castigándoles con saña e imponiéndoles injustas e insoportables contribuciones y tributos, quiso darles una lección que creyó imborrable de sus mentes y, estando en una comida con algunos de esos grandes señores, tomó el pan que había sobre la mesa, lo exprimió entre sus manos y con-

San Luis adorando a la Virgen y al niño (detalle), Coello.

10 DE OCTUBRE

SANTO TOMÁS DE VILLANUEVA (1488-1555)

Otros santos: Eulampio, Eulampia, Daniel, Samuel, Ángel, León, Nicolás, Hugolino, Domno, Gereón, Víctor, Casio, Florencio, Pinito, Paulino y Cerbonio.

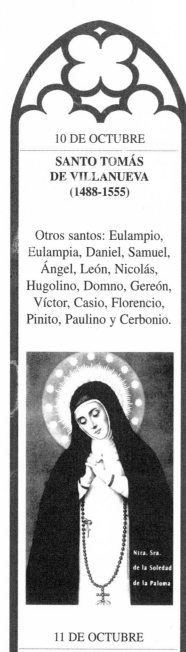

11 DE OCTUBRE

SANTA SOLEDAD (1826-1887)

Otros santos: Nicasio, Germán, Quirino, Anastasio, Escubículo, Plácido, Ginés, Probo, Andrónico, Táraco, Sármata, Cánico, Gumaro, Miguel Argawi, Sisinio, Agilberto, Nectario, Wasnulfo, Fermín, Bruno y Alejandro.

siguió de Dios que de él brotase sangre. «Esta sangre es el sudor de los pobres, con la que elaboráis vuestras riquezas y vuestro alimento», dijo a quienes se habían quedado atónitos ante el milagro.

Regresó a Valencia, con gran dolor de los naturales a los que tanto había defendido, y dedicó allí su vida a la oración. Predijo el día de su muerte, tuvo visiones celestiales y entregó su alma al Señor, al decir de los que asistieron a su muerte, acompañado por una música angélica.

Santo Tomás de Villanueva (1488-1555) — 10 de octubre

En 1488, muy cerca de Villanueva de los Infantes, en Fuenllana, nació Santo Tomás de Villanueva, un obispo español que, en la época de Lutero, supo hacer la reforma que la Iglesia precisaba, pero desde dentro de la Iglesia, gracias a su inteligencia, seriedad, tenacidad, inflexibilidad, dulzura y extrema caridad. El emperador llegó a decir de él: «Tomás no pide nunca, siempre ordena». Humanista como pocos, este hombre de su siglo, de su Iglesia y de su Dios supo serlo de su tiempo y se ofreció al mundo en una imagen múltiple: profesor, predicador, místico, reformador, asceta, limosnero, etc.

Cursó estudios en la Universidad de Alcalá, de la que pronto llegaría a ser maestro admirable, tanto por sus conocimientos de las ciencias humanas y religiosas como por la suavidad de su trato, la rectitud de su conducta y su facilidad expositiva. Como Lutero, abandona el claustro universitario para ingresar en la orden de San Agustín y ordenarse sacerdote en 1520. Resulta ser un predicador de palabra encendida, aunque sobrio y extremadamente ajustado a la fe de la Iglesia.

Nombrado arzobispo de Valencia, dedicó su inagotable energía a dos tareas fundamentales: la reforma de la disciplina eclesiástica y la caridad, el oficio de limosnero, ya que el episcopado puso en sus manos enormes sumas de dinero que él, con gran escándalo de cuantos le rodeaban, se apresuró a repartir entre los pobres e invertir en obras sociales y de caridad. Llegó a repartir hasta el jergón en que descansaba su cuerpo enfermo. «No me moriré hasta que sepa que no me queda nada en este mundo», afirmó antes de que, en Turia, y cuando no le quedaba nada, entregó su alma al Señor junto a quien todo lo había atesorado.

Cuando le era enviado alguno de los que se rebelaban contra la Iglesia, se encerraba a solas con el acusado y se flagelaba las espaldas y les explicaba, ante la sorpresa que manifestaban por su acción: «Hermano, mis pecados tienen la culpa de tu error, por eso es justo que sea yo quien sufra el castigo que a ti podría aplicársete».

Fue canonizado por Alejandro VII en 1658.

Santa Soledad (1826-1887) — 11 de octubre

En el mundo, se llamaba Soledad Torres Acosta y había nacido el 2 de diciembre de 1826 en la madrileña calle de la Flor Baja –cercana a la actual plaza de España–, en el emplazamiento del teatro Lope de Vega.

Desde muy niña tuvo vocación religiosa y quiso ingresar en la orden de Santo Domingo. No pudo ser, acaso por lo insignificante de su aspecto físico y su origen social. El Señor le preparaba un camino más acorde con su inquebrantable piedad y amor al prójimo: un cura del barrio de Chamberí, don Miguel Martínez, reúne a un grupo de mujeres para que se dediquen al cuidado de los enfermos desamparados. Serán las siervas de María, así que ella se hace sierva de María con el nombre de sor María Soledad, y a los enfermos dedica todas sus fuerzas, pese a que su propia salud es más que precaria. Es nombrada superiora de la orden y ello multiplica sus trabajos en los años en que la epidemia de cólera ataca Madrid.

Don Miguel Martínez marcha a Fernando Poo y su sucesor no acierta a proseguir su labor con fortuna. Sor María Soledad es depuesta de su cargo de superiora y relegada a un pequeño hospital de Getafe, lo que hace que no pocas de las hermanas abandonen la orden. Pero sor María Soledad, a pesar de su aparente insignificancia, se propone conseguir que la orden supere todos los obstáculos y empeña en ello todas sus horas para dedicarlas a la oración y al trabajo. Y consigue que las siervas de María se extiendan por España y América.

Santa María de la Soledad Torres Acosta muere en Madrid el 11 de octubre de 1887, con tiempo para ver que las vocaciones han reverdecido en la orden a que se ha consagrado y que las siervas de María atienden enfermos en hospitales de medio mundo.

12 DE OCTUBRE

NUESTRA SEÑORA DEL PILAR

Otros santos: Wilfrido, Serafín, Domnina, Evagrio, Prisciano, Edistio, Maximiliano, Mones, Salvino, Eustaquio y Serafín.

NUESTRA SEÑORA DEL PILAR — 12 DE OCTUBRE

En 1637, un grupo de médicos se ve precisado a cortar una pierna a Miguel Juan Pellicer, natural de Calanda. Tres años más tarde, invocando a la Virgen del Pilar, Miguel arroja lejos de sí su pata de palo porque vuelve a contar con la pierna que perdió, como muestra al poco tiempo a los mismos médicos que se la cortaron e hicieron enterrar y que de ello dieron fe pública. Es uno más de los milagros y favores que sus incontables devotos han conseguido gracias a la intervención de la Virgen del Pilar.

Según la tradición, cuando Santiago *el Mayor* se disponía a venir a España para iniciar en ella la predicación del Evangelio de Cristo, fue a despedirse de la Madre del Señor y a pedir su bendición para la empresa que iniciaba. Ya en España, la predicación de Santiago estaba consiguiendo pocos frutos. En Oviedo sólo pudo bautizar a un catecúmeno, y otro tanto le sucedió en Padrón y en su peregrinar por las tierras de Castilla. En Aragón, sin embargo, obtuvo un fruto algo más cuajado: ocho varones se convirtieron a la fe de Cristo y se constituyeron en discípulos suyos. Con ellos estaba una noche, a las orillas del Ebro, cuando escuchó un coro de voces angélicas que cantaban el *Ave María*. Se incorporó de entre sus compañeros durmientes y pudo ver a la Virgen María sentada en un pilar de mármol y rodeada de un coro de ángeles que le decía: «He aquí el lugar señalado para que levantes una iglesia en mi memoria; en ella pondrás este pilar, que permanecerá hasta el fin del mundo, y nunca faltarán verdaderos cristianos en esta ciudad».

Santiago, con ayuda de sus discípulos, comenzó a edificar la iglesia que la Virgen le había encomendado que levantase y, antes de salir de Zaragoza, ordenó presbítero a uno de aquellos ocho varones.

13 DE OCTUBRE

SAN EDUARDO (1002-1066)

Otros santos: Fausto, Jenaro, Marcial, Florencio, Colmano, Teófilo, Venancio, Celedonia, Carpo y Giraldo.

14 DE OCTUBRE

SAN CALIXTO († 222)

Otros santos: Gaudencio, Fortunata, Carponio, Evaristo, Prisciano, Saturnino, Lupo, Fortunato, Rústico, Justo, Burcardo, Donaciano, Domingo Lorigado y Bernardo.

Desde entonces, ha sido España tierra de Nuestra Señora del Pilar, patrona de España, de Aragón y de Zaragoza, y faro de los cristianos de la América española.

San Eduardo (1002-1066) — 13 de octubre

San Eduardo fue hijo del rey Ethelred II y de una hija de Ricardo I, la reina Emma. Pese a ello, y a su educación en el palacio familiar, ya desde la juventud fue enemigo de la vanidad y los placeres.

A los cinco años hubo de ser exiliado a Francia hasta que, con cuarenta años, murió el rey danés invasor Canuto *el Grande*, por lo que pudo regresar a Inglaterra y ser coronado, con gran contento de todos los habitantes, que vivieron años de felicidad pese a los tiempos que les tocó vivir bajo el suave mandato del último rey anglosajón.

Rey ya, y animado por todos para que tomara esposa, Eduardo se enfrentaba al hecho de que había hecho voto de castidad perpetua en su juventud, pero encontró un alma gemela en la condesa Edgitha, que aceptó con alegría vivir también en virginidad en un matrimonio felicísimo.

Con la ayuda de sus consejeros, proclamó una serie de leyes en las que los castigos eran inusitadamente suaves y caritativos para la época.

Al no poder cumplir el voto que había hecho en Francia de visitar la tumba del apóstol San Pedro si recuperaba su patria y su trono, lo sustituyó por el de ofrecer una basílica en su honor. Como residía en muchas ocasiones en Westmister, quiso levantarla allí y firmar la carta de fundación, y las inmunidades y privilegios que concedía a la nueva basílica en la festividad por él más apreciada: la Navidad. En la ceremonia se sintió enfermo, pero no quiso retirarse hasta el final. Murió el 5 de enero de 1066, rodeado por un grupo de nobles que lloraban desconsolados y de una reina que lo hacía más dolorosamente aún. Ante todos, declaró que la dejaba virgen y la encomendó a su hermano Harold. Había reinado durante veintitrés años, seis meses y veinte días, velando piadosamente por sus súbditos y muy especialmente los necesitados. El trono de Inglaterra pasó a Guillermo de Normandía, llamado *el Conquistador*.

San Calixto († 222) — 14 de octubre

El Papa San Calixto, sucesor de San Ceferino, fue romano de nacimiento. Vivió una infancia y juventud de extrema dureza, ya que se cuenta que, esclavo en su juventud, perdió una gran suma de dinero que le había confiado su amo y fue sentenciado a la tortura de la rueda y más tarde a las minas de Sardinia. En esas duras pruebas, le sostuvo su inquebrantable fe en Cristo. Ante tan claras muestras de piedad, San Ceferino, Papa en aquellos momentos, le hace diácono de Roma; desde ese diaconado esa misma fe y piedad le eleva entre sus hermanos para ser elegido obispo de Roma el año 217, el mismo en que asume el poder en el Imperio Macrinus, heredero del cruel Caracalla, el bárbaro opresor del pueblo.

Dos años después Heliogábalo, hijo de una prima carnal de Caracalla, se convierte en el nuevo emperador tras el asesinato de Macrinus, y él mismo, un lujurioso tirano detestado por todos, muere asesinado tres años más tarde, en el año 222, tras un gobierno en el que el Papa Calixto se opuso tenazmente a las orgías de Heliogábalo con lágrimas y ayunos, al tiempo que mostraba su piedad para quienes, por debilidad, habían sucumbido a la tentación durante las persecuciones y organiza, en las catacumbas de la vía Apia, el cementerio que posteriormente llevaría su nombre.

Por fortuna para Roma y para la Iglesia, cercano a Heliogábalo se hallaba su primo Alejandro Severo, quien por su clemencia, prudencia, modestia, cercanía y respeto a la religión de los cristianos, logró ser considerado uno de los mejores príncipes de Roma y en cuyo pacífico reinado los cristianos comenzaron a levantar sus primeras iglesias. Al tiempo que el Papa Calixto se oponía a las atrocidades de Heliogábalo, Alejandro Severo alababa ante todos su prudencia y su acierto en la elección de sacerdotes. Pero esas alabanzas de Alejandro no privaron a Calixto de la corona del martirio, que recibió el 14 de octubre de 222.

Santa Teresa de Jesús (1515-1582) — 15 de octubre

Canonizada en 1622, fue la primera mujer proclamada doctora de la Iglesia en 1970. Mística de extraordinaria profundidad espiritual, Santa Teresa estuvo dotada de capacidad organizadora, sentido común, tacto, inteligencia, coraje y humor, al tiempo que de unas dotes literarias que han hecho que sus escritos estén considerados como una contribución única a la literatura mística y una obra maestra de la prosa española. Destacan: su *Autobiografía espiritual; Camino de perfección* (1583), *Libro de consejos para las monjas de su orden; Castillo interior* (1577), volumen más conocido por el título *Las Moradas*, que contiene una descripción de su vida contemplativa, y *El libro de las fundaciones* (1573-1582), un documento sobre los orígenes de las carmelitas descalzas.

Teresa de Cepeda y Ahumada nació en Ávila el 28 de marzo de 1515. A la muerte de su madre, cuando nuestra santa contaba once años de edad, atravesó una etapa en la que, inducida por una prima, estuvo apartada de sus devociones, por lo que su padre la internó en un convento de agustinas para que estudiara. Al año y medio, una grave enfermedad obligó a su padre a llevarla de regreso a casa, pero allí, tras una violenta fiebre, en 1535, resolvió hacerse monja e ingresó en el convento de la Encarnación que las carmelitas tenían fuera de las murallas de Ávila

Tras veinte años de ejercitarse en la oración y someterse a ejercicios religiosos rigurosos, tuvo una serie de experiencias interiores en las que afirmaba haber visto a Jesús, el infierno, los ángeles y los demonios, y sentir agudos dolores provocados por la lanza que un ángel le clavaba en el corazón. Censurada y ridiculizada por todos, sufrió con resignación esas vejaciones hasta que, en 1559, mantuvo unas conversaciones con San Pedro de Alcántara y éste descubrió en ella signos de las gracias del Espíritu Santo.

Para combatir la indisciplina de las carmelitas, emprendió la reforma de su orden, convirtiéndose, con la ayuda del Papa, en una inflexible rival de sus superiores religiosos. En 1562, funda en Ávila la primera comunidad de monjas carmelitas descalzas, el convento de San José, en el que im-

15 DE OCTUBRE

SANTA TERESA DE JESÚS (1515-1582)

Otros santos: Bruno, Fortunato, Agileo, Antíoco, Severo, Aurelia y Tecla.

puso el férreo cumplimiento de las primitivas y severas reglas de la orden. Aprobadas sus reformas por el general de la orden, llegado a Ávila en 1566, es autorizada a fundar otros conventos. Pese a estar acosada por poderosos y hostiles funcionarios eclesiásticos, logró fundar 60 conventos de la orden reformada para mujeres y 14 para frailes carmelitas. La ayuda de San Juan de la Cruz y del padre Antonio de Heredia permite a Teresa organizar una nueva rama del Carmelo y ver, dos años antes de su muerte, que el Papa reconocía a las carmelitas descalzas como orden monástica independiente. Murió el 4 de octubre de 1582 en Alba de Tormes, aunque la reforma del calendario hace que su festividad sea el 15 de octubre.

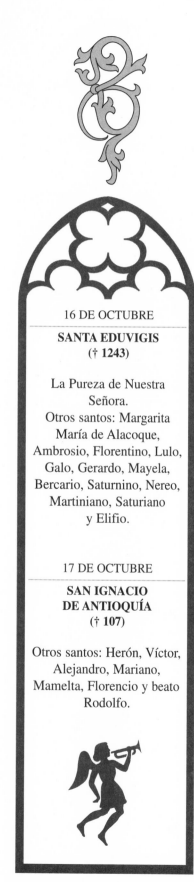

16 DE OCTUBRE

SANTA EDUVIGIS († 1243)

La Pureza de Nuestra Señora.
Otros santos: Margarita María de Alacoque, Ambrosio, Florentino, Lulo, Galo, Gerardo, Mayela, Bercario, Saturnino, Nereo, Martiniano, Saturiano y Elifio.

17 DE OCTUBRE

SAN IGNACIO DE ANTIOQUÍA († 107)

Otros santos: Herón, Víctor, Alejandro, Mariano, Mamelta, Florencio y beato Rodolfo.

SANTA EDUVIGIS († 1243) — 16 DE OCTUBRE

Era hija de Bertoldo III, príncipe de Carintia e Istria. Fue internada en un monasterio, del que salió a los doce años para casarse con el duque de Silesia. Tras darle tres hijos que aseguraban la sucesión, le comprometió para hacer mutuos votos de continencia perpetua, votos que Enrique llevó al extremo de que, durante los 30 años siguientes, no llevó joyas ni afeitó su barba, por lo que fue conocido como Enrique I *el Barbado*, y levantó un monasterio de monjas cistercienses en Trebnitz, construcción que se inició en 1203 y se concluyó en 1219.

Todos aquellos años la duquesa Eduvigis practicó en el palacio mayores austeridades de las que se exigían en los conventos, sus obras de caridad se llevaban hasta la última moneda, y eran frecuentísimos sus largos retiros en el monasterio que había hecho construir su esposo. A nadie extrañó que, al morir éste en 1238, renunciase al mundo y se internase como monja cisterciense en Trebnitz. Eran muchos los que la habían visto usar durante años el mismo manto y túnica tanto en invierno como en verano, ayunar todos los días salvo los domingos y grandes festividades, llegarse siempre descalza hasta las iglesias y dar tales muestras de modestia, piedad y entrega a los demás que a muchos indujo con su ejemplo. Ya en el convento, vivió en obediencia de su hermana Gertrudis, abadesa del mismo.

Tres años después de la muerte de su marido, murió asesinado por los tártaros el mayor y más amado de sus hijos y, sin derramar una lágrima, exclamó: «Gracias, Dios mío, por darme un hijo así. Verlo vivo fue mi mayor alegría; pero siento mayor placer aún al verlo unido a ti en el reino de tu gloria».

SAN IGNACIO DE ANTIOQUÍA († 107) — 17 DE OCTUBRE

Discípulo de San Juan Evangelista, fue San Ignacio un converso que supo responder durante toda su vida a la llamada del Señor y que, a partir del año 69, supo regir con piedad y acierto la Iglesia en la que los seguidores de Cristo fueron llamados por vez primera cristianos.

Durante las persecuciones de Domiciano, San Ignacio supo defender a su congregación con plegarias, ayunos y una actividad incansable en la predicación de la palabra de Dios. Aunque la muerte de Domiciano trajo la paz a Roma, fueron muchos los gobernadores de las provincias romanas que, bajo el Imperio de Trajano, reanudaron las persecuciones. El propio emperador, cuando hizo su entrada en Antioquía el 7 de febrero del año 107, quiso enaltecer el culto a sus dioses y decretó que los cristianos les hiciesen sacrificios o muriesen. El obispo Ignacio fue conducido ante el emperador, quien lo sentenció a ser entregado a las fieras en el circo de Roma. Él mismo se puso las cadenas y su modestia conmovió en tal forma a sus guardianes que, al pasar por Esmirna, se le permitió desembarcar para que saludase a San Policarpo, discípulo también de San Juan. Y allí escribió San Ignacio cuatro cartas en las que exhortaba a los cristianos a mantenerse unidos a su obispo y sacerdotes, orar en común para debilitar el poder de Satán, frecuentar la Eucaristía y, en la última, dirigida a los cristianos de Roma, les ruega que no supliquen a Dios para que las fieras respeten su vida, ya que «aunque esté vivo al escribir esto, mi deseo es morir, ya que mi amor está crucificado».

Más tarde, cuando en el circo oyó el rugido de los leones, exclamó: «Soy trigo del Señor; debo ser molido por los dientes de esas fieras para ser el pan limpio de Cristo. Si llego a sufrir el martirio resucitaré libre... Si alguno lleva a Cristo en su corazón, comprenderá mis razones. Es mejor morir por Jesucristo que reinar en la tierra».

San Lucas, evangelista (siglo I) — 18 de octubre

Es el único de los evangelistas que no fue judío. Nacido en Antioquía y con el griego como lengua materna, con una magnífica educación, sus viajes por Grecia y Egipto le permitieron enriquecer su bagaje cultural y perfeccionar sus conocimientos médicos. Durante siglos se ha admirado la pulcritud, expresividad y sencillez de sus escritos; San Pablo lo llama su más querido médico, San Jerónimo nos asegura que era muy competente en su profesión, y se dice que fue muy diestro como pintor.

Dedicó toda su vida al apostolado y acompañó a San Pablo en sus viajes a Troas, Macedonia, Filipos o Jerusalén. Hacia el año 56 envió a San Lucas a Corintio, acompañado de San Tito, para divulgar su maravilloso Evangelio, que había escrito ajustándose a los relatos de aquellos que «desde el principio fueron testigos y ministros de la palabra». Cuando Pablo apela al César y es llevado a Roma, Lucas embarca con él, a su lado sufre naufragio en Malta, y es su único compañero en la prisión que concluye con el martirio del apóstol de las gentes, de quien había sido siempre amantísimo discípulo. En los *Hechos de los Apóstoles*, San Lucas narra la historia de los primeros años de la Iglesia, desde la Ascensión al año 62.

Cuenta San Epifanio que, tras el martirio de San Pablo, San Lucas predicó el Evangelio en Italia, Galia, Dalmacia y Macedonia; y Nicéforo afirma que murió en Tebas, al parecer crucificado en un olivo, y que fue enterrado en Boetia. Por orden del emperador Constantino, los huesos de San Lucas fueron trasladados a Patras en el año 357, para ser depositados en la iglesia de los Apóstoles, en Constantinopla, junto a los de San Andrés y San Timoteo.

18 DE OCTUBRE

SAN LUCAS, EVANGELISTA (SIGLO I)

Otros santos: Atenodoro, Asclepíades, Justo, Julián y Trifonia.

19 DE OCTUBRE

SAN PEDRO DE ALCÁNTARA (1499-1562)

Otros santos: Juan de Brebeuf, Isaac Yogues, Pablo de la Cruz, Pelagia, Berónico, Tolomeo, Lucio, Varo, Etbino y Fredeswinda.

20 DE OCTUBRE

SANTA IRENE († 653)

Otros santos: Brendano, Laura, Sindulfo, Feliciano, Máximo, Jorge, Marta, Saula, Caprasio, Artemio y Andrés.

San Pedro de Alcántara (1499-1562) — 19 de octubre

Santa Teresa de Jesús dijo de él: «El bendito fray Pedro de Alcántara... parecía hecho de raíces. Lo poco que dormía, lo hacía sentado, con la cabeza recostada sobre un ladrillo que tenía hincado en la pared... Para él, comer cada tercer día era lo ordinario... Su pobreza era extrema... En la oración, tenía grandes ímpetus de amor... Con toda esa santidad era muy afable, aunque de pocas palabras, y en éstas era muy sabroso porque tenía muy lindo entendimiento... Cuando expiró, se me apareció... y dijo cómo se iba a descansar, y qué bienaventurada penitencia que tanto premio le había merecido». Y es que, como el propio San Pedro de Alcántara dejó dicho: «Hemos hecho un pacto mi cuerpo y yo: que, mientras viva en este mundo, nunca ha de tener intromisión en mi parecer; pero en llegando al cielo, lo dejaré para siempre descansar...»

Como San Juan de la Cruz, San Pedro de Alcántara fue consejero de Santa Teresa de Jesús en su reforma del Carmelo, y él mismo introdujo en su orden franciscana reformas siguiendo su modelo.

Había nacido en Alcántara, en el seno de una familia de la nobleza, y era hijo de un abogado de prestigio. Estudio gramática en Alcántara y a los catorce años inició estudios de filosofía en Salamanca. Allí mismo ingresó en la orden franciscana, se ordenó sacerdote en 1524 y fue enviado a fundar un convento en Badajoz, del que fue nombrado superior al poco tiempo. El «lindo entendimiento» que le atribuía Santa Teresa de Jesús hizo de él un predicador admirado en tierras de España y Portugal, y en 1538 fue nombrado provincial de su orden, momento en que pudo impulsar con energía la renovación; el Papa Julio III le autorizó a fundar conventos reformados que son conocidos como alcantarinos. Terminado su mandato, se retiró a la soledad a hacer, durante algunos años, vida eremítica.

Murió el 19 de octubre de 1562 en el convento de Arenas, localidad que, en su honor, recibe desde entonces el nombre de Arenas de San Pedro.

Santa Irene († 653) — 20 de octubre

Esta santa portuguesa, nacida en la ciudad de Tomar, vivió su castidad hasta el punto de que a ella debe su martirio y la gloria de su santidad.

Era hija de un matrimonio cristiano y acomodado en cuyo seno se educó cristianamente hasta que su tío, Selio, que era abad del monasterio de Santa María, quiso contribuir a su educación y encargó a uno de sus monjes, de nombre Remigio, que la educase en las ciencias humanas y en el conocimiento de las verdades evangélicas. Irene fue creciendo en conocimientos y religiosidad, pero también en belleza.

Se convirtió en una adolescente de tanta hermosura que se prendó de ella Britaldo, hijo del señor feudal de Tomar, hasta tal extremo que cuando Irene le explicó que había hecho voto perpetuo de castidad, Britaldo cayó en tan profunda melancolía que llegó a peligrar su razón y su vida. Enterada Irene, visitó al enfermo y le habló con tal convencimiento, que él se dio por consolado, aunque no sin hacer prometer a Irene que no pondría su afecto en nadie sino en el Señor y advirtiéndola de que, si llegaba a amar a otro hombre, la mataría.

El Demonio, atento siempre a entorpecer el camino de quienes lo han emprendido hacia el Señor, tentó al monje Remigio, haciéndole concebir deshonestos deseos hacia su discípula. Cuando le hizo saber sus deseos, ella le reprendió tan duramente que Remigio tornó su deseo en odio y maquinó una cruel venganza: dio a beber a Irene una pócima que provocó en ella un abultamiento del vientre que la hizo parecer embarazada. Al enterarse Britaldo del aparente embarazo de Irene, encargó su muerte a un sicario que la mató mientras rezaba junto al río Tajo, arrojando su cadáver a la corriente.

Su tío el abad y otros se llegaron hasta el lugar en que Irene había sido asesinada y vieron con asombro que las aguas del río se abrían para dejar el cuerpo de Irene sobre un sepulcro maravillosamente tallado.

El pueblo en cuyo término sucedió el milagro tomó, cuando Irene fue canonizada, el nombre de Santa Irene y es la actual ciudad de Santarem.

Santa Úrsula († 383) — 21 de octubre

De Santa Úrsula y las once mil vírgenes se cuentan historias muy diversas, de las que lo único cierto es que era hija de los reyes de Cornualles, había sido educada en la fe y que fueron asesinadas por los bárbaros –los hunos probablemente– cuando se resistieron a sus deseos libidinosos.

A partir de esa historia, las leyendas divergen. En unos casos, Úrsula es pedida en matrimonio por los embajadores de un monarca pagano y ella acepta con la condición de que su futuro esposo reciba el bautismo y que se reunirá con él tras hacer una peregrinación a Roma. En su peregrinación, es acompañada por once mil vírgenes y a su regreso de Roma, donde son recibidos por el Papa San Cirilo, todas ellas son asesinadas por los bárbaros. En otros, Úrsula había consagrado su virginidad al Señor desde la adolescencia. Su padre le dio en matrimonio a Conan, un cristiano que acompañaba al general Máximo, enviado por el emperador Graciano a Gran Bretaña y que había desembarcado con su ejército en la Armónica, en la costa de las Galias. Junto a ella, y para atender las peticiones de matrimonio de once mil soldados del ejército de Máximo, Úrsula fue acompañada por once mil vírgenes, a las que Santa Úrsula habló en tan encendidos términos de la castidad y el amor a Dios, que todas ellas decidieron permanecer en ese estado. Un viaje lleno de tormentas, amenazas de naufragio y aventura da con nuestras vírgenes, en vez de en la Armónica, en las costas de los Países Bajos, desde donde navegan hasta Colonia, tomada poco antes por los hunos quienes, ante su empeño en defender la virginidad que habían consagrado al Señor, las dan muerte el 21 de octubre del año 383.

Felipe de Heraclea († 304) — 22 de octubre

En la costa nororiental de Grecia y junto al mar de Mármara, San Felipe fue un venerable obispo que ocupó la silla episcopal en Heraclea de la Tracia durante los terribles años de las persecuciones de Diocleciano.

21 DE OCTUBRE

SANTA ÚRSULA
(† 383)

Otros santos: Hilarión, Asterio, Dasio, Malco, Zótico, Cayo, Viator, Columbia y Celina.

22 DE OCTUBRE

FELIPE DE HERACLEA
(† 304)

Otros santos: María Salomé, Marcos, Alejandro, Severo, Eusebio, Hermetes, Heraclio, Nunila, Alodia, Córdula, Abercio, Melanio, Donato y Verecundo.

Cuando las persecuciones a los cristianos ordenadas por Diocleciano llegaron a su diócesis, San Felipe era ya un anciano, lo que no le impidió actuar con decisión y energía cuando los enviados por Diocleciano cerraron su iglesia, impidiendo la entrada a los fieles. El anciano obispo advirtió a sus fieles que Cristo había enseñado que Dios no vive entre paredes, sino en el corazón de los hombres, y que el culto a Dios no puede suspenderse por no poder entrar en el templo, por lo que exhortó a los cristianos para que honren al Señor, solos o agrupados, bajo techado o al aire libre, donde quieran y puedan.

Los enviados del emperador piden al obispo que les entregue sin dilación los vasos sagrados y los libros de la Iglesia. San Felipe no se niega a entregar los vasos, importantes sólo por lo que contienen cuando se consagra el cuerpo del Señor bajo las especies del pan y el vino, y no por ser de metales nobles y valiosos; pero se niega a entregarles los libros, porque ellos, según les dice, recogen la palabra de Dios y encierran el espíritu de la Iglesia.

Se apresa a Felipe y a su diácono, Hermes, y se les azota para forzarles a cambiar de opinión y a adorar al emperador, a la diosa Fortuna y a Hércules, deidad de la que la ciudad toma nombre. Las negativas del obispo y su diácono hacen que ambos mueran en la hoguera en la ciudad de Adrianápolis, dejándonos la enseñanza de un orden de valores absolutamente cierta.

San Juan de Capistrano (1386-1456) — 23 de octubre

Había nacido en una modesta aldea de los Abruzos, estudió leyes en Bolonia y Perusa, donde contrajo matrimonio, fue gobernador, enviudó al poco tiempo y decidió ingresar en la orden franciscana en 1416, cuando acababa de cumplir treinta años y se encontraba en prisión acusado por los prusianos de trabajar a favor del rey Ladislao de Nápoles.

Estando en prisión, tomó conciencia de su vocación y vendió todos sus bienes para pagar el rescate, ingresó en la orden y, tras superar la prueba de humildad a que quisieron someterle los superiores de los franciscanos –recorrer las calles de Perusa cabalgando un asno y vestido ridículamente–, comenzó una labor apostólica que le llevó por tierras de Italia, Alemania, Austria, Polonia y Hungría, entre otras. En todas ellas se mostró tan excelso predicador, que cuando se sabía que iba a hablar acudían a escucharle por millares. En su noviciado en la orden había tenido como maestro a San Bernardino de Siena, quien le dotó de tal solidez doctrinal que, unida a sus dotes de persuasión y energía, movieron a sucesivos papas a encomendarle trabajos delicados, dentro de su orden o en otros institutos religiosos, e incluso a actuar como inquisidor en toda Italia.

Desde la óptica de nuestro tiempo, acaso pueda juzgársele como excesivamente duro e inflexible, tanto en sus relaciones con los husitas de Moravia como en las predicaciones en que movía a las gentes a acudir a la cruzada contra los turcos. Él mismo fue pieza fundamental en la victoria cristiana en Belgrado, y tras una vida de entrega a la fe pero de una forma distante de la del franciscano seráfico que a todos conmueve, murió víctima de la peste el 23 de octubre de 1456.

23 DE OCTUBRE

SAN JUAN DE CAPISTRANO (1386-1456)

Otros santos: Servando, Germán, Teodoro, Ignacio, Severino, Román, Vero, Domicio, Benito y el beato Juan *el Bueno*.

Pese a ello, acaso San Juan de Capistrano sea más conocido por la misión que, bajo su nombre, levantaron los franciscanos españoles en California, al sur de Los Ángeles.

24 DE OCTUBRE

SAN ANTONIO MARÍA CLARET (1807-1870)

Otros santos: Evergislo, Félix, Adaucto, Jenaro, Séptimo, Fortunato, Arecio, Procio, Maglorio, Bernard Calvo, Martín y Marcos.

25 DE OCTUBRE

SANTOS CRISPÍN Y CRISPINIANO († 287)

Otros santos: Crisanto, Daría, Proto, Jenaro, Teodosio, Lucio, Marcos, Pedro y Claudio.

San Antonio María Claret (1807-1870) — 24 de octubre

Qué difícil ser santo! ¡Y qué difícil debió serlo para quien fue confesor de la reina Isabel II en los turbulentos años del XIX! Tan difícil que en pocos santos se ha cebado la calumnia como en él, para quien no pudo ser fácil llegar a tan alto puesto y, por obediencia, mantenerse en él.

Nacido en la ciudad catalana de Sallent, en la que su familia tenía un taller textil, a los veinte años, teniendo una sólida cultura, ingresa en el seminario de Sallent primero y, más tarde, en el de Vich. Tras ordenarse sacerdote en 1835 y trabajar durante cinco años en las parroquias de Sallent y Viladrau, dedica su vida a dar misiones y dirigir ejercicios espirituales, y es tanta su actividad durante los diez años siguientes, especialmente por tierras de Canarias y Cataluña, que hay ocasiones en que tiene que predicar hasta diez veces en un solo día.

El Vaticano, consciente de su labor pastoral, le nombra arzobispo de Santiago de Cuba en 1851. En 1855 funda en Cuba un seminario y la congregación de religiosas de María Inmaculada, dedicadas a la enseñanza; impone cajas de ahorro en todas las parroquias para que recauden dinero para obras de caridad; crea en Puerto Príncipe las cajas agrícolas y de la caridad; se manifiesta contra la esclavitud y la discriminación de los matrimonios interraciales, y se opone a los movimientos independentistas de la isla, especialmente al de Camagüey. Puso todo su empeño en educar a las clases más humildes, lo que le puso en contra a toda la oligarquía cubana.

Regresa a España para hacerse cargo de la archidiócesis de Madrid en 1857, cargo al que renuncia cuatro años más tarde para ser nombrado obispo de Trajanópolis y confesor de Isabel II; años después es presidente del Real Monasterio de El Escorial, cargo que ocupará nueve años, con una ingente labor fundadora: librerías de Barcelona y de la academia de San Miguel, y congregaciones de los dominicos de la Anunciata, carmelitas de la Caridad, damas adoratrices, capuchinas de la Divina Pastora y, su obra predilecta, la de los misioneros Hijos del Corazón de María (claretianos), que se extendió por todo el mundo. Esa impresionante tarea no le impidió desarrollar una prolífica labor literaria propagandística de la fe, una intensa tarea confesional y tan destacada actividad dogmática que tuvo una importante participación en el concilio Vaticano I. Pese a ello, quizá agotado su corazón por las continuas calumnias por las que se veía perseguido y queriendo alejarse de los numerosos enemigos que manifestaban públicamente su odio hacia él en España, una vez concluido el concilio ingresó en el monasterio de Fontfroide, en Francia, y allí murió el 24 de abril de 1870.

Santos Crispín y Crispiniano.

Santos Crispín y Crispiano († 287) — 25 de octubre

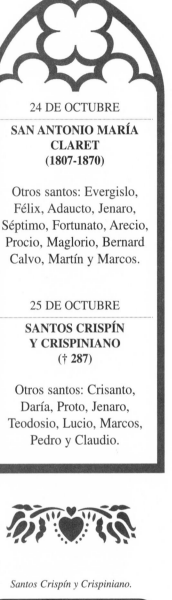

En el condado de Kent, en Gran Bretaña, y en la iglesia parroquial de la ciudad de Faversham, hay un altar dedicado a estos dos mártires

del siglo III, y en la misma localidad hubo una casa hasta el siglo XVII a la que acudían peregrinos porque se afirmaba que en ella habían residido los dos santos.

26 DE OCTUBRE
SAN VIRILIO (SIGLO X)
Otros santos: Cedd, Rogaciano, Felicísimo, Florio, Gaudiosio, Fulco, Rústico y Cuadragésimo.

Es improbable, ya que esa piadosa tradición se apoya en una leyenda que parece en abierta contradicción con el hecho de que la Iglesia los haya elevado a los altares orlados con la corona del martirio.

Estos dos santos, hermanos e hijos de una familia acomodada y no menos famosos en Francia que en Kent, llegaron a la entonces provincia romana de la Galia desde la capital para predicar en ella el Evangelio de Cristo a mediados del siglo III. Fijaron su residencia en Soissons y allí, mientras dedicaban las horas nocturnas a trabajar como zapateros, siguiendo las enseñanzas de San Pablo, ocupaban las horas diurnas en su labor de apostolado, llevando la fe de Cristo a los galos, que quedaban maravillados con los ejemplos de caridad, laboriosidad, humildad, desprendimiento y fe que daban con sus vidas.

Su labor de apostolado se prolongó durante bastantes años, pero la llegada del emperador Maximiano Herveleus a la Galia belga incitó a algunos de sus vecinos a lanzar sobre ellos una acusación de impiedad y el emperador, más por crueldad que por la defensa de los dioses, dio orden de que fueran llevados ante Ritio Valus, feroz perseguidor de los cristianos y a quien había nombrado gobernador. Los dos hermanos padecieron tormento y finalmente fueron muertos a espada. Murieron hacia el año 287 y a ellos hacen referencia martirologios como los de San Jerónimo, Bleda, Ado, etc. En el siglo VI fue elevada en Soissons una iglesia en su honor.

SAN VIRILIO (SIGLO X) — 26 DE OCTUBRE

Al pie de la sierra de Errando, en Navarra, en el monasterio de Leire, cuyos orígenes son anteriores al siglo IX, según atestigua San Eulogio, y que ya en los siglos X y XI se había convertido en el más importante de los monasterios de Navarra, se conserva aún la fuente de San Virilio, o Virila, el más famoso de los abades que han regido el monasterio y patrono de Tiermas.

Poco se sabe de él, aunque se le cita como abad de su monasterio en un documento del año 928 refiriéndose a su participación cuatro años antes en una función pacificadora en unión de Galindo, obispo de Pamplona, y se sabe que consolidó la vida monástica alrededor de Leire, hasta más allá de Sangüesa; llamado por el rey Ordoño II de León para restaurar el monasterio de San Julián de Samos, crea en Galicia numerosos centros benedictinos. Peregrina a Roma y muere en Leire.

Hay piadosas leyendas que cuentan de él sucesos inverosímiles, por ejemplo que era tan dado a la contemplación que, escuchando un día cantar a un pajarillo, se sumió en tan místico ensueño que tardó en despertar trescientos años, en pasaje a que hace referencia Valle-Inclán: «La celeste plegaria / oyó trescientos años / al borde de una fuente». Cuando se recobró del ensueño, sus monjes, que eran otros, ya no llevaban el hábito negro de San Bernardo sino el blanco de los cistercienses, y nada sabía de los enfrentamientos habidos entre las dos órdenes por la posesión de Leire.

San Frumencio (siglo IV) 27 de octubre

Apóstol de Etiopía, es llamado por los etíopes *Iluminador* y *Abba Salama*, lo que significa *Padre de la Paz.*

El camino de su predicación se inició cuando un tío suyo, el filósofo Meropio, quiso seguir los pasos de Metrodorus y viajar desde Tiro hasta Persia y lo que los antiguos llamaban la India, la actual Etiopía, acompañado por sus sobrinos Frumencio y Edesio, de cuya educación se había hecho cargo. En su viaje de regreso, y al detenerse el barco en que viajaban para proveerse de agua y alimentos, los habitantes de aquel país los asaltaron y dieron muerte a todos con la única excepción de los dos niños, a quienes no vieron porque estaban estudiando lejos del lugar de acampada y al refugio de un árbol. Cuando fueron encontrados y llevados hasta el rey Eskendi, en Axum, éste quedó prendado de la inteligencia de los niños y los tomó bajo su protección, encargó que se prosiguiese con su educación y, al poco tiempo, hizo de Edesio su copero y de Frumencio, el mayor, su tesorero y secretario de Estado, tareas en las que siguieron hasta la muerte del rey, quien poco antes les había pedido el bautismo. Frumencio se lo había administrado, y Eskendi les dio las gracias dejándoles en libertad, aunque siguieron al servicio de la reina viuda, que quedaba como regente del futuro rey.

Frumencio se propuso promover la fe de Cristo, para lo que, además del ejemplo de sus virtudes, procuró que se asentasen en Axum los comerciantes cristianos que recorrían aquellas tierras. Cuando el joven rey Ela-San tomó las riendas del gobierno, los dos hermanos renunciaron a sus puestos, pese a que el rey les pidió que siguiesen en ellos, y mientras Edesio regresaba a Tyre, Frumencio marchó para Alejandría a entrevistarse con el patriarca San Atanasio y conseguir que enviase un obispo para Etiopía. San Atanasio convocó un sínodo de obispos y, por común acuerdo, se elevó a Frumencio a la dignidad episcopal y fue él mismo quien regresó a Axum como obispo; en verdad calaron hondamente sus enseñanzas, porque desde entonces los etíopes han dado muestras sobradas de la hondura y firmeza de su fe en Cristo.

Santos Simón y Judas Tadeo (siglo I) 28 de octubre

La Iglesia celebra conjuntamente la festividad de estos dos apóstoles, ya que siempre han sido designados juntos en la relación de los doce.

San Simón, llamado *el Cananeo* para distinguirlo de Simón Pedro y de Simeón, había nacido en Caná de Galilea y algunos hagiógrafos griegos afirman que fue en su boda en la que Cristo transformó el agua en vino. Era llamado *el Ferviente* y *el Defensor*, porque había pertenecido a una secta que los judíos llamaban los Fanáticos, un grupo religioso-político extremadamente exigente en el cumplimiento de la ley de Moisés y muy beligerante en los intentos del pueblo judío por sacudirse el yugo de la dominación romana. A partir de ser llamado por Jesús como apóstol, puso el mismo fervor y celo en la defensa de la fe cristiana. Palestina, Egipto, Mesopotamia, Persia y otros lugares del Oriente recibieron los frutos de su apostolado; en Persia sufrió martirio por Cristo, crucificado. Sus reliquias se reparten entre la iglesia de San Pedro, en el Vaticano, y la catedral de Toulouse.

27 DE OCTUBRE

SAN FRUMENCIO (SIGLO IV)

Otros santos: Vicente, Sabina, Cristeta, Florencio, Capitolina, Gaudosio y Elesbaán.

28 DE OCTUBRE

SANTOS SIMÓN Y JUDAS TADEO (SIGLO I)

Otros santos: Firmiliano, Anastasia, Cirilo, Fidel Farón y Honorato.

San Judas Tadeo.

A San Judas, primo del Señor, se le denomina Tadeo *el Firme, el Valiente,* y está tan cerca de Jesús que se atreve a decirle: «¿Por qué, Señor, te has de manifestar con esta claridad a nosotros y al mundo, no?» Es hermano de Santiago *el Menor*, así como de San Simeón de Jerusalén y de José, a quienes se llama hermanos del Señor. Se ignora en qué momento decidió seguir a Jesús como discípulo, pues en los Evangelios no se le menciona hasta que aparece enumerado entre los apóstoles. Después de la bajada sobre ellos del Espíritu Santo, partió a predicar en Mesopotamia, Libia y otros pueblos del Oriente. En pleno apostolado, escribe una carta contra los primeros herejes y dirige esta carta a «todos aquellos que se edifican a sí mismos en la fe, y orando en el Espíritu Santo permanecen en el amor de Dios, aguardando la misericordia de Nuestro Señor Jesucristo para la vida eterna». Regresó a Jerusalén en el año 62, tras el martirio de su hermano Santiago, y marchó a Persia, donde fue martirizado atado a una cruz, lanzándole flechas hasta causarle la muerte.

San Narciso (siglo II) — 29 de octubre

San Narciso –a quien no debe confundirse con el del mismo nombre que festejan Gerona y Augsburgo– fue obispo de Jerusalén y se hizo célebre ya en vida por alcanzar la edad de ciento dieciséis años y porque, antes y después de su episcopado, vivió con absoluta entrega a la oración y la soledad que la hacía posible.

Era tal su energía vital y su fuerza, que en el año 195, contando más de cien años, impulsó en un sínodo celebrado en Cesarea la celebración pascual como el primer día del Señor, el domingo primero para los seguidores de Cristo.

La admiración e incluso veneración de cuantos le conocieron no impidió que tres feligreses, temiendo su severidad en la observancia de la disciplina eclesiástica, le imputaran un horrible crimen, confirmando su calumnia con juramentos e imprecaciones, pese a lo cual su acusación no mereció crédito alguno y, algún tiempo después, el cielo quiso que los tres calumniadores sufriesen las mismas penas que habían demandado: la muerte por el fuego, uno; alcanzado por la lepra, otro, y perdiendo la vista, el tercero.

San Narciso, pese a que nadie creyó a los calumniadores, se sintió tan abrumado que abandonó Jerusalén para recluirse en la soledad, y en ella pasó tanto tiempo que se sucedieron hasta tres obispos en su sede episcopal. Estando el tercero de ellos, Gordio, en la sede de Jerusalén, reapareció Narciso, y todos quisieron que ocupase nuevamente su sede. Lo hizo aunque, empujado por el peso de la edad, nombró un coadjutor en la persona de San Alejandro, que es quien, en una carta a Egipto, afirma que contaba, por entonces, ciento dieciséis años.

San Marcelo († 298) — 30 de octubre

La historia de Marcelo, el centurión romano que renunció a su puesto para emprender el camino del martirio, se inicia en el campamento ocupado por la *Legio Septima* que dio origen a la actual León. En ese en-

29 DE OCTUBRE

SAN NARCISO (SIGLO II)

Otros santos: Maximiliano, Cenobio, Eusebia, Jacinto, Lucio, Quinto, Feliciano, Valentín, Juan, Donato, Teodoro y Ermelinda de Malinas.

30 DE OCTUBRE

SAN MARCELO († 298)

Otros santos: Cenobio, Teonesto, Claudio, Lupercio, Victorio, Cenobia, Julián, Euno, Macario, Saturnino, Máximo, Lucano, Eutropia, Gerardo, Germán, Serapión y Dorotea Swartz.

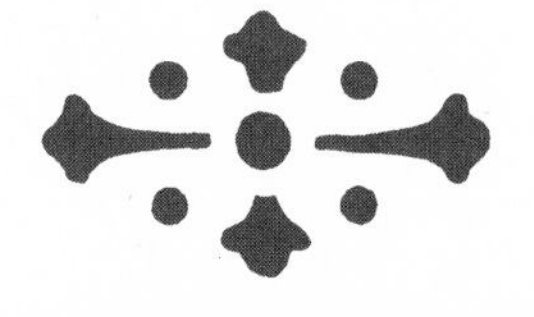

clave nació, hizo su carrera militar y contrajo matrimonio con Santa Nonia, con la que tuvo doce hijos. Con ella vivió una vida cristiana hasta que, en el año 298, el cumpleaños del emperador Maximiano Hercúleo desencadenó los hechos que le valieron la corona del martirio.

El cumpleaños del emperador incluía una suntuosa ofrenda a los dioses. Cuando a la centuria que mandaba Marcelo le correspondió hacer su sacrificio, éste se desprendió de su cinturón de mando, de sus armas y de la rama de parra inherente a su puesto, y proclamó que su fe en Jesucristo le impedía tomar parte en tal abominación. Informado el prefecto de la legión, Marcelo fue llevado a prisión y, cuando las cerebraciones concluyeron, declaró ante el juez nuevamente que su fe en Jesucristo, el Hijo de Dios, le impedía servir a otro que no fuese Él. El prefecto, pese al afecto que sentía por tan buen soldado, no tuvo otro remedio que enviarlo preso ante el emperador. El representante máximo del Imperio Romano en España era Constantino, favorable a los cristianos, pero Marcelo fue conducido ante el vicario del prefecto, Aureliano Agricolano, que entonces se encontraba en Tánger. Marcelo declaró que era verdad cuanto de él se decía y se reafirmó en su fe en Jesucristo y en su negativa a sacrificar a los dioses romanos. Agricolano le condenó a morir decapitado y Marcelo, dando una última muestra de su santidad, le agradeció la condena diciendo: «Dios tenga misericordia de ti y te haga bien».

San Marcelo murió el 30 de octubre del año 298 y sus reliquias fueron trasladadas desde Tánger a León, donde se conservan en la iglesia que Ramiro I mandó construir en su honor.

31 DE OCTUBRE

SAN ALONSO RODRÍGUEZ (1531-1617)

Otros santos: Ampliado, Urbano, Narciso, Quintín, Eustaquio, Antonino y Wolfgango.

San Alonso Rodríguez (1531-1617) — 31 de octubre

La Iglesia festeja en este día a un santo que es ejemplo de alegría y humildad, alegría que le nacía de una profunda fe en el convencimiento de que siempre se hallaba acompañado por Cristo y su Madre, y una humildad que era compañera inevitable de esa fe y alegría.

Era un modesto comerciante de tejidos que ejercía su oficio en Segovia hasta que perdió a su esposa y sus dos hijos. No desesperó ni reclamó al Señor, sino que se refirió a ello con estas palabras: «... Dios me tocó con algunos trabajos, despertándome el menosprecio del mundo y acompañando a este crecimiento mío el conocimiento más cierto de Dios».

En 1572 entra en la Compañía de Jesús, y durante 45 años ejerce el oficio de portero en el colegio de Montesino, en Palma de Mallorca, un portero a quien todos conocen por su permanente alegría, que él mismo explica: «Hacía interiormente actos de alegría, repitiendo: Señor, yo os abriré a Vos, por amor de Vos; ya voy, Señor». Y en otro lugar: «Me acostumbré tanto a la idea de que iba a abrir al Señor que sentía que me hallaba con Él», de quien solía decir: «Hasta el día del juicio, estoy dispuesto a sufrir por Jesucristo».

Se afirma que era tan devoto de la Virgen que el rosario que de continuo desgranaba le había hecho callos en los dedos, y en sus conversaciones daba muestras de que sentía la presencia de la Virgen, tanto en los mo-

La Virgen y el Niño con San Liberal y San Francisco, Giorgione.

1 DE NOVIEMBRE

TODOS LOS SANTOS

Otros santos: Juan, Benigno, Diego, Cesáreo, Dacio, María, Cirenia, Juliana, Austremonio, Vigor, Licinio, Severino, Maturino y beatos Jerónimo, Valentín y Pedro.

2 DE NOVIEMBRE

FIELES DIFUNTOS

Otros santos: Victorino, Eustoquio, Justo, Carterio, Estiriaco, Tobías, Eudoxio, Agapio, Pegasio, Aftonio, Enempodisto, Hermetes, Papías, Tobías, Acindino, Publio, Víctor, Teódoto, Jorge, Ambrosio y Marciano.

mentos de oración como en las caminatas para acompañar al padre encargado de decir misa y confesar a los pobladores del castillo de Bellver.

Murió en Montesino el 31 de octubre de 1617.

TODOS LOS SANTOS — 1 DE NOVIEMBRE

Vi otro ángel que subía de Oriente, y tenía el sello de Dios vivo, y gritó con voz fuerte a los cuatro ángeles, a quienes había sido encomendado dañar a la tierra y al mar, diciendo: «No hagáis daño a la tierra, ni al mar, ni a los árboles, hasta que hayamos sellado a los siervos de nuestro Dios en sus frentes. Oí que el número de los sellados era de ciento cuarenta y cuatro mil sellados, de todas las tribus de los hijos de Israel».

Con estas palabras nos cuenta Juan, en el *Apocalipsis*, cuántos son los sellados, es decir, los santos y santas de Dios. Ciento cuarenta y cuatro mil es un múltiplo de siete; un número simbólico, como cuando Jesús dijo que hemos de perdonar hasta setenta veces siete ofensas. Juan nos está diciendo que los santos son infinitos.

¿Y quiénes son todos los santos? Son nuestros amigos y familiares que han vivido siguiendo los mandamientos de Cristo y que a su muerte han ido directamente a los brazos de Dios. No figuran en el santoral, ni están canonizados porque nadie sabe nada de ellos, porque eran tan humildes que su vida se nos antojaría anodina. Pero Dios lo ve todo, y no necesita que nosotros le digamos quiénes son sus santos. Él sabe reconocerlos perfectamente.

Casi todos tenemos la dicha de conocer a algún santo. Un viejo amigo, una abuela, un tío lejano... alguien a quien conocimos y que, a su muerte, dijimos: «Verdaderamente, era un santo». La Iglesia nos anima a que nos acordemos de nuestros santos particulares, a que les recemos y les pidamos que intercedan ante Dios por nosotros. ¿Qué mejor abogado que un santo que nos conoce, que nos ama y que ha vivido con nosotros?

FIELES DIFUNTOS — 2 DE NOVIEMBRE

Después de esto miré y vi una muchedumbre grande, que nadie podía contar, de toda nación, tribu, pueblo y lengua, que estaban delante del trono y del Cordero, vestidos con túnicas blancas y con palmas en sus manos [...], y me replicó: éstos son los que vienen de la gran tribulación, y lavaron sus túnicas y las blanquearon en la sangre del Cordero». Estas palabras del *Apocalipsis* aluden a la multitud de personas que, sin ser santas, conseguirán salvarse en el Juicio Final, no por sus propios méritos, sino por el sacrificio del Hijo del Hombre.

En este día, la Iglesia nos pide que recordemos a las benditas almas del Purgatorio. Todos nuestros familiares, amigos y desconocidos, todos aquellos que, según la liturgia, «nos precedieron en el signo de la fe», que ya han fallecido y esperan para entrar en el reino de Dios. Es un día de gozo, en el que se nos abren las puertas del cielo y la vida eterna.

Es curioso cómo la historia va dando vueltas. Desde tiempos inmemoriales, el 2 de noviembre se celebraba la noche de Halloween, una celebración pagana en la cual se suponía que las fronteras entre este mundo y el más allá se volvían difusas: los muertos podían visitar la Tierra. La Iglesia señaló esta fecha para el día de difuntos precisamente para reemplazar la superstición pagana. Hoy, en todo Occidente parece que Halloween ha vuelto, y aunque ya no se hacen aquelarres ni se invoca a dioses diabólicos, se está creando toda una tradición neopagana.

En España, esta fiesta ha estado vinculada con el drama de Zorrilla *Don Juan Tenorio*. La escena final ocurre el día de difuntos, cuando Dios perdona al pecador don Juan, gracias a la intercesión de la santa doña Inés. Historia que nos recuerda la misericordia infinita de Dios.

San Malaquías (1094-1148) — 3 de noviembre

Malaquías nació en Irlanda en un momento en que esta tierra estaba perdiendo sus costumbres cristianas. Siendo aún un niño, nuestro santo decidió que dedicaría su vida a servir a Dios; por tanto, se puso bajo la disciplina eremítica de un anciano llamado Imar. Vivió junto a él toda su infancia y su primera juventud, hasta que a los veinticinco años fue ordenado sacerdote y vicario del obispo.

Dedicó todo su tiempo a predicar, a extirpar las costumbres paganas y a renovar el uso de los sacramentos. Poco después heredó una abadía casi abandonada y la reformó hasta convertirla en seminario.

A los treinta años fue elegido obispo de Connor, pero cuando esta ciudad fue tomada y saqueada por el rey del Ulster, Malaquías tuvo que huir junto con 120 discípulos. Se retiró a Munster, donde fundó un monasterio. Muy poco después fue llamado para ocupar la sede episcopal de Armagh y, tras un viaje al Vaticano, el Papa Inocencio II le nombró su legado para toda Irlanda.

A su regreso, fue recibido con gran alegría. Nuestro santo acometió sus labores con entusiasmo: predicó, convocó sínodos, reformó abusos y obró muchos milagros. Murió joven, a los cincuenta y cuatro años, cuando iba de camino para visitar al Papa de nuevo.

En el siglo XVI se descubrieron unas oscuras profecías que se atribuyeron a nuestro santo, aunque es prácticamente seguro que no son obra suya, sino de un autor apócrifo muy posterior.

San Carlos Borromeo (1538-1584) — 4 de noviembre

Carlos era hijo del conde de Arona y de Margarita de Medici. Estudió latín y humanidades, y más tarde, en Pavía, derecho civil y canónico. Era retraído, encerrado entre libros y con problemas en el habla, por lo que no era muy querido por sus compañeros. Sin embargo, se benefició del nepotismo de su época: su tío Pío IV lo hizo cardenal y secretario del Estado Vaticano con sólo veintidós años y sin ser siquiera sacerdote.

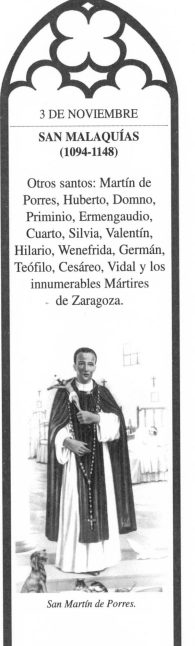

3 DE NOVIEMBRE

SAN MALAQUÍAS (1094-1148)

Otros santos: Martín de Porres, Huberto, Domno, Priminio, Ermengaudio, Cuarto, Silvia, Valentín, Hilario, Wenefrida, Germán, Teófilo, Cesáreo, Vidal y los innumerables Mártires de Zaragoza.

San Martín de Porres.

4 DE NOVIEMBRE

SAN CARLOS BORROMEO (1538-1584)

Otros santos: Vidal, Agrícola, Amancio, Juanicio, Pierio, Modesta, Emeric, Nicandro, Próculo, Claro, Hermas, Porfirio, Filólogo y Patrobas.

5 DE NOVIEMBRE

SANTA BERTILIA
(† 692)

Otros santos: Zacarías, Isabel, Félix, Eusebio, Galación, Epistema, Filoteo, Domnino, Teótimo, Silvano, Magno, Dominador, Fibicio y Leto.

6 DE NOVIEMBRE

SAN LEONARDO
(SIGLO VI)

Otros santos: Severo, Félix, Atico, Winoco, Apiano, Teobaldo y Cristina de Stommein.

Demostró sus méritos trabajando duro, rigiendo la administración eclesiástica férreamente, tanto que no faltaron intentos de asesinarle. Fue ordenado sacerdote y se le eligió arzobispo de Milán. Fundó el colegio de los Borromeos en Pavía y participó en el concilio de Trento, cuyos decretos sobre la disciplina eclesiástica aplicó sistemáticamente. Se dedicó con enorme celo a las labores del episcopado. Visitaba su diócesis continuamente y se privaba de todos los lujos para poder aliviar a las familias necesitadas. También fue protector de la orden de los Humiliati, que reformó muy a pesar de los esfuerzos de algunos poderosos.

Murió durante la epidemia de peste que asoló Milán en 1584, ya que se negó a abandonar la ciudad y ayudó a atender a los enfermos.

San Carlos Borromeo es patrón de la eficiencia, de la banca y de la bolsa. No en vano, ya que a pesar de haber accedido a su puesto gracias a su noble nacimiento, trabajó muy duro para demostrar que no se consideraba superior a nadie.

SANTA BERTILIA († 692) — 5 DE NOVIEMBRE

Perteneciente a la alta aristocracia de Boissons, de niña no hallaba el valor para revelarle a sus padres que tenía vocación de monja. Gracias al consejo de San Ouen se sinceró con su familia, que la apoyó en todo momento. Sus propios padres la llevaron hasta la puerta del convento de Jouarre, donde nuestra santa tomó los hábitos.

Bertilia fue recibida con alegría y educada en la vida monástica. Era tan humilde que se sometía a todas sus hermanas, hasta tal punto que más que una monja parecía su sirvienta.Fue elegida para recibir a los extranjeros, a los pobres y para dar acogida a los niños que iban a educarse al monasterio. Convencidas de su valía, sus hermanas la votaron priora. Poco después fue enviada para ser la abadesa del recién fundado monasterio de Chelles. La reputación de su santidad atrajo a princesas extranjeras, e incluso reinas, a vivir bajo su autoridad. Nuestra santa siempre demostró su justicia tratando por igual a todas las monjas, ya fueran de origen humilde o de elevada alcurnia, y se esforzó mucho para que no hubiera distinciones sociales dentro de su abadía.

Trabajó duro, como una más de las hermanas, hasta la extrema vejez. Murió casi sin darse cuenta, mientras estaba sumida en sus labores, con la felicidad de quien sabe que ha hecho todo lo posible para servir a Dios.

SAN LEONARDO (SIGLO VI) — 6 DE NOVIEMBRE

Leonardo descendía del antiguo linaje de los reyes francos y estaba destinado a ocupar un alto lugar en el ejército. Su destino cambió cuando conoció a San Remigio, quien le convenció para que se dedicara a servir a Dios. Fue discípulo suyo algún tiempo, dedicándose a predicar el Evangelio por los pasillos del palacio. Prestaba especial atención a los presos, a quienes visitaba diariamente llevándoles el consuelo de la fe. Gracias a su intercesión, muchos lograron la libertad. Al fin se decidió a marcharse de la corte, y tomó los hábitos en el monasterio de Micy.

Ansiando mayor soledad para encontrar a Dios en el silencio, dejó el convento para retirarse a un bosque de Limoges. Allí construyó un pequeño oratorio, donde vivía de la divina providencia. La leyenda de un hombre santo que alababa al Señor en la naturaleza se fue extendiendo; fueron llegando monjes y penitentes que querían vivir bajo su consejo. San Leonardo los acogió a todos, y acabó fundando un monasterio para ellos. Pasó con sus frailes el resto de sus días.

Toda su vida continuó ayudando a los perseguidos por la justicia; el monarca le concedió unos privilegios en virtud de los cuales podía dar la amnistía a los prisioneros que considerara dignos de ello. Hoy sigue siendo patrón de los presos, y por ellos intercede ante Dios y ante el César.

SAN WILIBRORDO (658-738) — 7 DE NOVIEMBRE

Natural de Nortumbria, fue llevado al monasterio de Ripon antes de cumplir los siete años. Estudió allí hasta los veinte, cuando se trasladó a Irlanda para profundizar en el conocimiento de las ciencias sagradas en compañía de San Egberto y San Wigberto. Al cabo de doce años fue ordenado sacerdote, partiendo hacia Friesland en compañía de once monjes para predicar el Evangelio.

Wilibrordo y sus misioneros fueron recibidos en la desembocadura del Rin por el rey Pepin *el Grande*. Antes de empezar su labor, nuestro santo peregrinó a Roma para recibir la bendición del Papa. En seis años de predicación obtuvo maravillosos éxitos, por lo que fue ordenado arzobispo de Friesland. Eligió Utrech como sede episcopal, y gobernó su diócesis con dulzura, consiguiendo muchos conversos y fundando numerosas abadías. Decidió partir hacia el este para predicar en las tierras más salvajes que aún practicaban la idolatría. Llegó hasta Dinamarca, donde reclutó a 30 jóvenes que, después de bautizarse, decidieron seguirle. En el camino de regreso, un temporal los obligó a detenerse en la isla de Fositeland, donde uno de sus discípulos fue sacrificado a los dioses paganos.

Entristecido, Wilibrordo regresó con sus muchachos a Utrech para continuar con sus deberes episcopales. Murió al cabo de muchos años, después de haber extendido la fe por Holanda y los Países Bajos.

7 DE NOVIEMBRE

SAN WILIBRORDO (658-738)

Otros santos: Florencio, Prosdócimo, Águilas, Rufo, Herculano, Engelberto, Amaranto, Hierón, Nicandro, Esiquio, Antonio, Carina y Ernesto.

8 DE NOVIEMBRE

SAN GODEFRIDO († 1118)

Otros santos: Coronados, Claudio, Nicóstrato, Cástor, Semproniano, Simplicio, Diosdado, Mauro, Wilehado y Claro.

SAN GODEFRIDO († 1118) — 8 DE NOVIEMBRE

Godefrido nace en Molincourt, en Francia, en el seno de una familia de alto renombre. Es pariente del rey Godofredo de Doullón y sobrino del abad del monasterio de San Quintín. Su «carrera de santo» comenzó con cinco años, cuando una grulla le picó entre los ojos y se curó milagrosamente. Su tío el abad vio en este suceso una señal de que Dios lo había elegido, y desde entonces intentaba instruirle. Cuando tuvo suficiente edad, se lo llevó con él a San Quintín, donde profundizó en sus estudios sagrados y a los veinticinco años se ordenó sacerdote.

Poco tiempo después, el obispo de Reims eligió a Godefrido abad del monasterio de Nuestra Señora de Nogente. Cuando nuestro santo llegó al

9 DE NOVIEMBRE

NUESTRA SEÑORA DE LA ALMUDENA

La dedicación de la archibasílica del Salvador. Otros santos: Teodoro, Orestes, Alejandro, Eustolia, Sopatra, Ursino y Agripino.

lugar, lo encontró casi en ruinas: la iglesia, derruida; el recinto del convento, invadido por las zarzas y los animales salvajes, y los pocos monjes que quedaban vivían entre la naturaleza como los ermitaños. Sin embargo, no se desesperó, más bien al contrario: Dios le estaba dando la oportunidad de fundar una comunidad casi desde el principio. Ayudado por los frailes y por la gente del pueblo, restauró la iglesia y el monasterio, ampliándolos; limpió los jardines y el huerto, y organizó una dura disciplina para los religiosos. Pronto comenzaron a llegar monjes de otras partes de Francia para ponerse bajo el gobierno de nuestro abad.

Tal era su fama de hombre emprendedor e incansable que, cuando quedó vacante la sede episcopal de Amiens, fue aclamado para ocuparla. Desde su consagración, se dedicó con firmeza a reformar las costumbres del clero de su diócesis, tratando de imponerles una disciplina razonable. Algún sacerdote le juró venganza por aquellas medidas, y Godefrido tuvo que esquivar más de un intento de asesinato.

Su disciplina era dura con el clero y con los feligreses. Hablaba incansablemente de los vicios en los que su pueblo había caído, exhortándolos a seguir más de cerca los pasos de Jesús. La aristocracia de Amiens le tenía inquina, ya que no cesaba de criticar su vida superficial y sus costumbres licenciosas. Sin embargo, la gente sencilla, sobre todo los pobres, lo amaban por su enorme caridad y su comprensión en el confesonario.

NUESTRA SEÑORA DE LA ALMUDENA — 9 DE NOVIEMBRE

Junto con San Isidro labrador, la Virgen de la Almudena es la patrona de Madrid. En esta ciudad que cada día se aleja más de las tradiciones católicas, goza de gran devoción como protectora de los madrileños.

Cuando los ejércitos del Islam entraron en la península Ibérica en el año 711, el arzobispo de Toledo ordenó que todas las imágenes de la Virgen fuesen escondidas. Los habitantes de Madrid hicieron un pequeño hueco en las murallas de la ciudad y ocultaron allí una estatua de María con dos velas encendidas. Una familia quedó encargada de recordar generación tras generación dónde estaba guardada la santa imagen.

Pasaron tres siglos antes de que los cristianos, liderados por el rey Alfonso VI, reconquistaran la ciudad. El monarca recibió la visita de una muchacha llamada María, última descendiente de aquella familia de guardianes, que le refirió la historia de la estatua de la Virgen. Alfonso ordenó que fuera rescatada, pero las murallas de Madrid habían crecido tanto que fue imposible encontrarla.

Se organizó una procesión en la que, junto a Alfonso y su mujer, iba María, el clero y gran parte del pueblo. Dieron la vuelta a la muralla, implorando al Señor que les revelara dónde estaba esa imagen. Cuando llegaron a la cuesta de la Vega, se escuchó un gran estrépito, se rajó la muralla y allí apareció la figura de la Virgen con sus dos velas encendidas.

A través de aquella imagen, Nuestra Señora había protegido a la ciudad de Madrid durante la estancia de los árabes. Por eso se la llamó Virgen de la Almudena: Al-Mudaina, que en árabe significa «la pequeña ciudad».

SAN LEÓN I *EL MAGNO*, PAPA († 461) 10 DE NOVIEMBRE

Siendo todavía un sacerdote, León ya era considerado uno de los personajes más influyentes de la corte pontificia y el mejor de sus diplomáticos como archidiácono de la Iglesia de Roma.

Fue enviado para solventar algunas diferencias entre dos generales imperiales. En su ausencia, falleció el Papa Sixto III. El clero romano eligió a León como sucesor; cuando éste regresó a Roma al cabo de 40 días, fue consagrado.

Desde que se sentó en la silla de San Pedro, se encargó con especial dedicación de combatir las herejías que minaban la Iglesia. Tuvo que hacer frente a las invasiones bárbaras que asolaban Occidente. Cuando Atila se disponía a marchar sobre Roma, salió a su encuentro y, gracias a sus labores como embajador, el rey de los hunos firmó un tratado de paz con el Imperio a cambio de un tributo. Después del asesinato del emperador Valentiniano, también se hizo cargo de las negociaciones con los vándalos que se disponían a saquear Roma. No consiguió que se retiraran, pero al menos obtuvo el firme compromiso de evitar a toda costa la matanza.

León escribió cartas y discursos exponiendo la doctrina cristiana y revelando los errores de los herejes; por ello, es reconocido como doctor de la Iglesia. Ocupó la Santa Sede durante 21 años, a lo largo de los cuales consiguió ser amado y respetado por emperadores, príncipes y por todo el pueblo de Roma. En una época en que los restos del Imperio Romano se estaban derrumbando, León *el Magno* fue una figura de estabilidad que consiguió mantener la relativa unidad de la cristiandad.

SAN MARTÍN DE TOURS (315-397) 11 DE NOVIEMBRE

Martín era hijo de un oficial pagano del ejército. Nació en Hungría, pero se trasladó con sus padres a Pavía. Allí oyó hablar por primera vez del cristianismo, y con sólo diez años se hizo catecúmeno. Sin embargo, salió un edicto por el cual todos los hijos de los oficiales debían portar armas, y tuvo que hacer juramento militar en la caballería.

En una de sus campañas, se encontró con un mendigo que se estaba muriendo de frío. Nuestro santo sólo llevaba sus ropas y sus armas. Cortó su manto en dos piezas con la espada, dándole la mitad al pobre hombre.

Se bautizó cuando tenía dieciocho años, pero siguió en el ejército otros dos. Cuando abandonó las armas, conoció a San Hilario, obispo de Poitiers, quien le animó a regresar a su tierra para predicar la fe entre sus amigos y familiares. Estaba en Italia cuando se enteró de que Hilario había sido desterrado, de modo que, sin saber dónde acudir, Martín ingresó en un monasterio cerca de Milán. El obispo de esta sede, que era arriano, expulsó a nuestro santo de su diócesis por no querer abrazar la herejía.

Deambuló durante un tiempo, hasta que supo que Hilario había regresado a su sede y acudió a su encuentro. El obispo le cedió un pequeño terreno donde nuestro santo fundó una pequeña abadía. Poco después fue elegido y consagrado obispo de Tours. Desde su nuevo cargo, San Martín

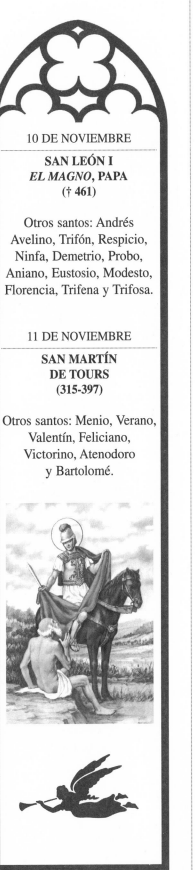

10 DE NOVIEMBRE

SAN LEÓN I
***EL MAGNO*, PAPA**
(† 461)

Otros santos: Andrés Avelino, Trifón, Respicio, Ninfa, Demetrio, Probo, Aniano, Eustosio, Modesto, Florencia, Trifena y Trifosa.

11 DE NOVIEMBRE

SAN MARTÍN
DE TOURS
(315-397)

Otros santos: Menio, Verano, Valentín, Feliciano, Victorino, Atenodoro y Bartolomé.

12 DE NOVIEMBRE

SAN MILLÁN DE LA COGOLLA († 554)

Otros santos: Josafat, Aurelio, Publio, Livino, Benedicto, Juan, Mateo, Isaac, Cristiano, Paterno, Rufo, Cuniberto y Nilo.

13 DE NOVIEMBRE

SAN HOMOBONO († 1197)

Otros santos: Leandro, Diego de Alcalá, Estanislao de Kosca, Nicolás I, Mitrio, Arcadio, Pascasio, Probo, Eutiquiano, Pablito, Valentín, Solutor, Antonino, Zebina, Germán, Ennata, Bricio, Eugenio y Quinciano.

se dedicó a luchar contra la herejía y el paganismo. Fundó multitud de iglesias y monasterios, llevando una vida extremadamente austera que era un ejemplo para todos sus feligreses.

Nuestro santo tenía una mentalidad extremadamente moderna para su época. A pesar de que dedicó casi todos sus esfuerzos a luchar contra los errores de los herejes, lo hizo siempre en el terreno de la palabra, sin levantar jamás un arma contra nadie. Es más, cuando los apóstatas eran condenados por las autoridades, San Martín ejercía como abogado, rogando e intercediendo para que no se derramara la sangre de quienes sólo eran culpables de pensar de un modo diferente.

San Millán de la Cogolla († 554) — 12 de noviembre

Millán era un pastorcillo de La Rioja que pasó su juventud cuidando ganado. Su profesión le obligaba a pasar muchas horas en soledad y se entretenía en mantener largas conversaciones con Dios.

Un buen día decidió cambiar de vida: si pasaba más tiempo con el Señor que con los hombres, ¿por qué mantenerse en la ilusión de que le interesaban las cosas mundanas? Abandonó su trabajo y se marchó a la cima de una montaña, donde vivió en completa soledad durante 40 años.

Al cabo de este tiempo el obispo de Tarazona tuvo noticia de que había un santo anacoreta viviendo en las montañas. Mandó buscarle y le invitó a acudir a su iglesia, donde le ordenó sacerdote y le envió como párroco a un pequeño pueblo. Allí algunos feligreses no estaban de acuerdo con la forma en que repartía los bienes de la Iglesia entre los pobres. Al fin se vio obligado a dejar su cargo, lo cual le supuso una gran alegría, ya que pudo volver a su refugio en las montañas.

Vivió allí en eterna penitencia hasta la hora de su muerte, que le llegó con más de cien años. Cuando estaba próximo a morir, se le apareció en sueños un viejo sacerdote amigo suyo, que acudió para asistirlo en sus últimos momentos. En su antiguo refugio se fundó el monasterio benedictino de San Millán de la Cogolla, donde durante siglos se ha venerado su memoria.

San Homobono († 1197) — 13 de noviembre

Este hijo de un comerciante de Cremona recibió en la pila bautismal el nombre de Homobono, «Hombre Bueno». No recibió ninguna educación académica, pero sus padres le enseñaron la profesión de comerciante y las virtudes cristianas. Cuando él y su esposa heredaron el negocio, toda la ciudad lo conocía por su enorme caridad.

Ésta era su virtud preferida. Desde la cuna había aprendido que los mercaderes deben un tributo a Dios por sus ganancias, y Homobono materializaba este precepto en una gran misericordia con los pobres. Como el buen samaritano, no sólo daba limosnas a los necesitados, sino que les hablaba del consuelo de la fe y pasaba horas y horas con ellos dándoles esperanza. Era tan extremadamente generoso que su propia esposa le reñía porque daba no sólo lo que sobraba, sino también lo que necesitaba para vivir. La *Leyenda dorada* asegura que sus caridades eran recompensadas por el cielo con milagros que multiplicaban sus mercancías.

Era también un hombre cristiano en todos los demás aspectos. Rezaba constantemente, en cualquier lugar o a cualquier hora. Iba frecuentemente a la iglesia; los domingos y días de fiesta dejaba a un lado su negocio para dedicarse por entero a sus devociones. Murió mientras escuchaba misa en la iglesia de San Gil, y su santidad era tan reconocida que fue canonizado dos años después de su fallecimiento.

Este santo tiene la particularidad de haber sido un hombre corriente. Ni monje, ni ermitaño, ni Papa, ni rey. Fue sólo un comerciante que alcanzó la santidad practicando lo que Cristo nos enseñó. Y es que algunos están llamados a dejarlo todo para seguir al Señor, pero otros muchos debemos glorificar a Dios en nuestras vidas y entre nuestras familias.

San Lorenzo de Dublín (1132-1180) — 14 de noviembre

Con sólo diez años, Lorenzo era un rehén de guerra del bárbaro rey Dermod de Leinster. El cruel tirano lo trataba más como a un animal que como a un ser humano. Su padre logró liberarlo y lo envió a estudiar con un obispo; pudo volver con su familia a los doce años.

Más tarde ingresó en el monasterio de Glendaloch, del que fue elegido abad con veinticinco años. Se hizo famoso en los cuatro primeros meses de su administración, ya que hubo una gran carestía y muchos se salvaron de morir de hambre gracias a la generosidad de nuestro santo abad.

Cinco años después fue elegido obispo de Dublín. No abandonó nunca sus costumbres monásticas; llevaba siempre los hábitos monacales debajo de sus vestiduras episcopales. Su gran preocupación fue reformar las costumbres del clero, y procuró que los sacerdotes y canónigos de su diócesis vivieran con austeridad y respeto a las enseñanzas.

Tuvo que abandonar su sede temporalmente para viajar a Inglaterra y a Roma, donde fue nombrado legado en Irlanda por el Papa. Cuando regresó, se encontró con una gran escasez, y se marcó como propósito alimentar cada día al menos a cincuenta extranjeros y a trescientos pobres.

Su última misión fue como embajador: se le encomendó negociar la paz entre el rey irlandés y Enrique II de Inglaterra, que se disponía a invadir la isla. Murió mientras regresaba de Francia, días después de haber conseguido un compromiso de paz por parte del rey de los ingleses.

San Alberto Magno (1206-1280) — 15 de noviembre

Este ilustre doctor de la Iglesia, llamado Doctor Universal, ha sido uno de los hombres más sabios y versátiles de la historia de la cristiandad. Alquimista, filósofo, teólogo y naturalista, además de predicador y obispo; nuestro santo recorrió todos los caminos posibles para encontrar la verdad.

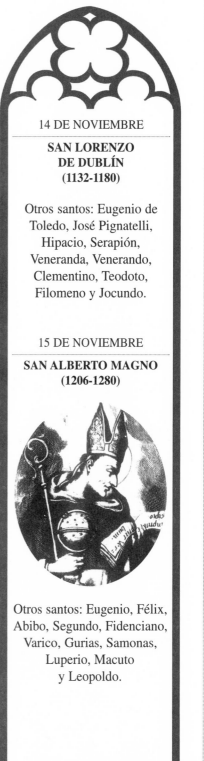

14 DE NOVIEMBRE

SAN LORENZO DE DUBLÍN (1132-1180)

Otros santos: Eugenio de Toledo, José Pignatelli, Hipacio, Serapión, Veneranda, Venerando, Clementino, Teodoto, Filomeno y Jocundo.

15 DE NOVIEMBRE

SAN ALBERTO MAGNO (1206-1280)

Otros santos: Eugenio, Félix, Abibo, Segundo, Fidenciano, Varico, Gurias, Samonas, Luperio, Macuto y Leopoldo.

16 DE NOVIEMBRE
SANTA MARGARITA, REINA DE ESCOCIA
(1046-1093)

Nuestra Señora de la Divina Providencia. Otros santos: Gertrudis, Rufino, Marcos, Valerio, Elpidio, Marcelo, Eustaquio, Edmundo, Fidencio, Euquerio, Otmaro y beatos Roque González y otros mártires de América del Sur.

Nació en Suabia, hijo de un caballero, pero muy joven abandonó la vida mundana para ingresar en la orden de los dominicos. Estudió en distintas universidades europeas, primero como alumno y más tarde como maestro: Colonia, París, Estrasburgo, etc. En todos los lugares, tenía algo que aprender. Los estudiantes lo adoraban por su sabiduría y sencillez, y entre sus discípulos cuenta con Santo Tomás de Aquino.

En 1260 fue consagrado obispo de Ratisbona. Después, hubo de viajar por Alemania y Bohemia con el encargo papal de predicar una nueva cruzada. Aquí se reveló otra de las grandes habilidades de nuestro santo, la predicación, en la cual destacaba sobre todos los clérigos de su tiempo.

Cuando acabó su encargo, volvió a dedicarse por completo a sus estudios. Su obra escrita ocupa más de cincuenta volúmenes: comentó a Aristóteles, del cual era gran admirador, y escribió hasta la saciedad sobre la naturaleza del mundo y de los humanos. En aquella época de oscurantismo, muchos calificaron sus estudios científicos de brujería, y fue acusado por muchos de hacer pactos con el Demonio y de resucitar a los muertos mediante magia negra. Bobadas, obviamente, que ni el Papa ni las autoridades eclesiásticas se dignaron escuchar.

Se cuenta que en los últimos años de su vida perdió totalmente la memoria y se borraron todos sus conocimientos. Hizo San Alberto pública confesión de ello, advirtiendo que no se hacía responsable de las herejías que debido a su amnesia pudiera decir. Murió dos años después de esto, y la leyenda asegura que falleció dos veces: resucitó tres días de la primera, para volver a entregar su alma al cielo apenas unas horas más tarde.

Una anécdota: este gran hombre era sin embargo diminuto de estatura. Hasta tal punto que, en su primera audiencia con el Papa, éste le dijo que se levantara, a lo que San Alberto replicó: «Su santidad, ya estoy de pie».

SANTA MARGARITA, REINA DE ESCOCIA (1046-1093) — 16 DE NOVIEMBRE

Margarita nació en unas circunstancias muy complicadas, descendiente de una familia real caída en desgracia. Los avatares del destino la llevaron a las costas escocesas, donde el propio rey, Malcom, la recibió. No tardó en quedar prendado de las virtudes de la princesa, y en poco tiempo se casaron. Margarita fue coronada reina de Escocia en 1070.

Malcom era un hombre bueno, pero de carácter difícil. Fue nuestra santa la que suavizó su forma de ser, cultivando su mente y enseñándole las virtudes cristianas. La pareja fue bendecida con multitud de hijos, aunque Margarita siempre fue consciente de que, en virtud de su cargo, toda Escocia era su familia. Como madre atenta, su primera preocupación fue cuidar del bienestar espiritual de su pueblo, y así lo hizo mandando venir a numerosos sacerdotes y luchando contra la herejía. También se ocupó de inducir a su marido a que reformara las leyes del país que no eran acordes con la ley natural o con los mandamientos de Dios.

La reina sentía predilección por los pobres. Siempre estaba rodeada de viudas, huérfanos y toda clase de necesitados, que acudían a Margarita sa-

San Francisco confortado por un ángel, Murillo.

biendo que no los dejaría ir sin una ayuda. Construyó hospitales y fomentó entre su pueblo la virtud de la misericordia.

Malcom murió después de 33 años de reinado y Margarita, desolada por el fallecimiento de su amado esposo, lo siguió a la tumba pocos días después.

SANTA ISABEL DE HUNGRÍA (1207-1231) 17 DE NOVIEMBRE

Isabel era hija de los reyes de Hungría, y desde su nacimiento estuvo prometida con el hijo del landgrave de Turingia, Luis. A los cuatro años, fue enviada a esta corte para recibir una educación; tenía sólo catorce cuando contrajo matrimonio con el príncipe, que en la misma ceremonia nupcial fue coronado.

Parece ser que, además de una unión política, su matrimonio fue por amor. Los dos esposos vivieron muy felices en su castillo de Wartburg. Su gobierno se recuerda como uno de los más cristianos, ya que los monarcas eran muy virtuosos y caritativos. Durante un año de escasez, se dice que Isabel gastó todo su tesoro en dar sustento a los necesitados. La felicidad les duró muy poco, ya que Luis murió en una cruzada a los seis años de haber subido al trono. Isabel fue declarada regente del principado hasta que su primogénito alcanzase la mayoría de edad, pero una conspiración de nobles consiguió expulsarla del gobierno alegando que ella malgastaba el dinero del Estado en dárselo a los pobres.

Nuestra santa tuvo que abandonar el castillo y refugiarse en un convento, donde tomó el hábito de la tercera orden de San Francisco. Llevó allí una vida dura y austera, ocupándose de los pobres. Parece ser que sus últimos años se vieron importunados por su confesor, que imponía a la santa penitencias excesivas y creaba en ella remordimientos horribles por pecados que nunca había cometido. Isabel lo soportó con paciencia hasta que, a los veinticuatro años, Dios la llamó para que lo sirviera en el cielo.

17 DE NOVIEMBRE

SANTA ISABEL DE HUNGRÍA (1207-1231)

Otros santos: Gregorio Taumaturgo, Dionisio, Hugo, Aniano, Eugenio, Alfeo, Zaqueo, Acisclo y Victoria.

18 DE NOVIEMBRE

SAN ODÓN DE CLUNY (879-942)

La dedicación de las basílicas de San Pedro y San Pablo.
Otros santos: Máximo, Tomás, Román, Bárula, Esiquio y Orículo.

SAN ODÓN DE CLUNY (879-942) 18 DE NOVIEMBRE

El fundador de la orden cluniaciense nació en Tours, hijo de una familia muy noble. Estudió en la basílica de San Martín, y en el año 909 tomaba el hábito monacal en el monasterio de Baume-les-Messieurs, en la Borgoña. Dieciocho años después, fue elegido abad de Cluny.

Odón tenía muy claro lo que debía conseguir en su monasterio: el retorno a la oración y a la sencillez entre los clérigos, y la vuelta a la vida espiritual y al fervor para todos los cristianos. Y Cluny, su abadía, se convirtió en un punto de referencia para toda Europa: el núcleo del espíritu cristiano en la Edad Media y la cuna del Románico, una nueva cultura.

Nuestro santo comenzó su labor imponiendo clausura rigurosa, horas determinadas de oración, austeridad y silencio. A esto se le añadieron unas formas esplendorosas en la liturgia. Odón extendió su reforma por multitud de conventos europeos. Su abadía se convirtió en la cabeza visible de una federación de monasterios que formaba parte del sistema feudal: sus viajes fueron el germen y la levadura de los cluniacienses.

19 DE NOVIEMBRE

SAN BARLAÁN
(† 304)

Otros santos: Máximo, Fausto, Feliciano, Exuperio, Azás, Severino y Abdías.

20 DE NOVIEMBRE

SAN EDMUNDO
(841-870)

Otros santos: Cayo, Octanio, Solutor, Anatolio, Adventor, Tespesio, Dasio, Agapito, Agaopio, Basso, Dionisio, Ampelo, Eustaquio, Benigno, Silvestre, Bernardo, Simplicio, Nersio y Gregorio.

21 DE NOVIEMBRE

SAN GELASIO I, PAPA
(† 496)

La Presentación de Nuestra Señora. Otros santos: Mauro, Columbano, Alberto, Honorio, Demetrio, Eutiquio, Esteban, Celso, Clemente, Heliodoro y Rufo.

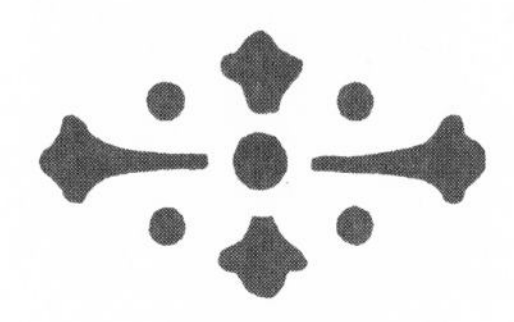

La activa labor de nuestro santo llamó la atención de los papas, que lo retuvieron durante años en Roma como consejero particular. Su visión en la política eclesiástica era la superioridad absoluta del espíritu e impuso y mantuvo que alma, cielo y Dios eran lo único digno de tener en cuenta.

San Barlaán († 304) — 19 de noviembre

Barlaán era un labrador que trabajaba cerca de Cesarea de Capadocia. Se cree que era cristiano por tradición familiar: el hecho es que pertenecía a una de las numerosas comunidades creyentes del Asia Menor.

Vivió con relativa paz hasta que a San Barlaán le llegó el suceso que marcó su vida: la persecución por parte de Diocleciano, que se declaró a comienzos de su reinado, hacia el año 284, y no acabó hasta su muerte en el año 305. Durante ese período, Barlaán acogía en su casita de campo a los cristianos fugitivos, a los que habían escapado o a los que ya figuraban en las listas de las autoridades. Allí les daba alimento, comida y cama...

Al fin fue descubierto. ¿Alguien lo traicionó? ¿Publicó él mismo su fe? No lo sabemos. De su martirio sólo nos queda un dato: el juez puso en su mano un poco de incienso, de modo que bastaba con que él la abriera para hacer un gesto de idolatría. Fue quemado en la hoguera, y ni siquiera cuando las llamas mordían su cuerpo se permitió abrir la mano.

San Edmundo (841-870) — 20 de noviembre

Edmundo fue él último rey de Estanglia. Aunque en aquella época Inglaterra ya había sido unificada por los sajones occidentales, en muchas zonas quedaban reyes vasallos sometidos a la monarquía central. Edmundo era uno de ellos.

Subió al trono con quince años y, aunque se sabe poco de él, se cree que fue un gobernante justo y piadoso, humilde y propenso a la caridad. En el año 869 tuvo que hacer frente a una invasión de daneses que se instalaron cerca de sus territorios. Desde allí comenzaron a avanzar hacia Estanglia; a su paso quemaban conventos y destruían iglesias, dando cuantas muestras podían de su desprecio por Cristo. Edmundo fue derrotado y hecho prisionero. Murió mártir después de sufrir muchos tormentos, quedando sus restos en el campo de batalla.

Sus súbditos lograron encontrar su cuerpo, pero se dice que la cabeza no aparecía. Buscándola por todas partes, escucharon una voz que les llamaba: «Aquí, aquí, aquí». Era la cabeza del rey, que finalmente fue hallada y enterrada. Otra leyenda asegura que sus restos fueron custodiados en el campo de batalla por un oso, que no volvió a los bosques hasta que comprobó que al santo se le daba cristiana sepultura.

San Gelasio I, Papa († 496) — 21 de noviembre

Nada sabemos de su origen, excepto que era africano y que marchó a Roma ya como sacerdote. Durante el pontificado de su predecesor,

Félix III, ejerció gran influencia en el clero por su carácter enérgico aunque prudente y bondadoso. Continuó con el mismo talante siendo Papa en el año 492.

El *Liber pontificalis* hace excelentes elogios de nuestro santo, calificándolo de Padre de los Pobres, ya que «amaba tanto la beneficencia que murió pobre, después de haber socorrido a innumerables necesitados». Gracias a su carácter diplomático, mantuvo excelentes relaciones con el emperador de Constantinopla y con el rey de Italia.

La actividad que Gelasio afrontó con más garbo fue la lucha contra la herejía, que en sus tiempos hacía estragos contra la unidad de la Iglesia. Escribió cartas, tratados teológicos y bulas contra los cismas y errores de algunos obispos. Defendió el primado del Papa, estableciendo por primera vez cuál era la jurisdicción del obispo de Roma.

En ciencia política se le estudia especialmente por ser el autor de la teoría de las «dos espadas», un alegato contra el cesaropapismo: existen dos poderes sobre la Tierra, que son semejantes a dos espadas, el poder temporal y el poder espiritual. Están completamente separados entre sí, el primero lo detentan los reyes y el segundo, los obispos. No deben entrar en conflicto normalmente, ya que pertenecen a esferas distintas, pero si ocurriera el poder espiritual sería superior. Esta doctrina la perfeccionará más tarde San Agustín con su metáfora de las dos ciudades.

Gelasio fue Pontífice durante cuatro años y medio, pero supuso una revolución para la Iglesia. Comenzó a ser venerado como santo poco tiempo después morir.

22 DE NOVIEMBRE

SANTA CECILIA (SIGLO III)

Otros santos: Filemón, Afia, Ananías, Mauro, Marcos, Esteban, Pragmacio y Tigridia.

SANTA CECILIA (SIGLO III) — 22 DE NOVIEMBRE

De Santa Cecilia no se sabe nada con certeza más que murió mártir. Sus *Hechos* narran su vida con detalle, datan del siglo VI, y no tenemos modo de saber cuánto de lo que allí está escrito es cierto, pero es lo único que tenemos.

Santa Cecilia nació en Roma; de niña hizo en secreto voto de perpetua castidad. Sus padres, sin saberlo, la desposaron con un joven pagano llamado Valeriano, que quedó muy sorprendido cuando su esposa le reveló en la noche de bodas el voto que había hecho. En vez de reaccionar violentamente, decidió escucharla, y tras muchas horas de conversación sintió que Cristo lo llamaba desde su corazón. Así recibió el bautismo y, ayudado por su mujer, convirtió también a su hermano Tiberio.

Pronto fueron descubiertos y condenados a muerte. Primero recibieron martirio los dos hombres, después Cecilia. Se afirma que los verdugos la decapitaron después de tres intentos milagrosamente fallidos.

De una frase de sus *Hechos*, «cantaba a Dios en su corazón», se ha supuesto que era cantante, y se cree que también se acompañaba con instrumentos musicales. ¿Es eso cierto? Es patrona de la música desde hace siglos, y suponemos que, aunque nunca en su vida terrena hubiera cantado, con tantos siglos de oraciones sin duda algo habrá aprendido.

23 DE NOVIEMBRE

SAN CLEMENTE I, PAPA
(† 100)

Otros santos: Columbano, Felicitas, Lucrecia, Sisinio, Anfiloquio, Gregorio y Trudón.

24 DE NOVIEMBRE

SANTAS FLORA Y MARÍA
(† 851)

Otros santos: Crisógono, Fermina, Crescenciano, Alejandro, Felicísimo, Protasio, Porciano y Román.

SAN CLEMENTE I, PAPA († 100) — 23 DE NOVIEMBRE

No están claros los orígenes de San Clemente. Quizá sea el mismo Clemente que cita San Pablo en la *Epístola a los Filipenses* y del cual dice que su nombre está escrito en el *Libro de la Vida*. Otros afirman que era un judío que se convirtió de manos de San Pedro.

Sí es seguro que fue el cuarto Papa de la historia, sucesor de San Cleto, y que ocupó la Santa Sede durante diez años. Se conserva su *Epístola a los Corintios*, cuya comunidad cristiana se había dividido. Clemente los llama a la benevolencia, condenando el orgullo, la envidia y la cólera, y les recuerda que Cristo es de los humildes. Nos ha llegado un fragmento de su *Segunda epístola a los Corintios*, en la cual les exhorta a no valorar los gozos y los placeres terrenos. También tenemos algunas cartas que dirigió a los hombres y mujeres que habían consagrado su virginidad a Dios.

Tampoco está claro cómo murió. Algunos dicen que de muerte natural, otros que martirizado. Según esta última versión, fue capturado en la persecución de Trajano, y después de años de trabajos forzados fue arrojado al mar Negro con un ancla al cuello y los propios ángeles construyeron su sepulcro en el fondo del mar.

SANTAS FLORA Y MARÍA († 851) — 24 DE NOVIEMBRE

Flora era natural de Sevilla, hija de árabe y de cristiana. Había seguido el ejemplo religioso de su madre, mientras que su hermano había abrazado el Islam.

Siendo Flora una jovencita, empezó a practicar activamente su religión: iba todos los días a la iglesia, acudía a las reuniones de las comunidades mozárabes y visitaba a los pobres. Su hermano la seguía e intentaba frustrar sus «actividades infieles», no por mala fe, sino porque la quería mucho y no le gustaba que hubiese caído en lo que pensaba que era una religión equivocada.

Nuestra santa se cansó de ser perseguida y se trasladó a una casa donde vivían muchos cristianos, entre ellos una doncella llamada María, que había sido educada en un monasterio. Pronto entablaron una profunda amistad.

El hermano de Flora se enfadó mucho cuando supo que había abandonado la casa de sus padres; sintiéndose traicionado, tomó la difícil decisión de denunciarla ante las autoridades. Esperaba que así rectificara y se volviera hacia Mahoma. Flora fue juzgada ante el cadí, pero la absolvieron: recordemos que los musulmanes permitían la libertad religiosa.

Poco tiempo después, Flora y María decidieron hacer profesión pública de su fe y renegar de las leyes del Islam. ¿Qué las empujó a tomar esta decisión: el propio Cristo las llamó, o quisieron dar ejemplo a los demás cristianos que vivían asustados y avergonzados de su condición? El caso es que fueron capturadas, condenadas a muerte y degolladas. Sus cuerpos, arrojados al Guadalquivir, fueron encontrados por algunos cristianos de su comunidad y enterrados en la iglesia de San Acisclo de Córdoba.

Santa Catalina de Alejandría (siglo IV) 25 de noviembre

Según muchos hagiógrafos, Catalina nunca existió y su historia es un relato inventado con fines pastorales. Pero goza de extraordinaria devoción en el desierto del Sinaí, y sus supuestas reliquias son veneradas en un monasterio ortodoxo. En la última revisión del santoral, la Iglesia hizo su culto optativo, como el de San Jorge.

Según la leyenda, nació en Alejandría en el seno de una familia muy noble. Pasó su infancia y su juventud rodeada del ambiente corrupto y blando de la alta sociedad del momento. Pero nunca estuvo satisfecha con lo que se le ofrecía: pensaba que el mundo debía tener algún significado más allá de las joyas, los viajes y los bailes. Por tanto se impuso el reto de encontrar la verdad. Buscó, buceando en bibliotecas y preguntando a cuantos sabios pudo encontrar hasta que topó con el cristianismo. Convencida de haber hallado el sentido de la existencia, que se resume en una sola palabra, participó en una importante discusión de teólogos de todas las sectas y filosofías; con la sencillez de sus argumentos logró refutarlos a todos. Casi todos se convirtieron con ella, pero algunos, humillados y resentidos por la derrota dialéctica, la acusaron ante el gobernador.

Esta buscadora de verdades fue condenada por las autoridades; murió tras unos largos tormentos que su historia describe macabramente.

San Juan Berchmans (1559-1621) 26 de noviembre

Juan nació en Diest de Bravante, en Bélgica, y desde niño quiso ser sacerdote. Estudió mucho y a los diecisiete años ingresó en la Compañía de Jesús, donde se dice que «apasionado por la gloria de Dios y por Jesucristo, quiso trabajar sin perder la más pequeña parte de su tiempo». Después marcha a Roma para estudiar filosofía. Allí muere de una súbita enfermedad, con veintidós años de edad.

¿Qué hizo este joven para merecer la santidad? Aparentemente se quedó en esbozo, un simple anticipo de lo que habría podido ser. Apasionado por el estudio, hubiera sido un gran teólogo que habría participado con fervor en las misiones jesuitas. Pero Dios quiso llevárselo antes.

Por eso es tan importante no dejarlo todo para el futuro. Así lo hizo nuestro santo que, además de prepararse, vivía también el presente y demostraba su santidad día a día. Desde que tuvo uso de razón practicó la vida austera y la penitencia. Oraba sin descanso, con amor y cariño. Obedecía en todo a sus superiores y se decía de él que nunca había cometido un pecado venial. Vivía plenamente todo lo que hacía: también los estudios o el deporte.

Como dijo Cristo, hay que tener siempre la lámpara encendida, pues no sabemos cuándo va a venir a buscarnos el Señor. Juan lo hizo, de modo que cuando le llegó la hora, él estaba preparado. ¿Lo estaríamos nosotros?

San Jaime *el Interciso* († 421) 27 de noviembre

Jaime, cortesano del rey de Persia, practicaba el cristianismo en secreto. Cuando su soberano declaró la guerra a esta religión, no tuvo

25 DE NOVIEMBRE

SANTA CATALINA DE ALEJANDRÍA (SIGLO IV)

Otros santos: Moisés, Erasmo, Mercurio, Pedro, Besario, Teliavo, Régulo, Jocunda, Isabel y Beatriz.

26 DE NOVIEMBRE

SAN JUAN BERCHMANS (1559-1621)

Otros santos: Silvestre, Siricio, Leonardo de Puerto Mauricio, Fausto, Marcelo, Pedro, Fileas, Esiquio, Pacomio, Teodoro, Belino, Didio, Anmonio, Amador, Conrado, Gonzalo y Básolo.

27 DE NOVIEMBRE

SAN JAIME *EL INTERCISO* († 421)

Nuestra Señora de la Medalla Milagrosa. Otros santos: Basileo, Valeriano, Máximo, Virgilio, Barlaán, Josafat y Severino.

el valor de enfrentarse a su príncipe y perder su elevada posición, con lo que decidió abandonar a Cristo.

Cuando el rey murió, la madre y la esposa de Jaime le escribieron una dura carta. En ella le echaban en cara haber preferido a un monarca terrenal que a Cristo; sobre todo, haber cambiado su fe por riquezas y poder.

El cortesano quedó desolado al leer la carta y tras mucho meditar, decidió hacer penitencia y volver a los brazos de la Iglesia. No volvió a ir a palacio, predicando a los cuatro vientos que era seguidor de Cristo.

El hijo del rey, su sucesor, supo del cambio de actitud de Jaime y lo mandó llamar. No comprendía por qué le traicionaba después de lo mucho que le había favorecido su padre. Nuestro santo le explicó que, por mucho bien que le hubiera hecho el monarca, mucho más le había dado Dios y no pensaba abandonarlo.

El nuevo rey reunió a sus jueces y consejeros; entre todos decidieron que San Jaime merecía la muerte. Fue torturado, arrancándole los miembros uno a uno en el potro, mientras nuestro santo alababa a Dios y daba gracias por haber encontrado el buen camino. Murió con alegría, sabiendo que había cambiado una vida de poder terrenal por la vida eterna.

28 DE NOVIEMBRE

SAN HONESTO (SIGLO III)

Otros santos: Santiago de la Marca, Papiniano, Valeriano, Eustaquio, Crescente, Florenciano, Hortulano, Crescenciano, Cresconio, Mansueto, Urbano, Félix, Sóstenes, Rufo, Esteban *el Joven*, Basilio, Pedro y Andrés.

San Honesto (siglo III) — 28 de noviembre

El día antes de la celebración de San Saturnino (maestro del célebre San Fermín) es la fiesta de San Honesto, también discípulo del santo obispo de Tours. Discípulo desde el principio, nació en Nîmes y fue bautizado por el propio Saturnino. Desde niño sintió afecto y simpatía por este santo, visitándole y escuchándole cada vez que podía. Estudió bajo su dirección, y él le ordenó sacerdote. Con Honesto, San Saturnino ejerció realmente de padre espiritual.

Una vez ordenado, nuestro santo trabaja codo con codo con su maestro evangelizando en la difícil región de Toulouse, y fue por supuesto Saturnino quien lo envió más allá de los Pirineos, a Pamplona, a llevar la palabra de Dios. Estaba allí predicando cuando una familia pagana le pidió que acudiese a su propia casa para hablarles de Jesús: era la familia de San Fermín. A su regreso a Toulouse, habló con su maestro de aquel niño excepcional; gracias a su testimonio, San Saturnino viajó hasta Navarra para bautizar a Fermín y a sus padres. Cuando el obispo regresó a su sede acompañado de Fermín, fue Honesto el encargado de educar al niño día a día, llevándolo desde su estado de «fe en bruto» hasta el refinamiento del perfecto servicio a Dios.

La de San Fermín puede ser la conversión más conocida de Honesto, pero no es ni mucho menos la única. Este sacerdote, el llamado Apóstol de Navarra, convirtió a multitud de personas que, o no habían oído nunca hablar de Él, o lo habían abandonado por el vicio y el pecado. Murió en Toulouse, años después de que su maestro se hubiera marchado de este mundo. Durante todos los años que pasó sin él, no cesó de decir que le echaba de menos.

San Saturnino († 257) — 29 de noviembre

La tradición le supone griego, nacido en Patras. No se sabe muy bien cómo, llegó a Roma, donde fue ordenado obispo. Partió hacia la Galia por orden del Papa Fabián.

Fijó su sede episcopal en Toulouse y, desde allí, envió misiones a ambos lados de los Pirineos. Se supone que fue él quien bautizó a San Fermín, después de abandonar su sede temporalmente para predicar en Pamplona. Consiguió grandes éxitos en sus tareas de conversión y lucha contra el paganismo, pero no nos han llegado relatos sobre su carrera.

Sin embargo, sí nos ha llegado una narración bastante detallada de su muerte. San Saturnino tenía su residencia muy cerca del templo principal de la ciudad, donde los dioses paganos daban oráculos cada día. Al parecer, debido a la presencia del santo, los ídolos quedaron mudos, y los sacerdotes decidieron apresarle para que reparara su ofensa. Le dieron a elegir entre apaciguar a los dioses con incienso o ser él mismo la víctima del sacrificio, y que su propia sangre calmara a las despechadas divinidades. Nuestro santo replicó que adoraba a un solo Dios y que estaba dispuesto a morir antes que a traicionarlo rindiendo culto a los diablos. Los sacerdotes, encolerizados, ataron los pies de San Saturnino a un toro bravo, que lo arrastró por toda la ciudad hasta despedazarlo.

Así, el santo obispo recibió la corona del martirio y los falsos ídolos, evidentemente, no recuperaron la voz.

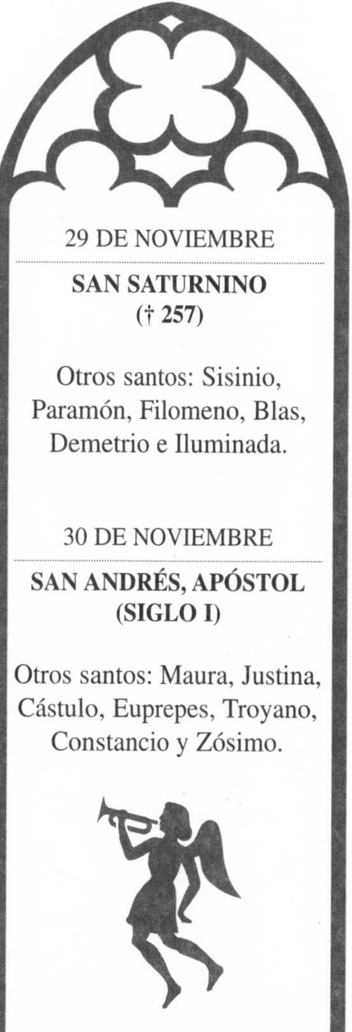

29 DE NOVIEMBRE

SAN SATURNINO
(† 257)

Otros santos: Sisinio, Paramón, Filomeno, Blas, Demetrio e Iluminada.

30 DE NOVIEMBRE

SAN ANDRÉS, APÓSTOL
(SIGLO I)

Otros santos: Maura, Justina, Cástulo, Euprepes, Troyano, Constancio y Zósimo.

San Andrés, apóstol (siglo I) — 30 de noviembre

Los Evangelios nos cuentan que Andrés fue el primer apóstol. Oyó primero predicar a San Juan Bautista y no sintiéndose satisfecho con escucharlo como hacían otros, se convirtió en su discípulo. Algún tiempo después, el precursor vio pasar a Jesús y señalándole, les dijo a sus discípulos: «Mirad, es el Cordero de Dios». Andrés corrió detrás de Jesús, y desde entonces lo escuchaba al volver de su pesca diaria. Andrés y su hermano Simón Pedro se hicieron amigos del Maestro, que se alojaba en su casa cada vez que iba a Cafarnaún. Los dos estuvieron presentes en las bodas de Caná. Cuando Jesús empezó a predicar, llamó a Andrés y a Pedro para que le siguieran como apóstoles. Les dijo que abandonaran sus redes, pues Él los haría pescadores de hombres, y ellos lo dejaron todo para seguirle.

Durante la vida pública de Jesús, Andrés es un apóstol más bien anónimo. No sabemos muy bien cuáles fueron sus caminos después de Pentecostés: es probable que predicara en Asia Menor, Grecia y Rusia, y la tradición asegura que fue el primer obispo de Constantinopla.

Recibió martirio en Escitia, atado a una cruz aspada (con forma de X, como la primera letra del nombre de Cristo en griego). Es recordado especialmente por ser el que llevó a Pedro hasta Cristo, es decir, por ser el primer evangelizador, el primero que, habiendo reconocido al Mesías, no quiso guardarlo para sí sino que quiso compartirlo con sus hermanos.

1 DE DICIEMBRE

SAN ELIGIO (588-659)

Otros santos: Nahum, Próculo, Evasio, Diodoro, Mariano, Lucio, Rogato, Casiano, Ansano, Olimpíades, Ananías, Castriciano, Ursicino, Agerico, Edmundo Campión y mártires de Inglaterra y Gales.

2 DE DICIEMBRE

SANTA BIBIANA (SIGLO IV)

Otros santos: Eusebio, Marcelo, Hipólito, Máximo, León, María, Martana, Aurelia, Paulina, Seguro, Victorino, Adria, Ponciano, Severo, Lupo, Cromacio, Nono, Evasio, Silverio y beato Juan Ruysbroeck.

San Eligio (588-659) — 1 de diciembre

Eligio o Eloy es el patrón de los orfebres y herradores. Era muy famoso por su excelente trabajo de los metales nobles, pero ahora se le recuerda más por su honradez, su caridad y su búsqueda de la santidad.

De muy niño ingresó como aprendiz en el gremio de los orfebres en Limoge. Logró ser oficial muy pronto, y su primera obra, un suntuoso trono para el rey Clotaire II de París, era tan bello que le valió un puesto en la corte.

Después de algún tiempo entre príncipes y aristócratas, decidió llevar una vida más austera y cercana a Dios. Se mudó a su propia casa, donde seguía trabajando los metales con autorización del gremio, pero invertía todo su dinero en limosnas o en comprar esclavos sólo para darles la libertad.

Cuando murió Clotaire, su sucesor le pidió que fuera su consejero. Eligio aceptó, a condición de seguir viviendo en su humilde casa. Iba cada día a palacio para aconsejar al rey, que le recompensaba con maravillosos regalos. Él los invertía todos en fundar conventos, iglesias y fundaciones de caridad.

Murió también este monarca, y su sucesor pidió a Eligio que se hiciera cargo de las sedes episcopales de Noyon y Touney. Nuestro santo aceptó, dedicando dos años a prepararse para la ordenación sacerdotal. En cuanto fue consagrado, comenzó una ardua lucha por reformar las costumbres del clero y por evangelizar a los paganos. Murió dos años después, habiendo conseguido que todos sus feligreses lo amaran profundamente.

Santa Bibiana (siglo IV) — 2 de diciembre

La leyenda de Santa Bibiana es bastante tardía; contiene muchos datos incorrectos. Los más probable es que su historia se base en una novela piadosa que refunde una vieja tradición romana.

Según esta leyenda, Bibiana era hija del prefecto Flaviano y de una dama llamada Dafrosia, que tenía una hermana llamada Demetria. Toda la familia fue degradada hasta la esclavitud por el emperador Juliano *el Apóstata*, siendo el motivo su religión: el cristianismo.

Al menos los cuatro podían permanecer juntos y con vida. Pero el prefecto que sucedió a Flaviano era un hombre cruel y rencoroso que consideró al padre de Bibiana una amenaza para sí y lo desterró a la Toscana. En cuanto a la madre, la envió a Capadocia, donde fue condenada a muerte y ejecutada. Sólo quedaban Bibiana y su hermana, Demetria. El prefecto las amenazó con tratarlas con más rigor que a los padres si no adoraban a los ídolos del Imperio. Ellas repusieron que jamás traicionarían a Jesucristo. Fueron encarceladas y torturadas; por fortuna, Demetria no soportó los tormentos y murió.

Bibiana se quedó sola. Primero fue entregada a una vieja alcahueta que intentó que se dedicase a la prostitución, pero nuestra santa ni tan siquiera la escuchó. Al fin, el prefecto ordenó que fuese atada a una columna y flagelada hasta la muerte. Los verdugos, agotados, tuvieron que ser reemplazados varias veces antes de que nuestra santa expirase.

San Francisco Javier, apóstol de las Indias (1506-1552)

3 de diciembre

Francisco nació en Navarra, en el castillo de Javier. A los dieciocho años fue enviado a París para estudiar, revelándose como un joven demasiado estudioso y devoto para los gustos de la época. Conoció a San Ignacio, el cual cuenta que su conversión le costó más que la de ninguno, y no por carencia de fe, sino porque el rechazo de sus compañeros le había llevado al orgullo. Al fin, Javier estuvo con San Ignacio cuando éste concibió la idea de crear la Compañía de Jesús, de la que siempre formó parte.

La gran ilusión de Javier era ir a predicar a las Indias, y a punto estuvo de no poder ir. Su nombre no estaba en la lista de misioneros jesuitas que el rey de Portugal quería enviar a Goa. La providencia quiso que uno de los sacerdotes contrajera una enfermedad y Javier fue en su lugar.

Desde Goa, extendió las misiones por toda la India, recorrió las islas de las especias y llegó hasta Japón. Se enfrentó muchas veces a la muerte mientras difundió la palabra entre brahmanes y samurais, bautizando miles de cristianos y creando comunidades allí donde iba. Al fin murió en China, con cuarenta y seis años de edad consumido por las fiebres y el agotamiento.

La obra de teatro de José María Pemán, basada en la vida de San Francisco Javier, tiene por título *El Divino Impaciente*. Y es que nuestro santo era impaciente en su santidad: quería expandir el reino de Dios por la Tierra, sin demora, sin esperar a que nadie viniera a ayudarle.

Santa Bárbara († 306)

4 de diciembre

Patrona del rayo, del fuego y de todas las explosiones, ha sido tradicionalmente invocada en las tormentas, ya sean naturales o creadas por el hombre. Es la protectora celestial de las ciudades que sufren bombardeos. Su vida nos es prácticamente desconocida. Sólo tenemos la leyenda.

Según esta tradición, Bárbara nació en Nicomedia, hija de un hombre cruel y pagano llamado Dióscoro, que la encerró en una torre para proteger su virginidad hasta que llegara el momento de casarla. Sola en su prisión, se entretenía en observar las estrellas y en meditar, y por sí sola llegó a la conclusión de que debía existir un Dios que lo hubiese creado todo. Con los pocos libros que pudo conseguir, se instruyó en la fe cristiana.

Con la excusa de instalarse un cuarto de baño, nuestra santa se hizo construir una capilla en la torre. Su padre descubrió que era cristiana y la entregó de inmediato a las autoridades. El gobernador condenó a Bárbara a la tortura y la ejecución. Entre otros milagros, cuando su padre fue a degollarla, un rayo cayó del cielo carbonizándolo.

Gran parte de esta historia es fantasía, pero hay un elemento en ella de una singular belleza: Bárbara, además de mártir, es una cristiana autodi-

3 DE DICIEMBRE

SAN FRANCISCO JAVIER, APÓSTOL DE LAS INDIAS (1506-1552)

Otros santos: Sofonías, Lucio, Agrícola, Claudio, Casiano, Hilaria, Magna, Jasón, Mauro, Crispín, Juan, Esteban, Víctor, Julio, Mirócletes, Birino y Gálgano.

4 DE DICIEMBRE

SANTA BÁRBARA († 306)

Otros santos: Juan Damasceno, Bernardo, Annón, Mauricio, Osmundo, Félix, Melecio y Teófanes.

5 DE DICIEMBRE

SAN SABAS (439-532)

Otros santos: Basso, Dalmacio, Pelino, Anastasio, Julio, Félix, Grato, Potamia, Crispín, Crispina, Nicecio, Juan y Gerardo.

6 DE DICIEMBRE

SAN NICOLÁS (SIGLO IV)

Otros santos: Asela, Policronio, Leoncia, Dativa, Emiliano, Dionisio, Tercio, Bonifacio, Mayórico y Pedro Pascual.

dacta. Por sí misma o inspirada por el Espíritu Santo, encontró la verdad, hasta el punto de morir por su causa.

SAN SABAS (439-532) — 5 DE DICIEMBRE

El padre de Sabas era oficial del ejército imperial; cuando su hijo cumplió los cinco años, el matrimonio se trasladó a Egipto. Sabas permaneció en Capadocia, viviendo con su tío Hermias, el cual lo explotó durante años como sirviente. Cansado de su mala vida, se mudó a casa de su otro tío, Gregorio, pero cuando sus dos parientes empezaron a disputarse quién administraría los bienes de su padre, decidió refugiarse en un monasterio. Sólo tenía ocho años de edad.

Años después, se trasladó a Jerusalén para ponerse bajo la disciplina de San Eutimio, un ermitaño que le juzgó demasiado joven para llevar una vida tan austera y sacrificada, por lo que le recomendó que tomara los hábitos en un monasterio cercano al desierto del cual era abad. Cuando cumplió los treinta años le permitió marchar cinco semanas al desierto, estancia que Sabas aprovechó para meditar mientras trabajaba tejiendo cestos.

Cuando murió San Eutimio, la disciplina de su monasterio se relajó, de modo que nuestro santo lo abandonó definitivamente para habitar una cueva del desierto. Al cabo de unos años, empezaron a llegar al desierto monjes y anacoretas que querían vivir bajo su dirección. En un principio, celoso de su soledad, los evitó, pero al fin terminó consintiendo en fundar una pequeña congregación para ellos. Construyeron una capilla, siendo Sabas ordenado sacerdote. Poco después fue nombrado superior general de todos los monjes del desierto de Palestina.

Sólo abandonó el desierto dos veces, por orden del patriarca de Jerusalén. En las dos ocasiones tuvo que viajar a Constantinopla para negociar con el emperador, que había sido seducido por los herejes y estaba maltratando a los cristianos. Enfermó mientras regresaba de su última travesía, falleciendo en su celda a los noventa y tres años de edad.

SAN NICOLÁS (SIGLO IV) — 6 DE DICIEMBRE

San Nicolás ha sido y es en el presente el santo más popular del mundo. No es otro que Santa Claus, Papá Noel, el anciano panzurrón que todas las Navidades lleva regalos a los niños. Es el santo al que se le piden los bienes materiales, lo superfluo, todos aquellos pequeños detalles que hacen que nuestras vidas sean un poco más felices.

Nicolás era un tranquilo abad en Patara cuando la sede episcopal de Myra quedó vacante. Fue designado para ocupar el puesto; desde el mismo momento de su consagración, se hizo famoso por su generosidad y su celo. Combatió el arrianismo en el concilio de Nicea, por lo que fue perseguido y probablemente ejecutado, aunque no es venerado como mártir.

Las leyendas nos hablan de los muchos milagros que hizo, pero también de sus actos de caridad: es famoso el relato de las tres hermanas que, gracias a la generosidad del obispo, pudieron disponer de una dote para casarse y así lograron escaparse de la prostitución, su único modo de supervivencia. La tradición asegura que San Nicolás era un hombre muy rico, y que desde su juventud se dedicó a repartir su dinero de un modo original: intentaba averiguar quiénes eran los más necesitados y, por la noche, se deslizaba a hurtadillas en sus casas para depositar bolsas repletas de oro.

El culto a San Nicolás, sobre todo la tradición de Papá Noel, arraigó en los países nórdicos, desde donde se ha extendido por todo Occidente. Hoy San Nicolás es el santo del consumismo y el patrón de los grandes almacenes, pero aún continúa en su recuerdo un poco de esa generosidad que le caracterizaba con los niños y los necesitados.

San Ambrosio (334-397) — 7 de diciembre

San Ambrosio es uno de los cuatro grandes doctores de Occidente, junto a San Agustín, San Jerónimo y San Gregorio Magno. Sin embargo, y a pesar de la importancia teológica de todos sus escritos, hoy lo que más recordamos de él es una vida llena de caridad, misericordia y justicia.

Nació en la Galia; cuando su padre murió, se trasladó con su madre a Roma. Allí estudió oratoria y, al cabo del tiempo, fue nombrado gobernador de Liguna y Aemilia. La historia de su consagración es un poco extraña: intervino en un conflicto entre arrianos y católicos en la ciudad de Milán con tanto éxito, que en un brevísimo plazo fue bautizado, ordenado sacerdote y consagrado obispo de la ciudad en el año 374.

Ambrosio se tomó su nuevo cargo muy en serio. Estudió la doctrina con profundidad, eliminó el arrianismo de su diócesis, y escribió numerosos libros sobre la castidad y la pureza de la fe. Creía especialmente en el sacramento de la penitencia, del que escribió multitud de obras en las que exhortaba a los fieles a confesarse a menudo. No olvidemos que San Ambrosio fue el artífice de la conversión de San Agustín, a quien apartó de la herejía a fuerza de paciencia y amor.

También se vio mezclado con los asuntos políticos que sacudían el Imperio Romano de Occidente, sirviendo de embajador y consejero para distintos emperadores. Fue mentor espiritual del emperador Teodosio de Oriente, a quien obligó a hacer pública penitencia por la masacre de Tesalónica.

Poco antes de fallecer, a la edad de cincuenta y siete años, Ambrosio escribió: «No tengo miedo a la muerte, porque tenemos un Señor bueno».

La Inmaculada Concepción — 8 de diciembre

La bienaventurada Virgen María fue preservada de toda mancha de pecado original en el primer instante de su concepción por singular gracia y privilegio de Dios omnipotente, en atención a los méritos de Jesucristo Salvador del género humano. Así reza la *Bula Ineffabilis Deus* del Papa Pío IX que, el 8 de diciembre de 1854, proclamó dogma de fe la Inmaculada Concepción de la Virgen María. Esta bula es un desarrollo de las palabras que ya había pronunciado el arcángel San Gabriel: «Llena de gracia».

7 DE DICIEMBRE

SAN AMBROSIO (334-397)

Otros santos: Urbano, Martín, Eutiquiano, Policarpo, Teodoro, Siervo, Agatón, Fara y María Josefa Roselló.

8 DE DICIEMBRE

LA INMACULADA CONCEPCIÓN

Otros santos: Macario, Eucario y Sofronio.

9 DE DICIEMBRE

SANTA LEOCADIA
(† 303)

Otros santos: Valeria, Restituto, Pedro, Suceso, Basiano, Primitivo, Siro, Julián, Próculo, Pedro Fourier, Cipriano y Gorgonia.

10 DE DICIEMBRE

SANTA EULALIA DE MÉRIDA
(† 304)

Nuestra Señora de Loreto. Otros santos: Melquíades, Julia, Carpóforo, Abundio, Menas, Hermógenes, Eugrafo, Mercurio, Gemelo, Gregorio III, Sindulfo y Diosdado.

¿Qué quiere decir esto? María no sólo se mantuvo limpia de pecado durante toda su vida, sino que antes de nacer Dios quiso que no hubiera en ella rastro del pecado original, con el cual cargamos todos los hombres y mujeres. Esto quiso decir el autor del Evangelio apócrifo con las palabras «Dios mandó a la Tierra a un ángel llamado María». Ella es semejante a los ángeles —de hecho, es su reina— en su pureza y santidad.

Mucho antes de que la Iglesia declarara canónica la Inmaculada, el pueblo católico ya creía firmemente en ella. En especial los españoles, que siempre han tenido una devoción y cariño especial por su Madre: casi desde los tiempos de Santiago Apóstol en la península Ibérica se ha venerado a María como la sin pecado. La tradición de comenzar la confesión diciendo «Ave María Purísima», a lo cual responde el confesor «Sin pecado concebida» se remonta en este país a tiempos inmemoriales.

SANTA LEOCADIA († 303) — 9 DE DICIEMBRE

Leocadia nació en Toledo en época de los romanos, a finales del siglo III. Era miembro de una rica y poderosa familia; además de hermosa e inteligente, era extremadamente devota y virtuosa. Cuando tenía quince años, era una muchacha a la que todos los caballeros cortejaban. Pero Leocadia no quería escuchar a ninguno de sus pretendientes. Aunque no había hecho votos, rondaba por su cabeza la idea de consagrarse a Dios.

Llegó entonces a la Península el gobernador Daciano con el encargo imperial de limpiar estas tierras de cristianos. Su primer acto en el cargo fue prohibir el culto a Cristo y ordenar que, al día siguiente, todos los toledanos fueran al templo de Júpiter para hacer ofrendas. Daciano era un hombre meticuloso, y dispuso que hubiera varios escribas a la puerta del templo, provistos del censo de habitantes, haciendo cuenta exacta de quiénes asistían.

Cuando se le entregó a Daciano la lista de personas que habían faltado, nuestra santa figuraba a la cabeza. Preguntó y supo de la extraordinaria reputación de que gozaba Leocadia y de cómo era admirada por toda la ciudad de Toledo. Daciano pensó que, si lograba convencerla de que abrazase la idolatría, sería seguida por multitud de ciudadanos. Con este plan en mente, la mandó llamar e intentó persuadirla con halagos y promesas, pero nuestra santa se mantuvo incorruptible. Finalmente fue encerrada en un calabozo, condenada a muerte y ejecutada junto a otros muchos mártires.

SANTA EULALIA DE MÉRIDA († 304) — 10 DE DICIEMBRE

Eulalia es la niña mártir de Mérida: murió por su fe cuando no tenía más que doce años, víctima de la persecución de Diocleciano.

Muy poco se puede decir de su vida. ¡Sólo doce años! Apenas le dio tiempo de empezar a vivir. Tampoco se nos cuenta cómo era; suponemos que sería una niña como las demás. Eso sí, provista de un inmenso valor.

Su nombre, Eulalia, significa la bienhablada, y parece casi una profecía. Cuando el decreto de persecución de Diocleciano llegó a España, Mérida fue una de las ciudades donde los cristianos iban al martirio por decenas, contentos por compartir con Cristo la gloria de su muerte.

Una vez, nuestra santa se acercó al gobernador, que estaba en la plaza juzgando a algunos mártires, y le preguntó: «¿Qué furia es la que os mueve a perseguir a Dios? Pero si estáis sedientos de sangre cristiana, aquí me tenéis».

Probablemente, en circunstancias normales el gobernador no le habría hecho caso, ya que los romanos eran gente civilizada y no tenían por costumbre asesinar a los niños. Pero cuando nuestra santa habló, todos los cristianos que estaban junto a ella comenzaron a vitorearla, viendo en aquella niña un ejemplo maravilloso de fe y valentía. El gobernador se vio obligado a encarcelarla, para que no provocara disturbios. En prisión, Eulalia se convirtió en el estandarte de los cristianos de Mérida, que acudían al calabozo para darle ánimos y rezar junto a ella. Al fin fue condenada a muerte, después de ser sometida a una bárbara tortura.

Podemos decir que el gobernador no atajó el problema con la muerte de Eulalia, sino que creó un mártir. Desde el cielo, esta santa continuó protegiendo a todos los cristianos perseguidos de todo el Imperio.

San Dámaso I, Papa (304-384)

11 de diciembre

Era este Papa de origen español, aunque nació en Roma. Su padre, después de la muerte de su esposa, se dedicó a servir a Dios, primero como lector, diácono y, finalmente, como sacerdote en la iglesia de San Lorenzo. Cuando Dámaso fue ordenado, pidió trabajar junto con su padre. Cuando éste murió, se hizo consejero del Papa Liberio, a quien acompañó al exilio, de modo que, cuando falleció el santo padre, Dámaso fue elegido su sucesor. No todos estuvieron de acuerdo con esta consagración, y Ursicino fue también ordenado obispo de Roma provocando un grave cisma eclesiástico. El antipapa fue exiliado, pero desde el destierro siguió creando confusión en la Iglesia.

Dámaso también tuvo que enfrentarse con las herejías que en aquel tiempo dividían la cristiandad. Fue implacable en este asunto, y no se abstuvo de tomar medidas drásticas como anatemizar a los obispos disidentes. También se ocupó de reformar las costumbres del clero, evitando que los sacerdotes convencieran a huérfanos y viudas de que dejaran legados a la Iglesia en vez de a sus herederos. Fue el protector de San Jerónimo, a quien encargó que tradujera la Biblia al latín, poniéndose de este modo por primera vez las Sagradas Escrituras al alcance de todo el mundo y no sólo de los eruditos. Por último, ejerció como gobernante del Vaticano, promoviendo obras públicas y la reforma de muchas iglesias.

Fue un Papa rígido y austero, que no tuvo miedo a las consecuencias de sus buenos actos. Hacía lo que debía hacerse, sin contemplaciones, y gracias a él la Iglesia conservó su unidad en aquellos tiempos de confusión.

Nuestra Señora de Guadalupe, Patrona de México

12 de diciembre

El 9 de diciembre de 1531, el indio Juan Diego salió de su casa de Quatitlán para escuchar misa en el templo de Santiago. Estaba rompiendo el alba cuando pasó cerca de la colina de Tepeyac, y escuchó como

11 DE DICIEMBRE

SAN DÁMASO I, PAPA (304-384)

Otros santos: Eutiquio, Bársabas, Vitorico, Fusciano, Trasón, Ponciano, Pretextato, Genciano, Sabino y Daniel Estilita.

12 DE DICIEMBRE

NUESTRA SEÑORA DE GUADALUPE, PATRONA DE MÉXICO

Otros santos: Juana Francisca de Chantal, Sinesio, Amonaria, Mercuria, Dionisia, Alejandro, Hermógenes, Donato, Majencio, Constancio, Justino y Crescencio.

13 DE DICIEMBRE

SANTA LUCÍA
(† 304)

Otros santos: Eustracio, Auxencio, Eugenio, Mardario, Orestes, Antíoco, Audverto, Judoco y Otilia.

una música que venía de allí. Intrigado, decidió averiguar qué ocurría, y cuál no sería su sorpresa al encontrar en la cumbre a una hermosísima Señora rodeada de luz que despedía rayos resplandecientes. La Virgen le transmitió al joven su voluntad de que allí se le erigiera un santuario.

Juan Diego corrió a hablar con el obispo prelado de México, don Juan de Zumárraga, el cual se mostró incrédulo e incluso arrogante: respondió que necesitaría alguna señal de que tan increíble historia era verdadera. El indio volvió y le relató a la Señora lo ocurrido, y ella le encomendó que le llevase al obispo unas rosas de la cima. Juan Diego las envolvió en su manto y se dispuso a volver a la sede episcopal. Cuando llegó junto al prelado, dejó caer las rosas a sus pies, descubriendo así que en el manto había aparecido dibujada la imagen de Nuestra Señora de Guadalupe.

Juan de Zumárraga juzgó que este prodigio era suficiente señal y ordenó construir el templo que la Virgen había pedido, situando en él el manto de Juan Diego, para que fuera venerado por todos los habitantes de México.

Ya en el siglo XX, la imagen de la Virgen de Guadalupe ha sido estudiada con la ayuda de los microscopios, y se ha descubierto que en los ojos de Nuestra Señora aparece dibujado Juan Diego, orando de rodillas con una multitud detrás. Parece improbable que un detalle que no puede ser visto sin la más moderna tecnología pudiera ser pintado por un hombre.

SANTA LUCÍA († 304) — 13 DE DICIEMBRE

Santa Lucía era desde niña muy devota de Santa Águeda y, por casualidades del destino, su propia vida fue muy similar a la de esta santa.

Se crió en Siracusa con su madre, ya que su padre había muerto siendo ella todavía un bebé. Fue educada en las costumbres cristianas, así como en todas las artes y ciencias que las mujeres aprendían en esa época para conseguir un buen matrimonio (canto, pintura, costura, etc.). Sin embargo, la joven Lucía hizo voto secreto de castidad. Por eso, cuando su madre le comunicó que le había concertado un matrimonio con un joven aristócrata, nuestra santa se creyó morir. No quería darle un disgusto a su madre, pero tampoco podía quebrantar sus votos.

Estaba buscando una solución cuando su madre cayó enferma. La santa le acompañó hasta la tumba de Santa Águeda, sobre la cual rezaron pidiendo la curación, que efectivamente ocurrió. Llena de gozo y exaltada por la fe, Lucía le reveló a su madre que había consagrado su virginidad a Dios. La buena mujer dio gracias al cielo por tener una hija tan piadosa, y le ayudó a vender su dote y repartirla entre los pobres.

El joven que se había prometido con Lucía se creyó humillado y la denunció por cristiana ante las autoridades. El gobernador la condenó a ejercer como prostituta, igual que le había ocurrido a Santa Águeda, pero Dios protegió la virtud de la santa milagrosamente. El juez, iracundo, ordenó que fuera torturada, y Santa Lucía murió mártir, víctima de sus heridas.

Suele ser representada con sus propios ojos en una bandeja que ofrece al Altísimo. Se desconoce si sus torturadores se los arrancaron o si es un símbolo de que ofrecía sus bienes más preciados a Dios, pero Santa Lucía es venerada por ello como patrona de la buena vista.

SAN JUAN DE LA CRUZ (1542-1591) 14 DE DICIEMBRE

Juan de Yepes y Álvarez, San Juan de la Cruz, nació en Fontiveros (Ávila) en el año 1542 y murió en Úbeda (Jaén) el 14 de diciembre del año 1591. Hijo de Gonzalo y Catalina, era el menor de tres hermanos (uno de ellos, Luis, murió tan pronto como su padre). La penuria económica manda a la familia a Medina del Campo (Valladolid), donde reside durante trece años, en los que el joven Juan da muestras de su piedad y amor a los enfermos al tiempo que progresa en los estudios de humanidades.

En el año 1563, y en Medina, entra en el noviciado de los carmelitas y toma el nombre de fray Juan de Santa María. Ya en Salamanca, en el año 1564, estudia filosofía y teología, siendo reconocido como el mejor de los estudiantes y como un cristiano ejemplar. En el año 1567, se ordena sacerdote. En Medina, donde acude para cantar misa, se encuentra con Santa Teresa, quien le expone sus planes de reforma del Carmelo y le invita a que inicie la vida reformada entre los religiosos. Concluye su año de teología en Salamanca y en el año 1568 inaugura con dos compañeros la vida reformada entre los religiosos en Duruelo y después, maestro de novicios ya, en Mancera de Abajo y Pastrana antes de ser nombrado, en el año 1571, rector del colegio de Alcalá de Henares, el primero de la reforma. Al año siguiente, en Ávila, acude al llamamiento de Santa Teresa para ser confesor en el monasterio de la Encarnación y se estrena como director espiritual de religiosas y de Teresa misma, a la que acompaña en la fundación del monasterio reformado de Segovia y al capítulo de la reforma en Almodóvar celebrado en el año 1576. Sufrió secuestro y prisión en Toledo el año 1577, huyó a Andalucía nueve meses más tarde –meses fecundísimos en su labor literaria–, participó en diversos capítulos de la reforma hasta el último de ellos para él, el que se celebra en Madrid en el año 1591. Desde allí, pasando por el desierto de la Peñuela, viaja a Úbeda, donde muere en las primeras horas del 14 de diciembre.

Cumbre de la poesía universal, místico supremo, consejero de Santa Teresa, doctor de la Iglesia y maestro para todos, en vida y obras literarias, en el amor de Dios.

SANTA CRISTINA, *NINA* († 340) 15 DE DICIEMBRE

Nina es considerada apóstol de los georgianos. Ellos mismos le dieron su nombre, ya que cuando llegó a esas tierras como esclava le llamaban *la Cristiana, la Nina.*

Seguramente fue capturada en alguna nación en guerra y llevada a Georgia por los mercaderes. Impresionaba a todos con su bondad y dulzura, y ya era famosa entre la gente de la capital cuando comenzó a hacer curas milagrosas. La propia reina la mandó llamar para que le curase una grave enfermedad; dado el éxito que obtuvo nuestra santa, la acogió en el palacio. Sin embargo, Nina sólo aspiraba a la humildad. Se instaló entre los sirvientes, pasando el día por la ciudad, de choza en choza, hablando a los

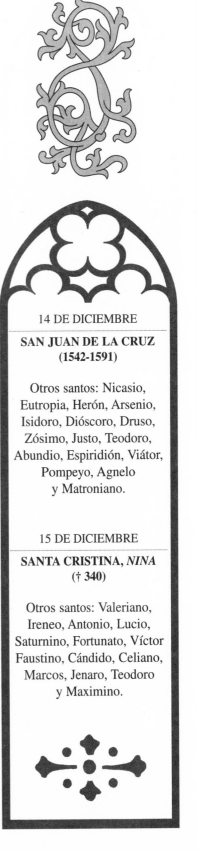

14 DE DICIEMBRE

SAN JUAN DE LA CRUZ (1542-1591)

Otros santos: Nicasio, Eutropia, Herón, Arsenio, Isidoro, Dióscoro, Druso, Zósimo, Justo, Teodoro, Abundio, Espiridión, Viátor, Pompeyo, Agnelo y Matroniano.

15 DE DICIEMBRE

SANTA CRISTINA, *NINA* († 340)

Otros santos: Valeriano, Ireneo, Antonio, Lucio, Saturnino, Fortunato, Víctor Faustino, Cándido, Celiano, Marcos, Jenaro, Teodoro y Maximino.

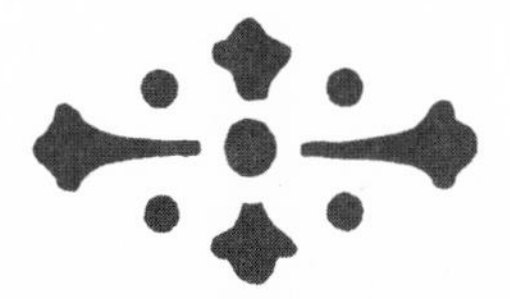

16 DE DICIEMBRE

SANTA ADELAIDA (931-999)

Otros santos: Albina, Valentín, Concordio, Naval, Agrícola, Adón, Irenion, Beano, Ananías, Azarías y Misael.

17 DE DICIEMBRE

SAN LÁZARO (SIGLO I)

Otros santos: Esturmio, Vivina, Yolanda, Olimpíades, Begga, Floriano, Calanico, Beatos, Roque, Alfonso y Juan.

inseguros, ayudando a los necesitados y curando a los enfermos. El propio rey, después de haber escuchado a Nina, le pidió que lo instruyera en el cristianismo, y poco después fue bautizado, con lo que envió embajadores al emperador Constantino implorando misioneros para evangelizar sus tierras.

Aquí acaba lo poco que sabemos de Santa Nina. Probablemente siguió viviendo como sirvienta, porque ella misma lo deseaba, y empleando su tiempo libre en el alivio de los afligidos. Imaginamos que los misioneros de aquella época, enviados por Constantino, no harían mucho caso a una pobre esclava... pero, en su humildad, seguro que la santa se sentiría dichosa de ceder la tarea de la evangelización a personas más preparadas y sabias que ella, aunque sin duda eran menos santas.

Nina, apóstol de los georgianos. Es hermoso escuchar el apelativo de apóstol dirigido a una mujer, esclava y probablemente analfabeta. Un signo más de que Dios no hace distinciones entre sus hijos: somos los humanos los que nos las inventamos.

Santa Adelaida (931-999) — 16 de diciembre

Hija de Rodolfo II, rey de Borgoña, nació en el castillo de Orb. A la edad de siete años se concertó su matrimonio con el príncipe Lotario de Italia, celebrado diez años después, cuando el novio ya era rey.

Un año después, Lotario muere envenenado y Adelaida queda presa en el castillo de Garda, a merced de los malos tratos del usurpador Berengario II, quien intenta vanamente casarla con su hijo. Nuestra santa consigue huir para refugiarse en la fortaleza de Canossa, donde Otón I acude en su ayuda, consiguiendo así Adelaida recuperar la corona italiana.

Apenas unos años después, contrae matrimonio con su salvador. Los esposos serán coronados por el Papa emperadores del Sacro Imperio Romano Germánico, y Otón es declarado defensor de la cristiandad. Tras veinte años de matrimonio, el emperador fallece, dejando el trono en manos de su hijo Otón II. Pero éste también muere, y Adelaida se ve obligada a ocupar la regencia durante la minoría de edad de Otón III, su nieto de tres años. Nuestra santa no fue una mera emperatriz consorte, fue emperatriz, con mayúsculas: durante años, rigió los destinos políticos y militares del imperio. Cuando su nieto alcanza la mayoría de edad, Adelaida decide que ya es hora de retirarse. Bajo la dirección de San Odilón, ingresa en un monasterio cluniaciense en el que pasa el resto de vida.

De esta mujer de hierro, reina y emperatriz, que demostró su carácter desenvolviéndose con soltura en un mundo de hombres, se ha dicho que era «un prodigio de gracia y de hermosura». Es la imagen del fin del primer milenio para la nueva era que se avecina.

San Lázaro (siglo I) — 17 de diciembre

Oriundo de Betania, hermano de Marta y María, Lázaro era amigo de Cristo, que lloró por su muerte y lo resucitó con sólo unas palabras: «¡Lázaro, sal fuera!» En este episodio vemos la profunda humanidad de

Jesús, que resucitó a Lázaro para gloria de Dios... pero también porque era su amigo, porque lo amaba y porque lo echaba de menos.

Después de regresar de entre los muertos, Lázaro no sería una figura muy querida entre los sacerdotes judíos y los fariseos. Se afirma que se llegó a planear su muerte, pero que se detuvieron por miedo a que el Maestro lo resucitara de nuevo, lo cual sería un bochorno aún mayor.

La leyenda, difícil de comprobar, asegura que, después de Pentecostés, los apóstoles le ordenaron obispo y partió hacia Marsella con sus hermanas para predicar. Allí murió decapitado por orden de las autoridades.

Hay dos aspectos de la vida de Lázaro que nos asombran especialmente. El primero es el hecho de que Jesús lo amara tanto. ¿Qué clase de hombre debía ser para que el propio Dios hecho hombre llorara por él? El otro aspecto es más misterioso. ¿Cómo afronta la vida un hombre que ha estado muerto? Sólo podemos fantasear sobre ello... pero, recordando de qué forma cambian las vidas de las personas que han estado cerca de la muerte, podemos suponer que Lázaro, que ya era digno del amor de Dios antes de su muerte, fue todo un santo después de su resurrección.

18 DE DICIEMBRE

SAN WINEBALDO
(† 761)

La Expectación del Parto y Nuestra Señora de la O. Otros santos: Rufo, Zósimo, Teótimo, Basiliano, Cuarto, Moisetes, Quinto, Simplicio, Victurio, Víctor, Victoriano, Adyutor, Gaciano, Floro y Auxencio.

19 DE DICIEMBRE

SAN NEMESIO, MÁRTIR
(† 250)

Otros santos: Urbano V, Anastasio I, Timoteo, Darío, Zósimo, Segundo, Ciriaco, Pablo, Pablito, Anastasio mártir, Maura, Sindimio, Tea, Gregorio, Adyuto y Fausta.

SAN WINEBALDO († 761) — 18 DE DICIEMBRE

Hermano de Santa Walburga, nuestro santo era hijo de un príncipe de Wessex. Sin embargo, al igual que su hermana, se decantó pronto por la vida religiosa. Después de una peregrinación a Roma, tomó los hábitos; algunos años más tarde es nombrado abad de Heidenheim, monasterio que se convierte en centro para la formación del clero. Aspirantes a sacerdotes acuden allí de todas partes de Gran Bretaña, donde Winebaldo los instruye con rigor y con cariño, animándoles a dejar sus hogares para predicar el Evangelio. Obsesionado por la cultura, hace traer libros de todas partes del mundo conocido para que sus monjes los lean, los aprendan y los copien, creando un inmenso almacén bibliográfico.

Al fin, nuestro santo decide dejar las islas Británicas. Su destino será Germania, una tierra aún bárbara que no había recibido la luz de Cristo. Pasó el resto de su vida predicando entre los germanos. Desgraciadamente, no nos han llegado relatos de sus aventuras allí. Sin embargo, extrapolando su vida anterior, suponemos que hizo enormes esfuerzos por difundir no sólo la fe, sino también la cultura y el arte cristianos. Sus restos fueron encontrados años después de su muerte, y dada la cantidad de milagros que se produjeron en torno a su tumba, no quedó ninguna duda sobre su santidad.

SAN NEMESIO, MÁRTIR († 250) — 19 DE DICIEMBRE

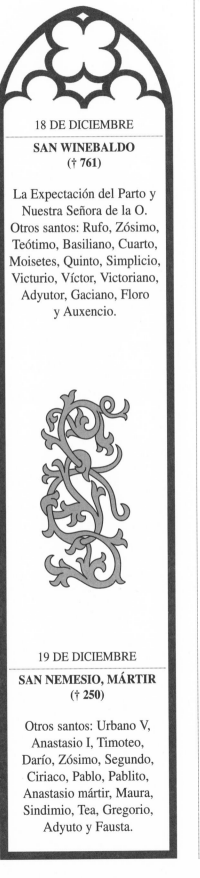

Nemesio fue acusado en Alejandría de múltiples delitos de robo y homicidio. Cuando fue llevado a los tribunales, demostró fácilmente su inocencia, pero en cambio fue tachado de cristiano y enviado al prefecto. Nemesio confesó su fe ante todo el tribunal y, en virtud del edicto del emperador Decio, fue condenado a tortura y muerte. Después de ser cruel-

20 DE DICIEMBRE

SANTO DOMINGO DE SILOS (1000-1073)

Otros santos: Filogonio, Eugenio, Macario, Liberato, Báyulo, Amnón, Zenón, Tolomeo, Ingenes, Teófilo, Ceferino y Vicente Romano.

21 DE DICIEMBRE

SAN PEDRO CANISIO (1521-1597)

Otros santos: Anastasio, Glicerio, Temístocles, Juan, Festo y Severino.

mente azotado, lo arrojaron a la hoguera junto a dos ladrones, con lo cual tuvo el honor y la alegría de compartir un aspecto de la pasión de Jesucristo.

Fue un día cruel para la cristiandad, ya que cuatro cristianos que presenciaban los tormentos (Amón, Zenón, Ptolomeo e Ingenuo) se atrevieron a animarlo a perseverar en la fe. Descubiertos por los verdugos, fueron condenados a muerte; se les decapitó al lado de la hoguera de San Nemesio. En la misma jornada recibieron tormento Herón, Ater e Isidro, que habían sido condenados junto al joven Dioscoro, de quince años. Fueron todos torturados cruelmente, pero el juez perdonó a Dioscoro debido a su tierna edad y a que «había quedado admirado por su deslumbrante belleza».

Vemos, pues, que fue un día doloroso pero también glorioso para todos los cristianos. Sin duda hubo fiesta en el cielo para celebrar el valor y la victoria sobre la tortura y la muerte de tantos hombres justos que no se doblegaron al miedo ni a las amenazas.

Santo Domingo de Silos (1000-1073) — 20 de diciembre

Domingo nació en Cañas, pequeña localidad de La Rioja cercana a Nájera. Descendiente de los antiguos reyes de Navarra, su familia se arruinó generaciones atrás, ya que en su infancia se dedicaba a cuidar rebaños. Vocación que mantuvo, cambiando las ovejas por los seres humanos.

Mientras era pastor, Domingo se dedicaba a estudiar las Sagradas Escrituras. Cuando se sintió preparado, ingresó en el monasterio de San Millán de la Cogolla, de la orden de San Benito, donde fue ordenado sacerdote. Al poco tiempo fue enviado como superior al convento de Santa María de Cañas, que estaba en ruinas, para volver a ponerlo en marcha, misión que cumplió en pocos años. El abad de San Millán se dio cuenta de la valía de Domingo, haciéndole volver a su monasterio para nombrarlo prior. Allí se vio obligado a defender los tesoros de la abadía de la codicia del rey don García de Navarra, por lo que fue desterrado.

Se refugió en el monasterio de San Sebastián de Silos, que fue su hogar definitivo. A su llegada lo encontró en profunda decadencia; se impuso la tarea de restaurarlo, haciendo en poco tiempo de Silos un núcleo de piedad y devoción que era conocido en toda la Península. Fue también un centro de cultura y arte, y multitud de estudiosos religiosos o seglares acudieron a trabajar bajo sus techos. Santo Domingo era especialmente reverenciado por los milagros que hacía con los cristianos cautivos de los árabes. Con tan sólo rezar por ellos, los cautivos se veían a las puertas del monasterio con los grilletes rotos a sus pies.

El monasterio de San Sebastián de Silos lleva hoy el nombre de nuestro santo, y aún en estos días es como un oasis de espiritualidad en medio del mundo material y secularizado que nos rodea.

San Pedro Canisio (1521-1597) — 21 de diciembre

Peter Kanis era hijo del burgomaestre de Nimega. Estudió derecho, y estaba destinado a ejercer la abogacía según los deseos de sus padres. Marchó a Colonia para profundizar en su aprendizaje de las leyes, pero allí cambió radicalmente el curso de su vida al matricularse en teología. Conoció a Pedro Fabro, de quien se hizo gran amigo, y gracias a sus consejos ingresó en la Compañía de Jesús a la edad de veintidós años.

Se ordenó sacerdote poco tiempo después. Su primera misión fue asistir al concilio de Trento como teólogo, destacando por su brillantez y claridad. Vivió en Roma algún tiempo en compañía de San Ignacio, hasta que éste lo envió a la Universidad de Messina para ser profesor.

Con los años, fue trasladado a Viena para darle un nuevo impulso al catolicismo, que en los últimos tiempos se estaba enfriando en aquella región. Con sus prédicas y sermones consiguió tan loables resultados que fue nombrado provincial de los jesuitas para Alemania, Austria y Bohemia. Desde esta alta posición, se encargó de difundir la Contrarreforma por toda la Europa Central, creándose la enemistad pero también el respeto de muchos protestantes que, aunque pensaban de un modo distinto al suyo, lo valoraban por su inteligencia y perseverancia.

Allí pasó el resto de su vida predicando, fundando colegios y monasterios y llevando la voz del Papa a aquellas tierras protestantes. Fue consejero del emperador de Alemania, escribió un catecismo y organizó misiones populares, iniciativa novedosa que tuvo gran acogida.

San Pedro Canisio fue un hombre entregado por completo a su profesión: ser el representante de la Iglesia en los reinos que se estaban apartando de ella. Su labor fue impresionante, agotadora, pero aun así no fue bastante para impedir que la reforma de Lutero cuajara en Centroeuropa.

San Demetrio († 304) — 22 de diciembre

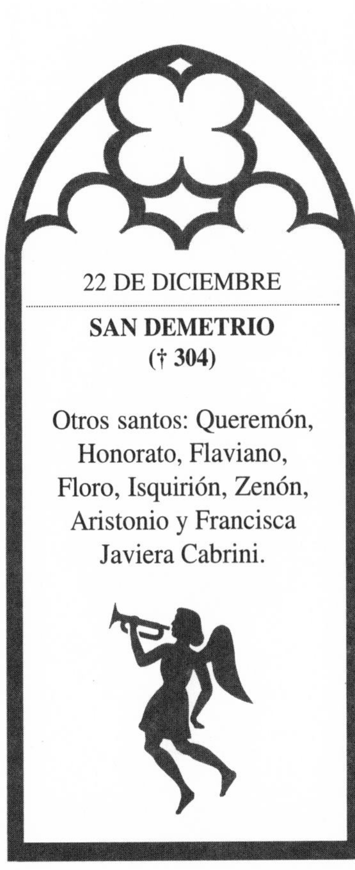

22 DE DICIEMBRE
SAN DEMETRIO
(† 304)
Otros santos: Queremón, Honorato, Flaviano, Floro, Isquirión, Zenón, Aristonio y Francisca Javiera Cabrini.

Demetrio era un militar romano asentado en Tesalónica. Era cristiano, pero por su profesión nunca era molestado por las autoridades. Aprovechaba esta circunstancia para ser un difusor de la fe y hablaba a los paganos del gran error que cometían al no reconocer al verdadero Dios. Predicaba de forma lenta pero continuada, «sin prisa pero sin pausa», y a lo largo de los años consiguió un enorme número de conversiones.

Nuestro santo supo que su tranquilidad iba a terminar cuando el emperador Maximiano visitó Tesalónica. Es sabido que era un gran perseguidor de cristianos; para que nadie pudiese dudarlo, ordenó a los soldados de su propia guardia personal que hiciesen pesquisas para averiguar quiénes eran cristianos, proyectando darles un castigo ejemplar. Demetrio fue descubierto y llevado ante Maximiano. Éste iba a presenciar una lucha de gladiadores, y como no quería perderse el espectáculo ordenó que nuestro santo fuera encerrado en una mazmorra del anfiteatro.

En la lucha murió el gladiador preferido del emperador, lo cual le puso de pésimo humor. No queriendo perder el tiempo con Demetrio, ordenó que fuera ejecutado en la misma celda en que estaba, sin preocuparse por el castigo público que tenía pensado. Así, nuestro santo fue asesinado sin juicio ni interrogatorio, pero al menos se libró de las torturas a las que con toda seguridad Maximiano le hubiera condenado.

23 DE DICIEMBRE

SAN JUAN CANCIO (1390-1473)

Otros santos: Juan de Kenty, Victoria, Migdonio, Mardonio, Teódulo, Saturnino, Euporo, Gelasio, Zetico, Euniciano, Cleómenes, Agatópodo, Basílides, Evaristo y Sérvulo.

24 DE DICIEMBRE

SANTA IRMINA († 708)

Otros santos: Gregorio, Luciano, Metrobio, Pablo, Cenobio, Teótimo, Druso, Eutimio, Delfín, Venerando, Adela y Társila.

SAN JUAN CANCIO (1390-1473) — 23 DE DICIEMBRE

Juan Cancio era polaco (nació cerca de Cracovia). Desde niño demostró gran predisposición para los estudios, de modo que le enviaron muy pronto a la universidad, donde se graduó en teología y filosofía. Demostró la entereza de su carácter, sin dejarse arrastrar por la ligereza de costumbres de sus compañeros, y al adquirir el título de doctor, fue ordenado sacerdote.

Se puso a trabajar como profesor en la Universidad de Cracovia, donde era muy querido y admirado por su humildad y sencillez, que contrastaba con su gran sabiduría. Era también un hombre moderado en las controversias religiosas.

Juan siempre aprovechaba sus vacaciones de verano para emprender peregrinaciones. De este modo viajó a Tierra Santa y, en cuatro ocasiones, a Roma. En uno de sus trayectos a la Ciudad Eterna, fue asaltado por unos ladrones que le robaron cuanto llevaba, después le preguntaron si tenía algo más. Él contestó que no y los asaltantes se marcharon. A los pocos minutos, nuestro santo descubrió que había unas monedas en su bolsillo, y corrió detrás de los maleantes para dárselas. Éstos, asombrados, se pusieron a hablar con Juan, que les habló de Cristo con tanta efusividad que se arrepintieron, le devolvieron lo robado y prometieron cambiar de vida.

Y es que Juan era así: le bastaba con abrir la boca para que su audiencia quedara embelesada. En Cracovia, sus misas eran las más concurridas, ya que los fieles creían ver a Dios mientras escuchaban al santo. También era un hombre destacado por su caridad: empleaba su sueldo en socorrer a los necesitados, sobre todo a las viudas y a los huérfanos.

Pasó sus últimos años como párroco en un pequeño pueblo, donde enseñaba las Sagradas Escrituras a los futuros sacerdotes y a los fieles.

SANTA IRMINA († 708) — 24 DE DICIEMBRE

Irmina era hija de rey Dagoberto de Lorena. Pasó su infancia en la corte rodeada de los hombres piadosos que aconsejaban a su padre. Siempre quiso consagrarse a Dios, pero cuando el rey le concertó un matrimonio con un noble francés, decidió aceptar por obediencia. Sin embargo, el mismo día en que se iba a celebrar la ceremonia el novio falleció súbitamente.

Toda la corte rodeó a la princesa para consolarla. Ella se mostraba muy tranquila, convencida de que su prometido estaba ya en el cielo, mucho mejor que en cualquier lugar de la Tierra. Pidió a su padre que la permitiera ingresar en un monasterio. En vez de eso, Dagoberto dispuso que pronunciara los votos solemnemente, y le regaló el castillo de Oeren para que lo convirtiese en convento. Así lo hizo, fundando una próspera comunidad que puso bajo la regla de San Benito, en la cual pasó el resto de sus días.

Como abadesa fue muy amada por sus hermanas. Al contrario que otras mujeres nobles que han fundado monasterios, no pedía que sus monjas fuesen de noble cuna, más bien prefería lo contrario. Se rodeaba de hermanas sencillas y humildes, como ella. Se cuenta que en una ocasión se refugió en Oeren una gran dama despechada por su amante, que escandalizaba a todas las religiosas con sus vestidos lujosos y su charla sobre los cotilleos de la corte. Nuestra santa, incapaz de decir una palabra más alta que otra, no expulsó a la aristócrata por caridad, pero sí la convenció de que se trasladara a otro convento de hábitos más relajados donde estaría más cómoda.

También se enfrentó a una epidemia que diezmaba a las monjas. Ni médicos ni oraciones eran capaces de detener la enfermedad. Irmina imploró a San Wilibrordo que acudiera a bendecirlas, lo cual detuvo definitivamente la plaga.

25 DE DICIEMBRE
NATIVIDAD DE NUESTRO SEÑOR JESUCRISTO
Otros santos: Anastasia, Eugenia, Jovino, Basilio y beato Iacopone de Todi.
26 DE DICIEMBRE
SAN ESTEBAN, PROTOMÁRTIR (SIGLO I)
Otros santos: Marino, Dionisio, Zósimo, Arquéalo y Zenón.

Natividad de Nuestro Señor Jesucristo — 25 de diciembre

Estando en Belén, se cumplieron los días de su parto, y dio a luz a su hijo primogénito, y lo envolvió en pañales y lo acostó en un pesebre, por no haber sitio para ellos en la posada.» Con estas hermosas palabras nos describe San Lucas el nacimiento del Hijo de Dios.

¡El Hijo de Dios! Dios hecho hombre nacido... en un pesebre. Por tópica que resulte esta reflexión, no podemos dejar de admirarnos de que el Rey de todos los Reyes eligiera nacer en una cueva, entre animales, y con tan pobre cuna. Hoy, en nuestra cultura consumista, todos queremos tener mejor casa, mejor coche, mejor ordenador y mejor teléfono que el vecino... pero Dios se conformó con nacer pobremente.

El relato de Lucas continúa con la adoración de los pastores. Antes que nadie, Dios quiso que la gente humilde e ignorante conociera la buena nueva. Envió a sus ángeles, no a uno, sino a todo un coro, «una multitud del ejército celestial», para que avisaran a los pastores y les enseñaran a glorificar a Dios. El Señor ha revelado a los ignorantes lo que ocultó a los más sabios.

En la mayor fiesta del año, conviene no perder de vista lo que estamos celebrando. En medio de las compras, los regalos, las comidas y las reuniones, recordemos que Dios nos ama tanto que vino al mundo para enseñarnos y para dejarse asesinar por sus propios hijos. Recordemos que en Navidad festejamos que Cristo ha redimido a todo el género humano.

San Esteban, protomártir (siglo I) — 26 de diciembre

San Esteban era judío y, según todas las apariencias, uno de los 72 discípulos de Jesús. Inmediatamente después de la venida del Espíritu Santo, lo vemos ejerciendo como diácono entre los judíos de lengua griega.

Su predicación era tan sincera y emotiva que se ganó multitud de enemigos, que terminaron tramando una conspiración contra él. Los libertinos (los cautivos en Roma bajo Pompeyo pero que desde entonces habían obtenido la libertad) mantuvieron una larga disputa con Esteban, acudiendo después al Sanedrín para acusarle de blasfemar contra Moisés y contra Dios. Nuestro santo fue llevado ante el tribunal, donde pronunció un largo discurso, recogido por los *Hechos de los Apóstoles*, en el que declara su fe en Jesús como el Mesías anunciado por los profetas. Este discurso enfureció tanto a los judíos que sacaron a Esteban a la calle y lo lapidaron allí mismo. Sus últimas palabras fueron de preocupación hacia sus verdugos, pidiéndole a Dios que no los culpara por su pecado.

27 DE DICIEMBRE

SAN JUAN, APÓSTOL Y EVANGELISTA (SIGLO I)

Otros santos: Máximo, Teodoro, Teófanes, Nicerata y Fabiola.

28 DE DICIEMBRE

LOS SANTOS INOCENTES

Otros santos: Eutiquio, Domiciano, Domna, Ágape, Teófila, Indes, Cástor, Víctor, Rogaciano, Troadio, Cesáreo, Domnión, Antonio y Gaspar del Búfalo.

Esteban es el primer mártir del cristianismo. Hay que destacar que los propios *Hechos* nos relatan que San Pablo, Saulo por aquel entonces, estaba entre los que asesinaron a nuestro santo. El protomártir pidió a Dios por sus asesinos... y Dios lo escuchó, al menos en el caso de San Pablo, que de cruel persecutor se convirtió en el más creyente de los apóstoles.

San Juan, apóstol y evangelista (siglo I) — 27 de diciembre

El discípulo amado de Jesús era un pescador natural de Galilea. Cristo lo llamó para ser uno de los doce cuando sólo tenía unos veinticinco años. Es uno de los pocos que asiste a la Transfiguración y uno de los que permanecen junto a Jesús en el monte de los Olivos. El Evangelio está lleno de detalles que dicen lo mucho que lo amaba Jesús. Es el que apoya su cabeza sobre el pecho del Maestro en la Última Cena y a quien le pide que cuide de su Madre cuando agoniza en la pasión.

Tras la ascensión de Cristo, Juan permaneció casi todo el tiempo en Jerusalén, predicando. Fue arrestado varias veces por los judíos, pero siempre logró salvarse. En la segunda persecución del año 95 se salvó milagrosamente de morir cuando le arrojaron a una pila de agua hirviendo. El emperador, asustado por el prodigio, lo exilió a la isla de Patmos, donde escribió su Evangelio y el *Apocalipsis*. Cuando Coceyo Nerva subió al trono imperial, Juan fue a Éfeso, donde gobernó esta iglesia hasta su muerte en el año 100.

En la iconografía cristiana, se representa a San Juan con un águila. Este animal puede simbolizar el carácter de nuestro santo: inquieto, enérgico, inteligente, el que más escucha y el que mejor comprende al Señor, porque lo amó más que ninguno.

El propio Evangelio de San Juan termina con una enigmática frase de Jesús que se refiere al discípulo amado. Le dice el Maestro a Pedro: «Si yo quisiera que éste permaneciese hasta que yo vuelva, ¿a ti qué?» ¿Qué quiere decir Jesús con esto? El propio Juan explica que eso no significa que no vaya a morir, pero no nos aclara el significado.

Los Santos Inocentes — 28 de diciembre

Cuando la estrella del Niño Dios apareció en el cielo, los Reyes Magos la siguieron hasta Jerusalén, donde preguntaron a Herodes si sabía algo del nacimiento de un rey de los judíos. Él les respondió que en Belén de Judá e, hipócritamente, les pidió que cuando le encontraran fueran a avisarle para que él también pudiera ir a adorarlo.

Después de ofrecerle sus dones a Jesús, un oráculo avisó a los Magos de las intenciones de Herodes de matar al niño que podía arrebatarle su trono, por lo cual ellos volvieron a su tierra por otro camino. Herodes, al ver que los Magos no regresaban con noticias, ordenó matar a todos los niños menores de dos años que había en Belén. Un ángel previno a la Sagrada Familia para que huyera a Egipto, pero muchos bebés inocentes murieron por culpa del cruel mandato de Herodes.

La Iglesia quiere recordar en este día no sólo a los niños que murieron, sino a todos los inocentes que ha habido en el mundo y que no tuvieron la oportunidad de ser ni buenos ni malos, que murieron antes de tener ocasión de decidir. Por eso en el calendario se recuerda también en este día a Abel, la primera víctima inocente de la historia.

En el día de los Inocentes debemos pensar, por un lado, en dar una oportunidad a todos los humanos de vivir y elegir por sí mismos; por otro, debemos darnos cuenta del privilegio que tenemos al gozar de esa oportunidad que muchos otros no han tenido. Aprovechémosla.

Santo Tomás Becket (1117-1170) — 29 de diciembre

Tomás nació en Londres; estudió derecho canónico en Oxford y París. Después de ejercer como secretario de la corte en su ciudad de nacimiento, viajó a Bolonia para profundizar en su aprendizaje.

A su regreso fue ordenado diácono y muy pronto, archidiácono de Canterbury. Viajó varias veces a Roma para desempeñar importantes misiones; por su sabiduría y prudencia fue nombrado lord canciller de Inglaterra en el año 1157. A pesar de todos estos honores, conservó siempre las virtudes de la humildad, la caridad y la castidad.

En el año 1160 murió el arzobispo de Canterbury y Santo Tomás fue elegido para ocupar su lugar, con lo que empezaron sus desgracias políticas. Hiciera lo que hiciera, siempre ofendía al rey. Primero al renunciar a su puesto como canciller, que juzgaba incompatible con el arzobispado. Después por una polémica sobre los beneficios de las tierras de la Iglesia. Y por último, cuando se negó a que los obispos respetaran las «costumbres» del reino, contrarias a la ley de Dios. Todo esto fue demasiado para el monarca, pidiéndole que abandonara el país. Siete años estuvo ausente hasta que, rogando a Dios que le permitiera reconciliarse con el rey, volvió a casa. Pero su suerte no había cambiado: en su primera audiencia ya discutió con el soberano, que manifestó a gritos su deseo de que el santo obispo muriera cuanto antes. Un grupo de nobles de la corte tomó al pie de la letra sus palabras. Entraron en la iglesia de Canterbury y asesinaron a Santo Tomás.

Buen ejemplo, aunque imprudente, el de este mártir que no temía despertar la ira de los poderosos por su defensa de la voluntad de Dios.

29 DE DICIEMBRE

SANTO TOMÁS BECKET (1117-1170)

Otros santos: Calixto, Félix, Bonifacio, Domingo, Víctor, Primiano, Livoso, Saturnino, Crescencio, Segundo, Honorato, David, Trófimo, Marcelo y Ebrulfo.

30 DE DICIEMBRE

SAN RAÚL (SIGLO XIV)

La Traslación de Santiago Apóstol. Otros santos: Sabino, Exuperancio, Marcelo, Venustiano, Mansueto, Apiano, Donato, Honorio, Severo, Anisia, Perpetuo, Egwino y Rainiero.

San Raúl (siglo XIV) — 30 de diciembre

No se sabe mucho sobre este santo de origen humilde que, muy joven, toma los hábitos monásticos y permanece en estricta clausura durante treinta años. Era muy dado a la austeridad, practicando la caridad tanto con sus hermanos como con los pobres de la zona. Muy valorado por sus superiores, pronto su nombre llegó a oídos de San Bernardo, que le encargó fundar la abadía cisterciense del valle de las Celdas, en el norte de Francia.

Allí, Raúl se dedica a construir una comunidad próspera y apegada a las leyes de Dios. Enfatiza la importancia de la oración, del trabajo con las propias manos, del silencio y de la caridad. «Éstas –dice– son las vías de conseguir un alma pura que pueda servir a Dios en otros menesteres.» La vida austera, los ayunos y las penitencias son la única forma cabal de prepararse para la predicación.

31 DE DICIEMBRE

SAN SILVESTRE I, PAPA
(† 335)

Otros santos: Sabiniano, Potenciano, Columba, Donata, Paulina, Hilaria, Rústica, Nominanda, Serótina, Esteban, Ponciano, Atalo, Fabiano, Cornelio, Sexto, Floro, Mario, Zótico, Barbaciano, Frodoberto y Catalino Labouré.

Una vez que su monasterio presenta signos de prosperidad y verdadera comunión con Dios, San Raúl evangeliza en los pueblos vecinos. Todas las gentes a las que se dirige ya eran cristianas, pero habían perdido el ardor que nuestro santo tanto valoraba. Quizá la sociedad europea, que temía que el final de los tiempos llegara con el año 1000, se había relajado al comprobar que el sol seguía saliendo y que los ángeles de Dios no llegaban dispuestos a arrojar al abismo a los pecadores. Sin embargo, Raúl es consciente de que cada cristiano tiene que pasar su propio juicio final en el momento de su muerte, y se encarga de transmitirlo. Uno de sus mayores éxitos fue Hugo de Visiac, un noble caballero que, gracias a la amistad de San Raúl, se arrepintió de su vida pecadora y se convirtió en uno de los hombres más virtuosos de Francia.

San Raúl también se dedica en especial a la cultura y el arte, haciendo de su monasterio un foco de la literatura y de la pintura de la época. Sus labores sociales tampoco son despreciables: organiza de modo eficiente a sus monjes para fundar escuelas, hospitales, ayudar a huérfanos y viudas y articular un sistema de caridad entre los feligreses.

Murió veinte años después de haber fundado la abadía del valle de las Celdas, rodeado por sus hermanos y por gente de toda la comarca que lo amaba y quería estar junto a él en sus últimos momentos.

San Silvestre I, Papa († 335) — 31 de diciembre

El último día del año, la Iglesia quiere recordar a este Papa que se afanó por reconstruir la Iglesia cuando casi había sido destruida a causa de las últimas persecuciones.

Nacido en Roma, fue educado en el más estricto respeto a la religión cristiana. Pasó años estudiando, ejerciendo después como maestro, hasta que al fin fue ordenado por el propio Papa Marcelino. Se estaba aún preparando como sacerdote cuando estalló la última persecución romana contra los cristianos, la de Diocleciano. Nuestro santo demostró su valor y disposición para el martirio, que no llegó a recibir. En cambio, tuvo el honor de presenciar cómo un emperador romano, Constantino, aceptaba las palabras «bajo este signo vencerás» y ganaba una batalla en el nombre de Cristo.

Poco después murió el Santo Padre, siendo elegido San Silvestre para ocupar la silla de San Pedro. En el mismo año de su consagración, tuvo que enviar legados a Arlés para el gran concilio de Occidente, que condenó todas las herejías que se multiplicaban por Europa. Acabada la era de las persecuciones, empezaban las divisiones en el seno de la Iglesia, y nuestro santo fue el primer Papa que tuvo que enfrentarse a ello.

Sabemos que construyó muchas iglesias, feliz de que se pudiera practicar libremente las devociones sin temor al arresto. También fue el primer Pontífice que tuvo que vérselas abiertamente con los emperadores, sentando las bases de la posterior relación entre la Iglesia y el Estado.

Su posición en el calendario no podría estar mejor elegida. Acabando un ciclo y empezando el nuevo, San Silvestre cierra las puertas de una época trágica pero brillante para la Iglesia, y entra en la maravillosa pero también terrible historia del cristianismo en la Edad Media.

Indice

Índice de Ilustraciones